Angélique et son amour

ANNE ET SERGE GOLON

Angélique, marquise des Anges	*J'ai lu* 2488/7
Le chemin de Versailles	*J'ai lu* 2489/7
Angélique et le Roy	*J'ai lu* 2490/7
Indomptable Angélique	*J'ai lu* 2491/7
Angélique se révolte	*J'ai lu* 2492/7
Angélique et son amour	*J'ai lu* 2493/7
Angélique et le Nouveau Monde	*J'ai lu* 2494/7
La tentation d'Angélique	*J'ai lu* 2495/7
Angélique et la Démone	*J'ai lu* 2496/7
Angélique et le complot des ombres	*J'ai lu* 2497/5
Angélique à Québec - 1	*J'ai lu* 2498/5
Angélique à Québec - 2	*J'ai lu* 2499/5
Angélique, la route de l'espoir	*J'ai lu* 2500/7
La victoire d'Angélique	*J'ai lu* 2501/7

Anne et Serge Golon

Angélique et son amour

Éditions J'ai lu

A précédemment paru sous les nos 677 et 678

LE VOYAGE

1

Ce fut la sensation d'être observée par un regard invisible qui ramena Angélique à la réalité. Elle sursauta et chercha vivement autour d'elle celui qui l'avait fait porter ainsi dans les appartements du château-arrière, au luxe oriental. Elle était persuadée qu'il devait être là mais elle ne le vit pas.

Elle se trouvait dans ce même salon où, la nuit précédente, l'avait reçue le Rescator. La rapidité des événements, leur dramatique déroulement, la paix présente et l'étrangeté du décor nouveau, donnaient à l'instant un goût de songe. Angélique aurait douté d'être bien éveillée sans la présence d'Honorine qui commençait à s'agiter et à s'étirer comme un petit chat.

Dans l'ombre envahissante luisait l'or de meubles et de bibelots dont elle devinait mal les contours. Le parfum qu'elle n'avait pas reconnu sans émoi, et qui semblait particulier au Rescator, rôdait autour d'elle. Il avait dû garder de la Méditerranée ce raffinement, comme il avait gardé l'habitude du café, des tapis et des divans aux coussins soyeux.

Un coup de vent froid pénétra par la fenêtre apportant l'humidité des embruns. Angélique eut froid. Elle s'aperçut alors que son corsage était entrouvert sur sa poitrine nue et ce détail la troubla. Quelle main l'avait dégrafé? Qui s'était penché sur elle alors qu'elle gisait dans l'inconscience? Quel regard d'homme avait scruté sa pâleur, peut-être avec inquiétude, l'immobilité de ses traits, ses paupières closes et meurtries par la fatigue?

Puis il s'était aperçu qu'elle dormait seulement, terrassée, à bout de forces et il s'était éloigné, après avoir délacé son corsage afin qu'elle pût respirer plus à l'aise.

Ce geste, qui n'était peut-être qu'une simple attention, mais qui trahissait aussi l'homme familier des femmes et habitué à les traiter toutes, quelles qu'elles fussent, avec une aimable désinvolture, fit soudain rougir Angélique et elle se redressa en rajustant ses vêtements avec une vivacité farouche.

Pourquoi l'avait-il amenée ici, chez lui, et non pas parmi ses compagnons? La considérait-il alors comme son esclave, sa captive, à la disposition de ses caprices, malgré le dédain dont il faisait montre?...

— Y a-t-il quelqu'un? demanda-t-elle à haute voix. Etes-vous là, monseigneur?

Rien ne lui répondit que le halètement de la mer et le clapotement des vagues. Mais Honorine s'éveilla tout à fait et s'assit en bâillant. Angélique se pencha vers elle et la prit dans ses bras avec ce geste enveloppant et jaloux qu'elle avait eu tant de fois pour la préserver des dangers qui menaçaient sa frêle existence.

— Viens, petit cœur, chuchota-t-elle, et ne crains plus rien. Nous sommes sur la mer!

Elle se dirigea vers la porte vitrée et s'étonna de

la voir s'ouvrir sans peine. Elle n'était donc pas prisonnière...

Au-dehors, il faisait encore clair. On distinguait des matelots allant et venant sur le pont, tandis que s'allumaient les premières lanternes. La houle était douce et une sorte de paix émanait du navire-pirate, seul sur l'océan désert, comme si, quelques heures auparavant, il n'avait pas eu à affronter maintes fois sa propre perte. On ne goûte bien la vie que lorsque la mort vous a paru proche et certaine.

Quelqu'un qui était accroupi contre la porte se leva et Angélique vit se dresser près d'elle le gigantesque Maure qui, la nuit dernière, leur avait préparé le café. Il conservait le capuchon de laine blanche des Marocains et portait un mousquet à crosse d'argent ciselé, tel qu'elle en avait vu aux gardes de Moulay Ismaël.

— Où a-t-on logé mes compagnons? demanda-t-elle.

— Viens, répondit-il, le maître m'a dit de te conduire quand tu t'éveillerais.

Comme tous les navires, qu'ils fussent de fret ou de course, le *Gouldsboro* n'était pas construit pour recevoir des passagers. L'espace réservé à l'équipage, sous le gaillard d'avant, était certes suffisant mais sans plus. On avait donc logé les émigrants dans une partie de l'entrepont réservée à la batterie camouflée du navire-pirate. Après avoir descendu une courte échelle, Angélique se retrouva parmi ses amis qui commençaient à s'installer tant bien que mal parmi les canons. A tout prendre, les affûts des grosses pièces de bronze, recouvertes de toiles, pouvaient servir de support pour déposer leurs maigres bagages.

La clarté du jour traînait encore sur le pont,

mais ici, plus bas, il faisait déjà sombre avec à peine une lueur rosâtre venant d'un sabord ouvert.

Angélique, dès son entrée, fut assaillie par l'élan fougueux des enfants et de ses amis.

— Dame Angélique! On vous croyait morte... noyée...

Presque aussitôt les récriminations éclatèrent :

— Nous n'y voyons rien... On nous a verrouillés comme des prisonniers... Les enfants ont soif...

Dans la semi-obscurité, Angélique les reconnaissait seulement à leurs voix. Celle d'Abigaël domina.

— Il faudrait des soins pour maître Berne. Il est gravement blessé.

— Où est-il? demanda Angélique, se reprochant de l'avoir oublié.

On la guida vers l'endroit où le marchand était étendu, sous le sabord ouvert.

— Nous pensions que l'air frais lui ferait du bien, mais il ne revient pas à lui.

Angélique s'agenouilla près du blessé. Grâce à cette clarté rose du couchant qui éclairait encore la cale sombre, elle pouvait distinguer ses traits et elle fut effrayée de sa pâleur et de l'expression figée de souffrance qu'il conservait, même dans l'inconscience. Sa respiration était lente et pénible.

« Il a été frappé en me protégeant », se dit-elle.

Il y avait quelque chose d'émouvant à le voir là, dépouillé à la fois de sa force et de sa respectabilité de gros marchand de La Rochelle, avec ses fortes épaules mises à nu, son torse massif ombré de poils comme celui d'un simple débardeur. Un homme gisant, faible dans le sommeil et la douleur, comme le sont tous les hommes.

Ses compagnons, dans leur impuissance, avaient découpé sa redingote noire imbibée de sang, sa chemise dont ils avaient fait des tampons sur les plaies. A cause de cette apparence inusitée, Angélique aurait pu ne pas le reconnaître. La différence qui existe entre un paisible négociant huguenot, assis à son écritoire devant son livre de comptes, dans le décor de ses magasins bien garnis, et le même homme nu et désarmé, lui apparut aussi profonde qu'un abîme. Dans son étonnement, une pensée saugrenue, et qu'elle jugea inconvenante, traversa son esprit : « Il aurait pu être mon amant... »

Il lui paraissait soudain très proche, lui appartenant un peu, et son inquiétude redoubla tandis qu'elle posait doucement la main sur lui.

— N'a-t-il pas bougé ou parlé, depuis qu'on l'a porté là?

— Non. Pourtant ses blessures ne nous paraissaient pas graves. Un coup de sabre qui a entamé les chairs de l'épaule et du sein gauche. Les plaies saignent peu.

— Il faut faire quelque chose.

— Mais que faire? protesta derechef la voix acide du médecin Albert Parry, je n'ai rien à ma disposition, ni purgatif, ni clystère, ni apothicaire à proximité pour y envoyer chercher des plantes.

— Vous auriez pu au moins emporter en voyage votre propre trousse, maître Parry, dit Abigaël, avec une véhémence qu'on ne lui connaissait pas. Ce n'était pas si encombrant.

— Co... comment, suffoqua l'homme de l'art, me reprocher d'avoir laissé mes instruments, alors qu'on m'a tiré du lit sans explications et poussé jusqu'à ce navire, quasiment en chemise et bonnet de nuit, sans que j'aie eu le temps même de me frotter les yeux. Et puis d'ailleurs, dans le cas de Berne, je ne peux pas grand-chose. Je ne suis pas chirurgien après tout.

Laurier supplia, cramponné à Angélique.

— Est-ce que mon père va mourir?

De partout des mains la serraient, qui étaient peut-être celles de Séverine ou d'Honorine ou de

Martial, ou d'autres mères, anxieuses devant leur dénuement.

— Les enfants ont soif, répétait Mme Carrère comme un leitmotiv.

Heureusement, ils n'avaient pas trop faim, le boulanger ayant généreusement distribué sa provision de pain et de brioches, qu'à la différence du docteur il avait eu le sang-froid d'emporter, et que sa course sur la lande ne lui avait pas fait lâcher.

— Si ces forbans ne nous apportent pas de la lumière, je défonce la porte, clama soudain Manigault, debout, quelque part dans l'obscurité.

Comme s'ils n'avaient attendu que cette voix tonitruante pour se manifester, des matelots parurent dans l'éclat de trois grosses lanternes qu'ils allèrent attacher aux deux extrémités et au milieu de la batterie, puis ils revinrent sur le seuil reprendre et transporter un baquet d'où montait une odeur appétissante et un seau rempli de lait.

C'étaient les deux hommes d'origine maltaise qui avaient déjà servi d'escorteurs à Angélique. Malgré l'aspect assez sauvage que leur teint olivâtre et leurs yeux de braise pouvaient leur conférer, elle avait compris que c'étaient de braves gens... dans la mesure où n'importe quel membre d'un équipage de pirates pouvait appartenir à une telle catégorie. Ils montrèrent le baquet de soupe aux passagers d'un air fort engageant.

— Et comment voulez-vous que nous la mangions?... cria Mme Manigault d'une voix aiguë, nous prenez-vous pour des pourceaux à laper tous notre pâtée dans la même auge?... Nous ne possédons même pas une assiette!...

Elle éclata en sanglots hystériques, tandis qu'elle pensait à ses belles faïences brisées dans le sable des dunes.

— Ah! tout ça ne fait rien, dit Mme Carrère, bonne femme, on se débrouillera!

Mais elle était elle-même très dépourvue n'ayant à offrir qu'une unique tasse, fourrée par miracle au dernier moment dans son maigre baluchon. Angélique expliqua de son mieux la situation aux matelots en se servant du sabir méditerranéen dont elle se rappelait des bribes. Ils se grattèrent la tête avec embarras. Cette question d'écuelles et d'ustensiles allait poser un problème épineux à l'équipage. Ils partirent en disant toutefois qu'on allait s'arranger.

Massés autour du baquet, les passagers épiloguèrent longuement sur son contenu.

— Du ragoût avec des légumes...

— De la nourriture fraîche, en tout cas.

— Nous n'en sommes donc pas encore au biscuit et à la viande salée, si habituels en mer.

— C'est qu'ils ont dû piller tout cela à terre. J'ai entendu grogner des porcs et bêler une chèvre dans la cale au-dessous de nous.

— Non. Ils nous les ont achetées, les bêtes, leur prix de bons écus sonnants et trébuchants. On a fait de bonnes affaires avec eux.

— Qui parle ainsi? demanda Manigault lorsque cette dernière explication, donnée en patois charentais, parvint à son entendement.

A la lueur nouvelle des lanternes, il découvrit des figures inconnues : deux maigres paysans aux longs cheveux et leurs femmes auxquelles s'accrochaient une demi-douzaine de rejetons dépenaillés.

— Mais d'où sortez-vous, vous autres?

— Nous sommes des Huguenots du hameau de Saint-Maurice.

— Et qu'est-ce que vous f... ici?

— Ben dame! quand tout l'monde a couru vers la falaise, nous on a couru aussi. Et pis après on s'est dit : puisque tout le monde embarque, embarquons. Croyez-vous qu'on avait envie de tomber entre les mains des dragons du Roi? Probable qu'ils auraient passé leur mauvaise humeur sur nous... Surtout quand ils se seraient aperçus qu'on avait eu commerce avec les pirates. Et qu'est-ce qu'on laissait derrière nous au fond? Pas grand-chose, puisqu'on leur avait vendu notre dernière chèvre et nos derniers porcs... Alors?

— Nous étions bien assez nombreux comme cela, dit Manigault furieux. Encore des bouches inutiles à nourrir.

— Pour l'instant, mon cher monsieur, dit Angélique, je vous ferai remarquer que ce n'est pas à vous que ce souci incombe et, même, indirectement, que c'est bien à ces paysans que vous devez votre soupe du soir puisque c'est sans doute les morceaux d'un de leurs porcs qui ont servi à sa confection.

— Mais quand nous serons aux Iles...

Le pasteur Beaucaire intervint :

— Des paysans qui savent retourner la terre et s'occuper des bêtes ne sont jamais à charge dans une colonie d'émigrants. Mes frères, soyez les bienvenus parmi nous.

L'incident fut clos et le cercle s'ouvrit pour faire place aux pauvres gens.

Pour chacun, cette première soirée sur un navire inconnu, qui les emmenait vers leur destinée, avait quelque chose d'irréel. Hier encore, ils s'endormaient dans leur demeure, riche pour les uns, misérable pour les autres. L'angoisse de leur sort faisait alors trêve car les projets de départ les avaient apaisés. Le sacrifice consenti, ils mettraient tout en œuvre pour qu'il fût accompli avec le maximum de sécurité et de confort. Et voici, maintenant, qu'ils se retrouvaient ballottés dans la nuit de l'océan, coupés de toutes leurs attaches, presque anonymes comme les âmes des damnés dans la barque de Caron. Cette comparaison venait à l'esprit des hommes, car ils étaient pour la plupart fort lettrés et c'est pourquoi ils regardaient d'un air lugubre la soupe clapoter doucement dans le baquet, aux mouvements du roulis.

Les femmes avaient autre chose à faire que de s'attarder aux réminiscences du poème de Dante. En l'absence d'écuelles individuelles, elles se repassaient l'unique tasse de Mme Carrère et faisaient boire le lait aux enfants à tour de rôle. L'opération n'allait pas sans mal, à cause du balancement du navire qui s'accentuait avec la nuit venue. Les enfants riaient de se voir éclaboussés mais les mères grondaient. Elles n'avaient guère de vêtements de rechange et où pourrait-on faire des lessives sur ce bateau? Chaque instant apportait son cortège de renoncements et de douleurs. Au cœur des ménagères saignait le regret de leurs belles provisions de cendre et de pains de savons dans les buanderies abandonnées, de leurs brosses de toutes tailles — comment laver sans brosse? — La boulangère se dérida en se souvenant qu'elle avait emporté la sienne. Elle promena un regard triomphant sur ses voisines déprimées.

Angélique était retournée s'agenouiller près de maître Gabriel. Un regard l'avait rassurée sur le sort d'Honorine qui avait trouvé le moyen de se faire servir l'une des premières en lait et qui maintenant pêchait subrepticement quelques morceaux de viande dans la soupe. Honorine saurait toujours se défendre!...

L'état du marchand dominait les soucis d'Angélique. A son anxiété s'ajoutaient le remords et la reconnaissance.

« Sans lui, c'est moi qui aurais reçu ce coup de sabre, ou Honorine... »

L'immobilité du visage de Gabriel Berne et sa

longue inconscience ne lui paraissaient pas normales. Maintenant qu'on avait apporté de la lumière, elle voyait bien que son teint était cireux.

Lorsque les deux hommes d'équipage revinrent avec une dizaine de bols qu'on se distribua, elle vint en tirer un par la manche et l'amena devant le blessé, en lui faisant comprendre qu'ils n'avaient rien pour le soigner. Il parut assez indifférent, haussant les épaules et leva les yeux en disant : Madona! Il y avait eu aussi des blessés parmi les matelots et comme sur tout navire-pirate on ne devait guère les soigner qu'avec les deux remèdes miracles : le rhum et la poudre à fusil pour désinfecter ou brûler les plaies. Plus des prières à la Vierge, comme il paraissait le recommander.

Angélique soupira. Que pouvait-elle faire? Elle se remémorait toutes les recettes que sa vie de maîtresse de maison et de mère de famille lui avait enseignées et, même, celles de la sorcière qu'elle avait appliquées aux blessés dans les bois, lors de la révolte du Poitou. Mais elle n'avait rien, vraiment rien de tout cela sous la main. Les petits sachets d'herbes médicinales étaient dans le fond de son bahut à La Rochelle et n'avaient guère effleuré sa pensée à l'heure du départ.

— J'aurais dû pourtant m'en préoccuper, se gourmanda-t-elle. Ce n'était pas grand-chose que de les glisser dans mes poches.

Il lui parut qu'un frémissement imperceptible avait crispé les traits de Gabriel Berne et elle se pencha plus attentivement. Il avait bougé, ses lèvres closes et serrées s'entrouvraient, cherchant son souffle. Il avait l'air de souffrir et elle ne pouvait rien pour lui.

« S'il allait mourir », se dit-elle.

Elle éprouva un grand froid en elle.

Le voyage commencerait-il sous un signe de malédiction? Par sa faute, les enfants qu'elle aimait perdraient-ils leur seul soutien? Et elle-même? Elle était habituée à le savoir là, à s'appuyer sur lui. Au moment où se brisaient à nouveau toutes sortes de liens, elle ne voulait pas qu'il s'en aille. Pas lui! C'était un ami sûr car elle savait qu'il l'aimait.

Elle posa la main sur la poitrine robuste, mais mouillée d'une mauvaise sueur. Par ce contact, elle cherchait éperdument à le ramener à la vie, à lui communiquer sa propre force, qu'elle avait puisée tout à l'heure en se découvrant libre sur la mer.

Il tressaillit. La douceur inhabituelle de cette main féminine sur sa chair devait pénétrer son inconscience.

Il remua et ses paupières s'ouvrirent vaguement. Angélique guettait avidement ce premier regard. Serait-ce celui d'un agonisant ou celui d'un homme qui revient à la vie?

Elle fut rassurée. Déjà, les yeux ouverts, maître Gabriel quittait son apparente faiblesse et ce qu'il y avait de bouleversant dans le spectacle de cet homme vigoureux, abattu, s'estompait. Malgré les brumes de son long coma, le regard conservait son expression profonde et avisée. Il erra un instant sur la voûte basse et mal éclairée de l'entrepont, puis se fixa sur le visage d'Angélique, tout proche du sien.

Alors, elle vit bien que le blessé n'avait pas encore retrouvé sa maîtrise, car jamais elle ne lui avait connu cette expression dévorante et extasiée, même ce jour tragique où, après avoir étranglé les sbires de la police, il l'avait prise dans ses bras.

D'un seul coup, il lui avouait ce qu'il ne s'était peut-être jamais avoué à lui-même. La soif de tout son être pour elle! Enfermé dans sa dure carapace de morale, de sagesse, de méfiance, la source violente d'un tel amour ne pouvait se faire jour qu'en un moment semblable, alors qu'il était affaibli, indifférent au monde extérieur.

— Dame Angélique, souffla-t-il.

— Je suis là.

« Heureusement, songea-t-elle, les autres sont occupés ailleurs. Ils n'ont rien vu. »

Sauf, peut-être Abigaël, agenouillée elle aussi, un peu en retrait, et qui priait.

Gabriel Berne eut un mouvement vers Angélique. Aussitôt il gémit et ses paupières se fermèrent à nouveau.

— Il a bougé, murmura Abigaël.

— Il a même ouvert les yeux.

— Oui, j'ai vu.

Les lèvres du marchand remuèrent péniblement.

— Dame Angélique... Où... sommes-nous?

— En mer... Vous avez été blessé...

Quand il fermait les yeux, il ne l'intimidait plus. Elle se sentait seulement responsable de lui comme lorsqu'elle lui portait le soir, à La Rochelle, quand il s'attardait devant ses registres, une tasse de bouillon ou de vin chaud en lui prédisant qu'il allait se miner la santé par manque de sommeil.

Elle caressa le front large. Elle avait eu souvent envie de faire ce geste, à La Rochelle, quand elle le voyait soucieux et accablé d'inquiétudes, qu'il dissimulait sous son air serein. Geste maternel, geste d'amie. Aujourd'hui, elle pouvait se le permettre.

— Je suis là, mon cher ami... Ne bougez pas.

Sous ses doigts, elle sentait la chevelure agglutinée et elle retira sa main poissée de sang. Ah! il avait donc été aussi blessé à la tête! Cette blessure et, surtout, le coup pouvaient expliquer l'évanouissement prolongé. Maintenant il fallait le soigner énergiquement, le réchauffer, le panser et il s'en tirerait à coup sûr. Elle avait vu tant de blessés, qu'elle pouvait faire son diagnostic.

Elle se redressa et s'aperçut alors du silence étrange qui régnait dans la cale. Les discussions autour du baquet de soupe avaient cessé et, même les enfants se taisaient. Elle leva les yeux et distingua, avec un choc au cœur, le Rescator debout, aux pieds du blessé. Depuis combien d'instants était-il là? Partout où le Rescator paraissait, il commençait par inspirer le silence. Silence hostile ou simplement méfiant que provoquait la vue du masque noir hermétique.

Une fois de plus, Angélique pensa, en effet, qu'il était vraiment un être à part. Elle n'expliquait pas autrement le trouble et l'espèce de peur qu'elle-même ressentait à le découvrir là. Elle ne l'avait pas entendu venir et les autres non plus, sans doute, car dans la lumière des lanternes, les visages des Protestants révélaient une sorte de stupeur inquiète tandis qu'ils examinaient le maître du navire parmi eux, comme l'apparition du diable. Apparition d'autant plus troublante que le Rescator était accompagné d'un personnage bizarre, un long et maigre individu, vêtu d'une robe blanche sous un manteau long et brodé. Son visage buriné, comme par le couteau d'un tailleur de bois, était tout en ossature qu'on aurait dite couverte d'un vieux cuir sombre, avec un nez immense, sur lequel miroitaient les carreaux de grosses besicles à monture d'écaille.

Au terme d'une journée fertile en émotions, sa vue confinait au cauchemar. Et celle du Rescator, dans le clair-obscur des lanternes, ne rassurait pas plus.

— Je vous ai amené mon médecin arabe, dit le Rescator de sa voix sourde.

Il s'adressait peut-être à Manigault qui s'était

avancé. Mais Angélique eut l'impression qu'il ne s'adressait qu'à elle.

— Je vous remercie, répondit-elle.

Albert Parry grommela.

— Un médecin arabe! Il ne manquait plus que ça...

— Vous pouvez lui faire confiance, protesta Angélique, choquée, la science des médecins arabes est la plus ancienne et la plus complète du monde.

— Je vous remercie, madame, répondit le vieil homme non sans une imperceptible ironie à l'adresse de son collègue rochelais. Il parlait un français très pur.

Il s'agenouilla et de ses mains habiles et légères — des bâtonnets de buis qui semblaient à peine effleurer les choses — il examina les blessures de son patient. Celui-ci s'agitait. Brusquement, alors qu'on s'y attendait le moins, maître Berne s'assit sur son séant et dit d'une voix furieuse.

— Qu'on me laisse en paix! Je n'ai jamais été malade et je n'ai pas l'intention de commencer aujourd'hui.

— Vous n'êtes pas malade, vous êtes blessé, dit Angélique patiemment.

Avec douceur elle mit un bras autour de ses épaules afin de le soutenir.

Le médecin s'adressait en arabe au Rescator. Les blessures, disait-il, quoique profondes n'étaient pas graves. Seul le choc du sabre sur la boîte crânienne méritait une plus longue observation. Apparemment, puisque le blessé avait repris conscience, ce choc n'aurait d'autre suite qu'une fatigue de quelques jours.

Angélique se pencha vers maître Gabriel pour lui traduire la bonne nouvelle.

— Il dit que, si vous vous tenez tranquille, vous serez bientôt sur pied.

Le marchand ouvrit un œil soupçonneux.

— Vous comprenez l'arabe, dame Angélique?

— Certes, dame Angélique comprend l'arabe, répondit le Rescator. Ignoriez-vous, monsieur, qu'elle fut en son temps une des plus célèbres captives de la Méditerranée?

Cette explication désinvolte donna à Angélique l'impression d'un coup lâchement frappé. Elle ne réagit pas sur-le-champ parce que cela lui parut tellement odieux qu'elle ne fut pas sûre d'avoir bien entendu.

Elle ramena sur maître Gabriel son propre manteau, n'ayant d'autres couvertures à lui offrir.

— Le médecin va vous faire porter des médicaments qui apaiseront vos souffrances. Vous pourrez dormir.

Elle parlait d'une voix calme, mais frémissait intérieurement de colère.

Le Rescator était de grande taille. Il dominait l'ensemble du groupe qui se pressait autour de lui, dans un silence médusé. Lorsqu'il tourna vers eux sa face noire, bardée de cuir, les Protestants eurent un mouvement de recul. Il dédaigna les hommes et chercha du regard les coiffes et les bonnets blancs des femmes.

Alors, ôtant le feutre à plumes qu'il portait sur un foulard de satin noir, il les salua avec beaucoup de grâce.

— Mesdames, je profite de l'occasion pour vous souhaiter la bienvenue sur mon navire. Je regrette de ne pouvoir mettre à votre disposition plus de confort. Hélas, vous n'étiez pas attendues. J'espère cependant que cette traversée ne sera pas pour vous d'un trop grand désagrément. Sur ce, je vous souhaite une bonne nuit, mesdames.

Même Sarah Manigault qui avait l'habitude de recevoir le voisinage de La Rochelle dans ses salons, fut incapable de répondre le moindre mot à ces paroles du monde. L'apparence de celui qui les prononçait, le timbre inusité de la voix qui leur donnait on ne sait quel sens de moquerie et de menace, pétrifiaient toutes les femmes. Elles le regardaient avec une sorte d'horreur. Et lorsque le Rescator, après avoir adressé encore un ou deux saluts à la ronde, passa entre elles pour se diriger vers la porte, suivi de la silhouette fantôme du vieux médecin arabe, un enfant hurla de frayeur en se jetant dans les jupes de sa mère.

C'est alors que la timide Abigaël, rassemblant tout son courage, osa parler. Elle dit d'une voix étranglée :

— Merci de vos souhaits, monseigneur, et merci plus encore de nous avoir sauvé la vie en ce jour dont nous ne manquerons pas désormais de bénir l'anniversaire.

Le Rescator fit demi-tour. La pénombre qui l'avait déjà englouti restitua son personnage ténébreux et insolite. Il marcha vers Abigaël qui pâlit, et l'ayant considérée, il posa la main sur sa joue pour tourner son visage d'un mouvement doux mais inflexible vers la lumière.

Il souriait. Dans la lueur crue de la lanterne proche, il examinait ce pur visage de madone flamande, ces grands yeux pâles et sages, dilatés encore par l'étonnement et l'incertitude. Il dit enfin :

— La race des Iles d'Amérique va se trouver fort bien d'un tel apport de belles filles. Mais le Nouveau-Monde saura-t-il apprécier les richesses de sentiment que vous lui apportez, ma mie? Je l'espère. En attendant, dormez en paix et cessez de vous torturer le cœur pour ce blessé qui est là...

D'un geste un peu méprisant, il désignait maître Gabriel.

— ... Je vous garantis qu'il n'est pas en danger et que vous n'aurez pas la douleur de le perdre.

La porte de l'entrepont s'était déjà refermée sur le souffle amer du vent, que les témoins de cette scène n'arrivaient pas à se remettre.

— M'est avis, dit l'horloger d'une voix lugubre, que ce pirate-là, c'est Satan en personne.

— Comment avez-vous eu l'audace de lui adresser la parole, Abigaël? fit le pasteur Beaucaire suffoqué. Susciter l'attention d'un homme de cette espèce est dangereux, ma fille!

— Et cette allusion qu'il a faite sur la race des Iles qui bénéficierait de... quelle indécence! protesta le papetier Mercelot en regardant sa fille Berthe avec l'espoir qu'elle n'avait pas compris.

Abigaël tenait à deux mains ses joues en feu. De sa longue vie de fille vertueuse et qui ne se savait pas belle, aucun homme n'avait eu pour elle un geste aussi osé.

— Il me... Il m'a semblé que nous devions le remercier, balbutia-t-elle... Quel qu'il soit, il a quand même risqué son bateau, sa vie, son équipage... pour nous...

Ses yeux égarés allaient du fond obscur de la batterie par où avait disparu le Rescator à maître Berne étendu.

— Mais pourquoi a-t-il dit cela? s'écria-t-elle, pourquoi a-t-il dit cela?...

Elle plongea son visage dans ses mains et éclata en sanglots hystériques. Aveuglée, titubante, elle écarta ceux qui faisaient cercle autour d'elle pour aller se jeter dans un coin contre l'affût d'un canon et y pleurer désespérément, à bout de nerfs.

Cet écroulement de la sereine Abigaël fut le signal, parmi les femmes, d'un moment de dépression. Leur chagrin longtemps contenu éclata. Les terreurs éprouvées au moment de leur fuite et de l'embarquement les avaient profondément secouées. Comme il est fréquent en ces cas-là, le danger passé, cris et larmes les soulageaient. La jeune femme enceinte se cognait la tête contre un des bat-flanc, en répétant :

— Je veux retourner à La Rochelle... Mon enfant va mourir...

Son mari ne savait comment l'apaiser. Manigault prit la situation en main, à la fois énergique et débonnaire.

— Allons, femmes, un peu de retenue... Satan ou pas, cet homme a raison : nous sommes las et il nous faut dormir... Cessez de crier. Je vous préviens que celle qui se taira la dernière recevra un baquet d'eau de mer à la figure.

Le calme revint subitement, général.

— Et maintenant prions, dit le pasteur Beaucaire car, faibles mortels, nous n'avons jusqu'ici songé qu'à nous lamenter, non à remercier le Seigneur de nous avoir sauvés.

2

Angélique avait profité du désarroi général pour se glisser au-dehors. Ayant gravi la petite échelle, elle s'arrêta, cramponnée à une balustrade proche. Le froid de la nuit, imprégné d'humidité salée, la pénétrait, mais elle n'en avait cure. L'indignation et la rage suffisaient à la réchauffer.

Les lanternes accrochées aux mâts et aux rambardes dissipaient mal l'obscurité profonde. Mais derrière l'obstacle représenté par la base du grand mât, elle pouvait distinguer les vitraux rouges de l'appartement du Rescator. C'est dans cette direction qu'elle s'avança et, d'un pas assuré, car elle retrouvait d'instinct l'habitude acquise en Méditerranée de traverser le pont mouvant d'un navire.

En chemin, elle se heurta à quelqu'un et elle faillit crier d'épouvante en sentant comme une serre brûlante se refermer sur son poignet. Au contact, elle réalisa que c'était une main d'homme et comme elle s'évertuait à la desserrer, le diamant d'une bague l'écorcha.

— Où courez-vous ainsi, dame Angélique? demanda la voix du Rescator, et pourquoi vous débattez-vous de la sorte?

C'était exaspérant de devoir toujours s'adresser à un masque. Il jouait de sa face de cuir comme un démon. Elle n'avait pu le distinguer dans ces ténèbres et, lorsqu'elle levait le visage vers sa voix, c'était comme si elle s'adressait à la nuit.

— Où vous rendiez-vous? Aurais-je l'insigne chance d'apprendre que c'était vers la dunette, pour m'y demander.

— Parfaitement! éclata-t-elle. Car je voulais vous avertir que je n'admettrai pas vos allusions à mon passé devant mes compagnons. Je vous interdis, entendez-vous, je vous interdis de leur apprendre que j'ai été esclave en Méditerranée et que vous m'avez achetée à Candie, ou que j'ai fait partie du harem de Moulay Ismaël, ni rien de ce qui me concerne. Comment avez-vous osé leur déclarer cela? C'était manquer de la plus élémentaire courtoisie envers une femme.

— Il y a des femmes qui inspirent la courtoisie, d'autres non.

— Je vous défends de m'insulter par surcroît. Vous êtes un homme grossier, sans galanterie... Un vulgaire pirate.

Elle jetait cette dernière injure en y rassemblant tout ce qu'elle pouvait de mépris. Elle avait renoncé à se dégager car, maintenant, il lui tenait les deux poignets. Les mains du Rescator étaient chaudes comme celles d'un homme bien portant et accoutumé à affronter les intempéries et les climats les plus divers et cette chaleur rayonnait en elle, qui frissonnait de malaise et d'exaspération.

Après l'avoir irritée, le contact de ces mains lui était bienfaisant. Mais elle n'était pas en état de le reconnaître. Pour l'instant, le Rescator lui semblait un être haïssable et elle avait envie de l'exterminer.

— Vous n'admettrez pas... vous m'interdisez... répéta-t-il. Ma parole, vous perdez la tête, petite mégère! Oubliez-vous que je suis le seul maître à bord et que je peux vous faire pendre, vous jeter à la mer ou vous donner en jouet à mon équipage, si je le juge bon.

» C'est sans doute sur ce ton que vous parliez à mon bon ami d'Escrainville? La façon dont il vous a dressée ne vous a-t-elle pas guérie de votre manie de tenir tête aux pirates?

En l'écoutant évoquer d'Escrainville, des images lui revenaient. Depuis la veille, elle vivait écartelée entre ses aventures passées, son âme présente. C'était sur ce navire, en présence de cet homme, le Rescator, qu'elle allait se trouver au confluent de toutes ses existences.

« Ah! qu'il me lâche donc, supplia-t-elle en elle-même, sinon que deviendrai-je, son esclave, sa chose... Il me prend ma force. Pourquoi? »

— Vous croyez-vous encore à la cour du Roi-Soleil, madame du Plessis-Bellière? demanda le Rescator à voix basse, pour vous montrer si arrogante? Prenez garde, vous n'avez plus derrière vous la protection de votre royal amant...

Elle céda soudain avec cette souplesse, non dénuée de coquetterie, mais aussi de franchise, qui avait souvent apaisé des fureurs plus dangereuses, éveillées contre elle.

— Monseigneur le Rescator, pardonnez mes paroles inconsidérées. Je suis folle. Il est vrai que je n'ai plus derrière moi que l'estime de mes compagnons. Quel avantage gagneriez-vous à me séparer de mes derniers amis?...

— Votre passé vous cause-t-il si grande honte que vous trembliez ainsi à la pensée qu'ils le connaissent?

Elle répondit et les paroles franchissaient ses lèvres sans qu'elle en eût conscience.

— Quand on arrive au mi-temps de sa vie et que l'on a beaucoup vécu, quel être humain digne de ce nom n'a, dans ses souvenirs, quelques hontes à cacher?

— Voici qu'après la colère, vous revenez à la pure philosophie.

« Voici, songea-t-elle, qu'à nouveau je redeviens étrangement proche de cet homme. Pourquoi? »

— Il faut que vous compreniez, reprit-elle comme si elle parlait à un ami, que la mentalité de ces Huguenots est très éloignée de la nôtre. Ils sont différents de gens comme vous ou de ceux qui composent votre équipage. Vous avez affreusement choqué cette pauvre Abigaël en lui parlant avec une pareille familiarité et s'ils découvraient que j'ai pu adopter, serait-ce malgré moi, un mode de vie aussi scandaleux...

Tout à coup, il arrivait ce qu'inconsciemment elle souhaitait depuis un moment.

Il l'attirait contre lui et la serrait à la briser. La tenant ainsi, il lui fit faire quelques pas et elle se trouva contre la rambarde du navire. Un mouvement du roulis lui envoya en plein visage l'éclaboussement d'une vague. Elle apercevait au-dessous d'elle le pâle échevellement de l'écume. Une lueur assourdie, celle de la lune, cachée par une couche épaisse de nuages, mais qui, par instants, filtrait à travers eux, posait sur la mer un reflet d'argent terni.

— Vraiment? dit le Rescator. Il y a tant de différences entre ces Huguenots et mes hommes d'équipage? Entre cet honorable pasteur à cheveux blancs que j'ai entr'aperçu et moi-même, cruel pirate de toutes les mers du monde?... Entre la sage et pudique Abigaël et une abominable pécheresse de votre acabit?... Tant de différences?... Quelles différences, ma chère?... Regardez donc autour de nous...

Un nouvel éclatement d'embruns contre la coque du navire vint mouiller le visage d'Angélique et, effrayée par le gouffre obscur sur lequel il la forçait à se pencher, elle se cramponna d'une main nerveuse à son pourpoint de velours.

— Non, fit-il, nous ne sommes pas différents. Nous ne sommes que quelques humains, tous embarqués sur le même navire, au sein de l'océan!

Ces lèvres qui lui parlaient lui semblaient dangereusement proches des siennes. Tant qu'il ne l'avait pas touchée, elle pouvait encore lui tenir tête. Mais maintenant elle s'affolait de se sentir à sa merci. Elle ne savait plus quel nom donner au singulier trouble qui la ravageait. Il y a trop longtemps qu'elle ne l'avait éprouvé. Elle se disait : peur, et c'était, désir. La pensée qu'il usait d'un pouvoir magique pour l'asservir et l'entraîner dans une situation impossible la fit se raidir. « Si nous en sommes là ce soir, pensa-t-elle, nous deviendrons tous fous et nous nous entre-tuerons tous avant la fin du voyage. »

Et elle se détourna si bien que les lèvres du pirate effleurèrent à peine sa tempe. Elle sentit seulement le choc dur de son masque de cuir, et s'arrachant à cette étreinte oppressante, elle s'éloigna de lui, cherchant à tâtons un appui.

Elle entendit encore sa voix ironique.

— Pourquoi fuyez-vous? J'avais seulement l'intention de vous inviter à souper. Vous pourrez vous délecter si vous êtes gourmande car j'ai un excellent cuisinier.

— Comment osez-vous me proposer cela? fit-elle indignée. A vous écouter, on se croirait aux environs du Palais-Royal! Je dois partager le sort de mes amis. Et maître Berne est blessé.

— Maître Berne? Ce blessé sur lequel vous vous penchiez avec une si tendre préoccupation?...

— C'est mon ami le meilleur. Ce qu'il a fait pour moi et pour mon enfant...

— Eh bien, à votre guise, je veux bien accepter retard sur paiement de vos dettes, mais vous avez tort de préférer votre entrepont humide à mon appartement car vous me semblez d'un naturel frileux. A propos, qu'avez-vous fait encore du manteau que vous m'aviez emprunté la nuit dernière?

— Je ne sais plus, dit Angélique se sentant prise en faute.

Elle passa la main sur son front, cherchant à se rappeler. Elle avait dû l'oublier lorsqu'elle s'était enveloppée d'un autre capuchon que lui avait préparé Abigaël...

— ... Je... je crois que je l'ai laissé à la maison, dit-elle.

Et, soudain, la maison de La Rochelle lui apparut avec son âtre éteint.

Elle revit, avec netteté, les beaux meubles, les cuivres étincelants de la cuisine, les pièces ombreuses où veillait l'œil rond et limpide de précieux miroirs vénitiens et, le long des tapisseries de l'escalier, les portraits attentifs des corsaires et marchands rochelais.

La nostalgie de cet asile où elle n'avait régné qu'à

titre de servante, voici tout ce qu'elle emportait du Vieux Monde! Derrière la paix de cette image les lampions de Versailles s'estompaient, l'âpreté de ses luttes et jusqu'à l'amertume que pouvait susciter en elle la pensée du Château des Plessis, avec ses ruines noircies, au sein du Poitou, sa province ravagée, et pour longtemps maudite.

Mais il y avait déjà longtemps que l'image de Monteloup l'avait quittée. Monteloup était passé à Denis et des enfants y naissaient. C'était leur tour de guetter dans les couloirs le fantôme de la vieille femme aux mains tendues, et de se forger dans leur noble misère une enfance émerveillée.

Depuis longtemps Angélique n'appartenait plus à Monteloup, ni au Poitou. Et tandis qu'elle pénétrait dans l'entrepont, ce qui la poursuivait, c'était le souvenir de maître Gabriel écrasant les derniers tisons dans l'âtre de sa maison, avant de prendre Laurier par la main pour s'en aller.

Ce soir, derrière les paupières des exilés, défilerait le souvenir des belles demeures protestantes de La Rochelle, désertées de leur âme, malgré la claire lumière du ciel d'Aunis qui ruisselle sur leurs façades. Vitres closes, yeux morts, elles attendent et, seul, le froissement du palmier dans les cours et du lilas d'Espagne contre les murs rappelle la vie.

La cale était sombre et froide. On avait éteint deux lanternes afin que les enfants terrassés de fatigue puissent dormir. Des voix chuchotaient, marmonnaient. Un époux réconfortait sa femme, la raisonnait : « Tu verras!... Tu verras!... quand nous serons aux Iles, tout s'arrangera. »

Maîtresse Carrère secouait son mari :

— Vous n'en ferez pas moins aux Iles qu'à La Rochelle. Alors qu'avions-nous à perdre?...

Angélique s'approcha du cercle de lumière dans lequel veillaient Manigault et le pasteur, près du blessé. Celui-ci semblait reposé et détendu. Il s'était endormi. Les deux hommes informèrent brièvement Angélique que le médecin arabe était revenu avec un acolyte. Ils avaient pansé maître Berne et lui avaient fait avaler on ne sait quelle mixture qui l'avait grandement soulagé.

Elle n'insista pas pour prendre son tour de garde. Elle sentait la nécessité de se reposer, non qu'elle fût si lasse, mais il lui semblait que sa tête était en plein chaos. Elle n'arrivait pas à reprendre pied dans la situation exacte et, d'ailleurs, l'obscurité et le mouvement du roulis y étaient peut-être aussi pour quelque chose.

« Demain il fera jour. Demain je comprendrai! »

Ce fut presque machinalement qu'elle chercha Honorine. Une main l'agrippa au passage. Séverine lui montra ses deux frères endormis.

— Je les ai couchés, dit-elle fièrement.

Elle les avait recouverts de leurs manteaux et leur avait mis autour des pieds de la paille, dénichée on ne sait où. Séverine était une vraie femme. Vulnérable dans la vie quotidienne, elle tenait solidement la barre aux heures graves. Angélique l'embrassa comme une amie.

— Chérie, dit-elle, nous n'avons même pas pu nous revoir tranquillement depuis que j'ai été te chercher à Saint-Martin-de-Ré.

— Ah! toutes les grandes personnes ont la tête à l'envers, soupira la fillette, et pourtant c'est maintenant que nous devrions être tranquilles, dame Angélique. J'y pense à chaque instant et Martial aussi. Nous avons échappé au couvent et aux Jésuites.

Elle ajouta vivement, comme si elle se reprochait son étourderie :

— C'est vrai que père a été blessé, mais, voyez-vous, cela me semble moins grave que si on l'avait mis en prison et si nous avions été séparés de lui pour toujours... Et puis, le médecin à la longue robe a dit que, dès demain, il serait guéri... Dame Angélique, j'ai essayé de coucher Honorine, mais elle dit qu'elle ne veut pas dormir parce qu'elle n'a pas sa boîte à trésors.

L'esprit des mères est doué d'une optique particulière. De toutes les catastrophes accumulées depuis quelques heures, celle d'avoir oublié la boîte à trésors d'Honorine parut à Angélique la plus lourde de conséquences et la plus irréparable. Elle en fut accablée. Sa fille se tenait cachée derrière un canon, debout, éveillée comme un petit chat-huant.

— Ze veux ma boîte à trésors.

Angélique hésitait entre la méthode du raisonnement et celle de l'énergie sans appel, lorsqu'elle reconnut la forme prostrée près de laquelle, en fait, Honorine s'était réfugiée.

— Abigaël?... Est-ce vous?... Mais pourquoi?...

L'abattement d'Abigaël, toujours si digne et mesurée, la gênait presque.

— ... Que vous arrive-t-il? Etes-vous souffrante?

— Oh! J'ai tellement honte, répondit la jeune fille d'une voix étouffée.

— Mais pourquoi?

Abigaël n'était ni sotte ni bégueule. Elle n'allait tout de même pas se mettre martel en tête parce que le Rescator lui avait effleuré la joue.

Angélique la força à se redresser et à la regarder en face.

— Qu'y a-t-il?... Je ne comprends pas.

— Mais ces paroles qu'il a dites, c'est épouvantable!

— Quelles paroles?

Angélique essayait de se rappeler la scène. Si la façon de se comporter du Rescator envers Abigaël lui avait paru hardie et déplacée — mais c'étaient ses façons habituelles — les mots échangés ne l'avaient pas frappée.

— Vous n'avez pas compris? balbutia la jeune fille... Vraiment?

Son émoi la rajeunissait et, avec ses joues enflammées et ses paupières meurtries, on s'apercevait, en effet, qu'elle était belle. Mais il avait fallu ce damné Rescator pour s'en aviser au premier coup d'œil. Angélique pensa que tout à l'heure il l'avait serrée contre lui, sans qu'elle eût même l'idée de s'en effaroucher. Il traitait ainsi tous et chacun autour de lui et surtout les femmes comme s'il avait des droits de prince sur eux.

Elle eut un réflexe de révolte.

— Abigaël, n'attachez aucune importance au comportement du maître de ce navire. Vous n'avez pas l'habitude de ce genre d'homme et même parmi tous les aventuriers que j'ai connus, il est bien le plus... le plus...

Mais elle ne trouvait pas de mot.

— ... Il est impossible, conclut-elle. Mais, dans le danger imminent que nous courions, je n'ai pu trouver que ce hors-la-loi pour nous arracher à un sort affreux. Maintenant nous sommes entre ses mains. Il faut l'accepter lui et son équipage et veiller à ne pas s'attirer leur animosité. Lorsque je voyageais en Méditerranée — pourquoi le nier puisqu'il s'est chargé si peu galamment de vous l'apprendre — je ne l'ai rencontré qu'une fois mais sa réputation était grande. C'est un pirate sans foi ni loi, mais je ne le crois pas sans honneur.

— Oh! Il ne me fait pas peur, murmura Abigaël en secouant la tête.

Son expression s'apaisait et elle leva sur Angélique son ancien regard, plein de sagesse.

— Que de mystères chez les êtres que nous côtoyons chaque jour! fit-elle rêveusement; Angélique, pour avoir soulevé le voile que vous baissiez si jalousement sur votre passé, il me semble que vous êtes à la fois plus proche et plus lointaine de moi. Pouvons-nous encore nous comprendre?

— Je le crois, chère, chère Abigaël. Si vous le voulez, nous serons toujours des amies.

— Je le veux de toute mon âme. Là où nous allons, Angélique, si la haine et la mesquinerie sont plus fortes en nous que l'affection, nous serons brisées comme verre, nous ne pourrons survivre.

Voici qu'elle exprimait soudain la même pensée que le Rescator, tout à l'heure. « Nous ne sommes plus que des hommes et des femmes embarqués sur le même navire... avec leurs passions et leurs regrets... et leur espérance. »

— C'est une chose si étrange, Angélique, continuait tout bas Abigaël, que de découvrir tout à coup d'autres dimensions à la vie. Comme si on tirait brusquement un rideau de théâtre sur un décor nouveau et qui élargirait à l'infini ce que l'on croyait acquis, immuable... C'est ce qui m'est arrivé subitement aujourd'hui... je me souviendrai jusqu'à ma mort de ce jour. Non pas tellement à cause des dangers que nous avons courus, mais surtout des révélations qui m'ont été faites... Peut-être me fallait-il les recevoir pour me préparer à l'existence qui nous attend au delà des mers... Il nous faudra tous dépouiller la vieille écorce... Je crois profondément que c'est pour nous une bénédiction d'avoir été obligés d'embarquer sur ce navire... *précisément celui-ci...*

Ses yeux brillaient et Angélique ne reconnaissait plus, sous cette apparence passionnée, la jeune femme effacée de La Rochelle, presque résignée aurait-on dit, parfois.

— Parce que cet homme que vous appelez un hors-la-loi, Angélique, je suis certaine qu'il sait lire dans le regard les secrets les plus enfouis au fond des cœurs. Il y a en lui un pouvoir.

— En Méditerranée, on l'appelait le Magicien, chuchota Angélique.

L'adhésion d'Abigaël lui causait un absurde plaisir qu'elle n'analysait pas. L'instant lui paraissait exaltant et riche de promesses. Elle écoutait le bruit des lames cognant contre la coque. Le mouvement du navire la grisait et elle serait bien restée toute la nuit près d'Abigaël à lui faire des confidences sur son passé et à s'entretenir avec elle du Rescator, si le souci maternel causé par Honorine ne l'en eût détournée.

— Et cette Honorine qui ne veut pas dormir parce qu'elle n'a pas sa boîte à trésors! soupira-t-elle en désignant la petite personne dressée, toujours boudeuse, auprès d'elles comme un justicier.

— Oh! je suis impardonnable, fit Abigaël en se levant.

Elle s'était, maintenant, tout à fait ressaisie. Elle les quitta pour aller chercher quelque chose dans ses bagages et revint portant le petit coffret de bois sculpté par Martial pour Honorine.

— Mon Dieu! Abigaël, s'écria Angélique en joignant les mains, vous aviez pensé à cela! Vous êtes un ange! Vous êtes merveilleuse!... Honorine, tes coquillages!...

Ensuite, tout fut simple. La paix, revenue au cœur d'Honorine, se communiqua à celui de sa mère. Angélique déplia les quelques vêtements qu'elle avait emportés : sa jupe et son caraco feraient pour la si petite fille de très amples couvertures.

L'ayant couchée sur le bat-flanc près d'elle, Angélique put se dire que la petite ne manquait de rien. Elle-même avait dormi parfois en prison, dans des conditions plus inconfortables. Cependant elle n'avait pas chaud et le sommeil la fuyait. Elle s'appuya contre la paroi et essaya de mettre de l'ordre dans ses pensées.

De quoi demain serait-il fait?

Sur la chair de ses bras, elle sentait encore l'emprise des deux mains du Rescator. En y songeant, elle défaillait. Et parce qu'elle avait froid, l'évocation du moment où il l'avait tenue étroitement contre lui, lui semblait délicieuse. Angoissante, aussi. Car sous le pourpoint de velours que crispait sa main, au lieu de sentir un torse d'homme vivant, elle avait deviné un écran durci. Cotte de mailles ou plastron d'acier?... Homme du danger, prévoyant la mort à chaque instant. Son cœur était bardé de fer. Un tel homme, au surplus, pouvait-il seulement avoir un cœur?

Allait-elle commettre l'imprudence de tomber amoureuse de cet homme?... Non! D'ailleurs elle était incapable d'être amoureuse désormais de quiconque. Alors? Il la séduisait et l'hypnotisait par des moyens magiques comme... qui donc, jadis, lui avait inspiré ainsi des sentiments pareillement mêlés d'attirance et de méfiance? Et l'on disait également que c'était un homme qui avait un pouvoir magique et qu'il attirait les femmes en...

L'éclat d'une lampe sur son visage lui fit cligner des yeux.

— Ah! vous voici!

Une grosse tête velue s'inclinait vers elle. C'était Nicolas Perrot, l'homme au bonnet de fourrure.

— Le chef m'a chargé d'aller vous porter ceci pour vous et un hamac pour l'enfant.

Ceci, c'était une chaude étoffe, manteau ou couverture, lourde, brodée, moelleuse, comme en tissent les chameliers du désert en Arabie. L'odeur orientale l'imprégnait encore.

D'un doigt expert, Nicolas Perrot avait déjà fixé

le hamac aux poutres basses. Elle y déposa Honorine sans qu'elle s'éveillât.

— C'est tout de même mieux et moins humide. Mais on ne peut pas donner le même confort à tous. Nous n'avons pas à bord ce qu'il faut pour tant de monde. Pas prévu une fichue cargaison pareille. Mais quand nous serons dans la zone des glaces, on vous fera porter des braseros.

— Remerciez, de ma part, monseigneur le Rescator.

Il cligna de l'œil d'un air entendu et s'éloigna en tanguant sur ses grosses bottes de peau de phoque.

Des ronflements s'élevaient dans la cale. On avait éteint la deuxième lanterne, ne conservant la lumière que dans la zone où se trouvait le blessé. Mais, par là aussi, tout semblait calme. Angélique s'enveloppa dans la couverture somptueuse.

Au matin, ses compagnes ne manqueraient pas de remarquer la faveur insigne dont elle était l'objet. Le Rescator n'aurait-il pas pu lui faire porter une couverture moins voyante? Non, il l'avait fait exprès. Cela l'amusait tellement de mettre les gens à l'envers, d'éveiller leur surprise, leur jalousie, leurs réactions basses ou violentes. Cette couverture c'était aussi une insulte au dénuement des autres.

Mais, après tout, peut-être qu'il n'en avait pas d'autres à sa disposition? Le Rescator s'entourait de choses de prix. Il ne savait pas faire un présent ordinaire. Ç'aurait été indigne de lui. Il avait la grandeur dans le sang, comme... « Il n'a pas d'épée, il porte un sabre, mais c'est un gentilhomme, j'en jurerais... le salut qu'il adressait aux dames ce tantôt, ce n'était ni comédie, ni affectation. Il ne peut saluer autrement qu'avec noblesse. Et je n'ai jamais rencontré un homme qui sût porter le manteau comme lui sauf... »

Son esprit butait sur une comparaison qui, obstinément la fuyait. Il y avait dans son souvenir un homme que lui rappelait le Rescator...

« Il ressemble à quelqu'un que j'ai connu. C'est peut-être pour cela qu'il me semble parfois familier et que je me conduis à son égard comme s'il était l'un de mes anciens amis... Le même genre d'homme évidemment, car dire qu'il « ressemble » c'est une métaphore, puisque je n'ai jamais vu son visage... Mais cette désinvolture, cette façon naturelle de dominer les autres et de s'en moquer... oui, cela m'est familier... Et d'ailleurs... l'Autre aussi portait un masque... »

Son cœur se mettait à battre à petits coups irréguliers. Elle avait soudain très chaud et puis très froid. Elle s'assit et porta la main à sa gorge comme pour écarter la peur inexplicable qui l'étreignait.

« Il portait un masque... Mais, parfois, il l'ôtait et alors... »

Elle étouffa un cri. Brusquement, le déclic s'était fait.

Elle se souvenait.

Puis elle se mit à rire nerveusement.

« Mais oui, c'est cela... Je sais maintenant à qui il ressemble... Il ressemble à Joffrey de Peyrac, mon premier mari... C'est cela dont j'essayais de me souvenir, en vain. »

Mais une fièvre extraordinaire continuait à la brûler. Sa tête était toute pleine d'éclairs multicolores qui éclataient successivement comme les fusées dans la nuit de Candie...

« Il lui ressemble!... Il masque son visage... et il régnait en Méditerranée. Et si c'était... *Lui!* »

Une marée étouffante emplissait sa poitrine. Il lui semblait que son cœur allait éclater, sous la poussée d'un cri d'agonie et de joie.

« *Lui*... Et je ne l'aurais pas su! »...

Puis, brusquement, elle retrouvait le souffle... Mélange de soulagement et de déception!

« Que je suis sotte!... Quelle idée folle! C'est ridicule! »

Sur le décor enchanté de Toulouse, elle venait de revoir celui qui s'était avancé vers la jeune épousée. Evocation presque oubliée. Si elle ne pouvait recréer le visage aux traits un peu estompés dans sa mémoire, elle revoyait nettement l'ample chevelure noire qui l'avait tant surprise quand elle s'était aperçue que ce n'était pas une perruque. Et puis, surtout, la démarche claudicante qui l'avait tant effrayée, de celui qu'on appelait alors : le grand boiteux du Languedoc.

« Que je suis sotte! Comment ai-je pu une seconde m'imaginer cela?... »

Elle reconnut, après réflexion, que certaines particularités pouvaient l'induire en erreur et enflammer son imagination. Une forme d'esprit caustique, désinvolte. Mais le Rescator, lui, possédait une tête d'oiseau de proie, bien spéciale, qui semblait petite, posée sur de grands cols raides à l'espagnole. Il avait aussi une démarche particulière et sûre, des épaules robustes...

« Mon mari était boiteux... Et cette disgrâce, il savait si bien s'en accommoder qu'on l'oubliait... Son esprit étincelant ravissait mais il n'y avait pas de méchanceté en lui comme chez cet aventurier des mers... »

Elle s'aperçut qu'elle était inondée de sueur comme après un accès de fièvre. En ramenant sur elle la couverture soyeuse, elle la caressa d'un doigt méditatif.

« *Méchanceté?*... Est-ce bien le mot?... Joffrey de

Peyrac aurait eu aussi peut-être des gestes semblables, chevaleresques... Mais comment oserais-je les comparer! Joffrey de Peyrac était le plus noble des Toulousains, un grand seigneur, un presque roi. Le Rescator, lui, bien qu'il se fasse appeler avec suffisance : Monseigneur, n'est, après tout, qu'un aventurier vivant de rapines et de commerces illicites. Un jour prodigieusement riche, un autre plus misérable qu'un gueux, traqué comme un gibier de potence. Ces corsaires se figurent toujours qu'ils peuvent garder leur fortune. Rien n'est plus instable, surtout pour eux... Fortune aussi vite détruite qu'amassée... »

Elle évoqua le marquis d'Escrainville devant son navire en feu.

« Des joueurs qui n'ont que le seul tort d'être dangereux, puisque leur coup de dés repose sur le sacrifice de vies humaines. Joffrey de Peyrac, lui, était par contre un épicurien. Il dédaignait la violence. L'existence d'un Rescator repose sur des cadavres. Il a les mains tachées de sang... »

Elle pensa à Cantor, aux galères coulées sous les canons du pirate. Elle-même avait vu de ses yeux la barge traversière de l'escadre royale disparaître dans un malestrom avec ses forçats, tandis que le chébec du Rescator manœuvrait autour d'eux comme un vautour.

« Et c'est pourtant par ce même homme que je suis attirée... car je suis attirée, je ne saurais le nier moi-même. »

Il fallait regarder les choses en face. Angélique se retournait sur le bat-flanc de bois. Elle aurait été incapable de fermer l'œil. C'était bien à ce même homme qu'elle était venue demander secours. C'était entre ses mains qu'elle s'était remise avec confiance, avec un manque de prudence totale.

Qu'avait-il voulu dire en lui faisant remarquer qu' « il acceptait retard sur le paiement de ses dettes »; de quelle façon comptait-il lui faire payer le service qu'il avait consenti à lui rendre, aussi bien que le mauvais tour qu'elle lui avait joué jadis?

« Voilà en quoi il diffère foncièrement de mon ancien époux. Il ne doit pas savoir rendre service sans compensation, accomplir un geste gratuit, ce qui est l'apanage des vrais nobles. Joffrey de Peyrac, lui, était un vrai chevalier. »

Elle devait se forcer avant de prononcer le nom qui, si longtemps, avait habité son cœur.

Joffrey de Peyrac!

Depuis combien de temps s'était-elle interdit de ranimer en elle ce souvenir? Depuis combien de temps avait-elle cessé d'espérer le retrouver vivant en ce monde?

Quoi qu'il en fût, elle s'était crue résignée. Or, à l'émotion qui l'avait secouée tout à l'heure, elle s'apercevait soudain que son illusion, malgré tout, demeurait vivace.

La vie n'avait pu effacer en elle le souvenir d'une époque où elle avait connu un merveilleux bonheur. Et pourtant, combien peu ressemblait-elle aujourd'hui à celle qui avait été la petite comtesse de Peyrac?

« Alors, je ne savais rien. J'étais pourtant absolument persuadée que je savais tout. Je trouvais tout naturel qu'il m'aimât. » L'image du couple qu'elle avait formé avec le comte de Peyrac la fit sourire. Cela était devenu vraiment une image et elle pouvait maintenant la contempler sans trop de tristesse, ainsi que le portrait de deux étrangers.

La splendeur de leur fortune, la cour raffinée dont ils s'entouraient, la place que tenait dans le royaume le Seigneur d'Aquitaine, combien tout cela semblait tellement sans rapport avec un navire mystérieux, chargé d'émigrants et de forbans, voguant vers une terre étrangère.

Et quinze années s'étaient écoulées!

Le royaume était loin, le Roi ne retrouverait jamais Angélique du Plessis-Bellière, ex-comtesse de Peyrac. Lui, le Roi, au moins demeurait debout, toujours parmi ses marionnettes, au cœur de la châsse monumentale et miroitante : Versailles.

Oui, elle avait été cette femme vêtue d'or, favorite d'un monde grandiose, d'un pays conquérant, qui faisait trembler une partie de l'univers.

Mais plus l'esquif s'éloignait au gré de l'océan, plus le mirage de Versailles perdait de sa force. Il se figeait, revêtait l'apparence fausse et clinquante des décors de théâtre.

« C'est maintenant que je vis réellement, se dit-elle, c'est maintenant que je suis devenue vraiment moi-même... ou sur le point de le devenir. Car j'ai toujours souffert, même à la Cour, de me sentir incomplète, hors de mon chemin ».

Il fallut qu'elle se levât pour regarder la travée obscure, vaguement éclairée, où dormait une humanité écrasée de peines et de fatigue.

La faculté de renouvellement qu'elle découvrait en elle, subitement, effrayait presque Angélique. On ne renie pas ainsi, totalement, son passé, on ne se décharge pas ainsi d'un coup d'épaule de ce qui vous a formé, marqué, de ses amours... et de ses haines. C'est monstrueux!...

Pourtant c'était ainsi. Pauvre, elle se sentait, par surcroît, privée même de son passé. Elle arrivait à ce point de sa vie où la seule richesse que l'on possède et qui ne puisse vous être enlevée, c'est vous-même. Les personnages divers qu'elle avait assumés et qui s'étaient longuement combattus en elle — femme fidèle ou volage, ambitieuse ou généreuse, révoltée ou docile — avaient fini à son insu par faire la paix en elle.

« Comme si je n'avais vécu tout cela que pour le seul but de me retrouver un jour sur un navire inconnu, parmi des inconnus, voguant vers un but inconnu! »

Mais fallait-il oublier *aussi* Joffrey de Peyrac? L'abandonner au passé?

Le regret lancinant de ce qu'aurait pu être leur amour à tous deux, la traversa comme un coup de poignard. L'auraient-ils détruit, au cours des années, comme tant de couples qu'elle avait rencontrés? Ou bien auraient-ils su le vivre parmi les embûches de la vie?

Tâche difficile. « Je le connaissais peu... »

Pour la première fois, elle s'avouait que Joffrey de Peyrac, bien qu'elle fût sa femme, ne lui avait pas été entièrement accessible. Les courtes années de vie commune où, pour elle, Angélique, la découverte de l'amour et de ses délices, auxquels s'entendait si bien à l'initier le grand seigneur toulousain, de douze ans son aîné, avait beaucoup plus compté que la recherche d'une entente plus profonde, ne lui avaient pas laissé le temps de mesurer ses forces morales, à elle, et chez Joffrey de Peyrac les bases réelles et immuables d'un caractère plein de fantaisie apparente, déconcertant aux yeux des autres et qui se voulait tel.

Elle n'avait appris à se connaître elle-même que dans le combat féroce que lui avait imposé l'existence et qu'elle avait dû mener seule.

Seule, elle le demeurait toujours.

Bien que par deux fois mariée, bien que mère, le jeu des circonstances avait voulu que son destin fût celui d'une femme seule.

Seule pour orienter sa vie, choisir d'aller ici ou là, seule pour accepter ou refuser de suivre un chemin plutôt qu'un autre. Jamais une épaule pour s'y reposer les yeux fermés, en songeant « Qu'importe! Conduis-moi! Car je suis ta femme et ce que tu veux, je le veux aussi ».

Contrainte par la solitude, ses actes n'avaient cessé d'être déterminés par sa seule volonté. Et elle s'apercevait qu'elle en était lasse, car ceci n'est pas dans la nature féminine.

Parvenue à ce point de ses réflexions, Angélique réagit avec vigueur. Qu'avait-elle ce soir à s'appesantir sur sa solitude? Rien n'avait prouvé jusqu'ici qu'elle était créée pour la docilité.

Accepterait-elle aujourd'hui de se laisser conduire? Après tout, elle savait beaucoup mieux que la plupart des hommes ce qu'elle avait à faire. Le joug marital l'aurait agacée.

Maître Berne ne tarderait pas à la demander en mariage. Pour l'instant, il était blessé. Cela gagnait du temps. Mais s'il l'aimait, il lui demanderait de l'épouser, et que répondrait-elle? Un oui ou un non lui semblaient également impossibles car elle avait besoin de se sentir aimée.

« Voici, songea-t-elle, le joug après lequel je soupire. Celui de l'amour. Peut-il exister sans liens? »

Sa dernière réflexion la fit sursauter.

« Mais c'est faux! Je déteste l'amour. Je ne veux pas de l'amour. »

Sa voie lui parut tracée. Elle resterait seule. Elle resterait veuve. C'était cela son destin : Veuve, liée à un amour passé dont elle garderait, jusqu'à l'heure de sa mort, la nostalgie. Elle vivrait droitement. Elle rendrait heureuse et belle Honorine, son enfant chérie. Elle n'aurait pas le temps de s'ennuyer aux Iles en organisant leur vie nouvelle. Elle serait l'amie de tous, et surtout des enfants, et ainsi elle ne trahirait pas son destin de femme qui est de donner et de faire croître.

Quant au Rescator... Elle ne pouvait compter sans le Rescator. Pendant quelques instants elle avait réussi à écarter son image, mais celle-ci revenait, obsédante. Il était trop proche.

Lui n'était plus le mort qu'elle croyait pendant longtemps. Sa présence actuelle était aussi trop vivante pour qu'Angélique ne sût qu'elle aurait à lutter contre des pièges, dont les plus dangereux étaient peut-être en elle-même. Heureusement, elle savait maintenant pourquoi son cœur et son imagination s'exaltaient, prenaient feu. Une ressemblance subtile dans le comportement, les manières, avec celui qu'elle avait tant aimé, l'avait peu à peu entraînée vers un mirage trompeur. Elle ne laisserait pas le maître du *Gouldsboro* faire d'elle son jouet.

Le sommeil venait enfin... « Aucune ressemblance, se répéta-t-elle encore avant de s'endormir, sauf... quoi donc?... » Elle examinerait attentivement le Rescator la prochaine fois qu'elle se trouverait en sa présence...

Mais ce n'était pas tout à fait de sa faute, c'était à cause de cette ressemblance et de ses souvenirs qu'elle en était, malgré tout, un peu... amoureuse.

3

Ce fut le lendemain que Maître Gabriel Berne la demanda en mariage.

Il avait parfaitement repris connaissance et semblait déjà convalescent. Un bandage maintenait son bras gauche, mais appuyé à un gros oreiller de paille qu'Abigaël et Séverine avaient arraché à la litière des chèvres et des vaches, dans la cale voisine, il avait repris son apparence habituelle, le teint solidement coloré, l'œil tranquille. Il ne cachait pas qu'il mourait de faim. Vers le milieu de la matinée, le Maure, gardien des appartements du Rescator, apporta de la part du maître pour le blessé une petite marmite d'argent contenant un excellent ragoût finement épicé, ainsi qu'un flacon de vin vieux et deux petits pains aux graines de sésame.

L'apparition du grand Arabe fit sensation dans la cale. Il avait l'air bon enfant et se prêta, en riant de ses fortes dents blanches, à la curiosité des jeunes qui l'entouraient.

— Chaque fois que l'un de ces lascars pénètre dans notre entrepont, il appartient à une race différente, fit remarquer maître Gabriel, en suivant du regard, sans aménité, le Maure qui s'éloignait, cet équipage me semble plus bariolé qu'un costume d'Arlequin.

— Nous n'avons pas encore vu d'Asiatique, mais par contre j'ai aperçu déjà un Indien, commenta Martial très excité, oui, oui, je suis sûr que c'était bien un Indien. Il était vêtu comme les autres matelots mais il avait des tresses noires et une peau rouge comme la brique.

Angélique disposait le repas apporté, près du blessé.

— Vous êtes traité en hôte de marque.

Le marchand grommela quelque chose d'indistinct et, comme Angélique s'apprêtait à le faire manger, il se mit presque en colère.

— Pour qui me prenez-vous? Je ne suis pas un nouveau-né!

— Vous êtes encore faible.

— Faible? fit-il en haussant les épaules, ce qui le fit grimacer de douleur.

Angélique se mit à rire. Elle avait toujours

aimé sa vigueur tranquille. Il en émanait pour l'entourage une impression de paix et de sécurité. Sa corpulence même ajoutait à son aspect rassurant. Ce n'était pas celle des bons vivants qui tiennent ou du coussin ou du mollusque ballonné. Sa corpulence à lui faisait partie de son tempérament sanguin et il avait dû, très jeune, prendre de l'embonpoint, sans pour cela perdre de sa force. Il paraissait seulement plus que son âge réel et en avait ainsi vite imposé à ses clients et à ses collègues. D'où le respect non feint qu'on continuait à lui témoigner. Angélique le regarda avec indulgence avaler avec appétit le ragoût, en s'aidant d'une seule main, la marmite posée près de lui.

— Vous auriez pu être un fin gourmet, maître Berne, si vous n'aviez pas été Huguenot.

— J'aurais pu être bien autre chose encore, répliqua-t-il en lui jetant un regard énigmatique. Un homme porte en lui son envers et son endroit.

Il ajouta, en hésitant à porter une nouvelle cuillerée à sa bouche :

— Je vois ce que vous voulez dire, mais j'avoue qu'aujourd'hui, j'ai une faim de loup et...

— Mangez donc. Je vous taquinais, dit-elle affectueusement. En souvenir de toutes les fois où vous m'avez grondée d'avoir trop bien soigné votre table, à La Rochelle, et d'incliner vos enfants au péché de gourmandise.

— C'est de bonne guerre, reconnut-il avec un sourire. Nous sommes hélas loin, désormais, de tout cela...

Le pasteur Beaucaire rassemblait ses ouailles. Le quartier-maître venait de l'avertir que tous les passagers devaient monter sur le pont pour une courte promenade. Le temps était beau et c'était l'heure où ils risquaient le moins de gêner la manœuvre.

Angélique resta seule avec maître Berne. Elle voulait profiter de ce moment pour lui dire sa reconnaissance.

— Je n'ai pu encore vous remercier, maître Berne, mais une fois de plus je vous dois beaucoup. Vous avez été blessé en me sauvant la vie.

Il leva les yeux sur elle et la contempla longuement. Elle baissa les paupières. Son regard, qu'il pouvait rendre impavide et froid, avait à ce moment la même éloquence qu'hier au soir lorsque, en s'éveillant de son coma, il n'avait vu qu'elle.

— Comment n'aurais-je pas pu vous sauver, dit-il enfin. Vous êtes ma propre vie.

Et comme elle ébauchait un geste de protestation :

— Dame Angélique, voulez-vous être ma femme?

Angélique se troubla. Le moment était donc venu. Elle n'en éprouvait pas de panique. Et même il fallait l'avouer, une certaine douceur. Il l'aimait au point de la vouloir sa compagne devant Dieu, malgré tout ce qu'il savait... ou ne savait pas de son passé. Pour un homme de son intransigeance morale c'était bien donner la mesure de son amour. Mais elle se sentait incapable de formuler une réponse nette.

Elle croisa ses deux mains et les serra fortement dans un mouvement de perplexité.

Gabriel Berne ne quittait pas des yeux ce profil pur et harmonieux dont la vue l'emplissait d'un sentiment déchirant et presque douloureux. Depuis qu'il avait cédé à la tentation de la regarder en femme, chaque regard lui découvrait d'autres perfections. Il aimait jusqu'à la pâleur de fatigue qui marquait ses traits, au lendemain du jour dramatique où elle les avait portés tous, comme à bout de bras, pour les arracher à leur impitoyable destin. Il revoyait son beau regard enflammé, il entendait sa voix impérative leur criant de se hâter.

Elle courait à travers la lande, les cheveux arrachés par le vent, portant les enfants menacés, soulevée par cette force prodigieuse des femmes quand leur instinct de vie est en jeu. Il n'oublierait jamais cette vision.

La même femme était là, agenouillée près de lui, et elle paraissait faible. Elle mordait ses lèvres et il pouvait deviner les battements précipités de son cœur. Sa poitrine se soulevait convulsivement.

Elle répondit enfin :

— Je suis très honorée, maître Berne, de la proposition que vous venez de me faire, mais... je ne suis pas une femme digne de vous.

Il fronça les sourcils. Sa mâchoire se crispa et il eut peine à ne pas éclater. Il lui fallut un bon moment pour se reprendre et comme, surprise de son silence, elle osait le regarder, elle vit qu'il avait pâli de fureur :

— J'ai horreur quand vous vous conduisez en hypocrite, déclara-t-il sans ambages. C'est moi qui ne suis pas digne de vous. Ne croyez pas qu'on me berne si facilement. Mon nom est là pour me garder d'être naïf... Or je sais... j'ai la conviction, sinon la certitude que vous appartenez à un autre monde que le mien. Oui, madame. Je sais qu'en face de vous je ne suis qu'un simple marchand, madame.

Elle le regarda, saisie, avec un tel effroi de se sentir devinée, qu'il lui prit la main.

— Dame Angélique, je suis votre ami. J'ignore ce qui a pu vous séparer des vôtres et quel drame vous a conduite jusqu'à la misère où je vous ai trouvée... Ce que je sais, par contre, c'est qu'ils vous ont chassée, qu'ils vous ont reniée, comme les loups écartent du troupeau celui ou celle qui ne veut pas hurler avec eux. Vous avez trouvé refuge parmi nous et vous y avez été heureuse.

— Certes, j'y ai été heureuse, fit-elle, tout bas.

Il tenait toujours sa main et l'élevant, elle posa sa joue contre la sienne, dans un mouvement humble et tendre qui le fit tressaillir.

— A La Rochelle, je n'osais pas vous parler, fit-il d'une voix étouffée, à cause de cet écart énorme que je sentais entre nous. Mais aujourd'hui il me semble que nous nous retrouvons tellement... égaux dans le dénuement. Nous allons vers le Nouveau-Monde. Et vous avez besoin de protection, n'est-ce pas?

Elle hocha la tête affirmativement plusieurs fois. Il aurait été si simple de répondre : « Oui, j'accepte » et de s'abandonner à un destin modeste dont elle connaissait déjà la saveur.

— J'aime vos enfants, dit-elle, j'aime vous servir, maître Berne, mais...

— Mais...

— Le rôle d'épouse comporte certains devoirs!

Il la regarda fixement. Il tenait toujours sa main et elle sentit ses doigts trembler autour des siens.

— Etes-vous femme à les redouter?... demanda-t-il avec douceur. (De la surprise vibrait dans sa voix.) A moins que ma personne ne vous soit par trop antipathique?

— Ce n'est pas cela, protesta-t-elle, sincère.

Brusquement, elle se mit à lui faire, pêle-mêle, le récit tragique qui n'avait jamais pu franchir ses lèvres : son château en flammes, les enfants sur les piques, les dragons l'humiliant, la forçant tandis qu'on égorgeait son fils. A mesure qu'elle parlait, elle se sentait soulagée. Les images avaient perdu de leur force et elle s'apercevait qu'elle parvenait à les évoquer sans défaillir. La seule blessure à laquelle elle ne pouvait toucher sans douleur, c'était celle du souvenir de Charles-Henri, endormi, mort dans ses bras.

Des larmes roulèrent sur ses joues.

Maître Berne l'écoutait avec une attention extrême sans manifester ni horreur, ni pitié.

Il réfléchit longtemps.

Son esprit chassait impitoyablement l'image d'un beau corps offensé, comme il avait résolu de ne jamais se tourner vers le passé de celle qu'on appelait dame Angélique faute de savoir son nom. Il ne voulait s'adresser qu'à celle qui était devant lui et qu'il aimait, et non à la femme inconnue dont la vie tourmentée affleurait parfois dans ces prunelles changeantes, couleur de mer. S'il s'attardait à la deviner, à découvrir ce qu'elle avait été, il deviendrait fou, obsédé.

Il dit avec fermeté :

— Je crois que vous vous laissez aller à quelques manières en vous imaginant que ce drame passé vous empêche de vivre à nouveau une vie de femme saine dans les bras d'un époux qui vous aimera pour le meilleur et pour le pire. Encore si vous aviez été fille neuve quand cela est arrivé, vous auriez pu en être marquée assez durement. Mais vous étiez femme, et si j'en crois les allusions que faisait hier ce perfide individu qui nous mène, le Rescator, une femme qui ne s'était pas toujours montrée timide avec les hommes. Le temps a passé. Il y a belle lurette que ni votre cœur, ni votre corps ne sont plus ceux qui ont subi ces misères. Les femmes ont cette faculté de renouvellement comme la lune, comme les saisons. Vous êtes maintenant autre. Pourquoi s'appesantir dans la meurtrissure des souvenirs, vous abîmer, vous, dont la beauté semble créée d'hier à peine.

Angélique l'écoutait avec surprise; ce rude bon sens, non dénué de finesse, la réconfortait. Pourquoi, en effet, son esprit à elle n'aurait-il pu bénéficier de la vitalité qu'elle sentait renaître dans son corps? Pourquoi ne pas le laver des souvenirs impurs? Recommencer tout, même l'expérience, toujours mystérieuse, de l'amour?

— Vous avez sans doute raison, fit-elle, j'aurais dû balayer ces événements de ma pensée et il se peut que je n'y attache encore de l'importance que parce qu'ils sont liés à la mort d'un fils. Cela je ne peux l'effacer!...

— Personne ne vous le demande. Mais vous avez cependant réappris à vivre. Et j'irai même plus loin pour dissiper vos appréhensions. J'affirme que vous attendez l'amour d'un homme pour revivre tout à fait. Sans vous accuser de coquetterie, dame Angélique, il y a en vous quelque chose qui appelle l'amour... et cet appel vient de vous.

— Pouvez-vous m'accuser de vous avoir jamais provoqué? protesta Angélique, indignée.

— Vous m'avez fait passer de bien mauvais moments, fit-il d'un ton lourd.

Sous son regard insistant, elle baissa à nouveau les yeux. Quoiqu'elle s'en défendît, il ne lui était pas désagréable, en effet, de découvrir la défaillance de l'irréductible protestant.

— A La Rochelle, encore, vous étiez à moi, à l'abri sous mon toit, reprit-il. Ici, il me semble que tous les regards des hommes vous suivent et vous convoitent.

— Vous m'accordez un pouvoir fort exagéré...

— Un pouvoir dont je suis bien placé pour mesurer l'étendue. Qu'a donc été pour vous le Rescator? Votre amant, n'est-ce pas? Cela saute aux yeux...

Il lui serrait la main avec une soudaine brusquerie et elle réalisa la force peu commune de cette poigne, accoutumée cependant à des besognes bourgeoises. Elle se rebiffa.

— Il ne l'a pas été!

— Vous mentez. Il y a, de vous à lui, des liens

que les moins avertis ne peuvent ignorer lorsque vous vous trouvez en présence.

— Je vous fais serment qu'il n'a jamais été mon amant.

— Alors, quoi donc?

— Pire, peut-être! Un maître qui m'a achetée fort cher et des mains duquel je me suis enfuie avant qu'il ait pu user de moi. Ma situation vis-à-vis de lui est donc aujourd'hui... ambiguë, je le reconnais et j'ai un peu peur, je l'avoue.

— Pourtant il vous séduit, c'est visible!

Angélique allait répliquer avec vivacité, mais elle se ravisa et un sourire éclaira son visage.

— Voyez, maître Berne, je crois que nous venons là de découvrir un nouvel obstacle à notre mariage.

— Lequel?

— Nos caractères. Nous avons eu le temps de bien nous connaître, mutuellement, vous êtes un homme autoritaire, maître Berne. J'ai cherché à vous obéir, en tant que servante, je ne sais pas si j'aurais la même patience comme épouse. Je suis habituée à diriger ma vie.

— Aveu pour aveu. Vous êtes une femme autoritaire, dame Angélique, et vous avez sur moi le pouvoir des sens. J'ai longtemps débattu, avant de voir clair, car j'étais effrayé de deviner à quel point vous pourriez m'asservir. Vous regardez aussi la vie avec une liberté qui ne nous est pas coutumière à nous autres Huguenots. Nous sommes les hommes du péché. Nous sentons ses embûches et ses crevasses sous nos pas. La femme nous fait peur... Peut-être parce que nous la rendons responsable de notre condamnation. Je me suis ouvert de mes scrupules au pasteur Beaucaire.

— Qu'a-t-il répondu?

— Il m'a dit : « Soyez humble envers vous-même. Reconnaissez vos désirs, qui sont, au demeurant, naturels et sanctifiez-les par le sacrement du mariage, afin qu'ils vous élèvent au lieu de vous perdre. »

» J'ai suivi son conseil. A vous de me permettre de les réaliser. A nous d'abandonner la part d'orgueil qui nous empêcherait de nous entendre.

Il se souleva et, passant son bras autour de sa taille, l'attira vers lui.

— Maître Berne, vous êtes blessé!

— Vous savez bien que votre beauté est de celles qui ressusciteraient un mort.

Hier au soir, d'autres bras l'avaient étreinte avec la même possession jalouse. C'était peut-être vrai ce que disait maître Berne qu'elle n'attendait que les caresses d'un homme pour se retrouver femme. Pourtant quand il voulut se pencher sur ses lèvres, elle le retint, d'un réflexe incontrôlé.

— Pas encore, murmura-t-elle, oh! je vous en prie, laissez-moi réfléchir encore un peu.

Les mâchoires du marchand se crispèrent. Il avait de la peine à se maîtriser. Il y parvint au prix d'un effort qui le fit pâlir. S'écartant d'Angélique, il retomba sur son oreiller de paille. Ses yeux ne la regardaient plus, mais fixaient au contraire, avec une expression étrange, la petite marmite d'argent que le Maure du Rescator lui avait apportée tout à l'heure.

Tout à coup il s'en saisit et la projeta avec violence sur la paroi, en face de lui.

4

Il y avait maintenant près de huit jours que le *Gouldsboro* avait quitté La Rochelle, tenant le cap général vers le couchant. Angélique venait de les compter sur ses doigts. Près d'une semaine d'écoulée. Et elle n'avait pas encore donné sa réponse à maître Berne.

Et il ne s'était rien passé.

Et que pouvait-il donc se passer? Elle avait l'impression d'attendre, avec impatience, un événement important.

Comme si ce n'était pas déjà suffisant d'avoir à s'organiser dans des conditions aussi précaires! On y arrivait cependant, avec de la bonne volonté. « Les récriminations de Mme Manigault finissent par ne pas causer plus d'effet, disait irrévérencieusement maître Mercelot, que des litanies papistes ». Les enfants, eux, étaient distraits par la seule vie de la mer et l'inconfort les gênait peu. Les pasteurs avaient organisé des exercices religieux qui obligeaient les émigrants à se réunir, entre eux, à certaines heures.

Si le temps le permettait, la dernière lecture de la Bible avait lieu sur le pont, sous les yeux de l'étrange équipage.

— Nous devons montrer à ces hommes sans foi ni loi l'idéal qui nous habite et que nous devons transporter avec nous intact, disait le pasteur Beaucaire.

Habitué à sonder les âmes, le vieil homme sentait, sans le dire, sa petite communauté menacée d'un péril intérieur peut-être plus grave que celui d'emprisonnement et de mort qu'ils avaient encouru à La Rochelle. Les bourgeois et artisans, pour la plupart cossus et solidement ancrés entre les murs de leur ville, en avaient été arrachés trop brusquement.

La rupture cruelle mettait les cœurs à nu. Les regards même avaient changé.

Lors des dernières prières, Angélique s'asseyait un peu à l'écart, Honorine sur les genoux. Les paroles du Livre saint lui parvenaient dans la nuit :

« *Il y a un temps pour tout, un temps pour toutes choses sous les cieux... un temps pour tuer et un temps pour guérir... un temps pour haïr et un temps pour aimer...* »

Et quand reviendrait-il, le temps d'aimer?

Or il ne se passait rien. Et Angélique attendait quelque chose. Elle n'avait pas revu le Rescator depuis le premier soir de leur embarquement au cours duquel elle avait si longuement médité sur les sentiments divers qu'il lui inspirait. Après avoir décidé qu'elle devait se méfier de lui et d'elle-même, elle aurait dû se féliciter de sa disparition. En fait, elle s'en trouvait inquiète. On ne le voyait pour ainsi dire plus. Lorsque les passagers, à certaines heures, émergeaient de l'entrepont pour la promenade, il arrivait qu'on aperçût, au loin, sur le château arrière la silhouette du maître, l'envol de son manteau sombre dans lequel s'engouffrait le vent.

Mais il n'intervenait plus dans leurs affaires, et à peine, semblait-il, dans la marche du navire.

C'était le capitaine Jason qui, du haut de la dunette, clamait ses ordres dans le porte-voix de cuivre. Marin excellent, mais lui-même taciturne et peu sociable, il ne s'intéressait guère à la cargaison de Huguenots embarquée, sans doute, contre son propre assentiment. Quand il ne portait pas de masque, il montrait un visage rude et froid qui décourageait de l'aborder. Et, pourtant, chaque jour, Angélique était chargée de s'entremettre, au nom de ses compagnons, pour mettre au point certains détails. Où pouvait-on faire la lessive? Avec quelle eau?... Car la ration d'eau douce était réservée à la boisson. Il fallait donc se contenter de l'eau de mer. Premier drame imprévu pour les ménagères... car le linge n'était pas blanc et demeurait poisseux. A quelles heures pouvait-on venir sur le pont sans gêner les manœuvres?... etc.

Par contre, Nicolas Perrot, l'homme au bonnet de fourrure, lui fut d'un plus précieux recours. Il ne paraissait pas avoir dans l'équipage un rôle bien défini. On le voyait plus souvent rôdant et fumant sa pipe. Puis il s'enfermait de longues heures avec le Rescator. Par lui, Angélique put faire parvenir leurs revendications à qui de droit et il se chargeait de transmettre les réponses, en atténuant ce qu'elles avaient de déplaisant, car c'était un homme aimable et bon enfant.

Ainsi, il y eut un tollé général dans la cale des passagers lorsque, le cinquième jour, les cuisiniers apportèrent, comme complément aux quartiers de viande salée, une mixture étrange et aigre, quelque peu nauséabonde, dont ils prétendaient que chacun devait manger. Manigault refusa une nourriture qui lui paraissait suspecte. Jusqu'ici l'ordinaire du bord avait été acceptable et suffisant. Mais si l'on commençait, dès maintenant, à leur faire ingurgiter de la pourriture, les enfants tomberaient malades et le voyage à peine commencé s'achèverait sur des deuils cruels. Mieux valait se contenter de viande salée et du maigre morceau de biscuit distribué, la nourriture habituelle des marins.

A la suite de ce refus, le quartier-maître vint leur crier qu'ils devaient manger de la « sauercraute », sinon on les y forcerait en les tenant par les mains et par les pieds.

C'était une sorte de gnome, à la nationalité indéfinissable, qui avait dû être forgé pour le dur métier de la mer quelque part dans le nord de l'Europe : Ecosse, Hollande, ou Baltique. Il parlait un mélange d'anglais, de français et de hollandais, et malgré la connaissance de ces langues par les marchands rochelais, il fut à peu près impossible de s'entendre avec lui.

Angélique, une fois de plus, s'ouvrit de ses ennuis au brave Nicolas Perrot, en définitive le seul être abordable du *Gouldsboro*. Celui-ci la rassura et l'encouragea à suivre les directives du quartier-maître; d'ailleurs elles ne faisaient que répéter les ordres du Rescator lui-même.

— Nous sommes trop nombreux pour la quantité de vivres emportés. Il a fallu dès maintenant fixer les rations. Il reste encore un peu de viande sur pied : deux cochons, une chèvre, une vache. On les garde en prévision des malades, toujours possibles. Mais le chef a décidé d'entamer ces barils de choux qu'il emmène partout avec lui. Il prétend qu'avec cela on évite radicalement le scorbut, et c'est ma foi vrai, car j'ai déjà fait deux traversées avec lui et n'ai pas constaté de ces cas graves dans son équipage. Faut faire comprendre à vos amis qu'ils doivent en manger tous les jours un peu. C'est une consigne à bord. Ceux qui rechignent sont enfermés dans la cale grillagée. Et p't'être bien qu'ils risquent qu'on leur entonne leur chou de force, comme aux oies.

Le lendemain, meilleur accueil fut fait au quartier-maître qui les regarda manger leur ration d'un petit œil bleu, aux reflets glacés, qui dansait bizarrement dans sa face au teint de jambon cuit.

— De plus en plus, j'ai tendance à me croire lancé sur le fleuve des empires infernaux, fit remarquer Mercelot qui prenait les choses avec un humour de lettré. Regardez-moi cette créature vomie des enfers... On en voit certes de toutes sortes dans les ports, mais je n'ai jamais rencontré un tel ramassis d'inquiétante humanité rassemblée sur un même navire. Vous nous avez bien curieusement guidés, dame Angélique...

Angélique, assise sur le support d'un canon,

s'efforçait de faire avaler quelques bribes de chou aigre à Honorine, ainsi qu'à quelques autres petits qu'elle avait réunis autour d'elle.

— Vous êtes des oiseaux dans leur nid. Ouvrez vos becs! leur disait-elle.

Elle se sentait toujours un peu mise en cause et responsable lorsque des critiques s'élevaient contre le *Gouldsboro*, son maître et son équipage. Dieu sait pourtant qu'elle n'avait pas eu le choix.

Elle répondit :

— Bah! croyez-vous que l'Arche de Noé offrait un spectacle beaucoup moins curieux que notre navire? Dieu, pourtant, s'en est contenté...

— Sujet de méditation, en effet, dit avec componction le pasteur Beaucaire, en prenant son menton dans sa main. Si nous étions engloutis, eux et nous, mériterions-nous de recréer l'humanité et de renouveler l'Alliance?

— Avec un gibier de cette espèce, cela ne me paraît guère possible, grommela Manigault. En les regardant de près, on s'aperçoit vite qu'ils ont tous encore la marque d'un fer aux pieds.

Angélique n'osa rien répondre car, au fond, elle partageait la même idée. Il était assez vraisemblable que l'ancien pirate de la Méditerranée eût recruté ses hommes les plus fidèles parmi les galériens évadés. Il y avait dans les yeux de tous ces matelots de races diverses et dont on entendait parfois les rires et les chants insolites s'échapper, le soir, du poste d'équipage, une expression générale qu'elle seule, peut-être, pouvait comprendre. Celle d'un être qui a pâti d'être enchaîné et pour qui, désormais, le monde n'est plus assez grand, ni la mer assez vaste. D'un être qui, pourtant, se glisse dans ce monde longtemps interdit, avec le sentiment peureux de n'y avoir pas droit et aussi la crainte de perdre à nouveau ce bien précieux reconquis : la liberté.

— Dites, bosco, demanda Le Gall, pourquoi venez-vous nous ennuyer avec votre chou allemand? On devrait être à la hauteur des Açores ou par là, à l'heure qu'il est, et on y ferait provision d'oranges et de vivres frais!

L'autre lui jeta un coup d'œil en biais et haussa les épaules.

— Il n'a pas compris, dit Manigault.

— Il a fort bien compris, mais il ne veut pas répondre, renchérit Le Gall en suivant des yeux la forme trapue, chaussée de bottes d'ogre, qui sortait de l'entrepont derrière les marins porteurs de gamelles.

Le surlendemain, Angélique, en faisant quelques pas sur le gaillard d'avant, aperçut Le Gall occupé à de mystérieux calculs pour la mesure desquels il se servait de sa montre et d'une boussole. A son approche, il sursauta et dissimula ces objets sous sa casaque de pêcheur, en toile huilée.

— Vous méfiez-vous de moi? demanda Angélique. Pourtant, je serais bien incapable, même, de savoir ce que vous complotez là seul avec votre montre et votre boussole.

— Non, dame Angélique. J'ai cru seulement que c'était l'un des hommes d'équipage qui approchait. Vous avez un peu une façon, comme eux, de marcher sans bruit. On ne vous sent même pas venir. On vous voit là. Ça fait un peu peur. Mais, puisque c'est vous, il n'y a pas de mal.

Il baissa la voix :

— Il y a bien le gars à son poste, dans la hune, qui m'observe du haut du grand mât, mais ça ne fait rien. Il ne peut pas comprendre mon manège. Et tous les autres sont à la soupe, sauf l'homme de barre. La mer est belle, ce soir, peut-être pas pour longtemps, mais le navire va tout seul. J'en ai donc profité pour essayer de nous repérer enfin.

— Sommes-nous si loin des Açores?

Il la fixa d'un œil goguenard :

— Justement!... Je ne sais pas si vous avez remarqué que, l'autre soir, le bosco n'a rien voulu répondre quand je lui ai posé la question pour les Açores. C'est pourtant exactement sur la route si l'on va aux Iles d'Amérique. Même que nous passerions par l'Ascension, ce qui indiquerait pour nous un cap plein sud, que cela ne m'étonnerait pas. Mais naviguer comme nous le faisons, plein ouest, voilà qui est une bien étrange route pour joindre les grandes Antilles ou autres îles de la zone tropicale!...

Angélique lui demanda comment il avait pu déterminer cela, privé de tables de longitudes et de celles de la connaissance du temps, comme de sextant et de montre précise.

— J'ai simplement guetté la sonnerie du quart de midi à bord. C'est alors le midi astronomique, car quand j'étais sur la dunette, j'ai jeté un coup d'œil dans le poste de direction, en passant. Il a de beaux instruments, le patron! Tout ce qu'il faut! Quand on sonne, je suis sûr que c'est juste. C'est pas des gars à se tromper de cap. Je compare avec ma montre qui est encore à l'heure de La Rochelle. Avec ça, ma boussole, et la position du soleil, quand il passe au zénith, et quand il va pour se coucher cela me suffit pour être certain que nous suivons « La route du Nord » : celle des morutiers et des baleiniers. Je ne l'ai jamais faite, mais je la reconnais. Regardez-moi seulement la mer, comme elle est différente.

Angélique n'était pas convaincue. Les méthodes empiriques du brave homme ne lui semblaient pas d'une certitude scientifique à toute épreuve. Quant à la mer, elle était certes différente de la Méditerranée, mais c'était l'Océan, et elle avait entendu bien des fois les matelots parler des tempêtes qui les assaillaient pas plus loin que le golfe de Gascogne. Et l'on disait qu'en certaines saisons, on pouvait avoir très froid, même au large des Açores...

— Regardez-moi cette couleur laiteuse, dame Angélique, insistait le Breton. Et avez-vous remarqué au matin le ciel de nacre : c'est le ciel du Nord. Ça, je m'en porte garant! Et ce brouillard, donc! Il est lourd comme de la neige. Route dangereuse à l'extrême aux tempêtes d'équinoxe. Jamais les morutiers ne la passent en cette saison. Et voilà que nous nous y trouvons! Dieu nous garde!...

La voix de Le Gall s'était faite lugubre. Angélique avait beau écarquiller les yeux : elle n'apercevait aucun brouillard : seulement un ciel blanc se confondant vers le Nord-Ouest avec la mer dont le séparait une minuscule strie rougeâtre, l'horizon.

— Donc tempête et brouillard pour la nuit... ou pour demain, continua sombrement Le Gall.

Décidément il voulait voir les choses en sombre. Pour un ancien marin, il se laissait bien facilement impressionner par la solitude de cette mer déserte où ils n'avaient rencontré aucun navire depuis leur départ. Pas une voile en vue! Les passagers trouvaient cela monotone. Angélique s'en réjouissait. Les rencontres en mer, elle avait appris à les redouter.

La vue de l'Océan avec ses hautes et longues lames de fond ne la lassait jamais. Elle n'avait pas eu à souffrir du mal de mer comme la plupart de ses compagnes, au début.

Maintenant celles-ci se cantonnaient dans l'entrepont à cause du froid. Depuis deux jours les matelots y avaient apporté des pots en terre, couverts de dessins barbares, à demi ouverts dans le haut et sur le côté, qu'on remplissait de charbons ardents. Ces sortes de braseros ou de poêles primitifs suffisaient à maintenir une chaleur et une sécheresse relatives, que complétait, le soir venu, l'apport des grosses chandelles de suif. Il n'aurait pas fallu être rochelais pour ne pas s'intéresser à ce singulier système de chauffage à bord d'un navire, et tous ces messieurs avaient donné leur avis.

— Au fond, c'est beaucoup moins dangereux qu'un brasero ouvert. D'où peuvent venir d'aussi curieux poêles de terre?

Angélique se rappela soudain la phrase de Nicolas Perrot :

« Quand nous serons dans la zone des glaces, on vous apportera de quoi vous chauffer. »

— Mais enfin, s'écria-t-elle, peut-il y avoir des glaces au large des Açores?

Une voix se rapprochant répondit moqueuse :

— Où voyez-vous des glaces, par ici, dame Angélique?

Manigault accompagné de maître Berne et du papetier Mercelot s'approchaient d'elle. Les trois Huguenots étaient enveloppés dans leurs manteaux, le chapeau jusqu'aux yeux. De forte carrure, tous trois, on eût pu les confondre.

— Il fait frisquet, je vous l'accorde, mais l'hiver n'est pas loin et les tempêtes d'équinoxe rafraîchissent forcément les parages.

Le Gall grommela :

— N'empêche que les parages, comme vous dites, monsieur Manigault, ils ont une drôle d'allure.

— Tu crains une tempête?

— Je crains tout!

Il ajouta avec effroi.

— Regardez... Mais regardez donc. C'est le pays de la fin du monde.

La houle vive était tombée soudain. Mais sous

cette apparence calme, l'océan paraissait tavelé, agité comme d'un bouillonnement de marmite. Puis le soleil rouge perça le ciel tout blanc, répandant une lueur de cuivre fondu. L'astre du jour parut soudain énorme, écrasant la mer. Il disparut avec rapidité et presque aussitôt, pendant un court instant, tout devint vert, puis noir.

— La Mer des Ténèbres, soupira Le Gall. La vieille mer des anciens Vikings...

— Nous venons simplement d'assister à un beau coucher du soleil, dit Mercelot. Qu'y a-t-il là d'extraordinaire?

Mais Angélique devina que lui-même était saisi par l'apparence anormale des choses. L'obscurité qui leur avait tout d'abord paru totale, au point qu'ils ne s'entrevoyaient plus, se dissolvait, faisant place à une pénombre crépusculaire. Tout, soudain, était redevenu visible, même l'horizon, mais ils baignaient dans un monde dénué de vie, où ni couleurs, ni chaleur ne pourraient renaître.

— C'est ce qu'on appelle la nuit polaire, dit Le Gall.

— Polaire! Tu en as de bonnes! s'exclama Manigault.

Son rire tonitruant éclata comme un sacrilège dans le silence. Il s'en rendit compte et s'interrompit. Pour se donner une contenance, il regarda les voiles qui retombaient, flasques.

— Qu'est-ce qu'ils f... les gars, sur ce bateau fantôme?

Comme s'ils n'avaient attendu que cette réflexion, les hommes d'équipage jaillirent d'un peu partout.

Les gabiers escaladèrent les haubans et commencèrent à se déplacer le long des vergues. Mais ils faisaient peu de bruit à leur habitude et ces ombres mouvantes ajoutaient à l'atmosphère insolite.

« C'est ce soir, cette nuit, qu'il va se passer quelque chose », pensa Angélique.

Et elle porta la main à son cœur comme si elle manquait de souffle. Maître Berne était près d'elle. Cependant elle n'était pas sûre qu'il pût lui venir en aide.

La voix du capitaine Jason cria ses ordres en anglais du haut de la dunette.

Manigault s'ébroua, soulagé.

— A propos, vous parliez des Açores, tout à l'heure. Toi, Le Gall, qui as plus navigué que moi, peux-tu dire quand nous allons y faire escale? J'ai hâte de savoir si les correspondants portugais que j'ai là-bas ont bien reçu mes transferts de fonds de la Côte des Epices.

Il tapa les poches de son ample vareuse :

— Quand je me sentirai de nouveau en possession de mon argent, je pourrai enfin tenir tête à cet insolent chef de pirates. Pour l'instant, il nous traite comme de pauvres hères. Nous devrions lui baiser les mains! Mais attendons que nous soyons dans les Caraïbes. Il n'est pas dit qu'il sera le plus fort.

— Dans les Caraïbes, les flibustiers sont maîtres, dit Berne du bout des lèvres.

— Mais non, mon cher. Ce sont les négriers! Et moi, je suis déjà bien en place là-bas. Mais une fois que j'y aurai mis la main moi-même, je compte bien obtenir le monopole des esclaves. Que vaut un navire qui transporte simplement tabac et sucre à l'aller, en Europe, et qui ne revient pas bourré de Nègres au retour d'Afrique? Or, ce bateau-là, sur lequel nous sommes, n'est pas un bateau-négrier. Il serait équipé autrement. Et puis j'ai trouvé ceci en feignant de chercher mon chemin dans les cales.

Il ouvrit la main pour montrer sur sa paume deux pièces d'or frappées à l'effigie du Soleil.

— Ce sont des traces des trésors des Incas! Les mêmes que ramènent parfois les Espagnols. Et, surtout, j'ai remarqué que les autres cales étaient remplies d'appareillages curieux pour plongées profondes, des grappins spéciaux, des échelles, que sais-je? Par contre la place nécessaire au fret pondéral est par trop réduite pour un honnête bateau marchand.

— Que supposez-vous donc?

— Rien. Tout ce que je peux dire c'est que ce pirate vit en piratant. De quelle façon? C'est son affaire. Je préfère cela à me trouver devant un concurrent possible. Peuh! Ces gens-là sont courageux, mais guère au courant des combinaisons marchandes. Ce n'est pas eux qui peuvent régner pour de bon sur les mers. C'est nous autres, marchands de métier, qui allons les remplacer peu à peu. C'est pourquoi cela me plairait assez de pouvoir m'entretenir face à face avec lui. Il aurait bien pu, pour le moins, m'inviter à souper.

— On dit que son appartement, dans le château-arrière, est luxueux et rempli de pièces de prix, émit le papetier.

Ils guettaient l'opinion d'Angélique, mais celle-ci, comme chaque fois qu'il était question du Rescator, se sentait emplie de malaise et elle ne dit mot. Le regard de maître Berne guettait le sien.

Pourquoi l'obscurité, au lieu de s'accentuer, se dissipait-elle au contraire? On aurait dit qu'une nouvelle aurore était proche.

La couleur de l'eau changeait à nouveau. D'un noir d'encre, elle paraissait au loin coupée en deux par une zone d'un blanc verdâtre d'absinthe. Lorsque le *Gouldsboro* pénétra dans cette zone, ses flancs frémirent comme ceux d'un cheval à l'approche du danger.

De la dunette partaient des ordres.

Berne comprit soudain ce que le matelot de vigie dans le hunier venait de hurler, là-haut, en anglais.

— Glace immergée à tribord, répéta-t-il.

Ils se tournèrent d'un même mouvement.

Une masse immense, fantomale, se dressait au delà du navire. Immédiatement, les matelots garnirent la rambarde de ce côté, armés de gaffes et de boudins de cordages pour tenter d'éviter une collision mortelle du brick avec la montagne dont s'exhalait un souffle glacial.

Heureusement, conduit de main de maître, le bâtiment passa fort au large du dangereux obstacle. Derrière l'iceberg, le ciel s'était éclairci encore et, cette fois, la grisaille crépusculaire paraissait s'imprégner de rose.

Les passagers, qui demeuraient muets de stupeur et de crainte, doutant de leur vision, distinguèrent nettement trois points noirs posés sur l'iceberg qui s'en détachèrent lourdement, grossirent, et se transformèrent en s'approchant du navire en de curieuses formes blanches emplumées.

— Des anges! dit Le Gall dans un souffle... C'est la mort.

Gabriel Berne conservait son sang-froid. Il avait passé un bras autour des épaules d'Angélique et elle ne s'en était même pas aperçue.

Il rectifia sèchement :

— Des albatros, Le Gall... tout simplement, des albatros polaires.

Les trois énormes oiseaux continuaient à suivre le sillage du navire, tantôt volant en larges cercles, tantôt se posant sur l'eau sombre et clapotante.

— Signe de malheur, dit Le Gall. Qu'une tempête nous prenne et nous sommes perdus.

Brusquement, Manigault éclata en imprécations :

— Suis-je fou? Est-ce que je rêve? Est-ce le

jour? Est-ce la nuit? Qui est-ce qui prétend que nous sommes au large des Açores? Damnation! Nous suivons une autre route...

— C'est ce que je dis, monsieur Manigault.

— Tu ne pouvais pas le dire plus tôt, andouille!

Le Gall se fâcha.

— Et qu'est-ce que ça aurait changé? Ce n'est pas vous qui êtes le maître à bord, monsieur Manigault.

— C'est ce qu'on verra!

Ils se turent, parce que la nuit venait de retomber sur eux. L'étrange aurore s'était effacée.

Des lanternes s'allumèrent aussitôt sur le navire. L'une d'elles s'avança vers le groupe formé par Angélique et les quatres hommes, sur le gaillard d'avant. Dans le halo, se découvrait la face burinée du vieux médecin arabe Abd-el-Mechrat. Le froid jaunissait son visage bien qu'il fût emmitouflé jusqu'à ses besicles.

Il s'inclina, à plusieurs reprises, devant Angélique.

— Le maître vous prie de vous rendre chez lui. Il souhaiterait que vous y passiez la nuit.

Débitée sur le ton le plus courtois, la phrase, dite en français, était fort claire. Le sang d'Angélique ne fit qu'un tour, ce qui la réchauffa. Elle ouvrit la bouche pour décliner une demande jugée par elle offensante, lorsque Gabriel Berne la devança.

— Sale punaise, s'exclama-t-il la voix tremblante de fureur, où vous croyez-vous pour transmettre d'aussi insultantes propositions... sur le marché d'Alger, peut-être?

Il levait le poing. Le geste rouvrit sa blessure et il dut s'arrêter, en retenant avec peine un gémissement de douleur, Angélique s'étant interposée.

— Vous êtes fou! On ne parle pas sur ce ton à un effendi.

— Effendi ou pas, il vous insulte. Admettez-vous, dame Angélique, qu'on vous prenne pour une femme... une femme qui...

— Ces hommes se croient-ils des droits sur nos femmes et nos filles? intervint le papetier. C'est le comble.

— Calmez-vous, supplia Angélique. Après tout, il n'y a pas de quoi fouetter un chat et je suis seule en cause. Son Excellence le grand médecin Abd-el-Mechrat n'a fait que me transmettre une... invitation que, sous d'autres cieux, en Méditerranée, par exemple, on pourrait considérer comme un honneur.

— Effrayant, dit Manigault en regardant autour de lui d'un air impuissant. En fait, nous sommes tombés aux mains des Barbaresques, ni plus ni moins! Une partie de l'équipage est composée de cette vermine et je parierais que le maître lui-même n'est pas dénué de sang d'infidèle, malgré ses airs espagnols. Un Maure andalou ou un bâtard de Maure, voilà ce qu'il est...

— Non, non, protesta Angélique, avec véhémence, je me porte garante qu'il n'appartient pas à l'Islam. Nous sommes sur un navire chrétien.

— Chrétien!

— Ha! Ha! Voilà la meilleure! Un navire chrétien! Dame Angélique, vous perdez la raison. Il y a de quoi, d'ailleurs.

Le médecin arabe attendait, impassible et dédaigneux, drapé dans ses lainages. Sa dignité et l'intelligence remarquable de ses yeux sombres rappelaient à Angélique Osman Ferradji, et elle éprouvait un peu de pitié à le voir grelotter dans cette nuit du bout du monde.

— Noble effendi, pardonnez mes hésitations et soyez remercié de votre message. Je dénie la demande que vous m'adressez et qui est inacceptable pour une femme de ma religion, mais je suis prête à vous suivre afin de porter moi-même ma réponse à votre maître.

— Le maître de ce navire n'est pas mon maître, répondit le vieil homme avec douceur, ce n'est que mon ami. Je l'ai sauvé de la mort, il m'a sauvé de la mort et nous avons fait ensemble le pacte de l'esprit.

— J'espère que vous n'avez pas l'intention de répondre à la proposition insolente qui vous est faite, intervint Gabriel Berne.

Angélique posa une main apaisante sur le poignet du marchand.

— Laissez-moi une bonne fois m'expliquer avec un tel homme. Puisqu'il a choisi l'heure, acceptons-la. En vérité, je ne sais ni ce qu'il veut, ni quelles sont ses intentions.

— Je ne le sais que trop, moi, gronda le Rochelais.

— Ce n'est pas certain. Un être aussi bizarre...

— Vous en parlez avec une familiarité indulgente, comme si vous le connaissiez depuis longtemps...

— Je le connais, en effet, assez pour savoir que je n'ai pas à craindre de lui... ce que vous craignez.

Elle poursuivit sur un léger rire, un peu provocant :

— Croyez-moi, maître Berne, je sais me défendre. J'en ai affronté de plus redoutables que lui.

— Ce ne sont pas ses violences que je crains, dit Berne à mi-voix, mais la faiblesse de votre cœur.

Angélique ne répondit pas. Ils échangeaient ces paroles sans se voir, s'étant attardés tandis que le matelot, porteur de lanterne, commençait à s'éloigner, suivi du médecin arabe, de l'armateur et du papetier. Ils se retrouvèrent tous devant l'écoutille qui menait à l'entrepont.

Berne se décida.

— Si vous vous rendez chez lui, je vous accompagne.

— Je crois que ce serait une grave erreur, dit Angélique nerveuse. Vous éveillerez inutilement sa colère.

— Dame Angélique a raison, intervint Manigault. Elle a prouvé à maintes reprises qu'elle avait bec et ongles. Et je serais assez partisan, moi aussi, que dame Angélique aille s'expliquer avec cet individu. Il nous embarque, c'est bien. Mais, tout à coup, il se rend invisible, après quoi nous nous retrouvons dans les eaux polaires. Qu'est-ce que cela signifie, au juste?

— La façon dont le médecin arabe a présenté sa requête ne laissait pas penser que monseigneur le Rescator souhaitait parler longitudes et latitudes avec dame Angélique.

— Elle saura bien l'y forcer, dit Manigault confiant. Souviens-toi de la façon dont elle a tenu Bardagne en laisse. Que diable! Berne! Qu'as-tu à craindre d'un grand escogriffe qui n'a pour tout moyen de séduction qu'un masque de cuir? Je ne crois pas que ce soit très inspirant pour les dames, hein?

— C'est ce qu'il y a sous ce masque que je crains, dit Berne du bout des lèvres.

Il n'aurait tenu qu'à lui d'user de sa force pour empêcher Angélique d'obéir au Rescator. Car il était profondément indigné qu'elle veuille répondre à une invite formulée en des termes aussi indécents. Mais se souvenant qu'elle redoutait, en devenant sa femme, d'être contrainte et de ne plus pouvoir agir à sa guise, il s'obligea à se montrer libéral et domina sa propre nature soupçonneuse.

— Allez donc! Mais si vous n'êtes pas de retour dans une heure, j'interviendrai!

Les pensées d'Angélique, tandis qu'elle franchissait les échelons du château-arrière, étaient aussi chaotiques que la mer. Comme les vagues devenues soudain échevelées et désordonnées, ses sentiments se heurtaient et elle eût été incapable même de les définir : colère, appréhension, joie, espoir, et puis, tout à coup, une fugitive terreur qui lui tombait sur les épaules comme une chape de plomb.

Il allait se passer quelque chose! Et c'était quelque chose de terrible, d'écrasant, dont elle ne se relèverait pas.

Elle crut qu'on l'avait fait entrer dans le salon du Rescator et ce ne fut qu'au moment où la porte se refermait derrière elle qu'elle se vit dans une étroite cabine vitrée, qu'éclairait une lanterne suspendue à un double cadre qui l'empêchait de se balancer.

Il n'y avait personne dans la cabine. En y regardant de plus près, Angélique pensa que la pièce devait être attenante aux appartements du capitaine, car bien qu'étroite et basse elle s'ornait vers le fond d'une haute fenêtre comme celles garnissant le château-arrière. Sous la tenture recouvrant les murs, Angélique découvrit une porte. Ceci confirma son impression qu'elle communiquait certainement avec les salons où elle avait déjà été reçue. La jeune femme tourna le loquet pour s'en assurer, mais la porte résista. Elle était fermée à clé.

Haussant les épaules avec un mélange d'agacement et de fatalisme, Angélique revint s'asseoir sur le divan qui garnissait presque toute la pièce. Plus elle y réfléchissait, plus elle devenait persuadée que cette cabine était la chambre de repos du Rescator. Il devait s'y trouver dissimulé lorsque le soir du départ, elle était revenue à elle sur le divan oriental et qu'elle avait senti le poids d'un regard invisible la guettant.

L'avoir amenée directement dans cette pièce, ce soir-là, était déjà assez cavalier.

Mais elle allait mettre les choses au point! Elle attendit en perdant, peu à peu, patience. Puis, ayant décidé que cela devenait intolérable et qu'il se moquait d'elle, elle se leva pour s'en aller.

Elle eut la désagréable surprise de trouver la porte par laquelle on l'avait introduite, elle aussi, close. Cela lui rappela, de façon insoutenable, les procédés d'Escrainville et elle se mit à frapper le panneau de bois en appelant. Sa voix fut couverte par le sifflement du vent et le fracas de la mer. L'agitation des vagues s'était accentuée depuis la nouvelle tombée de la nuit.

Y aurait-il une tempête comme Le Gall l'avait annoncé?

Elle pensa aux rencontres possibles des énormes blocs de glace et eut soudain peur. En s'appuyant à la cloison elle gagna la fenêtre qu'éclairait faiblement le grand fanal arrière. La verrerie épaisse était constamment inondée par le ruissellement des lames qui y laissaient traîner une écume neigeuse, lente à se dissiper.

Pourtant, au sein d'une accalmie subite, Angélique, jetant un coup d'œil dehors, vit se balancer au ras de l'eau, tout proche, un oiseau blanc qui paraissait la fixer cruellement.

Elle se rejeta en arrière, bouleversée.

« C'est peut-être l'âme d'un noyé? Tant de navires ont dû sombrer dans ces parages... Mais pourquoi me laisse-ton enfermée, seule? »

Une secousse la détacha de la paroi, et après avoir cherché en vain à se rattraper, elle se retrouva, sur le lit, violemment assise.

Il était recouvert d'une fourrure blanche, épaisse, et d'une taille respectable. Angélique y enfonça machinalement ses mains glacées. On racontait qu'il y avait, dans le Nord, des ours aussi blancs que la neige. La couverture avait dû être taillée dans l'une de ces peaux.

« Où nous mène-t-on? »

Au-dessus d'elle dansait le singulier dispositif de la lanterne qui l'agaça, car au centre, le récipient à huile demeurait incompréhensiblement immobile.

La lanterne elle-même était un curieux objet d'or. Jamais en France, ni en Islam, Angélique n'en avait observé de pareil. En forme de boule ou de calice, des motifs entrecroisés laissaient filtrer la lueur jaune de la mèche.

Heureusement, la tempête ne semblait pas augmenter. Par intermittence, Angélique entendait l'écho de voix se répondant. Au début, elle n'arrivait pas à situer d'où venaient ces voix; l'une était sourde, l'autre forte et basse et, par instants, on pouvait distinguer certains mots prononcés. Des ordres fusaient :

— Déferle partout! Hissez misaine et brigantin, toute la barre au travers!...

C'était la voix du capitaine Jason traduisant, sans doute, les indications que lui donnait le Rescator.

Les croyant dans la chambre voisine, Angélique alla de nouveau tambouriner à la porte de communication. Puis elle comprit aussitôt qu'ils se trouvaient au-dessus d'elle, sur la dunette, au poste de commandement.

Le mauvais temps justifiait l'attention de deux capitaines. L'équipage devait être en état d'alerte. Mais pourquoi le Rescator avait-il fait venir Angélique pour une entrevue — galante ou non? — alors qu'il pouvait fort bien prévoir, quand il lui avait envoyé son message, que la marche du navire le retiendrait sur la dunette?

« J'espère qu'Abigaël ou Séverine va s'occuper d'Honorine!... D'ailleurs maître Gabriel a dit qu'il viendrait faire scandale si je n'étais pas de retour dans une heure parmi eux », se tranquillisait-elle.

Mais il y avait beaucoup plus d'une heure qu'elle était là. Le temps passait et personne ne se présentait pour la délivrer. De guerre lasse, elle finit par s'étendre puis par s'enrouler dans la peau d'ours blanc dont la chaleur l'engourdit. Elle tomba dans un sommeil agité, coupé de réveils brusques où le glissement de la mer sur les carreaux de la fenêtre lui donnait l'impression d'être engloutie au fond des eaux en quelque palais sous-marin, où le murmure de deux voix orchestrant la tempête se confondait, pour elle, avec la pensée des fantômes désolés errant parmi les glaces d'un paysage proche des limbes.

Comme elle rouvrait les yeux, la lumière de la chandelle lui parut plus atténuée. Le jour venait. Elle se dressa sur son séant.

« Que fais-je donc ici? C'est inadmissible!... »

Personne n'était encore venu.

Sa tête lui faisait mal. Ses cheveux s'étaient dénoués. Elle trouva sa coiffe qu'elle avait ôtée la veille, avant de s'étendre. Pour rien au monde, elle n'eût voulu que le Rescator la trouvât dans cette posture, négligée et abandonnée. C'était peut-être même ce qu'il avait attendu. Ses ruses étaient imprévisibles, ses pièges et aussi bien ses buts, surtout en ce qui la concernait, étaient difficiles à démêler.

Elle se hâta de se lever pour mettre de l'ordre dans sa toilette et eut l'instinctif souci féminin de chercher autour d'elle un miroir.

Il y en avait un fixé au mur. L'encadrement était d'or massif. Ce joyau sans prix scintillait d'un éclat diabolique. Elle se félicita de ne pas l'avoir aperçu au cours de la nuit.

Dans l'état d'esprit où elle se trouvait alors, elle en aurait été terrorisée. Cet œil rond, aux profondeurs insondables, la fixant, lui aurait paru maléfique. L'encadrement représentait des guirlandes de soleils entrelacés d'arcs-en-ciel.

En se penchant vers son reflet, Angélique y vit l'image d'une sirène aux yeux verts, aux lèvres et aux cheveux pâles, sans âge, comme les sirènes qui gardent une éternelle jeunesse à travers les siècles.

Elle s'empressa de détruire cette image en tressant ses cheveux évanescents, et en les emprisonnant étroitement sous son bonnet. Puis elle se mordit les lèvres afin de leur rendre un peu de couleur et s'efforça de prendre une expression moins hagarde. Malgré cela, elle continuait à se considérer avec méfiance. *Ce miroir n'était pas comme les autres.* Ses transparences mordorées conféraient au visage des ombres douces, un halo mystérieux. Même ainsi avec son bonnet sage de ménagère rochelaise, Angélique se trouvait l'apparence inquiétante d'une idole.

« Est-ce que je suis réellement ainsi ou bien est-ce un miroir magique? »

Lorsque la porte s'ouvrit, elle le tenait encore à la main.

Elle le dissimula dans les plis de sa jupe, tout en se reprochant de ne pas le remettre en place d'un geste habituel. Après tout, une femme a toujours le droit de se regarder dans un miroir.

5

C'était la porte de communication qui s'était ouverte. Le Rescator se tenait sur le seuil, une main contre la tenture qu'il avait écartée.

Angélique se redressa de toute sa taille et le considéra d'un air glacial.

— Puis-je vous demander, monsieur, pourquoi vous m'avez retenue?...

Il l'interrompit en lui faisant signe d'approcher.

— Venez par ici.

Sa voix était encore plus sourde que d'habitude, et il toussa à deux reprises. Elle lui trouva une expression de lassitude. Il y avait quelque chose de changé en lui qui le rendait moins... « moins Andalou », aurait dit M. Manigault. Il n'avait même plus l'air d'un Espagnol. Elle ne douta plus qu'il fût d'origine française. Ce qui ne le rendait pas pour cela plus accessible. Son masque était constellé de gouttelettes humides, mais il avait eu le temps de passer des vêtements secs.

En pénétrant dans le salon, Angélique vit, jetés à la diable, la casaque, le haut-de-chausses, les bottes avec lesquels il avait affronté la tempête.

Elle dit, se rappelant une réflexion récente :

— Vous allez abîmer vos beaux tapis.

— Aucune importance.

Il bâilla en s'étirant.

— Ha! Qu'il doit être déplaisant pour un homme d'avoir à ses côtés une ménagère. Comment peut-on être marié?

Il se laissa choir dans un fauteuil, près d'une table dont les pieds étaient solidement fixés au plancher. Sous l'effet du roulis et du tangage, plusieurs objets en étaient tombés. Angélique se retint de justesse de les ramasser. La réflexion précédente du Rescator lui avait indiqué qu'il n'était pas en veine d'amabilité et qu'il prendrait prétexte de chacun de ses gestes pour l'humilier.

Il ne lui offrait même pas de s'asseoir. Il avait

étendu ses longues jambes bottées devant lui et paraissait méditer.

— Quelle bataille! dit-il enfin. La mer, les glaces et notre coquille de noix au milieu. Par la grâce de Dieu, la tempête n'a pas éclaté.

— N'a pas éclaté, répéta Angélique, la mer m'a paru pourtant très violente.

— Agitée, tout au plus. Il n'en fallait pas moins être vigilant.

— Où sommes-nous?

Il dédaigna la question et tendit la main vers Angélique.

— Donnez-moi ce miroir que vous tenez là. J'étais certain qu'il vous plairait.

Il retourna l'objet entre ses doigts :

— Encore un vestige du trésor des Incas. Parfois, je me demande si la fable de Novumbaga ne serait pas une réalité? La grande cité indienne avec des tourelles de cristal, des murs couverts de feuilles d'or et incrustés de gemmes...

Il se parlait à lui-même.

— Les Incas ne connaissaient pas le verre. Le reflet de ce miroir est obtenu par de l'amalgame d'or frotté de mercure. C'est pourquoi il donne aux visages qui s'y reflètent la somptuosité de l'or et la fugacité du mercure. La femme s'y découvre ce qu'elle est : songe admirable et fugitif. Ce miroir est une pièce rarissime. Vous plaît-il? Le voulez-vous?

— Non, je vous remercie, dit-elle froidement.

— Aimez-vous les bijoux?

Il attirait sur la table un coffret de fer dont il rabattit le lourd couvercle.

— Regardez.

Il soulevait des perles, d'admirables joyaux à la lumière laiteuse et irisée, montés sur des fermoirs de vermeil. Après avoir déployé devant elle la parure, il la posa sur la table, en prit une autre, un sautoir dont les perles étaient plus dorées, mais toutes d'égale grosseur, d'égale clarté, si nombreuses que leur réunion tenait du miracle. On aurait pu s'en faire dix fois le tour du cou et en avoir encore jusqu'aux genoux.

Angélique jeta sur ces merveilles un regard perplexe. Leur apparition insultait à son humble robe de futaine, son corsage de drap noir lacé sur une chemise de grosse toile. Elle se sentit soudain mal à l'aise dans ces vêtements communs.

« Des perles?... J'en ai porté d'aussi belles lorsque j'étais à la cour du Roi, songea-t-elle. Non, pas tout à fait d'aussi belles », rectifia-t-elle aussitôt.

Sa gêne la quitta tout à coup.

« C'était une joie rare de posséder ces belles choses mais c'était aussi un pesant fardeau. Maintenant, je suis libre. »

— Voulez-vous que je vous offre un de ces colliers? demanda le Rescator.

Angélique le regarda presque effrayée :

— A moi? Mais que voulez-vous que j'en fasse aux Iles où nous allons?

— Vous pourriez les vendre plutôt que de vous vendre.

Elle sursauta et sentit ses joues se colorer malgré elle. Décidément, elle n'avait jamais rencontré d'homme — non, même pas Desgrez — qui la traitât tour à tour avec tant d'insupportable insolence et d'aussi délicates attentions.

Les prunelles énigmatiques la surveillaient comme celles d'un chat.

Soudain, il soupira.

— Non, fit-il, d'un air déçu, aucune convoitise dans vos yeux, aucune de ces lueurs dévorantes qui s'allument dans le regard des femmes lorsqu'on les place en face de bijoux... Vous êtes exaspérante.

— Si je suis tellement exaspérante, repartit Angélique, pourquoi me tenez-vous ainsi devant vous, sans même avoir la simple courtoisie de m'offrir un siège? Sachez que je n'y trouve aucun agrément. Et pourquoi donc m'avez-vous gardée prisonnière toute cette nuit?

— Cette nuit, dit le Rescator, nous étions en danger de mort. Jamais je n'avais vu les glaces descendre aussi bas dans cette zone où les tempêtes d'équinoxe sont fort mauvaises. J'ai été moi-même surpris dans mes prévisions et me suis trouvé dans l'obligation d'affronter à la fois deux dangers dont la conjonction en général ne pardonne pas : la tempête et les glaces, et j'ajoute : la nuit. Par bonheur, comme je vous l'ai dit, une saute de vent, quasi miraculeuse, n'a pas permis à la mer de se déchaîner à fond. Nous avons pu tendre nos efforts à éviter les glaces et nous y sommes parvenus à l'aube. Mais, hier au soir, nous pouvions nous préparer à la catastrophe. C'est alors que je vous ai fait venir...

— Mais pourquoi? répéta Angélique qui ne comprenait pas.

— Parce qu'il y avait toutes chances pour que nous coulions et que je voulais que vous soyez près de moi à l'heure de la mort.

Angélique le fixa avec une stupeur indicible. Elle n'arrivait pas à se persuader qu'il parlait sérieusement. Il se livrait sûrement à des plaisanteries macabres.

Tout d'abord, elle avait dormi pendant cette fameuse nuit redoutable, sans soupçonner que le danger pût être aussi proche. Et puis, comment pouvait-il dire qu'il désirait sa présence à l'heure de la mort, alors qu'il la traitait avec un dédain non dissimulé et insultant. Elle dit :

— Vous vous moquez, monseigneur? Pourquoi vous moquez-vous de moi?

— Je ne me moque pas de vous et je vous dirai pourquoi tout à l'heure.

Angélique se ressaisit.

— De toute façon, si le danger a été aussi pressant que vous le dites, sachez que MOI, j'aurais souhaité à un tel moment être près de ma petite fille et de mes amis.

— En particulier près de maître Gabriel Berne?

— Mais oui, confirma-t-elle, près de Gabriel Berne et de ses enfants que j'aime comme ma propre famille. Cessez donc de me considérer comme votre propriété et de disposer de moi.

— Nous avons pourtant des dettes à régler et je vous l'avais dit d'avance.

— C'est possible, fit Angélique qui se montait de plus en plus, mais je vous prierai, à l'avenir, quand vous aurez une invite à me faire, de me la transmettre en termes moins offensants.

— Quels termes?

Elle répéta ce que le médecin arabe était venu lui annoncer : le Rescator désirait qu'elle passât la nuit dans ses appartements.

— Mais c'était précisément cela. Dans mes appartements, vous vous trouviez à deux pas de la dunette et, en cas d'une collision fatale...

Il riait, sardonique :

— Auriez-vous espéré autre chose de cette invite?

— Espéré, non, fit Angélique durement, lui rendant la monnaie de sa pièce. Redouté, oui, je ne voudrais pour rien au monde avoir à subir les hommages d'un homme aussi peu galant, un homme qui...

— Ne craignez rien. Je ne vous ai pas caché que votre nouvel aspect me causait une profonde déception.

— Dieu merci!

— Pour ma part, je juge que le diable a plus à faire dans une transformation pareille! Quel désastre! Je gardais le souvenir d'une odalisque troublante, à la chevelure de soleil, je retrouve une femme en coiffe, mère de famille, mâtinée de mère abbesse... Avouez qu'il y a de quoi s'étonner, même pour un pirate endurci de mon espèce qui en a vu bien d'autres.

— Désolée qu'il y ait maldonne sur la marchandise, monseigneur. Il aurait fallu vous arranger pour la conserver, cette marchandise, lorsqu'elle était à point...

— Et le verbe haut avec cela!... La réplique frondeuse. Alors que vous étiez si humble, au batistan de Candie, l'échine si basse...

Angélique revécut le moment de sa honte. Celui de sa nudité exposée aux regards enflammés des hommes.

« Et pourtant, j'avais encore le pire à vivre »...

Une gravité soudaine vibra dans la voix étrange :

— Ah! vous étiez si belle, madame du Plessis, avec votre seule chevelure pour tout vêtement, et vos yeux de panthère traquée, et votre dos marqué par les sévices de mon bon ami Escrainville... L'ensemble vous allait mieux, infiniment mieux, que votre nouvelle arrogance bourgeoise... En y ajoutant le prestige de maîtresse du Roi de France qui vous auréolait, vous valiez le prix... Certes!

Il l'exaspérait quand il lui jetait ainsi à la tête un titre qu'elle ne devait qu'à la calomnie des gens de cour, et surtout lorsqu'il la comparait à son passé en lui faisant comprendre qu'elle était jadis plus belle. Quel goujat! Une rage la prit.

— Ah! c'est mon dos marqué qui vous manque? Eh bien, regardez! Regardez ce que les gens du Roi ont fait de la prétendue maîtresse de Sa Majesté!

A pleins doigts, elle se mit à arracher les lacets de son corselet. Elle l'écarta, rabattit la chemise sur son épaule nue.

— Regardez, répéta-t-elle. Ils m'ont marquée à la fleur de lys!

Le corsaire se leva et s'approcha d'elle. Il examina la marque du fer rouge avec l'attention d'un savant découvrant un objet rare. Rien ne transparaissait des sentiments qu'une telle révélation lui inspirait.

— Vraiment! fit-il enfin. Et les Huguenots savent-ils qu'ils recèlent parmi eux un gibier de potence?

Angélique regrettait déjà son geste irréfléchi. Le doigt du Rescator caressait, comme négligemment, la petite cicatrice durcie, mais ce seul contact la faisait frissonner. Elle voulut ramener sur elle ses vêtements. Il la retint, la saisissant par le haut des bras, de sa poigne dure et inflexible.

— Le savent-ils?

— Un seul le sait.

— Ce sont les prostituées et les criminelles que l'on marque ainsi, au royaume de France.

Elle eût pu lui dire qu'on marquait aussi les femmes réformées et qu'elle avait été prise pour l'une d'elles. Mais la panique l'envahissait. Cette panique qu'elle connaissait bien et qui la paralysait dans les bras d'un homme lorsque celui-ci cherchait à lui imposer son désir.

— Ah! qu'importe, fit-elle en se débattant. Pensez de moi ce que vous voudrez, mais lâchez-moi.

Mais il la serrait, comme l'autre soir, si étroitement contre lui, qu'elle ne pouvait même pas lever la tête vers le masque rigide qui la dominait, ni ébaucher un mouvement pour le repousser. Le seul bras du Rescator avait la dureté d'un carcan de fer.

Il posa son autre main sur la gorge de la jeune femme et ses doigts, doucement, descendirent vers les seins que découvrait la chemise entrebâillée.

— Vous cachez bien vos trésors, murmura-t-il.

Il y avait des années qu'un homme n'avait pas

osé sur elle une caresse aussi hardie. Elle se raidit sous la paume impérieuse qui s'assurait tranquillement de sa beauté.

La main du Rescator se fit insistante : elle connaissait son pouvoir.

Angélique ne pouvait bouger, respirait à peine. Elle vécut un moment étrange. Une chaleur l'envahit et, en même temps, elle crut qu'elle allait mourir.

Cependant, sa défense intime fut la plus forte. Elle réussit à articuler encore :

— Laissez-moi! Lâchez-moi!

Son visage renversé en arrière semblait torturé.

— Je vous inspire donc une telle horreur? demanda-t-il.

Mais il ne la serrait plus.

Elle recula jusqu'au mur où elle dut s'appuyer. Il l'étudiait et elle devina sa perplexité devant des réactions aussi extrêmes.

Elle s'était encore conduite avec un manque de mesure sans rapport avec sa personnalité habituelle.

« Tu ne redeviendras jamais une vraie femme, lui disait une voix intérieure, pleine de déception. (Puis, se ressaisissant :) Dans les bras de ce pirate?... Ah! non, jamais! Il m'a assez témoigné son mépris. Malmener et caresser, c'est une formule qui a dû lui réussir près des femmes orientales. Très peu pour moi. Si je tombais dans le piège, il serait capable de faire de moi une malheureuse créature, dépravée... J'ai déjà assez pâti de mes erreurs, sans lui. »

Mais, étrangement, la déception subsistait. « Lui seul, peut-être, aurait pu. »

Que lui était-il arrivé tout à l'heure? Cette anxiété délicieuse sous les doigts insinuants, c'était — elle l'avait reconnu — le réveil de ses sens, la tentation de l'abandon? Avec lui, elle n'aurait pas eu peur. Elle en avait la certitude et, cependant, c'était un réflexe de terreur qu'il avait cru lire dans ses yeux. Il ignorait que cette terreur ne s'adressait pas à lui.

Maintenant encore, elle n'osait pas le regarder.

En homme d'esprit, le Rescator parut prendre sa déconvenue avec philosophie.

— Ma parole, vous êtes plus farouche qu'une pucelle. Qui l'eût cru?

Il s'appuyait contre la table et croisait les bras sur sa poitrine.

— N'empêche! Votre refus est lourd de conséquences. Que faites-vous de notre marché?

— Quel marché?

— J'avais bien cru comprendre, lorsque vous êtes venue à moi, à La Rochelle, qu'en échange de l'embarquement de vos amis, vous me rendiez une esclave dont je n'avais pu user selon mon bon plaisir et selon mes droits.

Angélique se sentit coupable à la façon d'un négociant qui essaierait de passer outre aux clauses d'un contrat.

Lorsqu'elle courait sur la lande, flagellée par la pluie, habitée par la seule idée d'arracher tous les persécutés du Roi à ce sol maudit, elle savait qu'en allant vers le Rescator, elle s'offrait. Tout lui avait alors paru facile. La seule chose qui avait de l'importance, c'était de pouvoir s'enfuir.

Maintenant, il lui faisait comprendre que l'heure était venue de payer sa dette.

— Mais... n'avez-vous pas dit que je vous déplaisais, fit-elle avec un air d'espoir.

Ceci eut le don de déchaîner l'hilarité du Rescator.

— La rouerie et la mauvaise foi féminines ne sont jamais à court d'arguments, même des plus imprévus, fit-il entre deux éclats de rire rauques qui lui parurent effrayants. Ma chère, c'est moi le maître! Je peux me permettre de changer d'avis, même à votre sujet. Vous ne manquez pas de séduction quand vous vous mettez en colère et votre impulsivité a son charme. J'avoue que, depuis quelques instants, je rêve de vous débarrasser de vos cornettes et de vos bures et d'en découvrir plus long que ce que vous avez bien voulu m'accorder tout à l'heure.

— Non, fit Angélique en serrant sa mante autour d'elle.

— Non?

Il s'approcha d'elle avec une nonchalance feinte. Elle lui trouvait une démarche lourde, implacable. Malgré une apparence déliée qui le différenciait du raide hidalgo, c'était un homme d'acier. Parfois on l'oubliait. Il pouvait amuser, distraire. Puis on découvrait cette force infaillible et il faisait peur. A ce moment, Angélique savait que toute son énergie physique et morale ne lui servirait de rien.

— Ne faites pas cela, dit-elle, précipitamment, c'est impossible! Vous qui respectez les lois de l'Islam, rappelez-vous qu'on ne doit pas prendre la femme d'un homme vivant. J'ai engagé ma foi envers l'un de mes compagnons. Nous devons nous marier... dans quelques jours : sur ce navire même.

Elle disait n'importe quoi. Il fallait dresser un mur à la hâte. Contre toute attente, son aveu parut porter.

Le pirate s'arrêta net.

— Un de vos compagnons, dites-vous? Le blessé?

— Ou... oui.

— Celui qui sait?

— Qui sait quoi?

— Que vous êtes marquée à la fleur de lys?

— Oui, lui.

— Mordious! Pour un calviniste, il ne manque pas de courage! S'affubler d'une p... de votre espèce!

L'éclat la laissa saisie. Elle s'attendait à ce qu'il accueillît son annonce avec cynisme. Or il paraissait touché.

« C'est parce que j'ai parlé des lois de l'Islam qui doivent lui être chères », se dit-elle.

Comme s'il avait lu sa pensée, il lui jeta avec violence.

— Je n'attache pas plus d'importance aux lois de l'Islam qu'à celles des pays chrétiens dont vous venez.

— Vous êtes impie, fit Angélique effrayée. Ne disiez-vous pas, tout à l'heure, que nous avions été sauvés de la tempête grâce à Dieu?

— Le dieu auquel je rends grâce n'a, je pense, qu'un rapport lointain avec le dieu complice des injustices et des cruautés de votre monde... Le Vieux Monde vermoulu, appuya-t-il avec rancœur.

Cette diatribe ne lui ressemblait guère. « Je l'ai touché », se redit Angélique.

Elle en était stupéfaite comme un David qui vient d'abattre inopinément un Goliath avec une simple fronde de pacotille.

Elle le regarda se rasseoir pesamment, près de la table et prendre, dans le coffret, un lourd collier de perles qu'il fit glisser distraitement entre ses doigts.

— Vous le connaissez depuis longtemps?

— Qui cela?

— Votre futur époux.

Le sarcasme nuançait à nouveau sa voix :

— Oui... depuis longtemps.

— Des années?

— Des années, répondit-elle, dédiant un souvenir au cavalier protestant qui l'avait charitablement secourue, sur la route de Charenton, alors qu'elle cherchait les bohémiens qui avaient volé son petit Cantor.

— C'est le père de votre fille?

— Non.

— Même pas!

Le Rescator eut un rire insultant.

— Vous le connaissez depuis des années, ce qui ne vous a pas empêchée d'aller vous faire faire un enfant par un bel amant aux cheveux roux?

Elle ne comprenait même pas ce qu'il voulait dire. « Quel amant aux cheveux roux? »

Puis le sang lui monta au visage et elle eut de la peine à demeurer maîtresse d'elle-même. Ses yeux lancèrent des éclairs.

— Vous n'avez pas le droit de me parler sur ce ton. Vous ignorez tout de ma vie. Les circonstances dans lesquelles j'ai connu maître Berne. Celles dans lesquelles j'ai eu ma fille. De quel droit m'insultez-vous? De quel droit m'interrogez-vous comme... comme un policier?...

— J'ai tous les droits sur vous.

Il dit cela sans passion, d'un ton morne, mais qui lui parut plus redoutable que des menaces. « J'ai tous les droits sur vous ».

Cela sonnait l'inéluctable. Et elle était d'autant moins tentée de prendre ces paroles à la légère qu'elle ressentait son emprise.

« Mais je lui échapperai... maître Berne me défendra! »

Et elle regarda autour d'elle avec l'impression irréelle de se trouver hors du monde, hors du temps.

6

Le jour blanchâtre n'était pas parvenu à percer entièrement les verrières épaisses. La pièce baignait dans un clair-obscur qui avait rendu tour à tour mystérieux ou sinistre leur entretien. Maintenant que le Rescator était éloigné d'Angélique, elle lui trouvait une allure de sombre fantôme avec, pour seule clarté, ses mains entre lesquelles repassait le fil lumineux du collier de perles.

Ce fut alors qu'elle sut pourquoi il lui avait paru aujourd'hui différent.

Il avait fait couper sa barbe. C'était lui et c'était un autre.

Son cœur sombra comme l'autre soir quand elle avait cru comprendre une vérité insensée. Et sans se la formuler, elle fut reprise de la crainte de se trouver là, avec un homme qu'elle ne comprenait pas et qui avait sur elle un pouvoir envoûtant.

Par cet homme lui viendraient des souffrances sans nom.

Elle regarda vers la porte d'un air traqué :

— Maintenant, laissez-moi partir, fit-elle tout bas.

Il ne parut point l'entendre, puis il releva la tête.

— Angélique.

Sa voix étouffée était l'écho d'une autre voix.

— Comme vous êtes loin!... Plus jamais il ne me sera possible de vous atteindre.

Elle demeurait immobile, les yeux dilatés. Pourquoi lui parlait-il sur ce ton bas et triste? Un grand vide se faisait en elle. Ses pieds étaient cloués au tapis. Elle aurait voulu courir vers la porte pour échapper aux sortilèges qu'il allait déchaîner contre elle, mais ne le pouvait pas.

— Je vous en prie, laissez-moi partir, supplia-t-elle, encore.

— Il faut pourtant faire cesser cette situation ridicule. Je voulais vous parler dans cette intention ce matin. Et puis nos propos se sont égarés. Et, désormais, la situation est plus ridicule encore.

— Je ne vous comprends pas... Je ne comprends rien à ce que vous me dites.

— Et l'on parle de l'intuition des femmes, de la voix du cœur. Que sais-je?... Le moins qu'on puisse constater c'est que vous en êtes totalement dépourvue... Allons donc au fait. Madame du Plessis, quand vous êtes venue à Candie, certains prétendaient que vous vous étiez embarquée dans ce voyage pour affaires, d'autres pour rejoindre un amant. D'autres enfin, que vous recherchiez l'un de vos maris. Quelle est la version exacte?

— Pourquoi me demandez-vous cela?

— Oh! répondez, fit-il avec impatience. Décidément, vous vous battrez jusqu'au bout. Vous êtes morte d'appréhension mais il faut encore que vous teniez tête. Que redoutez-vous d'apprendre par mes questions?

— Je l'ignore moi-même.

— Réponse peu digne de votre sang-froid habituel et qui prouve par contre que vous commencez à soupçonner où je veux en venir... Madame du Plessis, ce mari que vous recherchiez, l'avez-vous retrouvé?

Elle secoua négativement la tête, incapable de proférer un son.

— Non?... Et pourtant, moi, le Rescator, qui connaissais tous et toutes en Méditerranée, je peux vous affirmer qu'il vous a approchée de très près.

Angélique sentit ses os se liquéfier, son corps se dissoudre.

Elle cria, sans presque en avoir conscience :

— Non, non, ce n'est pas vrai... C'est impossible! S'il m'avait approchée je l'aurais reconnu entre mille!...

— Eh bien, c'est ce qui vous trompe! Car, voyez plutôt.

7

Le Rescator avait porté les mains à sa nuque. Avant qu'Angélique eût compris le sens du geste qu'il ébauchait, le masque de cuir était sur les genoux du pirate et il tournait vers elle un visage nu.

Elle eut un cri de terreur et se voila les yeux des deux mains. Elle se rappelait ce qu'on racontait en Méditerranée sur le pirate masqué, qu'il avait eu le nez tranché. La peur de découvrir cette face camarde domina son premier mouvement.

— Qu'est-ce qui vous prend?

Elle l'entendit se lever, venir à elle.

— Pas beau, le Rescator, sans son masque? J'en conviens. Mais tout de même!... La vérité vous est-elle si pénible à supporter que vous ne puissiez la regarder en face?

Les doigts d'Angélique glissèrent lentement sur ses joues. A deux pas d'elle se tenait un homme qui lui était étranger et que, pourtant, elle connaissait.

Un soupir de soulagement lui échappa : au moins, il n'avait pas du tout le nez tranché.

Son regard noir et perçant, abrité de sourcils touffus, avait bien la même expression que celui qu'elle voyait briller tout à l'heure entre les fentes du masque. Il avait des traits burinés, durs, et sa joue gauche portait les traces de cicatrices anciennes. A cause de ces marques qui le déformaient un peu, il impressionnait, mais il n'avait rien d'effrayant.

Quand il parla, il avait la voix du Rescator.

— Ne me regardez pas avec ces yeux-là!... Je ne suis pas un fantôme... Venez par ici, au grand jour... Voyons, ce n'est pas possible que vous ne me reconnaissiez pas...

Il la menait avec impatience près de la fenêtre et elle se laissait faire avec le même regard dilaté et fixe qui ne comprenait pas.

— Regardez-moi bien... Ces cicatrices n'éveillent-elles en vous aucun souvenir? Votre mémoire est-elle aussi tarie que votre cœur?...

— Pourquoi, murmura-t-elle, pourquoi m'avez-vous dit, tout à l'heure qu'à Candie... Il m'avait approchée...

Une lueur d'inquiétude parut dans les yeux noirs qui surveillaient son visage. Il la secoua rudement.

— Réveillez-vous. Ne faites pas semblant de ne pas comprendre. A Candie, je vous ai approchée. Masqué, il est vrai. Vous ne m'avez pas reconnu et je n'ai pas eu le temps de vous dévoiler mon identité. Mais, aujourd'hui?... Etes-vous aveugle... ou folle?

« Oui, folle... » pensa Angélique. Elle avait devant elle un homme qui, par un pouvoir diabolique, osait lui présenter les traits de Joffrey de Peyrac.

Ce visage tant aimé, dont elle avait conservé longtemps la trace brûlante au fond de son cœur, s'en était allé d'elle, pour finir par s'effacer car elle n'avait jamais possédé aucun portrait qui le lui rappelât.

Maintenant, c'était l'inverse : il se recomposait devant elle avec une précision hallucinante. Le nez fin et noble, les lèvres fortes et railleuses, l'ossature des pommettes et de la mâchoire, saillante, précise sous la peau mate des hommes d'Aquitaine, et la ligne familière des cicatrices qui le défiguraient et où parfois, doucement, autrefois, elle passait son doigt.

— Vous n'avez pas le droit de faire cela, fit-elle d'une voix sans timbre. Vous n'avez pas le droit de lui ressembler pour mieux me tromper.

— Cessez de divaguer... Pourquoi refusez-vous de me reconnaître?

Elle se débattit contre le mirage dangereux.

— Non, non, vous n'êtes pas... lui. Lui, il avait des cheveux... oui, une énorme chevelure noire, autour du visage.

— Mes cheveux? Il y a beau temps que je me suis fait tondre cette tignasse encombrante. Ce n'est pas la mode pour un coureur de mer.

— Mais lui... il était boiteux, cria-t-elle. On peut couper une chevelure, on peut masquer un visage, mais on ne peut faire qu'une jambe trop courte devienne plus longue.

— J'ai pourtant rencontré le chirurgien qui a accompli sur moi ce miracle. Un chirurgien en livrée écarlate... que vous avez eu l'heur d'approcher vous aussi!

Et comme elle demeurait muette d'incompréhension, il lui jeta :

— Le bourreau.

Il s'était mis à marcher de long en large en soliloquant.

— Maître Aubin, le bourreau, l'exécuteur des hautes et basses œuvres de la ville de Paris. Ah! que voilà un habile homme pour vous faire craquer nerfs et muscles et vous ramener à la bonne mesure ordonnée par notre Roi. Ma boiterie initiale était causée par une atrophie des tendons à l'arrière du genou. Après trois séances de chevalet, l'emplacement n'était plus qu'une seule plaie béante et ma jambe infirme avait fini par rattraper sa compagne. Quel excellent bourreau et quel bon Roi que les nôtres! Dire que je fus transformé sur-le-champ serait certes mentir. Aussi dois-je surtout à mon ami Abd-el-Mechrat d'avoir parachevé une œuvre d'art si bien commencée. Mais je reconnais qu'aujourd'hui, avec un certain rehaussement au fond de ma botte, mon allure ne se distingue guère de celle des autres. C'est une sensation fort agréable, après trente ans de boiterie, que de sentir le sol assuré sous ses pas. Je ne croyais pas avoir le privilège de connaître cela au cours de mon existence. Une démarche normale, ce qui est pour tant de gens ce que j'appellerai un trésor banal, pour moi, c'est mon contentement de chaque jour... j'aimais sauter, faire le baladin. J'ai pu donner libre cours à mes goûts de gamin infirme privé, puis d'homme repoussant. Ceci d'autant plus que le métier de la mer y prédisposait.

Il parlait comme pour lui-même, mais son regard aigu ne quittait pas le visage de la jeune femme d'une pâleur de cire. Elle continuait à paraître ne pas entendre, ni comprendre. Il pensa que l'atterrement qu'elle montrait dépassait ses prévisions les plus sombres.

Enfin les lèvres d'Angélique bougèrent.

— Sa voix!... Comment pouvez-vous prétendre... Il avait une voix incomparable. D'elle, je me souviens bien.

Elle entendait cette voix, surgie du passé, avec une force éclatante.

Debout à l'extrémité d'une longue table de banquet, il y avait une silhouette vêtue de velours rouge, encadrée d'une opulente chevelure d'ébène, ses dents découvertes dans un rire étincelant, tandis que les notes du « bel canto » faisaient retentir les voûtes du vieux palais de Toulouse.

Ah! comme elle l'entendait. Toute sa tête en vibrait douloureusement. Exaltation du chant et regret affreux de ce qui avait été... ce qui aurait pu être...

— Où est-elle sa voix? La voix d'or du Royaume?...

— MORTE!

L'amertume donnait au timbre qui avait lancé ce mot une note plus discordante encore. Non, jamais Angélique ne pourrait associer ce visage à cette voix.

L'homme s'arrêta devant elle et dit avec une sorte de douceur.

— Vous souvenez-vous? A Candie? Lorsque je vous ai dit que ma voix s'était brisée jadis parce que j'avais appelé quelqu'un de trop lointain : Dieu... Mais qu'en échange il m'avait accordé ce que je Lui demandais : la vie... Ce fut sur le parvis de Notre-Dame. Je croyais bien cette fois ma dernière heure venue... j'ai crié vers Dieu. Crié trop fort, alors que je n'avais plus de forces... Ma voix s'est brisée à jamais... Dieu donne, Dieu reprend. Tout se paie...

Soudain elle ne douta plus.

Il venait de jeter entre eux ces images atroces et inoubliables, des images qui n'appartenaient qu'à eux. Celles d'un condamné, en chemise, la corde au cou, venu faire amende honorable sur le parvis de Notre-Dame, quinze années auparavant. Ce condamné misérable, arrivé au dernier degré de l'épuisement, et que soutenaient le bourreau et le prêtre, c'était l'un des maillons de cette chaîne invraisemblable qui reliait le seigneur triomphant de Toulouse à l'aventurier des mers qu'elle avait aujourd'hui devant elle.

— Mais alors, fit-elle, d'un ton d'indicible stupeur... vous êtes... mon mari?

— Je le fus... Qu'en reste-t-il aujourd'hui? Bien peu de chose, il me semble.

Et, comme il ébauchait un sourire moqueur, elle le reconnut.

Le cri qu'elle avait clamé si souvent, en elle-même : « Il est vivant », commença à dilater son cœur, mais il avait une résonance funeste et désenchantée. Rien de l'éblouissante lumière de sa joie dont elle avait nourri ses rêves pendant des années.

« Il est vivant... Mais il est mort aussi : l'homme

qui m'aimait... et qui chantait et ne peut plus chanter. Et cet amour... et ce chant-là, rien ne les ressuscitera... Jamais. »

Sa poitrine lui faisait mal comme si vraiment son cœur allait éclater. Elle voulut reprendre souffle, n'y parvint pas. Un gouffre noir l'accueillit, où elle sombra, emportant jusque dans l'inconscience le sentiment qu'il lui était arrivé quelque chose de terrible et pourtant de merveilleux.

8

Quand elle revint à elle, ce fut cela qui domina. L'impression qu'une catastrophe irrémédiable et qu'un bonheur sans nom se partageaient son être, le condamnant tour à tour au froid et à la bienfaisante chaleur, aux ténèbres et à la lumière. Elle ouvrit les yeux.

Le bonheur était là sous la forme d'un homme debout à son chevet, sous les traits d'un visage qu'elle ne reniait plus.

Durci, accusé, plus régulier aussi car ses cicatrices semblaient s'être estompées, marqué de cette patine que confère à l'homme la force de l'âge, c'était bien là le visage de Joffrey de Peyrac.

Le plus pénible était qu'il ne souriait point.

Il la regardait sans émotion, avec une expression si lointaine que c'était lui maintenant qui semblait ne plus la reconnaître.

Pourtant — parce que dans la tête embrumée d'Angélique, subsistait l'idée que le miracle auquel elle avait tant rêvé s'était accompli — elle eut un élan vers lui.

Il l'arrêta d'un geste :

— Je vous en prie, madame. Ne vous croyez pas obligée de feindre une passion qui exista, peut-être, jadis, je ne le nie pas, mais qui, depuis longtemps, s'est éteinte en nos cœurs.

Angélique s'immobilisa comme arrêtée net par un coup. Les secondes passaient. Et dans le silence elle entendit avec acuité les sifflements du vent au-dehors, dans les haubans et les voiles, comme des plaintes déchirantes faisant écho à celles de son cœur.

Il avait eu, pour prononcer ces dernières paroles, l'air distant du grand seigneur toulousain de jadis. Et elle l'avait reconnu sous sa livrée nouvelle d'aventurier des mers. C'était LUI.

Elle devait être d'une pâleur mortelle.

Il alla chercher quelque chose dans un meuble au fond du salon. De dos, c'était le Rescator et elle espéra un instant que tout ceci n'était qu'un mauvais rêve. Mais il revint et, dans la demi-clarté du jour polaire, un destin inexorable lui rendait le visage oublié.

Il lui tendait un verre :

— Buvez cet alcool.

Elle fit signe que non.

— Buvez, insista-t-il, de sa dure voix rauque.

Pour ne plus avoir à l'entendre et pour en finir, elle avala le contenu du verre.

— Vous sentez-vous mieux? Pourquoi ce malaise?

Angélique s'étouffa avec l'alcool, toussa et eut peine à reprendre son souffle. La question lui avait rendu partiellement ses esprits.

— Comment? Pourquoi? Découvrir que l'homme que je pleure depuis des années est là, vivant, sous mes yeux, et vous voudriez que je...

Cette fois ce fut d'un sourire qu'il l'arrêta. Ce sourire découvrait l'éclat des dents demeurées splendides. C'était bien celui du dernier des troubadours, mais voilé d'un sentiment mélancolique ou désenchanté.

— Quinze ans, madame! Songez-y plutôt. Essayer de nous leurrer serait une comédie indigne et stupide. Nous avons désormais connu l'un et l'autre d'autres souvenirs... d'autres amours...

Alors la vérité qu'elle se refusait à regarder en face la transperça comme la pointe aiguë et glacée d'un poignard.

Elle l'avait retrouvé mais il ne l'aimait plus. Dans les songes de toute sa vie, elle l'avait toujours imaginé lui tendant les bras. Ces songes — elle s'en apercevait aujourd'hui — étaient puérils comme la plupart des imaginations féminines. La vie s'inscrit dans une pierre plus dure que la simple et molle cire des rêves. Sa forme se façonne à grands éclats coupants, qui heurtent, qui font mal.

« Quinze ans, madame! Songez-y! »...

Il avait connu d'autres amours.

Il avait peut-être épousé une autre femme? Une femme qu'il se serait mis à aimer passionnément, beaucoup plus, sans doute, qu'il ne l'avait aimée elle-même?...

Une sueur froide mouilla ses tempes, elle crut qu'elle allait défaillir à nouveau.

— Pourquoi m'avez-vous révélé cela aujourd'hui?

Il eut un rire étouffé.

— Oui, pourquoi aujourd'hui, plutôt qu'hier ou que demain? Je vous l'ai déjà dit : pour faire cesser une situation ridicule. J'attendais que vous me reconnaissiez, mais il faut croire que vous m'aviez bellement et définitivement enterré, car aucun doute ne semblait même vous effleurer. Vous prodiguiez vos soins à votre cher blessé et à ses enfants, et, ma foi, bien que mari n'eût jamais si belle occasion de surveiller incognito les agissements d'une épouse volage, la comédie finissait par me paraître douteuse. Devais-je alors attendre que vous veniez me demander comme au capitaine du navire, seul maître à bord, et, de ce fait seul représentant de la loi, de vous unir à ce marchand? Ç'aurait été pousser la plaisanterie un peu loin ne croyez-vous pas... Madame de Peyrac?...

Il éclata de ce rire brisé qu'elle ne pouvait plus supporter.

— Taisez-vous! cria-t-elle, en portant la main à ses oreilles. Tout cela est atroce.

— Je ne vous le fais pas dire. Cri du cœur s'il en fut.

Il continuait d'ironiser. Il supportait avec légèreté ce qui, elle, la ravageait comme une tempête. Il avait eu le temps de s'y habituer puisqu'il savait qui elle était depuis Candie. Et puis cela devait lui être un peu indifférent. On voit les faits avec tant de simplicité quand on n'aime plus.

Si ambiguë et dramatique que fût leur situation actuelle, il devait même s'en amuser au fond!...

En cela aussi elle le reconnaissait. N'avait-il pas ri, dans la salle du Tribunal, alors même qu'on allait le condamner au bûcher?...

— Je crois que je vais devenir folle, gémit-elle en se tordant les mains.

— Certainement non!

Il affecta une nonchalance rassurante.

— Vous n'allez pas devenir folle pour si peu. Voyons, vous en avez connu d'autres! Une femme qui a tenu tête à Moulay Ismaël... Et la seule captive chrétienne qui ait jamais réussi à s'évader d'un harem et du royaume de Marocco... Il est vrai que vous y avez été aidée par un vaillant compagnon... ce roi des esclaves à la réputation légendaire... comment se nommait-il au fait? Ah! oui : Colin Paturel.

Il répéta en la fixant songeusement :

— Colin Paturel...

Le nom et le ton étrange sur lequel il était prononcé pénétra le brouillard dans lequel se débattait l'esprit d'Angélique.

— Pourquoi me parlez-vous tout à coup de Colin Paturel?

— Pour rafraîchir votre mémoire.

Le regard noir et brillant prenait le sien. Il avait une puissance attractive insurmontable et, pendant quelques instants, Angélique fut incapable de s'en dégager, comme l'oiseau fasciné par le serpent. A cette lumière, une pensée se détacha clairement, en lettres de feu, devant elle.

« Il sait donc que Colin Paturel m'a aimée... et que je l'ai aimé... »

Elle avait peur et elle avait mal. Toute sa vie lui apparaissait comme une suite d'erreurs irréparables et qu'il lui faudrait payer très cher.

« Moi aussi, j'ai connu d'autres amours... Mais cela ne compte pas », avait-elle envie de crier avec la superbe inconscience des femmes.

Comment lui expliquer cela? Toutes ses paroles étaient maladroites.

Ses épaules ployaient. La vie pesait sur elle son poids de pierre.

Accablée elle laissa tomber son visage entre ses mains.

— Vous voyez bien, ma chère, que les protestations ne servent à rien, murmura-t-il de sa voix assourdie qui continuait à lui sembler étrangère, je vous le répète, je ne tiens pas à une comédie trompeuse, comme vous autres femmes vous excellez à en jouer. Je préfère de beaucoup vous voir sans scrupules comme je le suis moi-même. Et pour vous rassurer tout à fait, j'irai même jusqu'à vous dire que je comprends votre bouleversement. Ce n'est pas à l'heure où l'on s'apprête à convoler en justes noces avec un nouvel élu de son cœur, qu'il est agréable de voir surgir un époux bel et bien oublié, et qui, par-dessus le marché, semble vous demander des comptes. Or il n'en est rien, rassurez-vous. Ai-je dit que je mettrais obstacle à vos projets matrimoniaux... s'ils vous tiennent tant à cœur?

Une pareille manifestation d'indulgence était la pire insulte qu'elle pût recevoir. Qu'il pût envisager de la voir mariée à un autre, c'était exprimer, on ne peut plus clairement, qu'il ne tenait plus à elle, mais aussi qu'il envisageait, le cœur léger, une véritable hérésie. Il était devenu un pécheur endurci et inconscient. C'était inconcevable! Il perdait la raison ou bien c'était elle!

Sous l'humiliation, elle perdit son attitude égarée. Elle se redressa et lui jeta un regard plein de hauteur étreignant machinalement la main à laquelle jadis elle avait porté son anneau de mariage.

— Monsieur, vos paroles sont, pour moi, dénuées de sens. Quinze années ont pu s'écouler, mais, puisque *vous êtes vivant*, il n'en demeure pas moins que je reste votre femme aux yeux de Dieu, sinon des hommes.

Une fugitive émotion crispa les traits du Rescator. Sous les traits de la femme qu'il se refusait à reconnaître comme sienne, il avait vu reparaître la jeune fille de noble race, raidie, qu'il avait accueillie dans son palais de Toulouse.

Mais plus encore, l'image qu'elle venait de lui offrir dans une sorte de vision fulgurante, c'était celle de la *grande dame* qu'elle avait dû être... à Versailles. « La plus belle de toutes les dames, lui avait-on dit, plus reine que la Reine elle-même. »

En un éclair, il la dépouillait de ses vêtements lourds et grossiers et l'imaginait dans sa splendeur, avec son dos de neige sous la lumière des lustres, ses épaules parfaites supportant le poids des bijoux, tandis qu'elle se redressait de ce même mouvement souple et invincible.

Et cela c'était insoutenable.

Il se leva car, malgré sa volonté de demeurer impassible, la tension de la scène l'atteignait dans toutes ses fibres.

Ce fut pourtant la même expression dure et indéchiffrable qu'il tourna vers Angélique après un long silence.

— C'est exact, concéda-t-il. Vous êtes bien, en effet, la seule femme que j'aie jamais épousée. En quoi certes vous ne m'avez guère imité, si j'en crois mes renseignements, j'ai été très vite remplacé.

— Je vous croyais mort.

— Plessis-Bellière, fit-il, comme s'il cherchait à se souvenir. Pour ma part, j'ai toujours assez bonne mémoire, et je me souviens que vous m'aviez entretenu de ce petit cousin, d'une beauté réputée, dont vous étiez tant soit peu amoureuse déjà. Quelle excellente occasion donc, une fois débarrassée de ce mari imposé par votre père, bancal et malchanceux par surcroît, de réaliser un rêve longtemps caressé en secret!

Angélique porta ses deux mains jointes contre sa bouche en un geste incrédule.

— Est-ce là tout ce que vous avez cru du sentiment d'amour que je vous ai voué, fit-elle douloureusement.

— Vous étiez très jeune... Je vous ai distraite, pendant un temps. Et je reconnais qu'on ne pouvait trouver plus charmante épouse. Mais je n'ai jamais songé, même en ce temps-là, que vous étiez faite pour la fidélité... Laissons cela... Analyser le passé me semble bien inutile. Essayer de le faire revivre, une tâche bien vaine. Cependant, ainsi que vous venez de me le faire remarquer, vous demeurez encore ma femme et à ce titre j'aurai des questions à vous poser qui intéressent encore d'autres que nous et dont l'importance dépasse la nôtre propre...

Les noirs sourcils se rapprochèrent, assombrissant les yeux qui pouvaient paraître presque dorés lorsque la gaieté, même feinte, les éclairait. Mais la colère ou le soupçon les rendait ténébreux et perçants. D'instant en instant, Angélique reconnaissait les jeux d'une physionomie qui l'avait tant fascinée jadis. « Ah! c'est lui! c'est bien lui », se disait-elle, défaillante sous la révélation et ne sachant si c'était de désespoir ou de joie.

— Qu'avez-vous fait de mes fils? Et où sont-ils donc?

Elle répéta, comme si elle tombait des nues :

— Vos fils?

— Je me suis exprimé pourtant clairement, il me semble. Oui, mes fils. Les vôtres aussi! Ceux dont je suis le père évidemment. L'aîné, Florimond, qui est né à Toulouse, au Palais du Gai-Savoir. Le second, que je n'ai pas connu mais dont j'ai appris l'existence : Cantor. Où sont-ils? Où les avez-vous laissés? Je ne sais pourquoi, je m'imaginais vaguement que je les trouverais parmi ces gens pourchassés que vous me demandiez d'embarquer. Une mère essayant de soustraire ses fils à un injuste sort, voici un rôle dont je vous aurais certainement su quelque gré. Mais aucun des jeunes garçons embarqués ne peut être l'un d'eux. Et d'ailleurs, vous ne semblez préoccupée que de votre fille. Où sont-ils? Pourquoi ne les avez-vous pas emmenés avec vous? A qui les avez-vous laissés? Qui se préoccupe d'eux?...

9

Répondre était crucifiant. Les mots ratifieraient l'absence des deux joyeux petits garçons à jamais disparus. C'est pour eux qu'elle avait peiné, qu'elle avait souffert. Elle les avait voulus à l'abri du besoin, réhabilités. Elle les avait rêvés grands, beaux, assurés, brillants. Elle ne les verrait jamais grandir. Eux aussi l'avaient quittée.

Elle dit avec difficulté :

— Florimond est parti il y a longtemps... Il avait treize ans alors. Je n'ai jamais su ce qu'il était devenu. Cantor... est mort, à l'âge de neuf ans.

Sa voix sans inflexions pouvait paraître indifférente.

— J'attendais votre réponse. Je m'en doutais. C'est cela que je ne vous pardonnerai jamais, dit le Rescator, la mâchoire serrée de fureur, votre indifférence à l'égard de mes fils. Ils vous rappelaient une période que vous désiriez oublier. Vous les écartiez. Vous couriez à vos plaisirs, vos amours. Et maintenant vous avouez sans émoi que de celui même qui est probablement demeuré vivant, vous ne savez rien? Je vous aurais peut-être beaucoup pardonné mais cela, non. Jamais!

Angélique demeura comme assommée puis elle bondit devant lui, dressée, blême.

De toutes les accusations qu'il avait portées contre elle, celle-ci était de loin la plus odieuse, la plus injuste. Il lui avait reproché de l'avoir oublié et c'était faux, de l'avoir trahi, et c'était hélas, en partie vrai. De ne l'avoir jamais aimé, et c'était monstrueux.

Mais elle ne supporterait pas de passer pour une mauvaise mère alors qu'elle avait eu parfois l'impression de donner son sang pour ses fils. Elle n'avait peut-être pas été une mère très affectueuse et toujours présente, mais Florimond et Cantor étaient sans cesse demeurés au centre de son cœur... Avec lui... Lui qui, aujourd'hui, osait lui lancer des reproches à la tête, alors que pendant des années il s'était promené sur les mers sans se soucier ni d'elle, ni de ses enfants dont il paraissait si subitement anxieux. Etait-ce lui qui les avait tirés de la misère où sa chute avait précipité les innocents? Elle allait lui demander par la faute de qui le fier petit Florimond avait toujours été un enfant sans nom, sans titres, plus déclassé qu'un bâtard? Elle allait lui dire dans quelles circonstances Cantor était mort. Par sa faute à lui! Oui, par sa faute. Car c'était son navire de pirate qui avait coulé la galère française sur laquelle était embarqué le jeune page du duc de Vivonne.

Elle suffoquait de révolte et de souffrance. Comme elle ouvrait la bouche pour parler, une lame plus longue soulevant le navire la fit trébucher. Elle se retint à la table. Elle n'avait pas le pied aussi solide que le Rescator qui, lui, semblait rivé au plancher.

Ce court moment de répit avait suffi à Angélique pour retenir les mots irrémédiables qui allaient jaillir. Pouvait-elle annoncer à un père qu'il était responsable de la mort de son enfant?

Le sort ne s'était-il pas déjà acharné sur Joffrey de Peyrac? On avait voulu le tuer, on l'avait dépouillé de ses biens, on l'avait banni, on en avait fait un errant, sans autres droits que ceux qu'il pouvait conquérir par son épée.

Qu'il fût, à la fin, devenu un autre homme, forgé par l'implacable loi de ceux qui doivent tuer pour ne pas être tués, comment s'en indigner aujourd'hui? C'était elle, Angélique, qui était d'une naïveté à pleurer d'avoir pu rêver le contraire. La dure réalité obéissait à d'autres exigences. Dans ce désastre, à quoi servirait donc d'y ajouter encore, en lui révélant qu'il avait fait périr leur enfant?

Non, elle ne lui dirait pas cela. Non, *jamais*!

Mais elle lui révélerait pêle-mêle ce qu'il semblait vouloir ignorer. Ses larmes, ses terreurs de très jeune femme, jetée sans expérience au grand vent de la misère et de l'abandon. Elle ne lui dirait pas comment Cantor était mort, mais comment il était né : au soir du bûcher de la Place de Grève et comment elle avait été une malheureuse, poussant dans les rues glacées de Paris une brouette d'où surgissaient, bleuis de froid, les petits visages ronds de ses fils.

Alors, peut-être qu'il comprendrait. Il la jugeait mais c'était parce qu'il ignorait sa vie.

Quand il saurait, est-ce qu'il pourrait demeurer insensible? Les mots ne pourraient-ils ranimer l'étincelle qui couvait peut-être sous les cendres d'un cœur où s'étaient accumulées trop de ruines. Un cœur ravagé comme le sien.

Mais elle, au moins, demeurait capable d'amour. Alors elle tomberait à ses genoux, elle le supplierait. Elle lui dirait tous ces mots qui se pressaient sur ses lèvres. Qu'elle l'avait toujours aimé... Que, sans lui, elle n'avait été qu'attente, insatisfaction... N'était-elle pas partie follement à sa recherche, contre la volonté du Roi, ce qui l'avait entraînée dans des périls sans nom.

Alors elle vit que l'attention du Rescator s'était détournée d'elle. D'un air intrigué il surveillait la porte du salon qui s'entrouvrait doucement, doucement... C'était inaccoutumé. Le Maure faisait bonne garde. Qui pouvait se permettre d'entrer, sans être annoncé, dans les appartements du grand maître? Le vent ou la brume?

Un souffle glacial s'engouffra poussant une écharpe de brouillard qui s'effilocha au contact de la chaleur. De ce voile impalpable une petite apparition surgit : bonnet de satin vert pomme, chevelure de feu. Les deux notes colorées brillaient avec une particulière intensité sur le fond grisâtre du dehors. Derrière elle, la sentinelle barbaresque tendait sa face emmitouflée que le froid jaunissait.

— Pourquoi l'as-tu laissée entrer? demanda le Rescator en arabe.

— L'enfant cherchait sa mère.

Honorine s'était précipitée vers Angélique.

— Maman, où étais-tu? Maman, viens!

Angélique la voyait mal. Elle regardait d'un air hébété le rond visage levé vers elle, les yeux noirs obliques et sagaces. L'apparence étrangère de sa fille lui était si frappante qu'un court instant les sentiments qu'elle avait éprouvés autrefois l'envahirent : horreur de cette existence qu'elle avait été contrainte d'enfanter, refus de la faire sienne, reniement de son propre sang qui, dans cette enfant, se mêlait à une source impure, révolte de ce qui avait été, honte brûlante.

— Maman, maman, toute la nuit tu étais partie. Maman!

L'enfant répétait avec insistance ce nom qu'elle employait pourtant rarement. L'instinct de revendication et de défense si farouche au cœur des enfants lui dictait le mot terrible, le seul qui pouvait lui ramener sa mère, l'arracher à cet homme noir qui l'avait appelée et enfermée dans son château plein de trésors.

— *Maman, maman!*

Honorine était là. Elle était le signe de tout l'impardonnable, le sceau posé sur la porte close d'un paradis perdu, comme jadis les scellés du Roi, sur les portes du Palais du Gai-Savoir, avaient signifié à jamais la fin d'un monde, d'une époque, d'un bonheur.

Les images se confondaient devant les yeux d'Angélique.

Elle prit la main d'Honorine.

Joffrey de Peyrac regardait l'enfant. Il supputait son âge : trois ans? quatre ans?... Ce n'était donc pas la fille du maréchal du Plessis. Alors, de qui? A son demi-sourire ironique et méprisant, elle devinait ses pensées. Un amant de passage. « Un bel amant aux cheveux roux! » On lui en prêtait tant à la belle marquise du Plessis, maîtresse du roi de France, veuve du comte de Peyrac. Et là encore elle ne pourrait jamais lui dire la vérité. Sa pudeur se rebellait à cette seule pensée. Avouer une telle souillure, ç'aurait été comme lui découvrir une plaie honteuse et répugnante. Elle la garderait pour elle, toujours cachée, avec les cicatrices ineffaçables de son corps et de son cœur, la brûlure de sa jambe soignée par Colin Paturel, la mort du petit Charles-Henri...

Honorine, née d'un viol anonyme, payait pour les étreintes qu'Angélique avait acceptées ou recherchées.

Philippe, les baisers du Roi, la fruste et exaltante passion du pauvre Normand, prince des esclaves, les plaisirs grossiers et joyeux que savait lui prodiguer le policier Desgrez, ceux plus raffinés qu'elle avait goûtés avec le duc de Vivonne. Ah! Encore elle oubliait Racoski!... et d'autres sans doute.

De si longues années écoulées... vécues. Par lui, par elle. On ne pouvait demander qu'elles s'effacent.

Il caressait son menton d'un geste machinal. Sa barbe récemment sacrifiée lui manquait visiblement.

— Avouez, ma chère, que la situation est embarrassante.

Comment pouvait-il continuer à ironiser alors qu'elle parvenait à peine à se tenir debout tant son cœur lui faisait mal.

— Pour avoir voulu l'éclaircir, je constate

qu'elle n'en est que plus obscure... tout nous sépare.

— Viens, maman! Mais viens donc, maman, répétait Honorine en tirant sur la jupe de sa mère.

— Vous ne tenez certainement plus à un rapprochement qui était il y a quelques heures bien éloigné de vos pensées, toutes occupées par un autre...

— Viens, maman!

— Oh! tais-toi, dit Angélique avec l'impression que son cerveau allait éclater.

— Quant à moi...

Il jetait un regard dubitatif autour de lui, considérant la cabine où il s'était plu à rassembler des meubles de prix, des instruments de choix, le décor d'une existence variée, difficile et passionnante, où Angélique n'avait pas de place.

— ... Je suis un vieil aigle des mers habitué à la solitude. A part les brèves années conjugales que j'ai vécues jadis en votre charmante compagnie, les femmes n'ont jamais occupé dans ma vie qu'un rôle épisodique. Vous serez peut-être flattée de l'apprendre. Mais cela crée des goûts qui ne me disposent guère à me retrouver dans la peau d'un époux modèle. Ce navire n'est pas grand, mes appartements sont restreints... Je vous propose une chose. Le temps du voyage, ramassons les dés jetés et considérons la partie nulle.

— Nulle?

— Demeurons à nos places respectives. Vous restez dame Angélique, parmi vos compagnons... et moi, je reste... chez moi.

Ainsi, il la reniait, la rejetait. Au fond, il ne saurait que faire d'elle à ses côtés. Alors il la renvoyait à ceux qui, ces derniers mois, étaient devenus les siens.

— Et vous ne me demanderiez pas, en plus,

d'oublier la révélation que vous venez de me faire? dit-elle sarcastique.

— L'oublier? Non. Mais ne pas l'ébruiter, en tout cas.

— Viens, maman, répétait Honorine en la tirant vers la porte.

— Plus j'y réfléchis, en effet, plus je considère qu'il serait mal venu d'apprendre à vos amis que vous avez été, fût-ce en un temps lointain, ma femme. Ils s'imagineraient que vous êtes aussi ma complice.

— Votre complice? De quoi?

Il ne répondit pas. Il méditait, le front barré d'un pli dur.

— Retournez parmi eux, fit-il brièvement, d'un ton de commandement. Ne parlez pas. C'est inutile. Et d'ailleurs on vous croirait simplement folle. Cette histoire de mari disparu, retrouvé, et qui vous emmène sur son navire sans que vous l'ayez vous-même aussitôt reconnu, avouez que cela paraît suspect.

Il se tournait vers la table pour y prendre son masque de cuir, l'écorce protectrice de son visage abîmé qui craignait la morsure salée des embruns et aussi l'espionnage des hommes.

— Ne dites rien. Ne leur laissez rien soupçonner. De plus, ce ne sont pas des gens qui m'inspirent confiance.

Angélique était déjà parvenue près de la porte.

— Croyez bien que c'est réciproque, fit-elle entre ses dents.

Debout dans l'encadrement de la porte, sa fille à la main, elle se retournait et elle le dévorait des yeux. Il avait remis son masque. Cela l'aidait à discerner ce qu'il avait voulu lui faire comprendre.

Il était lui et un autre. Joffrey de Peyrac et le Rescator. Un grand seigneur banni et un pirate des mers qui, poussé à vivre, avait fini par se dépouiller de ses anciens attachements, par faire sien le seul âpre présent.

Bizarrement, il lui parut plus proche que l'instant précédent. Elle était soulagée de ne s'adresser qu'au Rescator.

— Mes amis s'inquiètent, dit-elle, ils s'inquiètent, monseigneur le Rescator, de savoir où vous les emmenez. On n'a pas coutume, figurez-vous, de rencontrer des glaces au large de l'Afrique où nous devrions nous trouver.

Il s'était approché d'un globe de marbre noir, étoilé de signes étranges. Il y posait sa main, demeurée patricienne, mais brune comme celle d'un Arabe, et d'un doigt suivait des lignes tracées en incrustations d'or. Au bout d'un long moment d'étude, il parut se souvenir de sa présence et répondit avec indifférence.

— Dites-leur que la route du Nord mène aussi vers les Iles.

10

Le comte Joffrey de Peyrac, alias le Rescator, se glissa par l'écoutille et descendit rapidement la raide échelle qui menait dans les entrailles du navire. Derrière le burnous blanc du Maure qui portait une lanterne, il s'engagea dans l'étroit labyrinthe des couloirs.

Sous ses pas, le balancement du navire lui confirmait son impression rassurante : le danger était passé. Malgré la navigation au sein d'un brouillard, inquiétant et glacé, qui déposait partout sur les vergues et les ponts une fine patine de givre, il savait que tout allait bien. Le *Gouldsboro* filait avec l'aisance d'un bâtiment qui ne se sent pas menacé.

Lui, le Rescator, il en connaissait tous les frémissements, les craquements divers de la coque aux mâts, tout ce qui constituait le grand corps de son navire, conçu pour les mers polaires et dont il avait lui-même dessiné les plans, en le faisant construire à Boston, le principal chantier naval de l'Amérique du Nord.

Tandis qu'il avançait, il tâtait de sa main le bois humide, et c'était moins pour prendre un appui dans sa marche que pour garder contact avec la charpente invincible du vaillant bâtiment.

Il respirait son odeur, celle des bois de sequoïas, venus des Monts Klamath du lointain Oregon, celle des pins blancs du Haut Kennebec et du Mont Katandin, dans le Maine — « son » Maine — parfums que l'imprégnation du sel ne parvenait pas à effacer.

— Pas une forêt d'Europe qui ne soit aussi belle que celles du Nouveau Monde.

La hauteur, la vigueur des arbres, la splendeur vernissée des feuillages, ç'avait été une révélation pour lui, alors qu'il aurait pu se sentir plus ou moins blasé.

« La découverte du monde est infinie, songea-t-il encore. Nous nous apercevons chaque jour que nous ne savons rien... On peut toujours tout recommencer... La Nature et les éléments naturels sont là pour nous soutenir et nous pousser en avant. »

Cependant la longue lutte soutenue la nuit précédente contre l'hostilité de la mer et des glaces ne lui laissait pas au cœur la satisfaction habituelle, non seulement celle d'avoir triomphé, mais aussi de s'être enrichi d'un trésor intérieur que personne ne pourrait lui ravir.

C'est qu'il avait eu à soutenir, depuis, une autre tempête et, quoiqu'il s'en défendît, elle avait fait en lui des ravages.

Pouvait-on imaginer farce où l'odieux le disputait au mauvais goût? Il se refusait encore à prononcer le mot « drame ».

Il avait toujours essayé de donner à chaque événement ses proportions matérielles. Les histoires de femmes tiennent en général plus de la farce que du drame. Même s'il s'agissait de sa propre femme, d'une femme qui l'avait certes marqué plus que les autres — à grand dommage pour lui — il ne pouvait s'empêcher d'avoir envie de rire railleusement, en recomposant les données de la comédie : une épouse oubliée depuis quinze ans, reparaissant pour réclamer passage à son bord, sans le reconnaître, et, le comble, se préparant à lui demander sa bénédiction pour convoler avec un nouvel amoureux. Le hasard, on le sait, n'est pas chiche en frais d'imagination cocasse. Mais là, il dépassait les bornes. Fallait-il quand même le bénir? Le remercier peut-être? Faire confiance à ce hasard humoristique et grimaçant, qui venait agiter sous leurs yeux le spectre affadi d'un bel amour de jeunesse?

Ni lui ni elle ne souhaitaient un tel retour en arrière. Alors pourquoi avait-il parlé ce matin? Puisqu'elle ne le reconnaissait pas, le plus simple n'aurait-il pas été de la laisser aller avec son cher Protestant?

La clarté nouvelle de l'endroit où il pénétrait l'aveugla avec la même lueur blessante que dans son esprit une pensée évidente.

« Imbécile! A quoi te servirait d'avoir vécu cent vies, d'avoir frôlé la mort plus de fois encore, si tu en étais toujours à te cacher à toi-même tes propres vérités! Avoue que tu ne pouvais pas laisser faire cela, parce que *tu n'aurais pas pu le supporter*. »

Sous l'effet de la colère, il promena autour de lui un regard sombre. Quelques hommes épuisés dormaient dans des hamacs ou sur de grossières couchettes aménagées sous l'affût des canons, mais on avait ouvert les sabords car cette deuxième batterie dissimulée dans un entrepont restreint manquait d'aération. Pour ce voyage, Joffrey de Peyrac avait été contraint d'y loger une partie de l'équipage, afin de laisser l'entrepont du gaillard d'avant aux passagers.

De temps en temps, un paquet d'eau de mer embarquait et l'un des dormeurs grognait.

Ici on se trouvait proche de la ligne de flottaison. On entendait les vagues chuchoter et clapoter. On eût pu les caresser de la main comme de grosses bêtes domptées.

Il s'approcha d'une des ouvertures. Le jour qui pénétrait était rendu glauque par le voisinage de la mer.

Si soucieux qu'il fût du bien-être de son équipage, Joffrey de Peyrac, pour l'instant, ne s'en préoccupait pas. Les longues lames d'un vert pâle, moiré d'ombre, et où l'on croyait voir luire sans cesse le passage fugitif des glaces évoquait irrésistiblement pour lui des prunelles dont il avait voulu renier l'ascendant.

« Non, je n'aurais pas pu supporter cela! se répéta-t-il. Il aurait fallu qu'elle me soit devenue tout à fait indifférente... Or elle ne m'est pas indifférente!... »

L'aveu qu'il s'adressait n'aiderait pas à simplifier ses actes à venir. Voir clair ne mène pas toujours à la solution la plus facile. Il pouvait se dire qu'arrivé à l'âge où l'homme aborde le second versant de sa vie, il avait su affronter ses conflits intérieurs avec une certaine sérénité. Les chemins de la haine, du désespoir, de l'envie, lui avaient toujours paru trop stériles pour qu'il trouvât jouissance à s'y engager. Il avait réussi à ignorer ceux de la jalousie, jusqu'au jour où un messager était venu lui rapporter que sa « veuve », Mme de Peyrac, s'était joyeusement remariée avec le très beau et très dissolu marquis du Plessis-Bellière. Encore avait-il surmonté rapidement sa désillusion! Du moins le croyait-il.

La blessure était sans doute plus profonde, de ces mauvaises blessures trop vite refermées, sous lesquelles les chairs se corrompent ou s'atrophient. Son ami le médecin arabe lui expliquait cela lorsqu'il soignait sa jambe, obligeant la plaie béante à demeurer ouverte jusqu'à ce que tous les éléments, nerfs, muscles, tendons aient repoussé, chacun suivant le rythme de croissance voulu par la nature.

Quoi qu'il en soit, il avait souffert pour une femme qui n'existait plus et qui ne pouvait pas renaître.

A ce point de ses réflexions, il pensa, en regardant la mer, à des prunelles vertes insondables et il rabattit le volet de bois avec violence.

Le Maure Abdullah, attendant derrière lui, s'apprêtait à éteindre la lanterne.

— Non, va, nous descendons plus bas, lui dit-il.

Et il s'engagea derrière l'Arabe dans un nouveau puits d'ombre, ouvrant à même le plancher de la batterie. Ces exercices lui étaient devenus trop familiers pour le distraire de ses pensées.

Toute sa volonté n'eût pu, ce matin-là, le détourner de l'obsession d'Angélique. D'ailleurs, c'était en partie à cause d'elle qu'il se rendait à fond de cale.

Irritation, rancune, perplexité, il ne savait plus ce qui dominait en lui. Certes pas l'indifférence, hélas! Comme si les sentiments que pouvait lui inspirer une femme qui, depuis quinze ans, avait cessé d'être sa femme et qui l'avait trahi de toutes les façons, n'étaient pas déjà assez complexes sans qu'il vînt s'y ajouter le désir!

Pourquoi avait-elle eu ce geste extraordinaire, et qu'il attendait si peu, d'arracher son corsage pour lui montrer sur l'épaule le sceau de la fleur de lys?

C'était moins l'apparition de la marque infamante qui l'avait saisi tout à coup que la beauté de son dos de reine. Lui, l'esthète difficile, accoutumé à détailler la beauté des femmes, il en avait été ébloui.

Elle n'avait pas encore ce dos parfait jadis, car elle se dégageait à peine des formes graciles de l'adolescence. Elle n'avait que dix-sept ans quand il l'avait épousée. Il se souvenait maintenant qu'en caressant le jeune corps tout neuf, il avait parfois songé à la beauté qu'Angélique atteindrait lorsque la vie, les maternités, les honneurs aussi l'auraient épanouie.

Et voilà que d'autres que lui l'avaient épanouie jusqu'à la perfection. Angélique, à l'instant où il s'y attendait le moins, lui rendait sa vision. Dépouillé de ces vêtements ternes et mal taillés, son torse apparu évoquait irrésistiblement celui de ces statues qu'on élève dans les îles de la Méditerranée aux déesses de la fécondité. Combien de fois il les avait admirées en se disant qu'il était hélas! rare de trouver parmi les femmes de pareils modèles.

Mais dans la pénombre, il en avait été plus frappé qu'à Candie. L'éclat de sa peau blanche comme le lait surgissait dans la tristesse de l'aube nordique, elle-même laiteuse, le mouvement des épaules vigoureuses, charnues et pourtant d'une ligne douce et pure, les bras lisses et forts, la tige de la nuque que dégageait la chevelure et que le sillon léger marquait d'une sorte d'innocence, tout cela l'avait séduit d'un seul regard, et il s'était approché, pénétré du sentiment stupéfait qu'elle était plus belle qu'autrefois et qu'elle était à lui!

Comme elle s'était rebellée! Comme elle s'était défendue! A croire qu'elle serait tombée du haut mal, s'il avait essayé d'aller plus loin. Qu'y avait-il donc qui l'avait tant effrayée en lui? Son masque? Sa personnalité cachée? Ou le soupçon de quelque chose de désagréable qu'il n'allait pas tarder à lui apprendre?

Le moins qu'on pût dire c'est qu'elle n'était pas attirée par lui. Ses appétits étaient nettement ailleurs.

— Va, va, dit-il avec impatience à son Maure. Je te l'ai dit, nous descendons jusqu'au bas, jusqu'à la cale des prisonniers. « Ils l'ont marquée à la fleur de lys, songea-t-il. Pour quel crime? Pour quelle prostitution? Jusqu'où a-t-elle traîné? Pourquoi?... Quels événements ont pu l'amener à tomber sous l'influence de ces bizarres Huguenots? La pécheresse repentie?... Oui, cela y ressemble assez. L'esprit des femmes est tellement faible... »

Il se doutait qu'il n'aurait pas facilement de réponse à ces questions et les images qu'elles levaient le tourmentaient d'autant plus.

« Marquée à la fleur de lys... je connais l'antre du bourreau, la froide horreur de ces lieux où l'on fabrique la douleur et l'abjection... La peur que peut inspirer un brasero où rougissent des instruments étranges... Pour une femme, c'est l'épreuve!... Comment l'a-t-elle affrontée? Pourquoi? Le Roi, son amant, ne la protégeait donc plus? »

Ils arrivaient en bas. Là, dans les ténèbres, on cessait d'entendre jusqu'au bruit de la mer. On la sentait seulement, lourde et dense, derrière la mince cloison de bois immergée. L'humidité était pénétrante. Joffrey de Peyrac évoquait les voûtes suintantes des salles de torture de la Bastille, et du Châtelet. Lieux sinistres mais qui, pourtant, n'avaient jamais hanté ses rêves au cours des années qui avaient suivi celles de son arrestation et son procès à Paris. Qu'il en fût sorti à peu près vivant suffisait à le rasséréner.

Mais une femme? Surtout Angélique! Il refusait de l'imaginer dans ces lieux d'horreur.

» L'avait-on jetée à genoux? L'avait-on dépouillée de sa chemise? Avait-elle crié très fort? Hurlé de douleur? Il s'appuyait contre une charpente visqueuse et l'Arabe, croyant qu'il voulait examiner le contenu de la cale qui s'ouvrait sur le couloir, levait haut sa lanterne.

A sa lueur apparaissaient des coffres amoncelés cerclés et cloutés de fer, mais aussi des masses brillantes solidement arrimées, dont les formes se distinguaient mal tout d'abord.

Puis, avec surprise, on détaillait des sculptures, des volutes : fauteuils, tables, vases, objets de toutes sortes, tous d'or massif, parfois en « petit argent » c'est-à-dire en platine. La flamme dansait, éveillant la chaleureuse magnificence des métaux nobles que ne peuvent corrompre ni l'eau ni le sel de la mer.

— Tu contemples tes trésors, ô mon maître? demanda le Maure de sa voix gutturale.

— Oui, répondit Peyrac qui, en réalité, ne voyait rien.

Il reprit sa marche et, tout à coup, comme il se heurtait au fond du boyau à une lourde porte de cuivre, il fut saisi d'agacement.

— Toute cette cargaison d'or gâchée.

Ses correspondants d'Espagne attendraient en vain son arrivée. A cause des Rochelais, il avait dû reprendre la route du retour sans avoir achevé le voyage qui devait être son dernier voyage de l'or et mené à bien les négociations de ses futurs accords commerciaux. Tout cela pour une femme à laquelle il ne prétendait même pas tenir. Aucune, pourtant, ne lui avait jamais fait commettre de pareilles bévues d'affaires. Mais les Huguenots paieraient! Ils paieraient même fort cher. Et tout serait finalement pour le mieux.

11

Du doigt, il fit glisser sans bruit le judas qui dissimulait une ouverture grillagée et s'approcha pour observer le prisonnier.

Celui-ci était assis à même le plancher, près d'une grosse lanterne qui devait lui dispenser à la fois lumière et chaleur, toutes deux fort piètres. Ses mains chargées de chaînes étaient posées sur ses genoux et son attitude était patiente. Joffrey de Peyrac ne s'y fiait pas. Il avait rencontré trop d'échantillons d'humanité pour ne pas savoir juger un homme au premier regard. Qu'Angélique, si raffinée jadis, fût capable d'aimer cet épais et froid Huguenot le jetait dans une fureur noire.

Des Huguenots, certes, il avait pu en voir à l'œuvre à peu près dans toutes les parties du monde. Pas commodes à manier, guère agréables à fréquenter, mais des hommes et des femmes de trempe. Il admirait leur intégrité commerciale et garantie par tout leur groupe, leur culture étendue, leur connaissance des langues, alors que tant de ses anciens pairs et coreligionnaires à lui, gentilhomme français, faisaient preuve d'une ignorance affligeante et n'imaginaient même pas que des êtres pensants puissent exister en dehors de leur sphère étroite.

Surtout, il appréciait la force de l'union que créait entre eux une religion sévère et encore menacée. Les minorités persécutées représentent le « sel de la terre ». Mais que diable une femme de haut lignage, et catholique, comme Angélique, était-elle allée faire chez ces commerçants austères et moroses? Après avoir échappé par miracle aux dangers de l'Islam — où elle s'était jetée Dieu sait pourquoi — n'avait-elle pas repris la suite de ses exploits à la Cour? Quand il pensait à elle c'était toujours ainsi qu'il la voyait : royale sous les lumières de Versailles et, souvent, il en était arrivé à se dire qu'elle avait été créée pour cela. Jusqu'à quel point la petite ambitieuse qui commençait à prendre conscience de son pouvoir, n'avait-elle pas calculé de s'élever jusqu'au trône du Roi, lorsqu'il l'avait emmenée au mariage de Louis XIV à Saint-Jean-de-Luz? Elle était déjà la plus belle, la mieux parée, mais pouvait-il se vanter, lui, d'avoir captivé à jamais ce jeune cœur? Sait-on de quels rêves divers les femmes forgent leur bonheur?... Pour l'une le sommet en sera un collier de perles, pour l'autre le regard d'un Roi, pour une autre : l'amour d'un seul être, pour d'autres encore de menues satisfactions ménagères, telles que de réussir des confitures...

Mais Angélique?... Il n'avait jamais très bien su ce que cachait le front lisse de la femme-enfant qu'il avait regardée dormir à ses côtés, lasse et comblée par les premiers ébats de l'amour.

Alors plus tard, bien plus tard, il avait appris qu'elle était parvenue à ses fins, à Versailles, et il s'était dit : « C'est justice. Au fond, elle était créée pour cela! » Ne fut-elle pas appelée, et d'emblée, la plus belle captive de la Méditerranée?

Jusque dans sa nudité, elle demeurait somptueuse. Mais la retrouver, soudain, sous des cottes de servante, liée à un négociant en eaux-de-vie et salaisons, grand lecteur de Bible, il y avait de quoi perdre l'entendement! Jamais il n'oublierait son apparition inondée et hagarde, si décevante qu'elle ne lui avait même pas inspiré la pitié.

Le Maltais, de garde aux soutes, s'était approché, un trousseau de clés à la main.

Sur un signe du maître il ouvrit la porte bardée de cuivre. Le Rescator pénétra dans la prison. Gabriel Berne leva les yeux sur lui. Malgré sa pâleur, son regard demeurait lucide.

Ils s'observèrent en silence. Le Rochelais ne se hâtait pas de demander des explications à propos du traitement inhumain qu'on lui faisait subir. L'affaire n'était pas là. Si le noir personnage masqué se déplaçait pour lui rendre visite, ce n'était pas, il s'en doutait, pour lui adresser de simples remontrances ou menaces. Autre chose se dressait entre eux, une femme.

Gabriel Berne détaillait avec une attention aiguë l'habillement de son geôlier. Il aurait pu en estimer, à un louis près, la valeur. Toutes les pièces en étaient du meilleur choix : cuirs, velours, drap de prix. Les bottes et la ceinture venaient de Cordoue et avaient dû être exécutées sur commande. Le velours du justaucorps était italien, de Messine, il l'aurait parié. En France, malgré tous les efforts de M. Colbert, on n'arrivait pas encore à fabriquer des velours de cette qualité. Jusqu'au masque qui était à sa façon une œuvre d'art artisanale : rigide et mince à la fois. Quel que fût le visage qui se dissimulait sous ce masque, il y avait, dans ces vêtements au luxe sobre et dans la prestance de celui qui les portait, de quoi séduire une femme. « Elles ont toutes la cervelle si légère, pensa maître Berne avec amertume, même les plus entendues en apparence »...

Que s'était-il passé cette nuit entre le pirate, beau parleur, accoutumé à s'offrir des femmes exactement au même titre que des bijoux ou des plumes, et dame Angélique, la pauvre exilée, dépouillée de tout?

A cette seule pensée, maître Berne serra les poings et une légère rougeur colora son visage exsangue.

Le Rescator se pencha vers lui, porta la main à la casaque toute raidie de sang du marchand et dit :

— Vos plaies se sont rouvertes, maître Berne, et vous voici à fond de cale. La plus élémentaire prudence aurait dû vous conseiller d'observer, cette nuit au moins, la discipline du bord. Quand un navire est en danger, il est évident que le strict devoir des passagers est de ne susciter aucun incident et de n'encombrer en aucun cas la manœuvre mettant la vie de tous en danger.

Le Rochelais ne se laissa pas intimider :

— Vous savez pourquoi j'ai agi comme je l'ai fait. Vous reteniez indûment chez vous une de nos femmes que vous aviez eu l'insolence de convoquer comme... comme une esclave. De quel droit?

— Je pourrais vous répondre : droit de prince.

Et le Rescator afficha son sourire le plus sardonique :

— ... Droit du chef sur le butin!

— Or, nous nous sommes fiés à vous, dit Berne, et...

— Non!

L'homme noir avait attiré un escabeau et s'asseyait à quelques pas du prisonnier. La lueur rougeâtre de la lanterne accusait leurs différences : l'un, massif, taillé d'une pièce, l'autre hermétique, protégé par la cuirasse de son ironie. Quand le Rescator s'était assis, Berne avait remarqué son geste pour rejeter son manteau en arrière, la grâce assurée et naturelle de la main, quand elle se posait, comme par mégarde, sur la crosse d'argent du long pistolet.

« Un gentilhomme, se dit-il, un bandit, mais un homme de haut rang, sans nul doute. Que suis-je en face de lui?... »

— Non! répéta le Rescator, vous ne vous êtes pas fiés à moi. Vous ne me connaissiez pas, vous n'avez passé avec moi aucun contrat. Vous avez couru vers mon navire pour sauver vos vies et moi je vous ai embarqués, c'est tout. Ne croyez pas pourtant que je refuse les devoirs de l'hospitalité que je vous ai accordée. Vous êtes mieux logés et nourris que mon propre équipage et aucune de vos femmes et de vos filles ne peut se plaindre d'avoir été molestée ou seulement importunée.

— Dame Angélique...

— Dame Angélique n'est même pas huguenote. Je l'ai connue bien avant qu'elle ne se mêle de citer la Bible. Je ne la considère pas comme une de vos femmes...

— Mais elle sera bientôt la mienne, jeta Berne. Et, à ce titre, je lui dois protection. Hier soir, j'avais promis de la tirer de vos griffes si nous ne la voyions pas revenir au bout d'une heure.

Il se pencha en avant, et ce mouvement fit tinter les chaînes qu'il avait aux mains et aux pieds.

— Pourquoi la porte de l'entrepont était-elle verrouillée?

— Pour vous donner le plaisir de la défoncer à coups d'épaule comme vous l'avez fait, maître Berne.

La patience commençait à abandonner le Rochelais. Il souffrait beaucoup de ses blessures et les tourments de son esprit et de son cœur lui semblaient encore pires. Il avait vécu ces dernières heures dans un demi-délire où, par éclairs, il se revoyait dans ses magasins de La Rochelle, sa plume d'oie à la main, devant son livre de comptes. Il ne pouvait plus croire à la vie droite et réglée qui avait été la sienne jusqu'alors. Tout commençait sur ce navire maudit avec la brûlure corrosive d'une âcre jalousie qui déformait ses pensées. Sentiment auquel il ne parvenait pas à donner de nom car il ne l'avait jamais éprouvé auparavant. Il eût voulu s'en débarrasser comme d'une tunique de Nessus. Il avait souffert comme d'un coup de poignard, lorsque l'autre lui avait fait remarquer qu'Angélique n'était pas des leurs. Car c'était vrai. Elle était venue parmi eux, elle avait été au cœur de leur révolte et de leur combat, elle les avait sauvés au péril de sa vie, mais elle restait en dehors d'eux, d'une autre essence.

Son mystère si proche et pourtant inaccessible ajoutait à sa séduction.

— Je l'épouserai, fit-il avec force, qu'importe qu'elle n'embrasse pas nos croyances? Nous ne sommes pas des intolérants comme vous, les catholiques. Je la sais respectable, dévouée, vaillante... J'ignore, monseigneur, ce qu'elle a été pour vous, en quelles circonstances vous l'avez connue, vous, mais moi je sais ce qu'elle a été dans ma maison et pour les miens et cela me suffit!

La nostalgie le prenait des jours passés, avec la présence discrète et diligente de la servante qui, peu à peu, sans qu'on en eût conscience, avait illuminé leur vie.

Il eût été surpris d'apprendre qu'il éveillait en son interlocuteur une souffrance très analogue à la sienne : « jalousie, regret. » Donc, le marchand connaissait d'elle un aspect qu'il ignorait, se disait Joffrey de Peyrac. Il était là pour lui rappeler qu'elle avait existé pour d'autres et qu'il l'avait perdue depuis des années.

— La connaissez-vous depuis longtemps? demanda-t-il à voix haute.

— Non, à la vérité, pas plus d'une année.

Joffrey de Peyrac pensa qu'Angélique lui avait déjà menti sur ce point. Dans quel but?

— Comment l'avez-vous connue, comment a-t-elle été amenée à entrer chez vous comme servante?

— C'est mon affaire, répondit Berne avec humeur, et cela ne vous regarde pas, ajouta-t-il ayant senti que sa réponse atteignait l'homme masqué.

— L'aimez-vous?

Le Huguenot demeura silencieux. La question le mettait en face d'horizons interdits. Il en était soudain choqué comme d'une impudeur. Le sourire moqueur de son adversaire accusait son malaise.

— Ah! comme c'est dur pour un calviniste de prononcer le mot amour. Il vous écorcherait les lèvres.

— Monsieur, nous ne devons avoir d'amour que pour Dieu seul. Voilà pourquoi je ne prononcerai pas ce mot. Nos attachements terrestres n'en sont pas dignes. Dieu seul est au fond de nos cœurs.

— Mais la femme est au fond de nos entrailles, dit brutalement Joffrey de Peyrac. Tous nous la portons dans nos reins. Et contre cela nous ne pouvons rien, ni vous ni moi, maître Berne... calviniste ou pas.

Il se leva, repoussant l'escabeau avec impatience; penché vers le Huguenot, il dit avec colère :

— Non, vous ne l'aimez pas. Les hommes de votre espèce n'aiment pas les femmes. Ils les tolèrent. Il s'en servent et ils les désirent, ce n'est pas la même chose. Vous désirez cette femme, et c'est pourquoi vous voulez l'épouser afin d'être en règle avec votre conscience.

Gabriel Berne devint pourpre. Il essaya de se redresser, y réussit à demi :

— Les hommes de *mon* espèce n'ont pas à recevoir de leçons de la vôtre, celle d'un pirate, d'un bandit, pilleur d'épaves.

— Qu'en savez-vous? Tout pirate que je suis, mes conseils pourraient ne pas être négligeables pour un homme qui s'apprête à épouser une femme que les rois vous envieraient. L'avez-vous seulement bien regardée, maître Berne?

Ce dernier avait réussi à se mettre à genoux. Il s'appuyait à la paroi. Il tourna vers Joffrey de Peyrac un regard où la fièvre mettait une lueur de démence... Son esprit s'égarait.

— J'ai essayé d'oublier, dit-il, d'oublier ce premier soir où je l'avais vue avec tous ses cheveux sur les épaules... dans l'escalier... Je ne voulais pas l'offenser dans ma maison, j'ai jeûné, j'ai prié... Mais souvent je me suis levé, poussé par la tentation, et sachant qu'elle était sous mon toit, je ne pouvais même pas reposer en paix...

Il haletait, courbé en deux, moins sous l'effet de la douleur physique que sous l'humiliation de ses aveux et Peyrac le surveillait, surpris.

« Marchand, marchand, tu n'es pas si loin de moi, songeait-il. Moi aussi je me levais, au temps où cette chevrette sauvage me tenait la dragée haute et me condamnait sa porte. Certes, je ne priais pas et je ne jeûnais pas, mais je regardais tristement mon visage peu avenant dans un miroir en me traitant d'imbécile. »

— Oui, c'est dur de fléchir, murmura le Rescator comme se parlant à lui-même. Se découvrir seul et faible, en face d'éléments premiers : la Mer, la Solitude, la Femme... Quand vient l'heure de les affronter, on ne sait pas ce qu'il faut faire... Mais refuser le combat? Impossible.

Berne était retombé sur sa paillasse. Il haletait et la sueur coulait le long de ses tempes. Les paroles prononcées avaient pour lui un son si nouveau qu'il doutait de la réalité de la scène. Dans cette cale puante et visqueuse, le personnage du Rescator allant et venant dans la lueur incertaine de la lampe, prenait plus que jamais l'apparence d'un mauvais ange. Lui, Berne, il se défendait comme Jacob.

— Vous parlez de ces choses d'une façon impie, fit-il en reprenant son souffle, comme si la femme était un élément, une entité.

— C'en est une. Il n'est pas bon de mépriser son pouvoir, ni de lui en accorder trop. La mer aussi est belle. Mais vous risquez de périr si vous négligez sa puissance et vous périrez également, si vous ne parvenez pas à la dompter.

» Une femme, voyez-vous, maître Berne, je commence toujours par m'incliner devant elle, jeune ou vieille, belle ou laide.

— Vous vous moquez de moi.

— Je vous confie mes secrets de séduction. Qu'en ferez-vous, monsieur le Huguenot?

— Vous abusez de votre rang pour m'abaisser et m'insulter, éclata Berne haletant d'humiliation. Vous me méprisez parce que vous êtes ou avez été un seigneur de haut rang alors que moi je ne suis qu'un simple bourgeois.

— Détrompez-vous. Si vous preniez la peine de réfléchir avant de me haïr, vous vous apercevriez que je vous parle d'homme à homme, donc en égal. Et il y a longtemps que j'ai appris à ne considérer dans un personnage que la seule valeur humaine. Il n'y a entre vous et moi qu'une différence : j'ai sur vous l'avantage de savoir ce que veut dire : manquer de pain, manquer de tout, n'avoir pour seul bien qu'un faible souffle de vie. Vous, vous ne l'avez pas encore appris. Aucun doute, vous l'apprendrez. Quant aux insultes, vous ne vous en êtes pas privé vis-à-vis de moi : bandit, pilleur d'épaves...

— Bon. J'admets, dit Berne en respirant avec effort. Mais, pour l'heure, c'est vous qui avez la puissance et je suis en votre pouvoir. Qu'allez-vous faire de moi?

— Vous n'êtes pas un adversaire facile, maître Berne et si je m'écoutais, je vous écarterais bonnement de ma route. Je vous laisserais pourrir ici, ou bien... vous connaissez les procédés des pirates auxquels vous m'assimilez? La planche où l'on fait marcher les yeux bandés celui dont on veut se débarrasser. Mais il n'a jamais été dans mes principes de mettre toutes les chances de mon seul côté. La gageure me plaît. Je suis joueur. Je reconnais que cela m'a parfois coûté très cher. Pourtant, cette fois encore, jetons les dés. Nous avons encore plusieurs semaines de navigation. Je vais vous rendre votre liberté. Convenons qu'arrivés au but de notre voyage, nous demanderons à dame Angélique de choisir entre vous et moi. Si elle va vers vous, je vous l'abandonne... Pourquoi cette moue dubitative? Vous semblez peu sûr de votre victoire.

— Depuis Eve, les femmes se laissent toujours attirer par le mal.

— Vous semblez tenir en piètre estime celle même que vous souhaitez pour épouse. Croyez-vous négligeables les armes dont vous disposez pour la conquérir... telles que la prière, le jeûne, que sais-je?... l'attrait de la vie honnête que vous lui offrez à vos côtés... Même en ces terres étrangères où nous nous rendons, la respectabilité a son prix... Dame Angélique peut y être sensible.

Le capitaine parlait d'une voix moqueuse. Le Protestant était au supplice. Les sarcasmes du Rescator l'obligeaient de sonder à fond son propre cœur et il s'effrayait à l'avance d'y découvrir le doute. Car maintenant, il doutait de lui-même, d'Angélique, de la valeur des qualités qu'il lui apporterait pour compenser l'infernal pouvoir de celui qui lui jetait le gant.

— Tenez-vous tout cela pour peu de poids dans la conquête d'une femme? fit-il amer.

— Peut-être... Mais vous n'êtes pas aussi mal loti que vous le croyez, maître Berne, car vous possédez d'autres armes...

— Lesquelles? interrogea le prisonnier avec un air d'anxiété qui le rendait sympathique.

Le Rescator l'observait. Il pensait qu'une fois de plus, il était en train de commettre l'imprudence de compliquer à plaisir la partie engagée et qui comptait beaucoup pour lui. Mais pourrait-il jamais savoir ce *qu'était* réellement Angélique, ce qu'elle pensait, ce qu'elle voulait, si l'adversaire ne possédait pas l'usage libre de ses chances?

Il se pencha en souriant.

— Maître Berne, sachez qu'un homme blessé qui trouve le moyen de défoncer une porte pour arracher sa bien-aimée à un infâme suborneur et qui, jeté aux fers, conserve encore assez de... disons de tempérament pour ruer comme un taureau à sa seule évocation, est un homme qui possède, à mon sens, les meilleurs atouts pour fixer l'inconstance féminine. Le sceau de la chair, voici le principal atout de notre pouvoir sur une femme... sur n'importe quelle femme... Vous êtes un homme, Berne, un vrai, un bon mâle, et c'est pourquoi je ne vous abandonne pas de gaieté de cœur, je le confesse, le droit de jouer votre partie.

— Taisez-vous, hurla le Rochelais soudain hors de lui et qui, sous l'effet de l'indignation, avait réussi à se mettre debout. Il tirait sur ses chaînes, à croire qu'il allait les briser. Ne savez-vous pas qu'il a été écrit : « Toute chair est comme l'herbe et tout son éclat comme la fleur des champs.

L'herbe sèche, la fleur tombe, quand le vent de l'Eternel souffle dessus... »

— Possible... Mais, avouez que tant que l'Eternel n'a pas soufflé dessus, la fleur est encore bien désirable.

— Si j'étais papiste, dit Berne, à bout, je me signerais car vous êtes possédé du démon.

La lourde porte se refermait déjà. Il entendit décroître le pas de son tourmenteur et l'écho des voix qui parlaient en arabe s'éteignit. Au bout d'un instant, il glissa et retomba lourdement sur sa paillasse. En quelques jours, il lui semblait avoir franchi un passage semblable à la mort. Il entrait dans une autre vie où les valeurs anciennes n'avaient plus leur place. Que restait-il alors?

12

Angélique avait regagné l'entrepont où logeaient les Protestants, dans un état voisin du somnambulisme. Elle se trouva assise dans le coin où elle avait rangé ses quelques affaires, près du canon bâché, sans s'être rendu compte qu'elle avait traversé le pont, Honorine à la main, descendant les raides échelles, se guidant à travers le brouillard, évitant les obstacles : rouleaux de cordes, baquets, pots de calfat, et les hommes d'équipage occupés à la toilette du navire. De tout cela, elle n'avait rien vu...

Elle était maintenant assise et elle ne comprenait pas non plus ce qu'elle faisait là.

— Dame Angélique! Dame Angélique! Où étiez-vous?

Le visage futé du petit Laurier se tendait vers

elle. Séverine passait son bras maigre autour de ses épaules.

— Répondez-nous.

Les enfants l'entouraient. Ils étaient tout emmitouflés de hardes misérables, de morceaux de jupes que leurs mères avaient déchirés pour les couvrir, de bouchons de paille qu'on avait glissés sous leurs vêtements. Leurs petits visages étaient blancs, le nez rougi.

Par habitude, elle tendit les mains vers eux et les caressa.

— Vous avez froid?

— Oh! non, répondirent-ils allègrement.

Le petit Gédéon Carrère expliqua :

— Le bosco, ce nain de la mer, a dit qu'on ne pouvait pas avoir plus chaud aujourd'hui, sauf si on faisait flamber le navire, parce qu'on était près du pôle, mais que bientôt on allait redescendre plus au Sud.

Elle les écoutait sans les entendre.

Les adultes, eux, se tenaient à l'écart et la fixaient par moments de loin, certains avec horreur, d'autres avec pitié. Que signifiait sa longue absence de la nuit? Son retour égaré confirmait, hélas, les bruits les plus horribles et les accusations que Gabriel Berne avait lui-même portées hier au soir contre le maître du navire.

« Ce bandit se croit sur nous tous les droits... sur nous, sur nos femmes... Mes frères, nous le savons maintenant, nous ne sommes pas sur la route des Iles... »

Et, comme Angélique ne revenait pas, il avait voulu partir à sa recherche. A sa grande fureur, il avait découvert la porte verrouillée. Et, malgré sa blessure, il avait entrepris de défoncer le vantail de bois épais, s'aidant d'un maillet, tout seul, il avait réussi à faire sauter une serrure. Voyant que rien ne le calmait, Manigault avait fini par lui donner un coup de main. Le vent glacé s'était engouffré dans la cale et les mères protestaient ne sachant comment protéger les petits.

Sur ces entrefaites, le quartier-maître écossais ou germanique avait surgi, vomissant des imprécations rocailleuses et Berne, solidement encadré par trois lascars, avait été happé vers les ténèbres. Depuis, on ne l'avait pas revu.

Deux charpentiers étaient venus placidement réparer la porte avant de les enfermer à nouveau. Le navire dansait dur. L'instinct avertit les femmes et les enfants que la nuit était pleine de dangers. Ils se blottirent les uns contre les autres et se tinrent cois, mais les hommes avaient longuement discuté de la conduite à tenir, s'il arrivait par hasard malheur à l'un de leurs compagnons, à maître Berne ou à sa servante.

Voyant qu'Angélique s'adressait avec naturel aux enfants, Abigaël et la jeune boulangère, qui l'aimaient beaucoup, se décidèrent à s'approcher d'elle.

— Que vous a-t-il fait? chuchota Abigaël.

— Qu'est-ce qu'il m'a fait? répéta Angélique. Qui ça, IL?

— Lui... le... le Rescator.

Le nom produisit une sorte de déclic dans la tête d'Angélique et elle porta ses deux mains à ses tempes en grimaçant de douleur.

— Lui?... dit-elle. Mais il ne m'a rien fait du tout. Pourquoi me demandez-vous cela?

Les pauvres filles demeurèrent muettes et fort gênées.

Angélique n'essayait même pas de comprendre la raison de leur désarroi.

Une seule idée ne cessait de tourner dans sa tête : « Je l'ai retrouvé, et il ne m'a pas reconnue. Il ne m'a pas reconnue pour sienne, rectifiait-elle. Alors à quoi bon avoir tant rêvé, tant soupiré, tant espéré... C'est aujourd'hui que je suis veuve. »

Puis elle frissonnait.

« Tout cela est fou... C'est impossible... Je fais un cauchemar et je vais m'éveiller. »

L'armateur Manigault, poussé par sa femme, s'avança.

— Dame Angélique, il faut parler... Où est Gabriel Berne?

Après l'avoir regardé, sans comprendre, elle protesta :

— Je n'en sais rien!

Il lui raconta l'incident de la nuit que son absence à elle, Angélique, avait provoqué.

— Berne a peut-être été jeté à la mer par ce pirate, dit l'avocat Carrère.

— Vous êtes fou!

Elle reprenait progressivement pied dans la réalité. Ainsi, tandis qu'elle dormait cette nuit, chez le Rescator, Berne avait provoqué un esclandre pour venir à son secours. Le Rescator devait être au courant. Pourquoi ne lui en avait-il pas dit mot? Il est vrai qu'ils avaient eu à parler de tant de choses.

— Ecoutez, dit-elle, il est inutile de vous monter la tête et d'effrayer les enfants par des suppositions aussi invraisemblables. S'il est vrai que maître Berne a provoqué l'équipage ou le capitaine par sa colère, cette nuit, alors que déjà la seule manœuvre exigeait toute l'attention du capitaine, je suppose qu'il doit être enfermé dans quelque coin. Mais, en aucun cas, on n'a pu attenter à sa vie. Cela je m'en porte garante!

— Hélas! la justice est expéditive chez ces gens sans aveu, dit l'avocat lugubre. Et vous n'y pouvez rien.

— Vous êtes stupide, cria Angélique qui avait envie de gifler sa face couleur de vieux suif.

Crier lui faisait du bien et aussi de les regarder les uns après les autres et de se dire qu'après tout, malgré tout, la vie continuait. Dans la mauvaise lueur de la cale, dont on fermait tous les sabords à cause du froid, ils tendaient vers elle des faces terriblement quotidiennes. Ils étaient là, bien accrochés à leurs préoccupations personnelles. Ils ne lui laisseraient guère le loisir de s'appesantir sur son drame à elle et de lui donner des proportions démesurées.

— Enfin, dame Angélique, reprit Manigault, si vous estimez n'avoir pas à vous plaindre des agissements de ces pirates, tant mieux pour vous. Mais, pour notre part, nous sommes très inquiets du sort de Berne. Nous espérions que vous étiez au courant.

— Je vais m'informer, dit-elle en se levant.

— Reste, maman, reste, hurla Honorine, qui se voyait une fois de plus abandonnée pour de longues heures. La traînant derrière elle, Angélique sortit.

Sur le pont, presque aussitôt, elle rencontra Nicolas Perrot qui fumait sa pipe assis sur un tas de cordages, tandis que son Indien, jambes croisées, tressait ses longs cheveux noirs en penchant la tête de côté comme une fillette à sa toilette.

— Dure nuit, fit le Canadien d'un air entendu.

Angélique, étonnée, se demandait ce qu'il savait au juste. Puis elle comprit qu'il ne faisait simplement allusion qu'à la gravité des heures passées entre la tempête et les glaces. La situation avait donc été tendue pour tout l'équipage.

— Avons-nous été si prêts de périr?

— Remerciez Dieu de ne l'avoir pas su et d'être encore vivante, fit-il en se signant. Maudits parages que ceux-ci. Il me tarde de revoir au plus tôt mon Hudson natal.

Elle lui demanda s'il pouvait la renseigner sur

l'un des leurs, disparu au cours de cette nuit agitée, maître Berne.

— J'ai ouï dire qu'on l'avait mis aux fers pour insubordination. Monseigneur le Rescator est présentement en bas, à l'interroger.

Elle put donc rapporter aux autres que leur ami n'avait pas été jeté par-dessus bord.

Les cuistots arrivaient avec l'inévitable baquet de choucroute, des tranches de salaison et, pour les enfants, des morceaux d'oranges et de citrons confits. Les passagers s'installèrent bruyamment. Les repas représentaient la distraction de la journée, avec la promenade qui suivait celui de midi. Angélique reçut une écuelle, dans laquelle Honorine piocha avec entrain après avoir fini la sienne.

— Tu ne manges pas, maman?

— Ne m'appelle pas tout le temps : maman, dit Angélique agacée. Avant, tu ne le faisais pas.

Ses oreilles enregistraient des bribes de conversations.

— Vous certifiez, Le Gall, que nous ne passerons jamais par les îles du Cap-Vert?

— Je le garantis, patron. Nous sommes au nord. Très au nord.

— En tenant ce cap, cela nous mènera où?

— Dans la zone des morutiers et des baleiniers.

— Chic! nous allons voir des baleines, cria un des petits garçons en battant des mains.

— Où risquons-nous d'aborder?

— Peut-on savoir? Vers Terre-Neuve, ou en Nouvelle-France.

— En Nouvelle-France? s'écria la femme du boulanger. Mais alors nous allons retomber entre les mains des papistes.

Elle se mit à gémir.

— Maintenant, c'est certain, ce bandit a décidé de nous vendre.

— Taisez-vous, sotte!

Mme Manigault intervenait vigoureusement :

— Si vous aviez deux sous de jugement, vous comprendriez que tout bandit qu'il est, il ne se serait pas donné le mal de risquer son navire sous les murs de La Rochelle et d'y laisser une ancre, pour aller nous vendre de l'autre côté de l'Océan.

Angélique regarda Mme Manigault avec surprise. La femme de l'armateur trônait, toujours omnipotente, sur une baille, sorte de baquet renversé. Le siège était peut-être inconfortable à son ample personne, mais elle n'en mangeait pas moins avec une cuiller d'argent dans une ravissante soupière de Delft.

« Tiens, elle a quand même réussi à dissimuler cela sous ses cottes, au moment de l'embarquement », pensa Angélique machinalement.

Mais, Manigault, avec humeur, se chargeait de la renseigner.

— Vous m'étonnez beaucoup, Sarah! Ce n'est pas une raison parce que le maître de ce navire a cru devoir flatter vos... vos manies en vous offrant cette soupière que vous devez en perdre, vous, le jugement. J'ai été habitué à vous voir raisonner avec plus de rigueur.

— Mes raisonnements valent bien les vôtres. Un homme qui sait distinguer à coup sûr le rang, la distinction et comprendre à qui doivent aller d'abord ses attentions, je ne dis pas que c'est un homme qui inspire confiance, mais je dis, j'affirme que ce n'est pas un imbécile.

Elle ajouta, mi-figue, mi-raisin :

— Et qu'en pense dame Angélique?

— De qui parlez-vous? demanda celle-ci qui ne parvenait pas à suivre.

— Mais... de Lui, crièrent toutes les femmes à la fois. Le maître du *Gouldsboro*... le pirate masqué... le Rescator. Dame Angélique, vous qui le connaissez, dites-nous qui il est?

Angélique les fixa avec égarement. Cela n'avait pas l'air vrai, qu'on lui posât une telle question! A elle!... Dans le silence, la petite voix d'Honorine réclama :

— Moi, ze veux un bâton. Ze veux le tuer, l'homme noir.

Manigault haussait les épaules, prenant les poutres à témoin de la sottise des femmes.

— La question n'est pas de savoir *qui* il est, mais *où* il nous conduit. Pouvez-vous nous le dire, dame Angélique?

— Il m'a affirmé ce matin encore qu'il nous conduisait aux Iles. La route du Nord y peut mener comme la route du Sud.

— Ouais, soupira l'armateur, qu'en penses-tu, Le Gall?

— C'est encore ma foi possible... C'est une route qu'on emploie rarement, mais en redescendant le long de la côte américaine, on doit finir par se retrouver dans la mer des Antilles. Probable que notre capitaine préfère cette route-là à l'autre, trop fréquentée.

Ensuite le bosco, court sur pattes, surgit pour signifier par gestes que tout le monde pouvait sortir. Quelques femmes restèrent afin de remettre un peu d'ordre.

Angélique se replongea dans ses pensées.

— Pourquoi dors-tu, maman? demanda Honorine, en la voyant mettre son visage dans ses mains.

— Laisse-moi donc.

Angélique revenait peu à peu de sa stupeur. L'impression d'avoir reçu un coup sur la nuque persistait. Pourtant la vérité commençait à s'installer dans son esprit. Rien n'était arrivé comme elle l'avait rêvé, mais c'était arrivé. Son mari, tant pleuré, n'était plus un fantôme lointain, dans une quelconque partie inaccessible du globe, mais se trouvait à quelques pas d'elle. Quand elle y pensait, elle disait : Lui. Elle ne pouvait se décider à l'appeler Joffrey, tant il lui paraissait différent de celui qu'elle avait nommé ainsi autrefois. Mais ce n'était pas non plus le Rescator, l'étranger mystérieux qui l'avait tellement attirée.

Cet homme ne l'aimait pas, ne l'aimait plus!

« Mais qu'ai-je donc fait pour qu'il ne m'aime plus? Pour qu'il doute de moi à ce point? Vais-je lui reprocher ces années où je n'avais pas de place dans sa vie? Notre séparation, nous ne l'avons voulue ni l'un ni l'autre. Alors pourquoi ne pas essayer d'effacer, d'oublier? Mais un homme raisonne tout autrement, il faut croire. Que ce soit pour une raison ou pour une autre, à cause de Philippe ou du Roi, il ne m'aime plus... C'est même pire, encore, car je lui suis indifférente... »

Une atroce inquiétude la prit :

« Peut-être ai-je vieilli?... C'est cela, j'ai dû vieillir subitement pendant ces dernières semaines, avec tous ces soucis épuisants qui ont précédé notre départ de La Rochelle. »

Elle contempla ses mains gercées, crevassées, des mains de vraie ménagère. De quoi horrifier le grand seigneur épicurien.

Angélique n'avait jamais attaché une importance démesurée à sa beauté. Certes, elle l'avait soignée et préservée en femme de goût, mais jamais la crainte d'en être privée ne l'avait effleurée. Ce don des dieux qu'on célébrait chez elle depuis l'enfance, lui semblait devoir durer toujours, aussi longtemps que sa vie. Pour la première fois, elle le sentait soudain périssable. Il lui fallait être rassurée.

— Abigaël, dit-elle en rejoignant son amie avec agitation, avez-vous un miroir?

Oui, Abigaël en avait un. La vierge sage, pour laquelle décence et bonnet bien mis étaient vertus, avait seule pensé à se munir d'un accessoire que les coquettes avaient oublié.

Elle le passa à Angélique qui s'y examina, avidement.

« Je sais bien que j'ai quelques cheveux blancs, mais il n'a pas pu les voir avec ma coiffe... sauf le premier soir où je me suis rendue sur le *Gouldsboro*, mais alors ils étaient tout mouillés, donc ça ne se distinguait pas ».

Elle était loin de la désinvolture avec laquelle elle s'était contemplée dans le miroir d'acier, quand il ne s'agissait pas de plaire au Rescator. Elle passa un doigt sur ses pommettes. Est-ce que ses traits s'affaissaient? Non. Ses joues étaient un peu trop creuses, mais la carnation chaude que lui donnait le grand air n'avait-elle pas été une des originalités de son teint qu'on admirait à Versailles et que Mme de Montespan jalousait?...

Cependant, comment savoir ce que pouvait penser d'elle un homme qui la comparait dans son souvenir à une image d'adolescente.

« Aujourd'hui, j'ai tant vécu... La vie m'a forcément marquée »...

— Maman, trouve-moi un bâton, réclamait Honorine, l'homme au masque noir, c'est un grand loup-garou... ze vais le tuer!

— Tais-toi... Abigaël, parlez-moi franchement. Suis-je une femme dont on peut dire qu'elle est encore belle?

Abigaël pliait des vêtements avec calme. Elle ne laissa pas transparaître à quel point le comportement d'Angélique lui semblait déconcertant. Ainsi, après sa disparition de la nuit qui pouvait laisser supposer qu'elle avait subi le pire, elle déclarait qu'il ne s'était rien passé mais elle demandait un miroir.

— Vous êtes la femme la plus belle que j'aie

jamais vue, répondit la jeune fille d'un ton neutre, et vous le savez bien.

— Mais non, hélas, je ne le sais plus, soupira Angélique en laissant retomber son bras avec découragement.

— La preuve, c'est que tous les hommes sont attirés par vous, même ceux qui ne le savent pas, continua Abigaël. Ils veulent avoir votre avis, votre accord dans ce qu'ils entreprennent... un sourire de vous. Au moins cela. Il y en a qui vous veulent pour eux seuls. Le regard que vous accordez aux autres les fait souffrir. Avant que nous quittions La Rochelle, mon père disait souvent que ce serait un danger terrible pour nos âmes que de vous emmener avec nous... Il poussait maître Berne à vous épouser avant que nous entreprenions le voyage, afin que les disputes ne puissent surgir à votre propos...

Angélique n'écoutait qu'à demi ces paroles qui, en un autre moment, l'eussent troublée. Elle avait repris le petit miroir modeste.

— Je devrais me mettre un cataplasme de pétales d'amarillys pour le teint... Malheureusement, j'ai laissé toutes mes herbes à La Rochelle.

— ... Moi, ze vais le tuer, marmonnait Honorine, entre haut et bas.

Les passagers, en rentrant, escortaient maître Berne. Deux matelots le soutenaient. On le porta jusqu'à sa couche. Il semblait faible, mais non abattu. Plutôt revigoré. Ses yeux lançaient des éclairs.

— Cet homme est le démon en personne, déclara-t-il à son entourage, dès que les gens du *Gouldsboro* se furent retirés, il m'a traité d'une façon indigne. Il m'a torturé...

— Torturé?... Un blessé!... le lâche!

Les exclamations fusaient.

— Parlez-vous du Rescator? demanda Mme Manigault.

— Mais de qui voulez-vous que je parle, dit Berne hors de lui. De ma vie je n'ai eu affaire à personnage aussi odieux. J'étais là, les fers aux pieds et aux mains, et il est venu me fouailler, me retourner sur le gril...

— Vous a-t-il vraiment torturé? demanda Angélique en se glissant près de lui, les yeux agrandis d'effroi.

La pensée que Joffrey était désormais devenu un homme capable de toutes les cruautés achevait de la désespérer.

— Vous a-t-il vraiment torturé?

— Moralement, veux-je dire! Ah! ne restez pas là, à me regarder ainsi, vous!

— Il a de nouveau la fièvre, chuchota Abigaël. Il faudrait le panser.

— Mais j'ai été pansé. Le vieux médecin de Barbarie est encore venu avec toutes ses drogues. Ils m'ont détaché et remonté à la surface... Personne n'aurait su mieux traiter un corps et plus démolir l'âme. Non, ne me touchez pas!

Il fermait les yeux pour ne plus voir Angélique.

— Laissez-moi, vous autres. Je vais dormir.

Ses amis s'écartèrent. Angélique resta à son chevet. Elle se sentait responsable de l'état dans lequel il se trouvait. Tout d'abord, par son absence involontaire, elle l'avait poussé à des gestes dangereux. Mal remis de ses plaies, de nouveau ensanglanté, il avait dû passer des heures dans des conditions insalubres, en bas, à fond de cale, et puis c'était finalement le Rescator — son mari — qui semblait l'avoir achevé. Qu'avaient-ils pu se dire, ces deux hommes si dissemblables? Berne ne méritait pas qu'on le fît souffrir, songea-t-elle avec élan. Il l'avait accueillie, il avait été son ami, son conseiller, il l'avait protégée avec discrétion et elle avait pu se reposer, en paix, dans sa maison. C'était un homme juste et droit, d'une grande force morale. C'était à cause d'elle, Angélique, que la dignité austère derrière laquelle il contenait les violences de sa nature s'était rompue comme une digue sapée par la mer. Il avait tué pour elle...

Tandis qu'elle évoquait ces heures qui appartenaient à une autre existence, elle ne s'apercevait pas que Gabriel Berne avait rouvert les yeux. Il la regardait comme une vision, mal assuré de découvrir qu'elle avait, en si peu de temps, aveuglé tout son horizon. Au point qu'il se désintéressait de son propre sort, de savoir où ils allaient, et s'ils arriveraient jamais. Présentement, il ne voulait qu'une chose : arracher Angélique à l'influence démoniaque de l'Autre.

Elle avait pris toute la place en lui. Son être désormais vacant, privé de ce qui l'avait jusqu'alors rempli : son commerce, l'amour de sa ville, la défense de sa foi, découvrait avec frayeur les chemins de la passion.

La voix répétait en lui :

« C'est dur de fléchir... S'incliner devant la femme... La marquer du sceau de la chair... »

Ses tempes battaient... « Il n'y a peut-être que cela, se disait-il, pour me délivrer et me l'attacher ».

Toutes les mauvaises fièvres que les paroles du Rescator avaient suscitées le brûlaient. Il aurait voulu entraîner Angélique dans un coin obscur et se l'asservir dans un acte, moins d'amour que de vengeance contre le pouvoir qu'elle avait pris sur lui.

Car il était trop tard maintenant pour songer à aborder les rives de la volupté. Lui, Berne, ne pourrait jamais connaître, à l'égard des plaisirs de la chair, la souriante désinvolture de l'Autre!...

« Nous sommes des hommes du péché, se répéta-t-il, prenant conscience d'une sorte de malédiction. Voilà pourquoi je ne serai jamais délivré... Lui, est libre... Et elle aussi... »

— Vous me regardez soudain comme une ennemie, murmura Angélique. Qu'y a-t-il? Que vous a-t-il dit pour vous changer ainsi, maître Berne?

Le marchand rochelais poussa un profond soupir.

— C'est vrai, je ne suis plus moi-même, dame Angélique, il faut que nous nous mariions... très vite... le plus tôt possible!

Avant qu'elle ait pu lui répondre, il héla le pasteur Beaucaire.

— Pasteur! Venez par ici. Ecoutez-moi. Il faudrait célébrer notre mariage, sans attendre.

— Ne pourrais-tu au moins patienter afin d'être rétabli, mon garçon, dit le vieux ministre apaisant.

— Non, je ne serai tranquille que quand la chose sera faite.

— Où que nous allions, la cérémonie doit être légale. Je peux vous bénir au nom du Seigneur, mais le capitaine seul peut représenter l'autorité temporelle. Il faut demander son autorisation de l'inscrire sur le livre du bord et d'en obtenir reçu.

— Il la donnera, cette autorisation, s'écria Berne farouche. Il m'a laissé entendre qu'il ne s'opposerait pas à notre union.

— C'est impossible! cria Angélique. Comment peut-il une seule seconde envisager cette mascarade? Mais, il y a de quoi perdre la raison! Il sait bien que je peux pas vous épouser... *Je ne peux pas, je ne veux pas.*

Elle s'éloigna de peur de céder à une crise de nerfs devant eux.

— Une mascarade, murmura Berne amèrement. Vous voyez bien où elle en est, Pasteur. Et dire que nous sommes la proie de ce misérable magicien et pirate. Il nous tient à sa merci, sur cette coque de noix... Il n'y a d'autre issue que la mer... la solitude. Comment expliquer cela, Pasteur? Il s'est montré à la fois mon tentateur et ma conscience. On aurait dit qu'il me poussait au mal et qu'en même temps il me découvrait tout le mal qu'il y avait en moi et que j'ignorais totalement. Il m'a dit « Si seulement vous vous donniez la peine de ne pas me haïr... ». Je ne savais même pas que je le haïssais. Je n'ai d'ailleurs jamais eu de haine pour personne, même pour ceux qui nous persécutaient. N'ai-je pas été jusqu'à ce jour un homme juste, Pasteur?... Et maintenant, je ne sais plus.

13

Elle s'éveilla comme on émerge d'une maladie. Avec un reste de malaise, mais aussi une impression de soulagement. Elle avait rêvé qu'il la serrait dans ses bras, sur la plage, en riant et en criant « Vous voici, enfin! La dernière, naturellement. Femme enragée que vous êtes! ». Elle resta un moment immobile à écouter décroître en elle l'écho de ce rêve. Et si ç'avait été une réalité?

Elle chercha dans sa mémoire pour revivre l'instant fugitif. Quand il l'avait serrée dans ses bras, c'était bien à elle, sa femme, qu'il s'adressait. A Candie aussi, quand ses yeux attentifs derrière le masque cherchaient à la réconforter, c'était bien elle qu'il protégeait, qu'il était venu arracher aux griffes des dangereux marchands de femmes, puisque lui savait qui elle était.

Il ne la méprisait donc pas tellement, en ce temps-là, sa femme, malgré sa rancune pour ses infidélités apprises ou supposées.

« Mais en ce temps-là, j'étais belle! » se dit-elle.

Oui, mais sur la plage de La Rochelle? Il y avait une semaine à peine bien qu'un monde eût paru s'écouler depuis, et même entre l'aurore de ce jour où il s'était démasqué et le soir qui venait.

Car on abordait le couchant. Angélique n'avait dormi que quelques heures. La porte ouverte au fond de la batterie découvrait un carré de lumière cuivrée. Les passagers s'étaient réunis sur le pont pour la prière du soir.

Elle se leva, courbaturée comme si on l'avait battue.

« Je ne dois pas accepter cela! il faut que nous parlions. »

Elle défripa sa pauvre robe et en contempla longuement l'étoffe sombre et rugueuse. Malgré le souvenir rassurant de la plage et du rêve, sa peur demeurait. Trop d'inconnu subsistait en l'homme qu'elle voulait approcher, des zones d'ombre impénétrables.

Elle avait peur de lui.

« Il a tellement changé! C'est mal de dire cela, mais... J'aurais préféré qu'il reste boiteux. D'abord je l'aurais reconnu aussitôt, dès Candie, et il ne prendrait pas ombrage de mon soi-disant manque d'instinct et de cœur pour m'accabler. Comme si c'était tellement facile avec son masque... Je suis une femme, moi, pas un chien de la police du Roi... comme Sorbonne. »

Elle se mit à rire nerveusement de cette comparaison incongrue. Puis, de nouveau, le chagrin la submergea. De tous les reproches qu'il lui avait faits, ceux à propos de ses fils la blessaient le plus.

« Mon cœur saigne chaque jour de les avoir perdus, et il s'arroge le droit de me croire indifférente! Il me connaissait donc si mal. Au fond il ne m'a jamais aimée... »

Sa migraine s'accentuait et tous ses nerfs étaient douloureux. Elle se raccrocha au souvenir de la plage, à celui du premier soir sur le *Gouldsboro*, où il lui avait relevé le menton, en disant, de sa façon inimitable : « Voilà ce que c'est que de courir la lande, derrière des pirates ». Là aussi elle aurait dû le reconnaître. Alors c'était tellement lui malgré son masque, sa voix changée.

« Pourquoi me suis-je montrée si aveugle, si sotte? »

« J'étais obnubilée par cette idée que nous allions tous être arrêtés le lendemain et qu'il fallait nous enfuir coûte que coûte. »

En même temps, une autre idée lui venait en tête et elle sursautait.

« Que faisait-il au juste aux abords de La Rochelle? Pouvait-il savoir que je m'y trouvais? Est-ce le hasard seul qui l'a amené dans cette crique? »

Une fois encore elle décida.

« Il faut absolument que je le voie, que nous parlions. Même si je l'importune. Les choses ne peuvent en rester là, sinon je vais devenir folle. »

Elle remonta la travée, et s'arrêta devant maître Berne. Lui aussi dormait. Sa vue lui inspira des sentiments ambigus. Elle aurait souhaité qu'il n'eût jamais existé et en même temps elle en voulait à Joffrey de Peyrac de maltraiter un homme qui n'avait que le tort d'avoir été son ami à elle, Angélique, et de vouloir l'épouser.

« Si je n'avais dû compter que sur lui, M. de Peyrac, pendant toutes ces années où il a disparu... »

Il faudrait qu'il sache ce qu'elle avait enduré et que si elle avait épousé Philippe, si elle s'était élevée jusqu'à la Cour, c'était en grande partie pour arracher ses fils à un sort misérable. Elle allait parler, elle allait lui dire tout ce qu'elle avait sur le cœur!

Au-dehors, l'ombre emplissait déjà le pont principal, la « grand-rue » profondément encastrée entre la muraille, les coursives et les rambardes. Les Protestants rassemblés, moutonnants, dans leurs vêtements sombres, se distinguaient à peine de l'ombre générale. On entendait le murmure de leurs prières. Mais, là-haut, sur l'esplanade du château-arrière, dont toutes les vitres étincelaient comme des rubis, Angélique en levant les yeux, l'aperçut et son cœur se mit à battre de façon désordonnée. Il se tenait dans le dernier rayonnement du soleil, masqué, énigmatique, mais c'était lui et la joie délirante qui aurait dû être la sienne au matin, emplit subitement Angélique, balayant toute sa rancœur.

Elle s'élança par la première échelle venue et courut le long de la coursive, sans prendre garde aux éclaboussures des embruns. Cette fois elle ne se laisserait pas arrêter par un regard moqueur ni par une phrase glaciale. Il faudrait bien qu'il l'écoute!...

Cependant, lorsqu'elle parvint sur l'esplanade, toutes ses résolutions tombèrent devant le spectacle qui s'offrait à sa vue. Sa joie s'effaça et il ne resta que la crainte.

Honorine était là, surgie, comme ce matin, entre eux avec l'opportunité d'un lutin maléfique.

Minuscule aux pieds du Rescator, elle levait vers lui sa face ronde, crispée et provocante, tandis qu'elle enfonçait énergiquement ses deux poings dans les poches de son tablier. Angélique fut obligée de se cramponner à la balustrade pour ne pas tomber en arrière.

— Que fais-tu là? dit-elle, d'une voix blanche.

L'entendant, le Rescator se retourna. Quand il était ainsi masqué, elle ne pouvait croire encore à la personnalité qu'il cachait.

— Vous arrivez à point, fit-il, j'étais en train de méditer sur l'inquiétante hérédité de cette jeune personne. Figurez-vous qu'elle vient de me voler pour deux mille livres de pierres précieuses.

— Voler? répéta Angélique atterrée.

— En entrant chez moi, je l'ai vue installée à faire son choix dans le coffret que j'avais ouvert pour vous ce matin et qu'elle avait dû repérer au cours de sa visite. Prise sur le fait, la charmante demoiselle n'a manifesté aucune contrition et m'a fait comprendre sans ambages qu'elle ne me rendrait pas mon bien.

Le malheur fut qu'Angélique, éprouvée par les émotions ressenties au cours de la journée, se trouva incapable de prendre la chose à la légère. Mortifiée pour elle, pour Honorine, elle se précipita vers l'enfant afin de lui reprendre son larcin. Tout en essayant de lui ouvrir les mains, elle maudissait le prosaïsme de l'existence. Venue en amoureuse, elle devait se débattre contre une insupportable gamine qui était à elle par la force des choses, qui était vivante alors que ses fils à lui étaient morts, Honorine, sa tare visible, aux yeux de l'homme qu'elle aurait voulu reconquérir. Et il fallait encore qu'avec une incroyable audace, celle-ci se soit rendue chez lui pour le voler. Elle qui n'avait jamais rien pris, même dans le buffet!

Elle réussit à écarter les petits doigts pour en extraire deux diamants, une émeraude, un saphir.

— Tu es méchante, cria Honorine.

Furieuse d'avoir été vaincue, elle reculait, les

regardant tous deux avec une rage assez cocasse chez une si minuscule personne.

— Tu es une méchante. Je vais te donner un coup...

Elle cherchait une vengeance éclatante, à la mesure de sa fureur.

— Je vais te donner un coup qui t'enverra jusqu'à La Rochelle... Et après, tu seras obligée de revenir à pied... jusqu'ici...

Le Rescator éclata de son rire rauque.

Les nerfs d'Angélique cédèrent et elle gifla sa fille à la volée.

Honorine la fixa bouche bée, puis elle éclata en hurlements stridents. Tourbillonnant sur elle-même, comme devenue folle, elle s'élança tout à coup vers l'échelle qui menait à la coursive et se mit à courir sur l'étroit rebord à une vitesse de farfadet tout en criant toujours. Une plongée du navire sur bâbord l'aspergea au passage de la langue d'une vague.

— Retenez-la, hurla Angélique, paralysée comme dans un cauchemar.

Honorine courait toujours. Elle courait, hantée, pour échapper à cet étroit univers de planches et de toiles, ce navire où, depuis des jours, elle apprenait la souffrance injuste.

Le ciel bleu était au-dessus, derrière la rambarde de gros bois. Arrivée au bout du passage, elle se mit à escalader un haut tas de cordages. Parvenue au sommet, rien ne la séparait plus du vide. Le navire plongea encore et les spectateurs, figés par la rapidité de la scène, virent avec horreur la petite basculer par-dessus bord.

Au cri dément d'Angélique, la clameur des émigrants, et celle des hommes d'équipage répondirent. Un matelot, qui se trouvait sur la grande brigantine du mât d'artimon, plongea comme une flèche. Deux autres se précipitèrent vers la chaloupe arrimée sur le pont pour en extraire le canot. Le Gall et le pêcheur Joris, qui se trouvaient à proximité, leur vinrent en aide. Les gens couraient. Le navire vira de bord. En un clin d'œil la balustrade à bâbord fut garnie de visages affolés. Séverine et Laurier pleuraient en appelant Honorine.

Le capitaine Jason hurla dans son porte-voix de s'écarter afin que l'on pût mettre le canot à la mer.

Angélique ne voyait et n'entendait rien. Elle s'était précipitée en aveugle vers la rambarde et il avait fallu une poigne solide pour l'empêcher de se jeter à l'eau à son tour. Devant ses yeux dansait, floue, l'étendue violette, striée de vert et de blanc. Elle y vit enfin surnager une boule noire hérissée près de laquelle flottait une petite boule verte. La boule noire, c'était la tête du marin qui avait plongé, la boule verte, Honorine et son bonnet.

— Il la tient, dit la voix du Rescator... Il n'y a plus qu'à attendre que le canot les rejoigne.

Angélique se débattait encore follement, mais il la retenait d'une main de fer. Dans un grincement de poulie, l'esquif s'élevait, se balançait, avant de commencer à descendre au flanc du bateau.

A ce moment un grand cri jaillit de nouveau.

— Les albatros!

Comme surgis de l'écume des vagues, deux oiseaux immenses prenaient leur vol et se posaient près des têtes du marin et de l'enfant que leurs ailes blanches parurent cacher.

Angélique cria comme une folle. Les becs acérés allaient déchiqueter ces proies offertes.

Un coup de mousquet claqua. Le Rescator avait saisi l'arme du Maure Abdullah, qui était à ses côtés. Avec une précision que n'altérait pas le mouvement du roulis, il avait réussi à abattre l'un des oiseaux qui s'étala, sanglant, sur les flots. Un autre coup partit, celui-ci tiré par Nicolas Perrot auquel l'Indien avait passé aussitôt une arme prête à servir.

Le second albatros atteint se débattit à grands coups d'ailes, mais il était frappé à mort.

Le matelot qui tenait Honorine put s'en dégager, le rejeter de côté et commencer à nager vers le canot qui s'approchait. Peu après, Angélique recevait dans ses bras un petit paquet ruisselant, crachant, suffoquant.

Elle l'étreignit avec passion. En cet instant affreux qui lui avait paru durer une éternité, elle s'était maudite d'avoir provoqué la colère de l'enfant.

L'enfant était innocente. Les adultes, emportés par leurs conflits stupides, l'avaient délaissée, abandonnée. Et elle s'était vengée comme elle avait pu.

Toute la peur et les remords d'Angélique se muèrent en un élan de rancune contre celui dont l'impitoyable attitude l'avait poussée, elle, la mère, à faire souffrir son enfant jusqu'au désespoir.

— C'est de votre faute, cria-t-elle tournée vers lui, les traits bouleversés de colère, c'est parce que vous m'aviez rendue à moitié folle avec votre méchanceté que j'ai failli perdre ma fille. Je vous déteste, qui que vous soyez derrière votre masque. Si c'était pour devenir un tel homme, vous auriez aussi bien fait de mourir pour de bon.

Elle courut se réfugier à l'autre bout du bâtiment, retournant comme une bête blessée à son coin de l'entrepont près du canon où elle déshabilla Honorine. Les mouvements désordonnés de celle-ci lui prouvaient que l'enfant était bien vivante mais elle avait pu prendre mal dans l'eau glacée.

Les émigrés l'entouraient, chacun proposant un remède dont l'ordonnance n'aurait pu être exécutée faute de moyens : des sangsues aux pieds, des sinapismes dans le dos.

Le médecin Albert Parry s'offrit pour faire une saignée. Il suffirait d'inciser le lobe de l'oreille, mais en voyant s'approcher la lame d'un canif, Honorine poussa des cris d'orfraie.

— Laissez-la. Elle a déjà été assez impressionnée comme cela, dit Angélique.

Elle se contenta d'accepter un peu du rhum que l'on distribuait aux hommes, une fois par jour, afin d'en frictionner le petit corps glacé. Puis elle l'enveloppa dans la chaude couverture. Les joues rouges, l'œil impavide, Honorine, enfin au sec, profita de ce répit pour vomir incoerciblement une bonne ration d'eau salée.

— Tu es odieuse, dit Angélique.

Et soudain, devant ce front buté, cette drôle de petite face indomptable, son exaspération disparut. Non, elle n'allait pas se laisser aller à devenir folle. Ni Joffrey de Peyrac, ni Gabriel Berne, ni cette diablesse de gamine ne réussiraient à lui faire perdre la raison. Elle avait failli payer trop cher les heures d'aberration qu'elle avait vécues depuis le matin. Son mari était ressuscité et ne l'aimait plus. Et puis après! Si violent que fût le choc, elle devait avoir les nerfs assez solides pour le supporter, à cause de sa fille.

Avec le plus grand calme elle entreprit à nouveau d'éponger Honorine. La couverture était pour l'heure inutilisable. La vieille Rebecca lui passa fort opportunément une sorte de pelisse de fourrure très confortable.

— C'est le maître du navire qui m'en a fait don pour chauffer mes vieux os, mais, bernique, pour cette nuit je m'en passerai!

Angélique demeura seule, agenouillée, près de

l'enfant dont la figure rose émergeait de la sombre fourrure. Ses longs cheveux roux séchaient et prenaient des teintes de cuivre à la lumière des lanternes qu'on accrochait. Angélique se surprit à essayer de sourire.

Le geste de sa fille, capable de se jeter à l'eau dans l'excès de sa fureur, l'emplissait à la fois d'épouvante et d'admiration.

— Pourquoi as-tu fait cela, mon petit amour, mais pourquoi?

— Ze voulais m'en aller de ce sale bateau, répondit Honorine d'une voix enrouée, ze ne veux pas rester ici. Ze veux descendre. Ici tu es trop méchante...

Angélique savait bien qu'elle avait raison. Elle pensa à l'apparition d'Honorine ce matin, dans la cabine où elle et son mari s'affrontaient.

L'enfant était partie seule à sa recherche, et personne, pas un instant, ne s'était préoccupé d'elle. Dans le navire, bouleversé par la nuit de tempête, elle eût pu vingt fois se rompre les os dans une écoutille ouverte ou même déjà tomber à la mer. Et personne n'aurait jamais su ce qu'était devenue la si petite fille, sans nom, l'enfant maudite!... Il avait fallu ce Maure, au sombre visage, pour deviner, avec l'instinct de sa race, ce qu'elle cherchait, trottinant parmi les obstacles et le brouillard du matin, et pour la guider vers sa mère.

Et plus tard, à nouveau, Angélique, entraînée par le tourbillon affolant de ses pensées, s'était désintéressée de sa fille. Elle comptait un peu sur les autres pour la surveiller : Abigaël, les femmes protestantes, Séverine... Mais les autres avaient aussi la tête à l'envers. L'atmosphère du *Gouldsboro* désagrégeait tous les esprits. Après ces premières semaines de voyage, pas un d'entre eux qui eût reconnu son âme dans un miroir.

Les passions décantées mettaient à jour des évidences oubliées. Inconsciemment ou non, ils reconnaissaient qu'Honorine, de même qu'Angélique, n'étaient pas des leurs.

« Tu n'as que moi! »

Angélique se sentait coupable de s'être laissé atteindre si profondément. Elle aurait dû se souvenir tout de suite que, depuis l'Abbaye de Nieul, le pire était derrière elle. Quoi qu'il arrivât, douleur ou joie, n'avait-elle pas appris que rien n'était sans issue? Alors pourquoi cet affolement stupide d'animal qui se frappe la tête contre les murs?

« Non, je ne les laisserai pas me rendre folle. »

Elle se pencha sur sa fille en caressant le front bombé.

— Je ne serai plus méchante, mais toi, Honorine, tu ne voleras plus! Tu sais bien que tu as fait quelque chose de très mal en allant prendre ces diamants.

— Ze voulais les mettre dans ma boîte à trésors, dit la fillette comme si cela expliquait tout.

Sur ces entrefaites, le brave Nicolas Perrot vint s'agenouiller près d'elles. Son Indien le suivait portant un bol de lait chaud pour la rescapée.

— J'ai devoir de venir prendre des nouvelles de la jeune fille-à-la-tête-bouillante, déclara le Canadien, voici le surnom qu'on ne manquerait pas de lui donner sous les tentes iroquoises. Je dois également lui faire boire ce breuvage qui contient quelques gouttes d'une potion destinée à la calmer si elle ne l'est déjà. Rien de meilleur, en effet, que l'eau froide pour les mauvais caractères. Qu'en pensez-vous, damoiselle? Recommencerez-vous à faire le plongeon?

— Oh! non, c'est très froid et puis c'est salé...

L'attention de l'homme barbu au bonnet de fourrure la comblait de joie. Aussitôt elle se mit en frais et quitta la mine boudeuse dont elle était bien décidée à accabler sa mère. Elle but docilement le lait apporté.

— Je voudrais voir Cosse-de-Châtaigne, réclama-t-elle ensuite.

— Cosse-de-Châtaigne?

— C'est parce que sa joue pique et j'aime bien me frotter contre lui, dit Honorine avec ravissement. Il m'a portée sur l'échelle... et puis dans l'eau...

— Elle parle de Tormini, le Sicilien, dit Nicolas Perrot, le matelot qui l'a repêchée.

Il expliqua que l'homme avait dû se faire panser, un des voraces albatros l'ayant frappé à la tempe. Peu s'en était fallu qu'il ne fût aveuglé.

— Vous pouvez vous vanter, damoiselle Honorine, d'avoir eu deux tireurs d'élite à votre disposition. Votre humble serviteur qui n'en est pas moins reconnu comme un des meilleurs parmi les coureurs de brousse et monseigneur le Rescator.

Angélique s'efforça de dominer le tressaillement qui la secouait à ce seul nom. Elle s'était juré de dominer son émotion.

Honorine ne réclamait plus Cosse-de-Châtaigne. Ses yeux papillotaient. Elle sombra dans un sommeil profond. Le Canadien et l'Indien, de la même démarche silencieuse, s'éloignèrent. Angélique resta encore longtemps à regarder sa fille endormie.

Trois ans!

« Comment oser réclamer pour nous alors que nos enfants commencent à vivre? » se disait-elle.

Son cœur demeurait endolori. Il lui faudrait plusieurs jours pour réaliser ce qui était à la fois son bonheur et son malheur. La prodigieuse révélation suivie d'un tel effondrement.

Pourtant, lorsqu'elle s'étendit, prise par le froid, près de l'enfant et que les premières brumes du sommeil l'enveloppèrent, il ne demeura de ce jour miraculeux et terrible qu'une impression d'espérance.

« Nous sommes à la fois lointains et proches. Nous ne pouvons nous sauver l'un de l'autre. Le navire qui nous emporte sur l'océan nous oblige d'ailleurs à rester en présence. Alors, qui sait?... »

Avant de s'endormir, elle songea encore : « Il a voulu mourir près de moi. Pourquoi? »

14

— Je crois que nous sommes d'accord, dit Joffrey de Peyrac en reprenant les cartes de parchemin, une à une. (Il les empila et posa dessus, pour les maintenir étalées, quatre lourds cailloux qui brillaient d'un éclat résineux terni.) Le voyage pour lequel vous m'aviez demandé le passage aura porté ses fruits, mon cher Perrot, puisque sans avoir eu même à débarquer, vous avez trouvé le commanditaire que vous alliez chercher en Europe. Car ce minerai de plomb argentifère que vous avez découvert dans le Haut-Mississippi me semble offrir des garanties suffisantes d'enrichissement par broyage et simple lavage pour que ça vaille la peine que je vous accompagne jusque-là en soutenant financièrement toute l'expédition...

» Vous n'avez pas vous-même les fonds nécessaires, ni les connaissances pour l'exploiter. Vous m'aurez apporté, me disiez-vous, vos découvertes, je vous apporterai l'or nécessaire à les mettre en valeur. Nous verrons plus tard, après un examen sur place, à établir nos conventions de partage.

En face de lui, le visage placide de Nicolas Perrot rayonnait de satisfaction.

— A vrai dire, monsieur le comte, quand je vous ai demandé de me prendre à votre bord, sachant que vous faisiez voile vers l'Europe, j'avais bien une petite idée derrière la tête, car on vous avait fait la réputation dans le pays d'être fort savant, précisément sur ces choses des mines. Et maintenant, je sais que non seulement vous m'apporterez les finances nécessaires mais aussi votre science inestimable, ce qui donc change tout pour moi, pauvre coureur de brousse assez ignare. Car je suis né comme vous le savez sur les bords du Saint-Laurent et la culture qu'on y reçoit est loin de valoir celle de l'Europe.

Joffrey de Peyrac lui jeta un regard amical.

— Ne vous faites pas trop d'illusions sur la richesse d'esprit du Vieux Monde, mon garçon. Je sais ce qu'en vaut l'aune et elle ne vaut pas la demi-queue d'un coyotte de chez vous. Les forêts huronnes et iroquoises sont remplies de mes amis. Les despotes d'Europe et leurs cours serviles, voilà les sauvages pour moi...

Le Canadien fit une moue mal convaincue. A vrai dire il s'était fort réjoui à l'idée de connaître Paris, où il se voyait déjà, déambulant avec son bonnet de fourrure et ses bottes en peau de phoque parmi les carrosses dorés. Le sort en avait décidé autrement et, réaliste à son habitude, il se disait que tout était pour le mieux.

— Ainsi, vous ne m'en voulez pas trop, reprit le comte toujours prompt à saisir la pensée de ses interlocuteurs, du mauvais tour que je vous ai joué, bien involontairement, j'ai moi-même été poussé par des événements... imprévus. Mon escale en Espagne a été plus prompte que je ne pensais et mon départ, aussi bien que mon arrivée dans les environs de La Rochelle, ont été aussi improvisés l'un que l'autre. A la rigueur, vous auriez pu débarquer alors...

— La côte ne m'a guère semblé hospitalière. Et ce n'était pas le moment de vous lâcher dans des circonstances difficiles. Puisque vous vous intéressez à mes projets, je ne regrette pas de m'en retourner sans avoir pu seulement poser un pied sur le sol de la mère patrie dont nous autres du Saint-Laurent sommes originaires... Peut-être qu'après tout je n'aurais pu intéresser personne là-bas, à mes terres lointaines et qu'on m'aurait volé jusqu'au dernier écu. Il paraît que les gens en Europe ne sont pas d'une honnêteté exemplaire.

» Voici ces parpaillots qui recommencent à nous casser les oreilles avec leurs psaumes, fit le Canadien à voix haute. Au début, on n'y avait droit que le soir, mais maintenant c'est trois fois par jour. Comme s'ils avaient décidé d'exorciser le bateau, à grand renfort d'incantations.

— C'est peut-être là, en effet, leur intention. Autant que j'ai pu m'en rendre compte, ils ne nous tiennent pas en odeur de sainteté.

— Une engeance chagrine et contredisante, maugréa Perrot. Ce n'est pas eux, j'espère, que vous proposez de nous donner comme compagnons pour extraire du minerai à mille lieues des côtes, au fond des forêts iroquoises?...

Et il s'inquiéta de voir le comte demeurer longtemps silencieux. Mais celui-ci secoua négativement la tête :

— Eh! non, dit-il enfin, certes pas.

Nicolas Perrot se retint de poser une autre question :

« Qu'en ferez-vous, alors? »

Il sentait son interlocuteur tendu et soudainement absent.

Il est vrai que ces chants des psaumes, portés par le vent de la mer, et qui semblaient s'adapter au rythme incessant des vagues, avaient quelque chose qui fouillait l'âme et rendait mélancolique et même mal à l'aise. « Quand on a été élevé là-dedans dès le plus jeune âge, pas étonnant qu'on ne soit pas comme tout le monde », pensa Perrot qui pourtant n'était qu'un Catholique fort tiède.

Il fourgonna dans ses poches, pour trouver sa pipe. Puis, démoralisé, il renonça.

— Drôles de recrues que vous avez faites là, monseigneur. Je n'arrive pas à m'y habituer. Sans compter que la présence de toutes ces femmes et filles, ça énerve tout l'équipage. Déjà qu'ils étaient mécontents d'avoir manqué leurs escales promises d'Espagne et de s'en retourner sans avoir écoulé votre butin.

Le Canadien soupira derechef car Joffrey de Peyrac ne paraissait pas l'écouter, mais il eut tout à coup un regard perçant.

— Ainsi vous m'avertissez d'un danger, Perrot?

— Pas exactement, monsieur le comte. Rien de précis. Mais quand on a passé comme moi sa vie à courir seul la forêt, on sent bien les choses, vous savez...

— Je sais.

— Pour être franc, monsieur le comte, je n'ai jamais compris comment vous pouviez vous entendre avec les quakers de Boston et vous lier en même temps avec des gens aussi différents d'eux, comme je le suis. Il y a deux espèces humaines sur la terre, à mon sens : des gens comme eux et des gens pas comme eux. Quand on s'entend avec les uns on ne s'entend pas avec les autres... à part votre exception, pourquoi?

— Les quakers de Boston sont fort capables dans leurs métiers : commerce ou construction navale entre autres. Je leur ai demandé de me construire un navire et leur ai payé son prix. Si quelque chose devait vous étonner dans cette affaire, ce serait plutôt qu'ils m'aient fait confiance, à moi qui arrivais de l'Orient avec un vieux chébec malmené par les tempêtes et les combats de piraterie. Je n'oublie pas non plus que c'est un modeste quaker épicier de Plymouth qui m'a amené mon fils, n'hésitant pas pour cela à entreprendre un voyage de plusieurs semaines. Car lui ne me devait rien.

Le comte se leva et saisit amicalement la barbe du Canadien.

— Croyez-moi, Perrot, il faut de tout pour faire un Nouveau Monde. Des barbus, comme vous, paillards et insociables, des justes comme eux, durs jusqu'à l'inhumanité, mais forts d'être groupés. Encore que ceux-là... — des nôtres — n'ont pas fait leurs preuves.

Un geste du menton vers la porte désignait l'assemblée invisible des chanteurs de psaumes.

— Ceux-là ne sont pas des Anglais. Avec les Anglais, c'est plus clair : ça ne va pas chez eux?... Ils partent. Ils s'implantent ailleurs. Nous autres Français, nous avons la manie de ratiociner toujours : on veut bien partir, mais en même temps, on voudrait aussi rester. On refuse d'obéir au Roi mais on s'estime son meilleur serviteur... Pas facile, je le reconnais, de s'en faire des alliés utilisables. Ils refuseront une affaire où Dieu ne trouve pas son compte. Cependant, travailler pour la seule gloire de Dieu, que non pas! Les écus ont donc pour eux leur importance... mais ils ne veulent pas le dire tout haut.

Joffrey de Peyrac allait et venait avec un peu d'impatience. Le calme qui l'habitait, lorsque tout à l'heure, il se penchait sur les cartes, l'avait quitté depuis que les voix nostalgiques des Protestants, assemblés sur le pont, s'étaient élevées.

Le brave Canadien sentit que, pour l'instant, l'attention du maître s'était détournée de lui et se concentrait sur la communauté de personnages peu engageants dont il avait pourtant encombré son navire. Il réfléchissait sur eux avec la même intensité apportée tout à l'heure à méditer sur les perspectives minières offertes par le coureur des bois.

Celui-ci, assez vexé d'être passé au second plan, se leva à son tour et prit congé.

15

Joffrey de Peyrac ne le retint pas. Il s'en voulait d'éprouver lui aussi un énervement qui lui faisait perdre son contrôle, lorsque s'élevaient, au cours de la journée, les lentes psalmodies, étonnamment adaptées au rythme de la mer et à sa solennité. « Perrot a raison, ces Protestants exagèrent. Mais leur interdire? Je ne puis... »

Et il s'avouait son attirance pour ces chants qui lui apportaient l'écho d'un monde différent du sien, clos et difficilement pénétrable et, comme tout ce qui dans la nature présentait un mystère, il en était curieux. Ils lui apportaient aussi, lui imposaient la vision d'Angélique, cette femme qui avait été sa femme, devenue méconnaissable à ses yeux car il n'arrivait plus à déchiffrer son cœur, ni sa pensée. L'imprégnation du milieu huguenot l'avait-elle réellement marquée malgré sa forte personnalité de jadis, ou n'était-ce qu'une nouvelle apparence et une comédie? Dissimulant quoi donc alors? Une femme coquette, intéressée, ou...

amoureuse? Amoureuse de ce Berne? Il en revenait toujours là et s'étonnait chaque fois de la fureur noire dans laquelle cette seule idée le jetait. Il s'évertuait alors au détachement, comparant la femme qu'il avait aimée à celle qu'il avait retrouvée récemment.

Fallait-il s'étonner de revoir différente une femme qu'on a quittée et cessé d'aimer pendant des années? Il n'avait qu'à se dire qu'il s'agissait d'une de ses anciennes maîtresses.

Alors pourquoi cette impatience et ce goût d'approfondir tout ce qui la concernait?

Quand les chants des Huguenots s'élevaient dans l'air blême du matin ou dans le crépuscule limpide et gelé, il devait se retenir pour ne pas courir aussitôt à la balustrade du balcon qui dominait le pont, afin d'essayer de voir si elle n'était pas parmi eux.

Cette fois encore, il mit son masque dans l'intention de sortir, puis il se ravisa.

A quoi bon se torturer ainsi? Oui, il l'apercevrait. Et après? Elle serait assise un peu à l'écart, sa fille sur les genoux, semblable dans sa mante noire et sa coiffe blanche à toutes ces femmes figées qui ressemblaient à des veuves. Elle pencherait un peu son profil d'une grâce patricienne. Et puis, de temps à autre très vite, elle tournerait la tête vers le château-arrière, comme si elle espérait — ou redoutait — de l'apercevoir.

Il se rapprocha de la table et prit un des blocs de plomb argentifère.

Son esprit se libéra peu à peu, tandis qu'il le soupesait.

Le *métier* retrouvé. C'était beaucoup déjà! Des perspectives, pour des années, de nouveaux travaux dans une terre vierge dont il aurait la tâche de dépister la nature, scruter les trésors et les possibilités et de pouvoir les utiliser en grand.

Devant le tribunal réuni pour le juger et où il avait pu voir se pencher vers lui la bêtise, l'ignorance, l'envie, le fanatisme borné, la servilité, l'hypocrisie, la vénalité, Joffrey de Peyrac, en écoutant la sentence de mort qui le condamnait au bûcher comme sorcier, avait surtout été frappé par la conclusion logique d'un drame que ses réflexions lui avaient peu à peu révélé.

Il en avait approfondi toutes les données durant les longues heures passées dans sa prison. Et s'il avait voulu vivre avec une volonté forcenée malgré son corps brisé par les tortures, c'était moins par peur de la mort que par révolte de voir finir son temps, avant d'avoir pu employer ses forces, fourvoyées par erreur, dans un chemin sans issue.

Son cri sur le parvis de Notre-Dame ne réclamait pas miséricorde mais justice. Il ne s'adressait pas à un Dieu dont il avait souvent enfreint les préceptes, mais à Celui qui est tout Esprit et toute Science. « Tu n'as pas le droit de m'abandonner, car moi je ne t'ai pas trahi... »

Pourtant, à cet instant, il croyait bien qu'il allait mourir.

Sa surprise de se retrouver vivant, sur une berge de la Seine, loin des hurlements de la populace, lui avait fait mesurer l'ampleur du miracle.

Le reste? Ç'avait été une partie difficile à jouer mais qui ne lui laissait pas de si mauvais souvenirs. Se laisser couler dans l'eau froide de la rivière, tandis que les mousquetaires, chargés de sa garde, ronflaient, nager vers une barque dissimulée dans les roseaux, la détacher, se laisser emporter par le courant. Il avait dû s'évanouir un peu, puis revenu à lui, il s'était dépouillé de sa chemise de condamné et avait revêtu les hardes de paysan trouvées dans la barque.

Ensuite il avait commencé à se traîner vers Paris le long des routes gelées, misérable, la faim au ventre car il n'osait entrer dans les fermes, et soutenu par une seule idée : « Je suis vivant et je leur échapperai... »

Sa jambe boiteuse était en ce temps-là une bien bizarre chose. Parfois elle tournait sans qu'il s'en aperçût et son pied se posait alors devant derrière, comme celui d'un pantin. Avec des espaliers trouvés dans une haie il s'était fabriqué de grossières béquilles. Chaque fois qu'il devait se remettre en marche, il éprouvait des douleurs intolérables et, durant la première lieue, il se retenait de hurler comme un damné. Les corbeaux perchés dans les pommiers dénudés regardaient passer, avec un intérêt sinistre, cet être disloqué, prêt à s'écrouler. Puis, peu à peu, la souffrance s'engourdissait et il parvenait même à marcher rapidement. Sa nourriture se composait de pommes gelées ramassées dans le fossé, d'une rave tombée d'une charrette. Des moines, auxquels il avait demandé asile, lui avaient été charitables, mais ils s'étaient mis dans la tête de le conduire à la léproserie voisine et il avait eu assez de mal à leur fausser compagnie. Il avait repris sa route clopinant, effrayant les rares paysans rencontrés, par ses haillons sanglants et le mouchoir qui dissimulait son visage.

Certain jour qu'il ne pouvait plus faire un pas, il avait rassemblé tout son courage pour examiner sa maudite jambe. Après avoir, avec mille peines, arraché l'étoffe durcie de son haut-de-chausses, il avait remarqué à l'arrière du genou, jaillissant de la plaie béante, deux sortes de tiges blanchâtres et rompues d'une matière voisine de celle des fanons de baleines, et dont le frottement incessant lui causait une torture sous laquelle à plusieurs reprises il s'était évanoui. En désespoir de cause, et s'aidant d'une lame de couteau trouvée sur le chemin, il avait décidé de couper ces gênants appendices, qui n'étaient autres que ses tendons. Sa jambe était devenue aussitôt insensible. Plus que jamais, elle tournait dans tous les sens comme celle d'un polichinelle et il ne pouvait la diriger, mais au fond cela allait déjà beaucoup mieux.

Les clochers de Paris lui apparurent. Joffrey de Peyrac avait contourné la ville suivant son plan établi. Quand il était arrivé aux abords de la chapelle de Vincennes, il avait connu un premier sentiment de triomphe.

Modeste sanctuaire caché dans la forêt, elle avait échappé aux scellés du Roi, parmi tous les biens autrefois fastueux du comte de Toulouse. Il avait caressé la pierre de ses murs en songeant : « Toi qui m'appartiens encore, tu me serviras. »

Elle l'avait si bien servi, la petite chapelle. Tout ce qu'il avait jadis fait préparer en secret par des ouvriers grassement payés avait fonctionné à merveille : le souterrain qui lui avait permis de pénétrer dans Paris, le puits par lequel il avait pu se hisser au cœur même de sa demeure abandonnée, l'hôtel de Beautreillis. La cachette dans l'oratoire où, mû d'un pressentiment naguère, il avait pris la précaution de dissimuler une fortune d'or et de joyaux. La cassette contre sa poitrine, il avait de nouveau éprouvé la sensation d'avoir atteint encore une étape dans sa remontée des enfers. Avec la richesse, il cessait d'être désarmé. Pour un diamant, il trouverait bien une charrette, pour deux pièces d'or, un cheval... Pour une bourse pleine, des hommes qui, hier le reniaient, se rangeraient de son côté et il pourrait s'enfuir, quitter le royaume.

Mais, simultanément, il avait senti la mort l'étreindre. Jamais, ni avant, ni depuis, il n'avait deviné la mort si proche qu'à cet instant où il s'était soudain écroulé sur les dalles, écoutant avec angoisse décroître les battements de son cœur. Aucune volonté, il l'avait su, ne pourrait lui permettre de recommencer l'évasion par le puits. Allait-il appeler à l'aide le vieux Pascalou qui gardait la demeure? Mais le vieillard devenu un peu gâteux, qui l'avait aperçu tout à l'heure, et l'avait pris manifestement pour un revenant, avait dû s'enfuir et alertait peut-être déjà le voisinage.

Où alors chercher un bras secourable? Cette image avait évoqué un bras maigre qui le soutenait sur le chemin du supplice, celui du petit prêtre lazariste qu'on lui avait donné comme confesseur de la dernière heure.

Il y a des êtres qu'on n'achète ni par le rubis, ni par l'or. Cette vérité, le grand seigneur de Toulouse, qui aimait à observer les êtres, la connaissait aussi et l'acceptait au même titre que la vénalité de la plupart des humains. Il y a des êtres chez lesquels Dieu a déposé la flamme de l'ange. Le petit lazariste était de ceux-là. Car il faut tout de même qu'il y ait un refuge sur la terre pour les misérables.

Rassemblant ses dernières forces, il était sorti de l'hôtel de Beautreillis par la porte de l'orangerie dont il connaissait la serrure — elle était demeurée libre pour les allées et venues du gardien — et quelques instants plus tard il sonnait à la porte du couvent des lazaristes qu'il savait proche de sa demeure.

Il avait préparé une phrase pour le père Antoine, une semi-plaisanterie à usage ecclésiastique : « Il faut m'aider l'abbé. Car Dieu ne veut pas que je meure... et j'en suis bien près. » Mais aucune parole ne put sortir de sa gorge déchirée.

Il s'était déjà aperçu, depuis quelques jours, qu'il était devenu muet.

Joffrey de Peyrac hocha la tête et, sentant sous ses bottes le plancher mouvant de son *Gouldsboro*, un sourire lui vint aux lèvres. « Ce père Antoine! Mon meilleur ami, peut-être. Le plus dévoué à coup sûr, le plus désintéressé. »

Lui, Peyrac, qui avait régné sur l'Aquitaine, et possédé une des plus grandes fortunes du royaume de France, il s'était abandonné, pendant des jours et des semaines, à ces poignets frêles qui sortaient des manches de la soutane élimée. Le prêtre l'avait non seulement soigné et caché, mais c'est encore lui qui avait eu l'idée — géniale — de lui faire prendre la place et le nom d'un forçat dans la chaîne qui descendait sur Marseille et qu'il devait accompagner. Ce forçat, mouchard de la police, avait été assassiné par ses compagnons. Le père Antoine, depuis peu nommé aumônier des malheureux galériens, avait organisé la substitution. Joffrey de Peyrac, jeté sur la paille d'une charrette, ne risquait pas d'être trahi par ses compagnons de misère, heureux qu'ils étaient de s'en tirer à bon compte. Les gardes épais et brutaux ne se posaient pas de questions sur le gibier qu'ils escortaient. Cependant, le père Antoine dissimulait dans son petit bagage, avec ses objets portatifs pour la messe, la cassette contenant la fortune du comte.

— Le brave homme!

A Marseille, ils avaient retrouvé Kouassi-Ba, l'esclave noir également condamné aux galères. C'était encore l'aumônier qui l'avait amené à son maître gisant. Leur évasion à tous deux s'était organisée avec d'autant plus de facilité que Joffrey de Peyrac, à demi paralysé des membres inférieurs, était considéré par les comités chargés de composer les équipes de galériens comme « inutilisable » et qu'il avait de ce fait échappé à un premier départ en mer, dans la chiourme.

Réfugié avec son esclave dans le quartier oriental de la grande cité phocéenne, libre, mais malgré tout menacé, tant qu'il demeurait sur le sol français, il avait longtemps cherché une occasion de s'embarquer. Il ne voulait point le faire sans s'assurer une nouvelle identité et des protections qui lui permettraient d'évoluer sans risques parmi les Barbaresques.

C'est ainsi qu'il avait envoyé un message au Très Saint Moufti Abd-el-Mechrat, savant arabe avec lequel il avait entretenu longtemps une correspondance suivie, traitant des découvertes chimiques les plus récentes. Contre tout espoir, le saint musulman avait été rejoint par le messager en sa ville de Fez, cité interdite et fabuleuse du Maghreb. Il y avait répondu avec la sérénité des esprits élevés pour lesquels les seules frontières tracées entre les hommes sont celles qui séparent la bêtise de l'intelligence, l'ignorance du savoir.

Par une nuit sans lune, le grand nègre Kouassi-Ba, portant sur ses épaules son maître infirme, se glissait par les rochers arides d'une petite crique aux environs de Saint-Tropez. Les Barbaresques les attendaient là, dans leurs burnous blancs, toutes voiles tombées. C'étaient en quelque sorte des habitués de l'endroit qu'ils hantaient si volontiers à la recherche de belles Provençales au teint pâle et aux yeux de jais. Le voyage s'était effectué sans encombre. Une ère nouvelle s'ouvrait pour l'homme arraché au bûcher. Son amitié avec Abd-el-Mechrat, sa guérison entre les mains habiles de celui-ci, ses relations avec Moulay Ismaël qui, après l'avoir envoyé exploiter l'or du Soudan, le chargeait d'une ambassade auprès du Grand-Turc, l'organisation du commerce de l'argent qui l'avait entraîné à devenir l'un des grands noms parmi les corsaires de la Méditerranée... Une gerbe d'expériences passionnantes, exaltantes, un amas de connaissances apportées chaque jour à son esprit avide. Certes non, il ne regrettait pas ce qu'il avait derrière lui! Ni les échecs ni les défaites. Tout ce qu'il avait enduré et entrepris lui semblait intéressant et digne d'être vécu, et même revécu, de même que l'inconnu qu'il avait désormais devant lui. L'homme de bonne qualité est à l'aise dans l'aventure, voire dans la catastrophe.

La peau de son cœur est coriace. Il y a peu de chose dont un cœur d'homme ne se remette pas.

Celui des femmes est plus fragile, même si elles endossent avec courage les chocs et les peurs. La mort d'un amour ou celle d'un enfant peut ternir à jamais leur joie de vivre.

Etranges êtres que les femmes, vulnérables et cruelles à la fois. Cruelles lorsqu'elles mentent et plus encore lorsqu'elles sont sincères. Comme Angélique, hier, lorsqu'elle lui avait jeté à la face : « Je vous déteste... Vous auriez mieux fait de mourir... »

16

C'était par la faute de l'enfant rousse. Un extraordinaire petit personnage, à tout prendre, qui avait les traits et le sourire de sa mère. La bouche était plus grande et moins parfaite, mais si semblable dans son expression que, malgré sa chevelure différente et ses yeux noirs — petits et retroussés vers les tempes, alors que ceux de sa mère étaient immenses et d'une limpidité de source — il n'avait pas douté, en la découvrant, qu'elle fût la fille d'Angélique.

Née de sa chair à elle et d'une autre chair. De

l'étreinte d'un homme qu'Angélique avait reçu dans ses bras en soupirant d'amour, avec ce visage ébloui et défaillant qu'elle lui avait révélé, à son insu, le premier soir, sur le *Gouldsboro*.

Dissimulé derrière une tenture, il l'avait vue s'éveiller et se pencher sur l'enfant. La jalousie lui avait alors taraudé les entrailles, parce qu'il la découvrait plus belle qu'il ne croyait, dans la lueur du couchant, et parce qu'il se demandait quel reflet de quel amant elle cherchait à retrouver sur les traits de la petite fille endormie. Alors qu'il avait l'intention de s'avancer vers elle et de se démasquer, il était soudain demeuré paralysé devant la muraille qui les séparait.

Il l'avait écoutée chuchoter des mots tendres et parler passionnément tout bas à l'enfant. Jamais elle n'avait eu ces attitudes pour Florimond, *son* fils à lui. Il l'avait laissée s'éloigner sans se montrer.

Sur la passerelle, lorsqu'il sortit, ayant remis son masque et pris son sextant, Joffrey de Peyrac vit aussitôt que les Protestants s'étaient retirés du grand pont, ayant enfin terminé leur assemblée religieuse. Il en éprouva un soulagement mêlé de déception. Puis, rabattant son manteau contre lui, il allait monter sur la dunette pour faire le point, lorsque l'attitude du Maure Abdullah l'intrigua. Le serviteur marocain, dont chacun des mouvements semblait réglé depuis dix années à ceux de son maître, n'avait pas paru s'apercevoir de la présence de celui-ci.

Appuyé à la balustrade de bois doré qui précédait les portes vitrées des appartements privés du capitaine, il regardait devant lui de son grand œil nocturne mais, malgré son attitude nonchalante, Joffrey de Peyrac, habitué à deviner les remous intérieurs d'une race à la fois passive et passionnée, devina qu'il était en proie à une émotion violente. Il ressemblait à un animal prêt à bondir, et ses fortes lèvres mauves tremblaient dans sa face d'or sombre.

S'apercevant tout à coup que son maître l'observait, il baissa sournoisement les yeux, parut se détendre, et retrouva presque aussitôt la tenue impassible qu'il avait acquise en ses jeunes années, lorsqu'il était sévèrement dressé à protéger le Sultan Moulay Ismaël. L'un des plus beaux et des plus habiles tireurs de la garde chérifienne du roi de Marocco, il avait été offert en présent au grand mage Jeffa-el-Khaldoum que le sultan honorait de son amitié.

Depuis, il le suivait sur toutes les mers du globe. Il lui préparait plusieurs fois par jour le café, boisson dont un ancien navigateur du Levant ne peut guère se passer quand il en a usé pendant longtemps. Il couchait en travers de sa porte ou au pied de son lit. Il le suivait toujours à deux pas avec un mousquet chargé, et innombrables étaient les occasions, batailles, tempêtes, complots, où Abdullah avait sauvé la vie du grand mage.

— Je t'accompagne, mon maître, dit-il.

Mais il était mal à l'aise, car il savait par expérience que le regard de Jeffa-el-Khaldoum (le diable) avait le pouvoir de deviner ses pensées.

Et précisément les yeux du maître s'attardaient dans la direction qu'il fixait lui-même tout à l'heure. Verrait-il ce que lui voyait et qui lui mettait aux reins une chaleur de lion, malgré tout le froid environnant.

— As-tu tellement hâte que nous soyons arrivés, Abdullah? demanda le comte.

— Ici ou là qu'importe, murmura l'Arabe d'un morne : *La il la ha, il la la, Mohamed rossoul ul la...*

Et, tirant de sa djellaba un petit sachet contenant une matière blanche, il en prit du bout de son index et s'en servit pour marquer son front et ses joues. Le Rescator l'observait.

— D'où vient cette mélancolie, vieux compagnon, et pourquoi ce carnaval?

Les dents du Maure jaillirent dans un sourire éclatant.

— O seigneur, tu es trop bon de me traiter, moi, comme ton égal. Qu'Allah me garde de te déplaire et si je dois mourir, je le prie de m'accorder la grâce que ce soit de ta main. Car il est écrit dans le Coran « Quand le maître tranche la tête à son esclave, il aura droit au Paradis des Croyants »...

Et rasséréné, Abdullah emboîta le pas de son maître vénéré. Mais, au lieu de monter vers la dunette, le Rescator descendit quelques marches et s'engagea vers la coursive qui menait vers le gaillard d'avant.

Abdullah frémit de tout son être. Une fois de plus, son maître l'avait donc encore deviné. Il le suivit avec un mélange d'impatience et de terreur fataliste. Car il sut que sa mort était proche.

17

Sur le gaillard d'avant, les femmes des Protestants faisaient leur lessive. Leurs coiffes blanches étaient autant de mouettes rassemblées sur une plage étroite. Lorsqu'il parvint près d'elles, le Rescator commença à distribuer d'amples coups de chapeau à Mme Manigault, à Mme Mercelot, à tante Anna, la vieille demoiselle mathématicienne dont il appréciait l'érudition, à la douce

Abigaël qui rougit, aux jeunes filles qui n'osaient pas le regarder et prenaient des mines de pensionnaires.

Puis il alla se poster tout à fait face au grand mât et commença à manœuvrer son sextant.

Très vite, il devina qu'*elle* était derrière lui.

Il se retourna.

Angélique pâlissait sous l'effort qu'elle s'imposait :

— J'ai prononcé des paroles épouvantables contre vous hier, dit-elle. J'avais eu si peur pour mon enfant que je n'étais plus moi-même. Je veux m'en excuser.

Il répondit après s'être incliné.

— Je vous remercie de cette démarche courtoise qui ne s'imposait pas. Le devoir vous la dictait, encore qu'elle ne puisse suffire à effacer des paroles qui avaient, sans aucun doute, elles, le mérite d'être sincères. Croyez bien que je l'ai compris.

Elle lui jeta un regard énigmatique où se mêlaient la douleur et la colère.

— Vous n'avez rien compris du tout, souffla-t-elle.

Puis, elle baissa les paupières, comme lasse, infiniment.

« Elle ne se préservait pas ainsi, autrefois, songea-t-il. Elle regardait avec hardiesse autour d'elle, même dans la peur. Est-ce à l'hypocrisie mondaine qu'elle doit ce jeu des cils, assez émouvant, il faut l'avouer, ou à la modestie huguenote?... Il y a au moins une chose que je retrouve en elle. Cet air de vigueur, de santé qui rayonnait d'elle comme un soleil d'été. Et, ma foi, elle a décidément de très beaux bras. »

Sous son observation incisive, Angélique souffrait mille morts.

Des protestations lui venaient aux lèvres mais le moment et le lieu étaient mal choisis pour les énoncer. Les lavandières les observaient, les hommes d'équipage aussi qui avaient toujours les yeux fixés sur le maître quand il paraissait sur le pont.

Maintes fois, depuis le matin, elle avait voulu se rendre auprès de lui afin de lui parler. Elle avait été retenue par un sentiment mêlé d'orgueil et de crainte. C'était encore la crainte qui la paralysait devant lui et elle frottait, avec gêne, ses bras nus que le soleil réchauffait.

— L'enfant est-elle remise? demanda-t-il encore.

Elle répondit affirmativement et prit la décision de s'éloigner et de retourner à son baquet.

Voilà! c'était la vie. Il fallait laver le linge. Et tant pis si cela horrifiait M. de Peyrac, se disait Angélique révoltée. Il comprendrait peut-être en la voyant qu'elle avait eu plus souvent l'occasion de se livrer à de durs travaux que de danser à la Cour du Roi et que, si l'on veut conserver une femme intacte et parée de toutes les armes de la séduction à son seul usage, on se donne un peu de mal pour la défendre.

Il lui avait fait comprendre qu'ils étaient devenus étrangers l'un à l'autre. Il se pourrait bien qu'un jour ils devinssent ennemis. Elle commençait par haïr sa condescendance indifférente, sa volonté de l'abaisser. Si leur rencontre avait eu lieu à terre, nul doute qu'elle aurait déjà cherché à mettre une grande distance entre elle et lui, afin de lui prouver qu'elle n'était pas femme à se cramponner à qui la rejetait.

Heureusement, se disait-elle en brossant énergiquement le linge, ils se trouvaient sur le même bateau et ne pouvaient pas se fuir.

Sa situation présente était faite de bonheur et de tourments parce que, malgré tout, il était là, en chair et en os. Et de le voir, de lui parler, c'était déjà un miracle. Alors d'autres miracles s'accompliraient.

En relevant les yeux, elle le voyait de dos, les

épaules tendues sous son justaucorps de velours, la taille prise dans son ceinturon de cuir, l'étui d'un pistolet à crosse d'argent contre son flanc.

C'était lui. Ah! quelle douleur de le sentir si proche et si absent. « Et pourtant, c'est sur ce cœur que j'ai dormi, c'est dans ces bras que je suis devenue femme. A Candie, sachant qui j'étais, il me tenait par les épaules et me parlait avec une douceur ensorcelante. Mais à Candie j'étais autre. Que puis-je au mal que m'a fait la vie? que m'a fait le Roi? Ce Roi dont il m'accuse d'avoir été la maîtresse, cherchant dans ce prétexte celui de me dédaigner et de me rejeter. Et, pendant que je luttais contre le Roi, il serrait d'autres femmes dans ses bras. J'ai connu sa réputation en Méditerranée. Je ne pesais pas lourd dans ses souvenirs. Maintenant, je l'encombre. Lui aussi aurait préféré que je sois morte pour de bon, dans le désert, par le serpent. Mais je n'ai pas voulu mourir! Pas plus que lui. Nous nous ressemblons donc. Et nous avons été mari et femme. Liés pour le meilleur et pour le pire, au-delà même de l'absence. Il est impossible que cela disparaisse. Et que notre amour ne revive pas puisque nous sommes vivants tous les deux. »

Ses yeux la brûlaient de le fixer.

Chacun de ses gestes l'émouvait charnellement au point qu'elle tremblait.

— Vous en faites de la mousse, en frottant, grommela Marcelle Carrère, sa voisine, comme si on avait du savon à user!...

Angélique ne l'entendait pas.

Elle le voyait lever son sextant, tourner son profil masqué sur l'horizon, parler au maître d'équipage. Il se retournait. Il revenait vers les femmes et saluait les ménagères avec autant de grâce que s'il se fût adressé à des dames de la Cour, balayant le sol de la plume de son feutre. Il s'adressait à Abigaël, trop loin pour qu'Angélique pût surprendre leur échange de paroles emportées par le vent.

Il prenait dans son regard les yeux de la jeune fille dont le teint se colorait sous cette attention masculine, inusitée pour elle.

« S'il la touche, je vais hurler », pensa Angélique.

Le Rescator prit le bras d'Abigaël et Angélique frissonna, comme si c'était elle qui avait senti sur sa chair le contact de ses doigts.

Il entraînait Abigaël vers l'avant du navire et lui montrait au loin quelque chose, une vague barrière blanche qui captait les rayons du soleil, des glaces encore auxquelles on ne songeait plus sous la soudaine clémence du temps.

Puis, accoudé avec abandon, un sourire sur les lèvres demeurées fortes et séduisantes au bord du masque, il écoutait avec attention les paroles de son interlocutrice.

Angélique pouvait deviner comment Abigaël se rassurerait, peu à peu, et d'abord terrifiée par les marques d'intérêt d'un aussi inquiétant personnage, elle se laisserait prendre au charme de son esprit. Réconfortée d'être comprise, entraînée, encouragée à trahir le meilleur d'elle-même, elle s'animerait, et sa grâce intelligente, cachée par l'austérité de son éducation, affleurerait à son doux visage. Elle dirait des choses remarquables, exquises, et elle verrait se refléter dans les prunelles fixées sur elle l'agrément de ses propos.

D'un simple entretien avec lui elle garderait le souvenir d'avoir vécu un instant d'une autre lumière que ses compagnons.

Ainsi le séducteur trouvait infailliblement le chemin des cœurs de femmes.

« Mais pas du mien, en tout cas, rageait Angélique. Le moins qu'on puisse dire c'est qu'il ne s'est pas donné de peine pour me plaire. »

Aussi infailliblement qu'il savait séduire, il avait su la blesser.

« Qu'espère-t-il obtenir en s'attaquant sous mes yeux à Abigaël? Me rendre jalouse? Me prouver son détachement? Me signifier que nous sommes libres chacun de notre côté? Et pourquoi Abigaël?... Ah! il se croit au-dessus des lois humaines et divines, et de celles du mariage en particulier. Eh bien, il apprendra que ces lois existent. Je suis sa femme et je le resterai. Je me cramponnerai... »

— Ne tapez pas si fort avec votre battoir, dit encore Mme Carrère qui partageait son baquet et l'eau parcimonieuse dont il était rempli. Vous allez user le linge. Nous n'en aurons pas de sitôt de rechange.

Croyait-il qu'elle serait sensible à de grossiers calculs et qu'elle le laisserait se venger d'elle? Elle avait vécu à la Cour, ce nid de vipères. Elle ne s'était pas laissé engluer par les intrigues venimeuses. Ce n'est pas aujourd'hui qu'elle succomberait, bien qu'elle fût atteinte au plus vif d'elle-même car il avait été son éternel amour.

Non, elle ne s'accrocherait pas à lui s'il ne le désirait pas, pas plus qu'elle ne parlerait et n'étalerait ses épreuves à elle, qu'il ne semblait pas soupçonner. On ne retient pas un homme de force et éveiller ses remords pour s'en faire aimer est aussi mesquin que peu habile. A quoi servirait de lui rappeler qu'à cause de lui, elle avait touché le fond de la déchéance? En ce temps-là, n'avait-il pas en lui-même à défendre sa propre vie? Dans quelles conditions affreuses qu'elle ignorait. Lui aussi était seul à savoir ce qu'il avait traversé. Si elle l'aimait vraiment, elle n'ajouterait pas à ses douleurs anciennes.

Ayant ainsi décidé de ne pas devenir folle, Angélique passait son temps à dompter en elle les idées les plus tumultueuses. Elle repoussait l'espérance au même titre que le découragement et la révolte, et ne voulait laisser la place qu'à la patience et la sérénité.

Et elle se prenait à aimer, comme un être humain, amical, ce vieux *Gouldsboro* qui leur permettait encore de ne pas échapper l'un à l'autre. La nacelle craquante, si seule sur l'océan couleur de plomb, les liait, et les préservait des gestes irréparables.

Elle aurait voulu que le voyage durât toujours.

Le Rescator avait pris congé d'Abigaël. Il quittait la plate-forme par l'échelle de droite.

Mme Carrère poussa du coude Angélique et se pencha vers elle pour lui chuchoter.

— Depuis l'âge de mes seize ans, j'ai rêvé d'un pirate comme celui-ci qui m'enlèverait et m'emporterait sur la mer dans une île merveilleuse.

— Vous? fit Angélique stupéfaite.

La femme de l'avocat cligna de l'œil jovialement. C'était une noire fourmi active et sans grâce. Sa haute coiffe de la province d'Angoumois, toujours empesée à point, semblait par sa hauteur écraser un corps fluet qui n'en avait pas moins engendré onze enfants. Ses yeux pétillèrent derrière ses besicles et elle affirma :

— Oui, moi. J'ai toujours été imaginative, que voulez-vous! J'y pense encore quelquefois à ce pirate de mes rêves. Alors d'en voir un là, à quelques pas de moi, cela me fait un effet! Regardez la richesse de son habillement. Et puis ce masque, j'en ai le frisson.

— Moi, mes belles, je vous dirai d'où il est, dit Mme Manigault de la voix dont on annonce une nouvelle lourde de conséquence. Et n'en déplaise à dame Angélique, je me demande si je n'en sais pas plus long qu'elle là-dessus.

— Cela m'étonnerait, fit Angélique entre ses dents.

— Eh bien, que savez-vous? interrogèrent ces dames en se rapprochant. Est-il espagnol? Italien? Turc?...

— Rien de tout cela. Il est de chez nous, laissa tomber triomphalement la commère.

— De chez nous? La Rochelle?

— Est-ce que j'ai parlé de La Rochelle? fit Mme Manigault en haussant ses amples épaules capitonnées, j'ai dit de chez nous, c'est-à-dire de chez moi.

— Angoulême! crièrent à la fois les Rochelaises indignées et sceptiques.

— Pas tout à fait, plus au sud. Tarbes... ou Toulouse, ce serait même plutôt Toulouse, ajouta-t-elle à regret, mais quand même c'est bien un seigneur d'Aquitaine, un Gascon, murmura-t-elle avec une fierté qui fit briller ses yeux noirs enfouis dans la graisse.

Angélique sentit sa gorge se serrer. Elle aurait embrassé la grosse femme. Elle se gourmanda en se disant qu'elle était absurde d'être sensible pour des choses qui n'en valaient plus la peine. Que valaient, en effet, de ces réminiscences aux confins de la mer des Ténèbres où, dans les soirs glacés, on voyait luire des aurores de nacre. Mais c'était comme des fleurs séchées que chacun emportait contre son cœur avec, au bout des racines, un peu de la poussière natale.

— Comment j'ai su cela? continuait la femme de l'armateur. Manière de s'y prendre, mes mignonnes. Il m'a dit un jour, en me croisant sur le pont : « Dame Manigault, vous avez l'accent d'Angoulême! » De là à parler du pays...

Mme Mercelot, la femme du papetier, sa curiosité satisfaite, ne voulut pas avoir l'air trop enthousiaste.

— Ce qu'il ne vous a pas dit, ma mie, c'est pourquoi il porte un masque, pourquoi il n'aime pas les rencontres, et pourquoi il est parti se promener si loin de chez lui depuis bon nombre d'années.

— Tout le monde ne peut pas rester au pays. L'esprit d'aventure souffle où il veut.

— L'esprit de pillage, oui-da.

Elles regardaient Angélique du coin de l'œil. L'obstination de celle-ci à ne pas les renseigner plus abondamment sur le *Gouldsboro* et son capitaine, leur devenait chaque jour plus suspecte. Embarquées de force sur un navire sans pavillon et sans but avoué, elles estimaient qu'elles avaient droit à des explications.

Angélique demeura hermétique et fit comme si elle n'avait rien entendu.

Ces dames finirent par s'éloigner pour aller étendre sur des cordages le fruit de leur labeur. Il fallait profiter des dernières heures de ce soleil magnifique auquel succéderait en quelques instants le froid de la nuit nordique qui transformerait la moindre chemise mouillée en armure d'acier. Mais, durant le jour, la sécheresse exceptionnelle de l'air procurait, lorsque le ciel était sans nuages, des heures de réconfort.

— Qu'il fait chaud! s'écria la jeune Bertille Mercelot en ôtant son corsage.

Et, comme son bonnet s'était déplacé, elle l'arracha aussi et secoua sa chevelure blonde.

— C'est parce que nous sommes au bout de la terre que le soleil est tout près et qu'il chauffe tant! Il va nous rôtir!

Elle eut un rire perçant. Sa chemise à manches courtes laissait deviner ses jolis seins hauts et pointus et des épaules encore frêles, mais rondes et fermes.

Angélique, à quelques pas, plongée dans ses pensées, leva les yeux sur la jeune fille.

« Je devais lui ressembler quand j'avais dix-sept ans », se dit-elle.

Une des compagnes de Bertille l'imita brusquement, arrachant elle aussi son corsage et la casaque de laine qu'elle portait dessous. Elle n'avait pas la beauté de la fille des Mercelot, mais elle était potelée et déjà femme dans ses formes. Sa chemise très ouverte glissait sur sa poitrine.

— J'ai froid, cria-t-elle. Oh! cela me pique et en même temps le soleil me caresse. Que c'est bon!

Les autres adolescentes rirent aussi d'une façon un peu forcée, qui masquait leur gêne et leur envie.

Angélique croisa le regard de Séverine demandant du secours. Plus jeune que les autres la petite Berne était profondément choquée des manières déplacées de ses aînées. Dans un réflexe de protestation, elle serrait farouchement contre elle son fichu noir.

Angélique comprit qu'il se passait quelque chose d'insolite. En se détournant, elle aperçut le Maure.

Abdullah, appuyé sur son mouquet d'argent, regardait les jeunes filles avec une expression des plus éloquentes pour toute personne avertie. Il n'y avait d'ailleurs pas que lui à se laisser attirer par un si charmant tableau.

Des hommes d'équipage au teint bistré et aux mines patibulaires commençaient à se glisser le long des haubans et à se rapprocher avec une feinte indifférence.

Un coup de sifflet du bosco les renvoya à leur poste. Le nain jeta un regard de haine vers les femmes et s'éloigna après avoir craché dans leur direction.

Abdullah resta triomphalement seul mâle en la place. Sa face d'idole africaine se tournait impérativement vers le fruit de ses désirs, la vierge blonde qu'il s'était mis à convoiter depuis plusieurs jours d'un désir longtemps frustré par les servitudes de la mer.

Angélique comprit qu'il n'y avait plus qu'elle comme adulte, parmi ces jeunes oiselles écervelées et elle prit l'affaire en main :

— Vous devriez vous rhabiller, Bertille, fit-elle sèchement, et vous aussi Rachel. Vous êtes folles d'oser vous dévêtir ainsi sur le pont.

— Mais il fait si chaud, cria Bertille en écarquillant ses yeux d'azur avec candeur. Nous avons eu assez froid auparavant pour ne pas profiter de l'occasion.

— Il ne s'agit pas de cela. Vous attirez l'attention des hommes et c'est imprudent.

— Les hommes? Mais quels hommes, protesta l'adolescente de cette voix aiguë qui lui venait tout à coup. Oh! lui, fit-elle comme si elle découvrait seulement Abdullah. Oh! ce n'est pas lui...

Elle éclata d'un rire argentin qui s'égrena comme une clochette.

— Je sais qu'il m'admire. Il vient tous les soirs quand nous nous réunissons sur le pont et chaque fois qu'il le peut, il s'approche de moi. Il m'a donné des petits présents : des colliers de verroterie, une piécette d'argent. Je crois qu'il me prend pour une déesse. J'aime assez cela.

— Vous avez tort. Il vous prend pour ce que vous êtes, c'est-à-dire...

Elle s'interrompit pour ne pas inquiéter Séverine et les autres fillettes plus jeunes. Elles étaient si naïves, ces gamines, nourries de Bible et protégées jusqu'alors par les murs épais de leurs demeures protestantes.

— Rhabillez-vous, Bertille, insista-t-elle avec gentillesse. Croyez-moi, lorsque vous aurez plus d'expérience, vous comprendrez le sens de cette admiration qui vous flatte et vous rougirez de votre conduite.

Bertille n'attendit pas d'avoir plus d'expérience pour rougir jusqu'à la racine des cheveux. Son gracieux visage se transforma, sous la vexation, et elle dit avec une moue méchante.

— Vous parlez ainsi parce que vous êtes jalouse... Parce que c'est moi qu'il regarde et non pas vous... Pour une fois, vous n'êtes pas la plus belle... Dame Angélique, bientôt ce sera moi qui serai la plus belle, même aux yeux des autres hommes qui vous admirent aujourd'hui... Tenez, voyez ce que je fais de vos conseils.

Elle se tourna d'un mouvement vif vers Abdullah et lui dédia un sourire éclatant de ses jolies dents de perles.

Le Maure frémit de tout son être. Ses yeux étincelèrent, tandis que ses lèvres s'étiraient mystérieusement, répondant à ce sourire.

— Oh! quelle petite sotte! s'exclama Angélique énervée. Bertille, cessez immédiatement votre manigance, sinon je vous promets que j'en parlerai à votre père.

La menace fit son effet. Maître Mercelot ne plaisantait pas sur le chapitre de la bienséance et il était très pointilleux en ce qui concernait sa fille unique et adorée. Elle prit donc de mauvaise grâce son corsage. Rachel s'était promptement revêtue, dès les premières recommandations d'Angélique car elle avait, comme tous les jeunes de la petite communauté, une profonde confiance en la servante de maître Berne. L'insolence soudaine de Bertille à son égard atterrait les fillettes comme un sacrilège.

Mais Bertille ruminant une jalousie de longue date ne voulait pas s'avouer vaincue.

— Ah! je vois d'où vient votre aigreur, reprit-elle. Le maître du navire n'a pas daigné vous accorder un regard... Et pourtant on sait que vous passez des nuits dans sa cabine... Mais aujourd'hui, il a préféré faire sa cour à Abigaël.

Elle éclata de son rire nerveux.

— Il n'a pas grand goût!... Cette vieille fille desséchée! Que lui trouve-t-il?...

Deux ou trois de ses amies pouffèrent servilement.

Angélique eut un soupir résigné.

— Mes pauvres enfants, la bêtise de votre âge dépasse l'imagination. Vous ne comprenez rien à ce qui se passe autour de vous et vous vous mêlez d'en discourir. Apprenez au moins, si vous n'êtes pas capables d'en juger par vous-même, qu'Abigaël est une femme belle et attirante. Savez-vous que lorsqu'elle les déploie, ses cheveux lui tombent jusqu'aux reins? Vous n'en aurez jamais d'aussi beaux, même vous, Bertille. Et, de plus, elle possède les qualités du cœur et de l'esprit, tandis que votre sottise risque de lasser bien des amoureux attirés par votre jeunesse.

Mortifiées, les péronnelles se turent, mal convaincues, mais pour l'heure, à bout d'arguments. Bertille se revêtait avec lenteur, s'apercevant que le Maure était toujours à la même place, sombre statue dans son burnous neigeux, flottant au vent.

Angélique lui jeta impérativement en arabe.

— Que fais-tu là? Va-t'en, ta place est auprès de ton maître.

Il tressaillit comme éveillé d'un songe, regarda

avec étonnement la femme qui lui parlait dans sa langue. Puis, sous le regard vert d'Angélique, la crainte se peignit sur son visage et il répondit comme un enfant pris en faute.

— Mon maître est encore ici. J'attends pour le suivre qu'il s'éloigne.

Angélique s'aperçut alors que le Rescator avait été arrêté au pied de la passerelle par Le Gall et trois de ses amis avec lesquels il conversait.

— Bon. Eh bien, c'est nous qui partons, décida-t-elle. Venez, enfants!

Elle s'éloigna, en entraînant les jeunes filles.

— Le Nègre, chuchota Séverine horrifiée. Dame Angélique, avez-vous remarqué? Il regardait Bertille comme s'il avait voulu la dévorer vive.

18

Quatre, parmi les Protestants, s'étaient avancés vers le Rescator alors qu'il descendait de l'échelle du gaillard d'avant. Le fait était rare. Depuis le départ de La Rochelle, aucun des Huguenots n'avait cherché à l'aborder et à s'entretenir avec lui. Incompatibilité foncière entre eux et ce qu'il représentait à leurs yeux.

L'homme des mers, sans racines, sans patrie, sans foi ni loi, auquel par surcroît ils devaient la vie eux, les justes, ne pouvait leur inspirer qu'antipathie.

Hors sa conversation avec Gabriel Berne, il n'y avait eu aucun échange, et chaque jour augmentant la tension informulée d'étrangers méfiants et s'observant, ils devenaient peu à peu ennemis.

Aussi, lorsque Le Gall et trois de ses compagnons l'abordèrent, demeura-t-il sur la défensive.

Ainsi qu'il l'avait confié à Nicolas Perrot, tout en estimant les qualités foncières des Réformés, il ne se leurrait point sur la difficulté de s'en faire des alliés. De toutes les races qu'il avait eu l'avantage d'étudier, celle-ci peut-être lui semblait la plus inabordable. Les regards d'un Indien ou ceux d'un Noir sémite ont moins de mystère et de réticence que ceux d'un quaker qui a décidé, une fois pour toutes, que vous êtes l'incarnation du mal.

Ils étaient là devant lui, leurs chapeaux ronds sur l'estomac, les cheveux coupés court et fort soigneusement. Toutes les misères d'une traversée entreprise avec leurs seules chemises sur le dos, ne les avaient pas entraînés à adopter l'allure dépenaillée, si chère aux hommes d'équipage. A ceux-ci, aurait-il offert une paire de ciseaux et un rasoir du plus beau fil, qu'ils n'en auraient pas moins conservé menton bleu et tignasse hirsute. Car ils étaient pour la plupart des Méditerranéens et des Catholiques.

Ces réflexions l'amenèrent à sourire, mais les quatre Huguenots gardaient visage de bois. Bien fin celui qui aurait pu discerner dans leurs yeux l'amitié, l'indifférence ou la haine.

— Monseigneur, dit Le Gall, le temps nous dure et nous sommes inactifs. Nous venons vous demander de nous faire la grâce de nous admettre dans votre équipage. Vous m'avez vu à l'œuvre comme pilote quand nous avons franchi les pertuis. Avant, j'ai navigué dix ans. J'étais un bon gabier. Je peux vous être utile et ceux-là aussi, car nous savons que vous avez eu des hommes blessés devant La Rochelle et qui n'ont pu reprendre encore du service. Nous les remplacerons, mes compagnons et moi.

Il les présenta : Bréage, charpentier de la marine, Charron, son associé pour les pêcheries, à La

Rochelle, lui aussi ancien gabier, Marengouin, son gendre, muet comme une taupe mais pas sourd, qui, comme tout un chacun, avait fait son temps de moussaillon sur un navire de commerce avant de s'occuper de poissons et de langoustes.

— La mer, ça nous connaît, et les doigts nous démangent d'aller nouer quelques épissures et rapiècements là-haut dans les vergues.

Le Gall avait un regard droit, Joffrey de Peyrac n'oubliait nullement qu'il avait conduit le *Gouldsboro* à travers la passe difficile du pertuis breton et, si un lien pouvait s'établir entre le navire et les Protestants, c'était bien par Le Gall qu'il serait jeté.

Pourtant, il hésita beaucoup avant de faire appeler le maître d'équipage et de lui présenter la demande de ses nouvelles recrues.

Le bosco contrefait, loin de partager la défiance de son maître, se montra au contraire fort satisfait. Une grimace, qui ressemblait à un sourire, entrouvrit sa bouche en coup de sabre sur ses dents gâtées. Il reconnut qu'il manquait d'hommes. Après ceux qu'on avait dû débarquer en Espagne, son effectif était au plus juste, disait-il. Les cinq blessés devant La Rochelle lui avaient porté le coup de grâce. Autant dire qu'on manœuvrait avec moitié moins d'hommes qu'il n'en aurait fallu. D'où sa mauvaise humeur, à lui, quartier-maître, et qu'il avait eu bien de la peine à ne pas manifester. Un éclat de rire homérique, de la part des matelots qui tendaient l'oreille dans les parages, salua cet aveu. Car la mauvaise humeur d'Erikson était chronique, inaltérable et âcre, et l'on se demandait avec effroi ce qu'on pourrait en connaître de mieux au cas où, par hasard, il la manifesterait.

— C'est bon, vous êtes engagés, dit le Rescator aux quatre Rochelais. Connaissez-vous l'anglais?

Ils en savaient assez pour comprendre les ordres du bosco. Il les laissa aux mains d'Erikson et regagna la passerelle à l'arrière.

Appuyé à la balustrade de bois doré, il ne parvenait pas à se détourner de la raie de lumière qui, par-delà le grand-pont soudain comblé de nuit, filtrait au-dessus de la porte derrière laquelle logeaient les Protestants. Angélique vivait là-bas, parmi ces êtres qu'il sentait hostiles. Etait-elle avec eux et contre lui? Ou bien au contraire seule, comme lui, entre deux mondes. Ni d'ici, ni d'ailleurs. L'obscurité brusque enrobait le navire. On allumait les torches, les fanaux. Abdullah à genoux soufflait dans le pot de terre où rosissaient les charbons ardents, avec des gestes précautionneux de primitif veillant sur le feu éternel.

La pesante tristesse du Nord, l'angoisse des confins de la terre qui avait frappé le cœur des Vikings et de tous les marins du monde, assez audacieux pour marcher dans la direction de l'étoile immobile, rôdaient maintenant sur la mer devenue invisible.

Les glaces n'étaient plus à craindre. Rien n'annonçait la tempête. Mais l'esprit de Joffrey de Peyrac demeurait inquiet et tourmenté. Pour une fois dans son existence de marin, son navire lui échappait. Une frontière le scindait en deux. Ses hommes eux-mêmes n'étaient pas à l'aise. Car ils sentaient un souci chez le maître. Il n'était plus en son pouvoir de les rassurer.

Le poids de toutes ces vies dont il avait la charge pesa plus fortement sur ses épaules et il se sentit las.

Il avait connu déjà des carrefours de la vie, des heures où une étape s'achève, où il faut prendre une direction nouvelle, tout recommencer. Pour lui, dans le secret de son être, il savait que ce n'était jamais un recommencement. Il continuait seulement, dans une voie tracée, et dont les perspectives se découvraient peu à peu à ses yeux. Mais, chaque fois, il devait abandonner les formes d'une vie ancienne comme le serpent se dépouille de sa vieille peau, laisser des lambeaux d'attachement, des amitiés.

Cette fois, il lui faudrait restituer Abdullah à son désert, car il ne supporterait pas la forêt nordique. Jason le ramènerait donc vers les horizons dorés de la Méditerranée ainsi que le vieux marabout Abd-el-Mechrat. Abdullah, son garde vigilant, lui avait sauvé maintes fois la vie. Il avait, pour les habitudes de son maître, le respect qu'on doit à des rites sacrés. « Trouverai-je seulement un Mohican pour me préparer mon café? Non, certes pas! Il faudra t'en passer, vieux Barbaresque que tu es devenu. » Quant à Abd-el-Mechrat, il l'évoquait dans la cabine qu'on lui avait aménagée spécialement sous l'entrepont de l'arrière, avec tout le confort possible.

Son corps frêle, consumé d'austérité, enseveli sous les fourrures, il écrivait sans doute, infatigable. A soixante-dix ans, son désir de connaissance demeurait toujours si aigu qu'il avait presque supplié son ami de Peyrac, lorsque celui-ci avait quitté la Méditerranée, de l'emmener avec lui étudier le Nouveau-Monde. Le sage marabout aurait fort volontiers fait le tour de la planète pour y renouveler ses sujets de méditation. Ouverture d'esprit relativement rare chez un Musulman. Abd-el-Mechrat était infiniment trop évolué pour plaire à un fanatique comme Moulay Ismaël, son souverain.

Joffrey de Peyrac ne l'ignorait pas et c'est pourquoi il avait accédé à la prière du vieillard qu'il aimait sachant que, par la même occasion, il lui sauvait probablement la vie.

Abd-el-Mechrat l'avait reçu dans le « medressé » somptueux qu'il possédait alors, prince savant et saint qu'il était, fort respecté de tous à Fez. Joffrey de Peyrac était arrivé de Salé en litière. Il se revoyait gisant aux pieds de son ami arabe, ne pouvant croire encore qu'il avait accompli vivant ce périlleux voyage et qu'il se trouvait lui, chrétien, infidèle honni, au sein du mystérieux Maghreb. Grabataire, l'esprit lassé par les souffrances physiques qu'il endurait et les fatigues du voyage, n'ayant pour le soutenir et le renseigner sur son entourage, que le fidèle nègre Kouassi-Ba, lui-même assez effrayé de se retrouver parmi les siens. « Tous des sauvages, ces gens-là », disait-il en roulant des yeux blancs, — le comte s'était demandé à maintes reprises ce qui l'attendait au terme de cette expédition interminable.

Or, c'était bien Abd-el-Mechrat, son ami. Il l'avait rencontré autrefois, en Espagne, à Grenade. Il reconnaissait la frêle silhouette du docteur arabe, drapée dans sa djellaba neigeuse et son front dégarni, au-dessus des grosses lunettes cerclées d'acier qui lui donnaient l'air d'un hibou facétieux.

— Je ne peux croire que je me trouve devant vous et à Fez, dit Joffrey de Peyrac à voix basse. Malgré ses efforts, il ne pouvait émettre aucun son. Je pensais que nous nous rencontrerions sur la côte, en secret. Le royaume de Marocco a-t-il usurpé sa réputation d'inviolabilité ou votre pouvoir dépasse-t-il celui des sultans pour qui un chrétien ne doit être qu'esclave ou mort? Les honneurs dont on m'entoure m'ont donné la conviction de n'être encore ni l'un ni l'autre. Cette illusion va-t-elle durer?

— Nous l'espérons, mon cher ami. Votre situation est exceptionnelle, en effet, car vous bénéficiez de protections occultes que j'ai réussi en partie à vous obtenir à cause de votre science. Mais pour ne pas décevoir les espoirs qu'on a mis en vous, il vous faut d'abord redevenir valide sans tarder! Je suis chargé de vous guérir. Ajouterais-je que c'est une question de vie ou de mort pour vous, comme pour moi, car je peux payer un échec de ma tête.

Malgré son désir d'en savoir plus long sur les maîtres que craignait, quoique pieux et savant, le vieux marabout, le blessé dut attendre d'être presque entièrement rétabli pour avoir droit à d'autres explications.

Pour l'instant, sa tâche, à lui, Peyrac, était de guérir et il s'y consacra avec la volonté tenace qui était la base de son caractère.

Avec courage, il se soumit à tous les soins, traitements et exercices demandés par son vigilant ami. L'intérêt d'être lui-même le champ d'une expérience scientifique le gagna et l'aida aussi à persévérer lorsque le désarroi et la souffrance risquèrent de le rebuter.

Abd-el-Mechrat s'était penché sur ses blessures avec un visage tout d'abord sombre et qui s'était peu à peu éclairé devant leur aspect peu engageant.

— Allah soit loué, s'était-il écrié. Votre plaie de la jambe gauche, la plus grave, est demeurée ouverte.

— Et même depuis des mois...

— Allah en soit donc béni, avait-il répété. Non seulement je me porte désormais garant de votre guérison, mais je prévois que grâce à cela vous serez débarrassé d'une infirmité qui a entravé toute votre jeunesse... Ne vous souvenez-vous pas que je vous avais dit à Grenade, après avoir alors examiné votre jambe, que si je vous avais soigné tout enfant vous n'auriez jamais été boiteux?...

Et il lui expliquait que les médecins d'Europe s'attaquent à la seule *apparence* du mal, qu'ils n'ont à la vue d'une plaie qu'une seule hâte, celle de la voir cicatrisée au plus vite en surface. Qu'importe si, derrière cette frêle membrane que la nature elle-même cherche à tisser le plus vite possible, des cavités subsistent, des chairs corrompues, meurtries, causes d'atrophies ou de déformations irréparables. Or, la médecine arabe s'aidant de la science antique des mages, des guérisseurs africains et des embaumeurs égyptiens, calcule pour chaque élément son propre rythme de cicatrisation. Plus une blessure est profonde, plus il faut savoir freiner et non activer la guérison. Les ligaments de sensibilité et de commandement ne se traitent pas, en effet, de la même façon.

Très satisfait du déroulement du début de ses soins, Abd-el-Mechrat lui apprenait encore que, grâce au manque de tout chirurgien, dont il avait bénéficié, les fils rompus et déchirés s'étaient déjà renoués de façon satisfaisante. Puisque, grâce au ciel, il avait échappé au risque terrible de la gangrène — seul véritable danger de ces longs traitements — lui, Mechrat, n'aurait ici qu'à parachever une œuvre si bien entreprise par maître Aubin, bourreau du roi de France et si heureusement continuée par les multiples voyages du supplicié, pour échapper à ses tourmenteurs.

Abd-el-Mechrat fignolait son œuvre en orfèvre arabe. Il disait : « Votre démarche en imposera bientôt aux princes les plus arrogants d'Espagne!... »

Brisé, Joffrey de Peyrac n'en demandait pas tant. Il s'était assez bien accommodé jadis de sa boiterie, pour se contenter de la retrouver plus ou moins accentuée, mais rapidement, ainsi que sa vitalité habituelle et l'usage de tous ses membres. Il en avait assez d'être devenu une épave dont les forces diminuaient chaque jour. Pour le persuader de se soumettre à toutes les nouvelles disciplines nécessaires, jusqu'au résultat définitif, Abd-el-Mechrat sut lui démontrer l'intérêt qu'il y avait pour lui à se camoufler derrière une silhouette inconnue de ses ennemis. S'il essayait un jour de reprendre pied au royaume de France *qui* s'aviserait seulement de reconnaître dans un homme marchant comme tout le monde celui qu'on appelait jadis « le Grand Boiteux du Languedoc »? L'idée d'un subterfuge aussi inattendu convainquit et amusa le blessé et il se montra désormais aussi têtu que son médecin pour essayer de parvenir à un résultat proche de la perfection. Malgré les baumes et les décoctions calmantes, il lui fallut endurer un long martyre. Mouvoir sa jambe blessée, l'obliger à se rééduquer alors qu'elle demeurait encore à vif. Abd-el-Mechrat l'entraînait à nager des heures dans un bassin pour conserver la souplesse nécessaire et surtout garder la plaie ouverte. Alors qu'il n'aurait souhaité que dormir, on le contraignait à renouveler les exploits de sa fuite. Le médecin et ses aides étaient intraitables. Par bonheur, le savant arabe, d'une grande finesse d'esprit, savait aussi comprendre son malade, malgré les barrières des deux civilisations qui auraient pu les séparer. Mais chacun avait déjà fait plusieurs pas vers l'autre. Le marabout parlait parfaitement le français et l'espagnol. Le comte de Toulouse avait des connaissances d'arabe qu'il perfectionnait rapidement.

Combien de jours s'écoulèrent ainsi, dans le calme blanc de la demeure maghrebienne? Encore aujourd'hui il l'ignorait. Des semaines? des mois? une année?... Il n'avait pas compté. Le temps avait suspendu sa marche.

Aucune rumeur ne pénétrait jusqu'au palais clos, où ne se glissaient que des serviteurs stylés, silencieux. Le monde alentour semblait s'être aboli. Le passé récent avec les ténèbres et la froidure des prisons, la puanteur de Paris ou du bagne, s'estompait dans l'esprit du gentilhomme français jusqu'à ne plus lui paraître qu'une grotesque fantasmagorie, née de ses cauchemars de malade. La réalité aiguë, c'était celle du ciel bleu-noir dans la découpure d'un patio, l'essence des roses, exacerbée à la chaleur du jour, exaltante au crépuscule et se mêlant à celle des lauriers-roses, parfois des jasmins.

Il vivait!

19

Vint le temps où Abd-el-Mechrat lui parla enfin des protecteurs dont le pouvoir le maintenait lui, Chrétien, au cœur de l'Islam, dans un cercle enchanté où nul mal ne pouvait lui être fait. Il comprit à ces révélations que son médecin considérait la partie comme gagnée et que sa guérison n'était plus qu'une question de jours.

Le médecin arabe commença alors à lui parler des guerres et des révoltes qui ensanglantaient le royaume de Marocco. Il apprit avec le plus grand étonnement que Fez même connaissait périodiquement des massacres spectaculaires. En fait, il lui aurait suffi de se hisser un peu au delà des murs du palais pour découvrir potences et croix bien garnies, quasi permanentes mais qui changeaient seulement de « clients ». Ces convulsions étaient dues à l'agonie du règne de Moulay Archy auquel son frère Moulay Ismaël arrachait le pouvoir avec une rapacité de jeune vautour.

Moulay Ismaël était d'ores et déjà le maître. Il souhaitait s'attacher les services du grand savant chrétien.

— « Lui ou plutôt celui qui le représente et guide les actions du jeune prétendant depuis son enfance, son ministre, l'Eunuque Osman Ferradji. »

Eminence grise d'un pouvoir alors encore chancelant, Osman Ferradji était un Noir sémite né esclave des Arabes du Maroc; intelligent et rusé, il savait que sa condition raciale lui serait constamment reprochée s'il ne se rendait pas irremplaçable.

Il poursuivait donc mille projets différents avec la diligence et la précision d'une araignée dans sa toile, tantôt en secouant un fil, tantôt en en lançant et nouant un autre, jusqu'à étouffer sa proie savamment rendue impuissante.

Le ministre noir veillait avec prudence à toutes les intrigues des princes et du peuple, composé d'Arabes, de Berbères et de Maures qui, tous, ignoraient économie et prudence, méprisaient le commerce, se ruinaient en guerres et prodigalités, alors que l'esprit de l'Eunuque était bien au contraire subtil et rompu au commerce et aux combinaisons économiques les plus complexes.

Les conquêtes d'Ismaël venaient de mettre entre les mains du nouveau sultan des territoires fabuleux des bords du Niger où les esclaves de la Reine de Saba jadis exploitaient l'or. Le pouvoir du nouveau souverain s'étendait désormais jusqu'aux forêts de la côte des Epices où, là encore, on voit les Noirs nus dans l'ombre des arbres géants, les fromagers, laver l'or des ruisseaux, et le rechercher dans la pierre broyée et jusqu'au fond des puits, profonds de trois cents pieds.

Osman Ferradji voyait là un atout majeur pour asseoir le pouvoir de son pupille, car ce qui avait compromis la solidité du règne du sultan précédent, c'était surtout son ignorance d'une bonne gestion financière. Son successeur n'en avait pas davantage de connaissances, mais si les mines conquises par son épée pouvaient prospérer comme au temps de Salomon et de la Reine de Saba, Osman Ferradji se portait garant de sa puissance qui deviendrait durable.

Il avait aussi connu une première déception lorsque ses envoyés dans le Sud étaient revenus pour lui faire part de la particulière indolence et de la mauvaise volonté des tribus noires. Celles-ci ne s'intéressaient à l'or que pour l'offrir à leurs dieux et fabriquer quelques bijoux, seuls vêtements et parures de leurs femmes. Par contre, ils empoisonnaient rapidement quiconque cherchait à les faire changer d'avis.

Pourtant, eux seuls, les Noirs de la forêt fétichiste, connaissaient les secrets de l'or. Contraints par la force, ils laisseraient les mines en friche et ne produiraient plus rien. C'était leur ultimatum de vaincus.

Le Grand Eunuque en était là de ses soucis, lorsque ses espions avaient intercepté la lettre envoyée par Joffrey de Peyrac au marabout de Fez.

— Si vous n'aviez été qu'un Infidèle de mes amis, j'aurais eu quelque peine à vous défendre, expliqua Abd-el-Mechrat, car une vague d'intolérance va sous peu déferler sur le Maroc. Moulay Ismaël se désigne lui-même comme l'épée de Mahomet! Par bonheur, vous faisiez allusion à nos travaux anciens sur les métaux nobles. Cela ne pouvait mieux tomber.

Les astres consultés par Osman Ferradji l'avertirent que Peyrac était un envoyé du Destin. S'il savait déjà que le règne de l'usurpateur installé par ses soins sur le trône serait long et prospère, les étoiles lui apprirent que, dans cette prospérité, un magicien, quoique étranger et misérable, jouerait un grand rôle car, ainsi que Salomon, il détenait la connaissance des secrets de la Terre. Interrogé par lui, Abd-el-Mechrat avait confirmé la prophétie. Le savant chrétien, son ami, était le plus averti de l'époque dans la connaissance de l'or. Il parvenait même à l'extraire de pierres où le broyage le plus fin ne permettait pas de déceler la moindre parcelle brillante, grâce à des procédés chimiques.

Des ordres furent aussitôt donnés pour s'assurer de celui qu'un sort heureux — pour Moulay Ismaël — chassait de son Pays des Français.

— Votre personne est désormais sacrée en Islam, dit encore le médecin arabe. Dès que je vous déclarerai rétabli, vous partirez pour le Soudan, avec l'escorte et même l'armée que vous jugerez nécessaire. Tout vous sera accordé. En échange, vous devrez faire parvenir très rapidement quelques lingots à Son Excellence le Grand Eunuque.

Joffrey de Peyrac réfléchissait. Apparemment, il n'avait pas d'autre choix que d'accepter de se mettre au service du prince musulman et de son vizir. Les propositions qui lui étaient faites comblaient ses vœux de savant et de voyageur. Les pays où on l'envoyait et dont Kouassi-Ba, qui en était originaire, lui avait souvent parlé, hantaient ses rêves depuis de longues années.

— J'accepterais, dit-il enfin, j'accepterais avec bonheur, avec passion si j'étais certain qu'il ne me sera pas demandé, par surcroît, de me faire maure. Je n'ignore pas que l'intransigeance des vôtres égale celle des miens. Cela fait plus de dix siècles que la Croix et le Croissant se livrent bataille. Pour ma part, j'ai toujours respecté la forme des rites par laquelle un être humain juge bon d'adorer son

Créateur. Je voudrais qu'il en soit de même à mon égard. Car, si bas que soit tombé avec moi le nom de mes ancêtres, je ne peux y ajouter le titre de renégat...

— J'avais prévu votre objection. S'il s'agissait de Moulay Ismaël, vous auriez, en effet, peu de chance de voir vos désirs exaucés. Il préfère certainement susciter un nouveau serviteur d'Allah sur la terre, que de l'or dans ses coffres. Osman Ferradji, grand croyant cependant, a d'autres ambitions. C'est lui surtout qu'il faut bien servir. Il ne vous sera rien demandé que vous ne puissiez accepter.

Et le petit vieillard avait conclu allègrement :

— Naturellement, je vous accompagne. Je dois veiller sur votre santé si précieuse, vous assister dans vos travaux, et peut-être ne serai-je pas de trop pour écarter de vous quelques embûches, car notre pays est trop différent du vôtre pour que je puisse songer à vous abandonner au hasard des événements et de nos pistes.

Les années suivantes avaient vu le gentilhomme français parcourir les territoires incandescents du Soudan et ceux, plus ombreux mais non moins dangereux, des forêts de la Guinée et du Pays des Eléphants.

Son travail de chercheur et d'exploitant d'or se compliquait alors d'une tâche d'explorateur. Il lui fallait pénétrer des peuplades inconnues, que la vue des mousquets portés par la garde chérifienne dont il avait dû s'entourer, incitait plutôt à la révolte qu'à la confiance. Il sut les conquérir une à une, par le seul lien qui pouvait exister entre lui et ces sauvages nus : le goût profond de la terre et de ses mystères. Quand il réalisait la passion héréditaire qui, depuis des générations, poussait les Noirs de ces régions à descendre au péril de leur vie dans les entrailles du sol pour n'en ramener parfois que quelques parcelles d'or dont ils feraient don à leur fétiche de bois taillé, il se sentait vraiment leur frère.

Il lui arriva de rester alors seul des mois entiers dans la forêt qui terrifiait ses autres compagnons, hommes du désert et du Sahel. Kouassi-Ba, s'arrêtait, lui-même, à l'orée des arbres. Il ne gardait qu'Abdullah, tout jeune fanatique qui avait décidé une fois pour toutes que le magicien blanc avait la « baraka » ou talisman magique. Et, en effet, il ne lui arriva jamais rien. Les gardes chérifiens étaient chargés surtout d'escorter les convois de lingots d'or qui s'acheminaient vers le Nord.

Abd-el-Mechrat l'encouragea enfin à revenir vers le Nord, l'Eunuque Osman Ferradji, plus que satisfait des résultats obtenus par son magicien blanc, leur transmettait la demande de Moulay Ismaël, désireux de les recevoir à Miquenez sa capitale. Entre-temps, le sultan avait solidement établi son règne. Les bienfaits de sa juridiction se faisaient déjà sentir jusqu'au fond de ces contrées lointaines. Lui-même d'origine noire par sa mère, et ayant fait d'une Soudanaise sa première femme, il avait de plus recruté parmi les meilleurs guerriers du Soudan, des sahels du Niger et du Haut Nil, les éléments d'une armée qui lui était entièrement dévouée.

Joffrey de Peyrac laissait les contrées qu'il avait trouvées désordonnées à son arrivée, en pleine activité, lors de son départ pour Fez. Les petits sultans locaux s'étaient fait une raison, et encourageaient maintenant leurs sujets à poursuivre des travaux qui satisfaisaient les maîtres du Nord, desquels ils recevaient en échange, pacotille, étoffes et mousquets, ces derniers trésors chichement distribués aux plus fidèles.

Après les palais rouges et barbares des bords du Niger, Miquenez, animée, riche, belle et plantée de jardins merveilleux, offrait une image de civilisation.

Le goût du faste des Arabes plaisait à Joffrey de Peyrac. Lui-même, pénétrant dans la ville avec son escorte vêtue des plus somptueuses étoffes et nantie d'armes de choix acquises aux trafiquants portugais sur la côte, ou aux marchands égyptiens de l'intérieur, impressionna fortement Moulay Ismaël.

Un souverain jaloux aurait pu lui faire payer cher son ostentation. Le comte de Peyrac en avait fait l'expérience sous d'autres cieux, avec Louis XIV. Ce n'était pas là raison suffisante pour se renier, pensait-il. Et, comme il traversait la ville sur son cheval noir, drapé dans son manteau de laine blanche rebrodé d'argent, il s'aperçut qu'il ne jetait qu'un regard indifférent sur les esclaves chrétiens qui, misérablement, traînaient leurs charges sous le fouet des joldaks, armée d'élite du Commandeur des Croyants.

Moulay Ismaël le reçut avec pompe. Loin de prendre ombrage du renom du savant chrétien, il se sentait honoré d'avoir obtenu de lui de si grands services sans l'avoir humilié par la contrainte ou la torture. Chapitré par Osman Ferradji, lequel ne parut pas à cette entrevue, le Sultan évita d'aborder, devant son hôte, la question qui lui tenait le plus à cœur, celle d'amener à l'Islam un homme de grand talent que le sort avait fait naître du côté de l'erreur.

Trois jours de fête scellèrent leur amitié. A l'issue de ces fêtes, Moulay Ismaël annonça à Joffrey de Peyrac qu'il l'envoyait comme ambassadeur à Constantinople, près du Grand Turc.

Comme le gentilhomme français se défendait d'être habilité pour une telle mission, l'autre s'assombrit. Il lui fallait admettre qu'il était encore vassal du Sultan de Constantinople et à la vérité c'était celui-ci qui avait pris l'initiative de réclamer le magicien blanc. Le Grand Turc voulait lui demander de renouveler, pour l'argent, le miracle de l'or accompli pour son illustre féal, hélas, le roi de Marocco.

— Ils s'imaginent, ces abâtardis, ces tièdes de la Vraie Foi, que je t'enferme dans une tour et que tu me fabriques de l'or avec de la bouse de chameau, s'écria Ismaël en déchirant son manteau en signe de mépris.

Joffrey de Peyrac assura le Sultan qu'il resterait fidèle à sa cause, et qu'il n'accepterait rien parmi les propositions qui lui seraient faites qui pût nuire au souverain du Maroc.

Peu après il arrivait à Alger. Après trois années d'un fabuleux voyage au fond de l'Afrique, l'ancien supplicié, le condamné arraché par miracle aux geôles du Roi de France, se retrouvait, le corps refait et rénové, l'âme profondément marquée, sur les rives de la Méditerranée.

Avait-il beaucoup pensé à Angélique, sa femme, durant ces longues années écoulées? Le sort des siens l'avait-il préoccupé outre mesure? A vrai dire, il savait, connaissant la mentalité du beau sexe, que n'importe quelle femme eût pu lui reprocher, avec la meilleure foi du monde, de n'avoir pas consacré tout son temps à des regrets cuisants et à des larmes douloureuses. Mais lui était homme, et sa nature l'avait toujours porté à vivre intensément l'heure présente. De plus, la seule tâche qui lui avait été assignée : survivre, s'était révélée écrasante. Joffrey de Peyrac se rappelait des heures où la misère physique était arrivée jusqu'à éteindre même la flamme de sa pensée. Seule alors subsistait la perception d'un cercle mortel se resserrant autour de lui, de la faim, de la maladie et de la persécution des hommes contre lui, et auquel il lui fallait échapper. Alors il s'était traîné un peu plus loin.

Un ressuscité ne conserve qu'un souvenir atténué de son passage au royaume des morts. Lorsqu'il retrouvait la santé, à Fez, le gentilhomme ne se posait plus de questions. L'engagement qu'il avait pris vis-à-vis du souverain du Maroc de le servir au Soudan, lui rendait la certitude d'une vie future. Car, en effet, à quoi bon revivre, s'il lui avait fallu se retrouver dans la peau d'un être rejeté de tous, n'ayant aucune place parmi les vivants? Mais maintenant, il marchait normalement. Sensation prodigieuse et surprenante pour lui! Son médecin l'avait encouragé à monter à cheval et il faisait de longues chevauchées dans le désert, en préparant soigneusement dans sa pensée les détails de l'expédition projetée. Un homme qui n'a rien qu'une chance offerte par un protecteur ne peut s'offrir le luxe de décevoir ce maître par des négligences, des distractions d'un autre ordre que celui du travail pour lequel on l'a engagé.

Cependant un soir, à Fez, alors qu'il rentrait dans les appartements qui lui avaient été dévolus à la villa d'Abd-el-Mechrat, il eut la surprise de découvrir à la lueur du clair de lune une jolie fille qui l'attendait sur des coussins. Elle avait de beaux yeux de biche, une bouche comme une grenade sous son léger voile de tulle et sa tunique transparente laissait deviner un corps parfait.

Il était si loin, lui, l'ancien maître des cours d'amour du Languedoc, de songer à la bagatelle qu'il crut à une plaisanterie de servante et il allait la renvoyer, lorsqu'elle lui apprit que c'était le saint marabout lui-même qui l'avait chargée de venir distraire les nuits de son hôte désormais jugé en état de consacrer aux femmes des forces pleinement et complètement revenues, grâce à ses soins.

Il en rit d'abord. Il la regardait dégrafer son kaïk de tulle et se dégager de ses voiles avec la simplicité savante de sa profession, coquetterie et naturel mêlés. Puis, à la pulsation rapide et violente de son sang, il reconnut en lui le désir de la femme.

Comme il avait été attiré par le pain quand il mourait de faim, par la source quand il mourait de soif, ce fut contre cette peau safranée, au parfum d'ambre et de jasmin, qu'il se découvrit, cette nuit-là, définitivement bien vivant.

Ce fut aussi cette nuit-là que le souvenir d'Angélique lui revint pour la première fois depuis de longs mois, aigu et lancinant au point qu'il ne put ensuite trouver le sommeil.

La femme dormait sur le tapis, jeune animal si paisible que son souffle même semblait imperceptible.

Lui, étendu sur les coussins orientaux, se souvenait. La dernière fois qu'il avait serré une femme dans ses bras, c'était *elle*, Angélique, sa femme, sa petite fée des marais poitevins, sa petite idole aux yeux verts.

Cela se perdait dans la nuit des temps. Par éclairs, il s'était interrogé sur son sort. Il ne s'inquiétait pas. Il la savait dans sa famille, à l'abri de la solitude et aussi du besoin. Car il avait naguère chargé Molines, son ancien associé poitevin, de s'occuper des intérêts financiers de sa jeune femme au cas où il lui arriverait malheur. Elle devait être réfugiée en province, se disait-il, avec ses deux fils.

Tout à coup, il ne se résignait plus à l'absence, à ce gouffre de silence et de ruines, tombé entre eux. Il la voulait avec une violence physique qui le dressait sur sa couche et le faisait chercher autour de lui le moyen magique de bondir par-dessus le cercle de destruction pour rejoindre les jours passés et les nuits où il la tenait renversée dans ses bras.

Lorsqu'il avait pris femme, à Toulouse, il ne s'attendait pas aux découvertes que cette affaire, ce contrat, à l'origine, lui procurerait à lui, quelque peu blasé déjà, à trente ans, par des aventures féminines. Surpris de sa beauté, il l'avait été encore plus de la découvrir intacte. Elle n'avait pas connu d'homme avant lui. L'initiation de cette ravissante fille, étonnamment sensuelle et pourtant farouche comme une chevrette sauvage, représentait son meilleur souvenir amoureux.

Les autres femmes avaient cessé d'exister pour lui, celles du présent, comme celles du passé. Il aurait été bien en peine de se rappeler leurs noms et même leurs visages.

Il lui avait appris l'amour, la volupté. Il lui avait appris encore d'autres choses qu'il ne croyait pas communicables d'un homme à une femme. Des liens s'étaient tissés de leurs esprits à leurs cœurs. Il avait vu son regard changer, son corps, ses gestes. Trois années, il l'avait tenue dans ses bras. Elle lui avait donné un fils, elle en portait un second. Etait-il né?

Il ne pouvait se passer d'elle alors. Il n'y avait plus qu'elle. Et maintenant, il l'avait perdue.

Le lendemain, il fut si sombre qu'Abd-el-Mechrat s'informa discrètement si les divertissements auxquels il s'était livré lui avaient procuré toute satisfaction, s'il n'en retirait pas déception ou inquiétude auxquelles la science médicale pourrait remédier. Joffrey de Peyrac le rassura mais ne lui confia pas son tourment. Malgré les affinités qui existaient entre eux, il savait qu'il ne pourrait être compris. Le sentiment électif est rare chez les Musulmans, pour lesquels la femme, objet de jouissance, et sans autre intérêt que charnel, est encore ce qui se remplace le mieux par une autre femme.

Il n'en est pas de même pour un cheval ou un ami.

Joffrey de Peyrac s'évertua à chasser une obsession pour laquelle il se méprisait un peu. Il avait toujours su se dégager à temps d'une emprise sentimentale, considérant comme une faiblesse de laisser le pouvoir de l'amour prendre le pas sur sa liberté et sur ses travaux. Allait-il s'apercevoir qu'Angélique, avec ses deux mains fines, le rire de ses dents de perle, l'avait envoûté?

Que pouvait-il faire? Courir à elle? Sans être prisonnier, il n'ignorait pas que, malgré les attentions dont il était l'objet, il n'était pas libre de rejeter la protection d'êtres aussi puissants que le sultan Moulay Ismaël et son vizir Osman Ferradji qui tenaient son sort entre leurs mains.

Il surmonta l'épreuve. Le temps, la patience lui permettraient un jour, se disait-il, de retrouver celle qu'il ne pourrait jamais oublier.

Aussi, lorsqu'il se retrouva sur les bords de la Méditerranée, son premier geste fut-il d'envoyer un messager à Marseille afin d'obtenir des nouvelles de sa femme et de son ou de ses fils. Après avoir mûrement réfléchi, il décidait de ne pas se manifester parmi ses anciens amis et pairs du royaume de France. Depuis longtemps, ceux-ci devaient l'avoir oublié.

Il s'adressa encore au père Antoine, aumônier des galères royales, lui demandant de se rendre à Paris et d'y retrouver l'avocat Desgrez. Le garçon débrouillard et intelligent, qui l'avait défendu non sans courage, lors de son procès, lui inspirait confiance.

En attendant, il dut partir pour Constantinople. Auparavant, il avait pris soin de se faire fabriquer par un artisan espagnol de Bône, des masques de cuir fin et rigide qui dissimulaient son visage. Il ne tenait pas à être reconnu. Le hasard lui ferait certainement croiser des sujets de Sa Majesté le Roi de France, ainsi que des représentants de la multiple parenté qu'il possédait en tant que seigneur de haut-lignage, parmi la noblesse étrangère. Chez les seuls chevaliers de Malte, il possédait déjà deux cousins. La Méditerranée, grande lice des combats contre l'Infidèle, attirait les blasons d'Europe.

Sous les bannières barbaresques, la situation de l'ex-seigneur toulousain demeurait fort ambiguë. Chassé par les siens, il s'intégrait au monde exactement opposé, l'Islam, qui depuis des siècles, par un jeu de balance, marquait de son avance tout recul de la chrétienté. A la décadence spirituelle de celle-ci, les Turcs ottomans avaient répondu en submergeant des pays jusqu'alors profondément chrétiens : la Serbie, l'Albanie, la Grèce. D'ici quelques années ils martèleraient aux grilles dorées de Vienne-la-Catholique. Les chevaliers de Saint-Jean de Jérusalem, après la grande Crête, puis Rhodes, ne possédaient plus que la minuscule Malte.

Or, Joffrey de Peyrac se rendait auprès du Grand Turc. Aucun scrupule n'altérait sa conscience. Il ne s'agissait pas en effet d'apporter son aide de Chrétien aux ennemis d'une foi qu'il ne reniait pas. Il avait une autre idée en tête. Il lui apparaissait nettement que le désordre délirant qui régnait dans les eaux méditerranéennes était dû autant aux exactions de l'Europe chrétienne qu'aux pirateries barbaresques, ou aux conquêtes ottomanes. A tout prendre, les filouteries d'un Turc, relativement naïf dans les questions commerciales, n'égaleraient jamais celles d'un banquier vénitien, français ou espagnol. Assainir les monnaies représentait une tâche de paix à laquelle personne ne songeait. Pour ce faire, Joffrey de Peyrac tiendrait entre ses mains le contrôle des deux grands leviers de l'époque : l'or et l'argent, et il savait déjà comment il y parviendrait.

A la suite de ses entretiens avec le Sultan des Sultans et ses conseillers du Grand Divan, il installa son quartier général à Candie, dans un palais des environs de la ville. Il y donnait une fête lorsque son messager, revenu de France, se fit annoncer. Tout disparut alors de ses préoccupations du moment. Il abandonna ses hôtes pour aller au-devant du serviteur arabe : « Viens! entre vite. Parle... »

L'homme lui avait remis une lettre du père Antoine. L'ecclésiastique y relatait brièvement, dans un style volontairement impersonnel, les résultats de son enquête à Paris. Il avait appris par l'avocat Desgrez que l'ex-comtesse de Peyrac, veuve d'un gentilhomme que tout le monde croyait mort brûlé en place de Grève, s'était remariée avec un sien cousin, le marquis du Plessis-Bellière, qu'elle en avait eu un fils et qu'elle vivait à la Cour, à Versailles où elle occupait d'honorables charges.

Il avait froissé le papier dans sa main.

Ne pas y croire d'abord! Impossible!... Puis l'évidence qui s'imposait peu à peu tandis qu'il découvrait, comme un rideau se déchire, combien il était naïf de sa part de ne pas avoir imaginé plutôt un pareil dénouement. Quoi de plus naturel, en vérité! Une veuve d'une beauté et d'une jeunesse éclatantes allait-elle s'enterrer dans un vieux château de province et faire de la tapisserie comme Pénélope?

Recherchée, courtisée, épousée, paradant à la Cour du roi de France, tel devait être son sort. Pourquoi n'y avait-il pas songé plus tôt? Pourquoi ne s'était-il pas préparé à ce choc? Pourquoi souffrait-il tant?

L'amour rend stupide. L'amour rend aveugle. Et c'était le savant comte de Peyrac qui seul l'ignorait.

Parce qu'il l'avait façonnée à son goût, était-ce une raison pour qu'elle n'échappât jamais à son emprise? La vie et les femmes sont fluctuantes. Il aurait dû le savoir. Il avait péché par présomption.

Qu'elle fût son épouse par surcroît ajoutait au sentiment dont elle avait su le convaincre, qu'elle n'existait que par lui et pour lui. Il s'était laissé prendre au piège des plus subtiles jouissances que lui tendait l'esprit riche et gai de la jeune femme, prompt et courant comme l'eau des gaves. A peine goûtait-il la saveur de la sentir liée à lui par des fibres éternelles, que le sort les avait séparés. Homme rejeté, et désormais sans pouvoir, pourquoi réclamait-il la fidélité du souvenir? La femme qu'il aimait, sa femme, son œuvre, son trésor, s'était offerte à d'autres.

Quoi de plus naturel, se répétait-il. L'avait-elle aveuglé au point qu'il n'ait jamais soupçonné chez elle les autres tendances en germe? Une femme qui a tant reçu de la nature n'est pas douée pour la fidélité. Ne connaissait-il pas, pour l'avoir éprouvée lui-même, la puissance de son attrait, subtile auréole qui environnait sa démarche, ses moindres gestes, et qui était comme l'essence de son charme? Plus rares qu'on ne croit sont les femmes nées pour captiver l'homme. Non pas un seul homme élu, mais tous ceux qui les approchent.

Angélique était de cette espèce. Avec inconscience, avec innocence... Du moins l'avait-il cru! A quels calculs ne se livrait-elle pas déjà lorsqu'il l'avait conduite au mariage du Roi? Si jeune encore, à peine sortie de l'adolescence, il n'ignorait pas qu'elle possédait des qualités d'autant plus fascinantes que dangereuses : un caractère d'acier, une intelligence intuitive, de la ruse.

Tout cela mis au service de l'ambition, jusqu'où pouvait-elle monter?

Hé! jusqu'au beau marquis du Plessis, favori de Monsieur, frère du Roi.

Jusqu'au Roi lui-même, pourquoi pas?

Comme il avait eu raison de ne pas s'inquiéter pour elle!...

Le messager devant les yeux fulgurants de son maître s'était prosterné, pétrifié de crainte, Joffrey de Peyrac serrait la lettre dans son poing, comme s'il avait voulu refermer ses doigts crispés sur le cou blanc d'Angélique.

Puis il avait éclaté de rire. Mais son rire lui restait dans la gorge et il étouffait. Car il ne pouvait plus rire aisément depuis que sa voix s'était brisée. A cela, les soins d'Abd-el-Mechrat n'avaient pu remédier. Il lui avait seulement rendu l'usage d'une parole audible. Ne plus rire. Ne plus chanter. Il avait l'impression d'être emprisonné dans un carcan de fer.

Le chant libère la douleur de l'âme. Aujourd'hui encore, des années plus tard, sa poitrine s'emplissait de cris qui ne pouvaient plus jaillir. Il s'était habitué à cette mutilation, mais aux heures de détresse, il la supportait mal. Des heures de détresse qu'il ne devait qu'à Angélique! Le reste, il se l'était répété cent fois, ne l'avait pas atteint :

tortures de la chair, exil, ruine, il se serait accommodé de tout. Mais il y avait eu *elle*.

Elle avait été sa seule faiblesse. La seule femme qui l'ait fait souffrir. Et il lui en voulait aussi de cela.

Est-ce qu'on souffre pour un amour? Est-ce qu'on souffre pour une femme?

20

Et maintenant que, loin de tout ce qui avait été leur passé, le *Gouldsboro* les avait réunis, et les entraînait tous deux, dans une nuit incertaine, et maintenant qu'il n'était plus que le Rescator, un corsaire brûlé par le sel des océans et d'âpres aventures, des combats, des intrigues, des haines d'hommes luttant pour la puissance, par le fer, le feu, l'or ou l'argent, et qu'Angélique était devenue une femme si différente de celle qui l'avait fait souffrir, allait-il retomber dans les pièges anciens des tourments et des regrets dont il se croyait libéré?

Il se mit à arpenter avec colère le tapis de sa cabine.

Près d'un coffre il s'arrêta, l'ouvrit et, soulevant les feutres et les soies qui l'enveloppaient soigneusement, il en sortit une guitare. Acquise à Crémone, au temps où il espérait encore retrouver sa voix, elle était demeurée, comme lui, bien souvent muette. Il en avait gratté les cordes parfois, pour complaire à des compagnes de passage, mais l'accompagnement sans le chant le décevait. Il avait pourtant gardé sa maestria d'antan. Il jouait d'une façon plus qu'aisée : envoûtante, dégagée et détendue. Mais venait toujours l'instant où, entraîné par la musique, il sentait l'air gonfler ses poumons et la puissance du chant le porter sur ses ailes poétiques.

Cette fois encore, il essaya. Sa voix cassée, rauque et malhabile, brisant la mélodie, l'arrêta. Il secoua la tête. « Enfantillages! » Ah! le vieil homme n'acceptera jamais de se raboter aux pierres du chemin. Plus il va, plus il voudrait tout conserver, tout embrasser. La loi n'est-elle pas qu'une acquisition en remplace une autre? Peut-on à la fois connaître la joie d'aimer et la liberté du cœur?

Et, soudain, mû par un pressentiment, il traversa la pièce, ouvrit brusquement la porte qui donnait sur le balcon.

Elle était là, fantôme de l'autre femme, et son blanc visage émergeant de la nuit, hiératique dans sa mante noire, rappelait sans le ressusciter celui qu'il venait d'évoquer.

Il fut pris d'une absurde confusion à la pensée qu'elle venait de surprendre ses essais malhabiles. La rancœur lui donna un ton particulièrement discourtois.

— Que faites-vous ici? Vous ne pouvez donc respecter la discipline du bord? Les passagers ne doivent encombrer le pont qu'aux heures prescrites. Il n'y a que vous pour vous permettre d'aller et venir à votre guise. De quel droit?

Stupéfaite de la mercuriale, Angélique se mordit les lèvres. Tout à l'heure, comme elle s'approchait des appartements de son mari, elle avait été bouleversée en entendant les accents de la guitare. Mais d'autres préoccupations la poussaient en ces lieux.

Elle dit, en se contraignant au calme.

— J'ai des raisons sérieuses de rompre la discipline du bord, monsieur. Je venais m'informer d'Abdullah, votre serviteur. Est-il chez vous?

— Abdullah! Pourquoi?

Il tourna la tête, chercha la silhouette du Maure, drapé dans sa djellabah et ne l'aperçut point.

Elle distingua son mouvement de surprise et de contrariété et insista, pleine d'anxiété.

— N'est-il pas là?

— Non... Pourquoi? Que se passe-t-il?

— Une des jeunes filles a disparu... et je crains pour elle... à cause de ce Maure.

21

Séverine et Rachel s'étaient glissées jusqu'à Angélique.

— Dame Angélique, Bertille n'est pas là.

Elle ne comprenait pas où les petites voulaient en venir. Rachel lui raconta qu'au moment où ils devaient réintégrer la batterie de l'entrepont, qui leur servait à tous de logement, Bertille avait décidé de rester encore au-dehors.

— Pourquoi?

— Oh! elle est un peu folle en ce moment, dit Rachel. Elle prétendait qu'elle en avait assez d'être entassée dans une étable et qu'elle souhaitait un peu de solitude. A La Rochelle, elle avait sa chambre pour elle toute seule, ajouta la fille aînée des Carrère avec une admiration envieuse, alors vous comprenez...

— Mais cela fait plus de deux heures et elle n'est pas rentrée, insista Séverine alarmée. Une vague l'a peut-être enlevée?

Angélique se leva et alla trouver Mme Mercelot qui tricotait dans son coin avec deux voisines. On avait pris des habitudes, on se recevait d'un coin à l'autre.

Mme Mercelot parut surprise. Elle croyait Bertille avec ses amies. Tout le monde fut aussitôt alerté et l'on dut se rendre à l'évidence : la jeune fille n'était pas là.

Maître Mercelot se précipita avec fureur audehors. Bertille en prenait trop à son aise depuis quelques jours. Elle allait apprendre à ses dépens qu'une fille doit rester soumise à ses parents sous toutes les latitudes et en toutes circonstances.

Il revint peu après, soucieux. Il ne la trouvait pas. On n'y voyait goutte sur ce maudit navire et les matelots qu'il avait abordés le regardaient d'un air hébété, comme des brutes qu'ils étaient.

— Dame Angélique, veuillez m'aider. Vous connaissez la langue de ces gens-là. Il faut qu'ils nous assistent dans nos recherches. Bertille est peut-être tombée dans une écoutille ou s'est brisée un membre.

— La mer est haute, dit l'avocat Carrère. La jeune fille a pu être enlevée par une lame comme l'autre jour la petite Honorine.

— Seigneur! souffla Mme Mercelot en s'effondrant à genoux.

La nervosité des passagers éclata. Ils avaient tous des visages blêmes et tirés sous les lampes. C'était la troisième semaine de traversée, celle où, dans les difficultés, la résistance morale faiblit, qu'il arrivât quelque chose à l'un d'entre eux et leur calme apparent se briserait.

Angélique n'avait aucune envie de suivre le papetier sur le pont. Bertille, lunatique comme toutes les filles de son âge, devait prolonger une vague rêverie, dans quelque coin d'ombre, sans imaginer un seul instant qu'on s'inquiétait à son sujet. Son désir de solitude était, après tout, fort compréhensible. Chacun l'éprouvait. Pourtant Angélique, se sentant vaguement responsable, demanda à Abigaël de bien vouloir veiller sur Honorine, pendant son absence.

Elle rejoignit au-dehors Mercelot, Berne et Manigault et les trouva en discussion avec le bosco qui leur enjoignait par gestes de réintégrer leur domicile. Il refusait toute explication. Il fit signe à ses hommes qui saisirent les trois Protestants sous les aisselles.

— Ne me touchez pas, bandits, hurla Manigault, ou je vous assomme.

Il était deux fois plus solide que les Maltais olivâtres qui prétendaient lui faire entendre raison, mais ceux-ci avaient des couteaux. Ils s'empressèrent d'ailleurs de les faire jaillir de leurs ceintures. La scène était d'autant plus confuse que mal éclairée.

Une fois encore, l'intervention pacifique du Canadien Nicolas Perrot arrêta l'effusion de sang en perspective. Angélique le mit au courant. Il traduisit ses paroles à l'intraitable Erikson, mais celui-ci avait des ordres. Pas de passagers sur le pont, à la nuit tombée. Toutefois il voulut bien hocher la tête avec perplexité en apprenant qu'une des passagères avait disparu.

De temps en temps, Mercelot appelait, les mains en porte-voix « Bertille, où es-tu? ». Rien ne répondait que le vent et ce craquement permanent du navire balancé sur les flots noirs.

La voix du papetier s'étranglait.

Erikson finit par autoriser la présence du père. Les autres, disait-il, devaient réintégrer l'entrepont et on les y barricada sans ménagement.

Angélique était restée près de Nicolas Perrot.

— J'ai peur, lui confia-t-elle, à mi-voix. Je vous avouerai que j'ai moins peur de la mer que des hommes. Est-ce que l'un d'eux, découvrant la jeune fille seule, n'aurait pas cherché à l'entraîner?

Le Canadien parla en anglais au quartier-maître. Celui-ci grommela, mais après s'être dandiné avec humeur, il s'éloigna en jetant quelques mots par-dessus l'épaule.

— Il dit qu'il va faire l'appel de tous les membres de l'équipage, depuis ceux qui sont dans la hune, jusqu'à ceux qui sont au repos. Pendant ce temps, nous allons fouiller le pont.

Ce fut encore lui qui leur procura des lanternes. Le moindre tas de cordages fut examiné et Nicolas Perrot alla jusqu'à explorer l'intérieur de la chaloupe et du caïque de secours.

Ils se retrouvèrent devant le poste d'équipage, sous le gaillard d'arrière, d'où le bosco les hélait.

— Tous les hommes sont en place, leur dit-il... Pas de manquant.

Des matelots mangeaient la soupe dans la lueur imprécise des lampes à huile. L'atmosphère embrumée par la fumée des pipes était à couper au couteau. Il régnait une violente odeur de tabac et d'alcool. En voyant se tourner vers lui ces faces tannées aux yeux sombres et luisants, maître Mercelot réalisa seulement que la mer n'était pas le seul danger que pouvait courir Bertille. « Pensez-vous qu'un de ces individus aurait pu attenter à la pudeur de ma fille? » chuchota-t-il en devenant aussi blanc que son collet.

— Pas un de ceux-là en tout cas, puisqu'ils sont présents.

Mais, une fois lancée, l'imagination du papetier franchissait les étapes.

— Cela ne prouve rien. Le forfait accompli, on a pu l'étrangler et la jeter à la mer afin qu'elle ne parle pas...

Ses tempes se couvraient de sueur.

— Je vous en prie, l'adjura-t-elle, ne vous mettez pas ainsi martel en tête. Erikson propose des hommes pour fouiller le navire de fond en comble.

Et, tandis qu'elle parlait, elle songea dans un éclair au Maure Abdullah.

Impulsive, sûre d'avoir deviné juste, Angélique s'élança vers l'étage supérieur.

Le Maure n'était pas, comme il aurait dû l'être, en faction devant la porte de son maître.

Angélique restait immobile, suppliant au fond d'elle-même : « Mon Dieu, faites que ce ne soit pas cela. Ce serait trop terrible pour nous tous. »

Derrière les vitres, s'élevait le son d'une guitare. Puis, Joffrey de Peyrac surgit devant elle, dur et impitoyable.

Il était si bizarre qu'en lui parlant d'Abdullah elle s'attendait à voir rejaillir sa colère.

Mais il parut au contraire retrouver son sang-froid habituel. En un instant, il redevint le maître du navire, attentif et vigilant.

Il regardait l'emplacement où Abdullah se tenait d'habitude et que, depuis des années, l'esclave maure n'avait jamais déserté sans ordre. Ses sourcils se froncèrent avec inquiétude et il jura :

— Mordious, j'aurais dû le surveiller. Allons vite.

Il rentra chez lui pour prendre une lanterne sourde.

Joffrey de Peyrac avait gagné le pont inférieur, « la grand-rue ». Il rejetait lui-même les loquets d'une écoutille. Il s'engouffra dans l'ouverture et commença à descendre, ne s'aidant que d'une main, l'autre tenant la lampe. Angélique était tellement surexcitée qu'elle le suivit à son tour sans prendre garde à la raideur des échelles. Nicolas Perrot les rejoignit puis, tant bien que mal, maître Mercelot que l'angoisse jetait, sans qu'il s'en aperçût, dans des exercices dont il avait perdu depuis longtemps l'habitude.

Ils ne cessaient de descendre. Jamais Angélique n'aurait pu croire qu'un bateau fût si profond. Une odeur saumâtre et humide serrait la gorge.

Ils s'arrêtèrent enfin devant un obscur boyau. Joffrey de Peyrac posa la main sur l'ouverture de la lampe afin d'en voiler la lumière. Alors, dans le lointain, à l'extrémité du couloir, Angélique distingua une autre lueur, rougeâtre comme celle qu'aurait donnée une flamme derrière un rideau pourpre.

— Il est là? chuchota Nicolas.

Joffrey de Peyrac fit un signe affirmatif. Maître Mercelot se débattait sur la dernière échelle, soutenu par une ombre silencieuse et secourable, celle de l'Indien, qui s'était coulé derrière son maître.

Le comte tendit sa lanterne au Canadien lui indiquant d'un signe d'éclairer la descente du papetier.

Puis il s'engagea à pas de loup dans le couloir. Il marchait rapidement et sans aucun bruit. Et, dans ce silence, où rôdait le grondement sourd et comme lointain de la mer, les oreilles d'Angélique croyaient surprendre les sons d'une mélopée étrange et monocorde, qui s'élevait, retombait, du cri au murmure, sur deux notes, rauques puis voilées. Non, elle ne rêvait pas. L'incantation se précisait à mesure qu'ils approchaient, emplissait, comme des relents d'un mauvais songe, l'étroit couloir obscur et visqueux.

Ce cri devenait brutal comme une adjuration, puis mourait et traînait longtemps, s'enflant d'une douceur douloureuse et menaçante qui rappela à Angélique les roucoulements des fauves en amour, la nuit, dans le Rif.

Ses cheveux se hérissèrent et d'un geste inconscient, elle se cramponna au bras de son mari.

Celui-ci avait porté la main sur le rideau rouge en haillons et l'écartait.

Le spectacle qui s'offrit à leurs yeux était effrayant. Et, en même temps, d'une telle insolite beauté que Joffrey de Peyrac, lui-même, demeura un instant figé, comme hésitant à intervenir.

Ce trou, au fond des entrailles du navire, cette cambuse, éclairée d'une lumière rare que balançait une veilleuse d'argent, c'était le repaire du Maure.

Il y avait entassé ses trésors, son butin des longues années de campagnes en mer. Des coffres de cuir remplis de mille bibelots, des tapis, des coussins de soie éraillée, des bouteilles et des gobelets de verre grossier, bleus ou rouges ou noirs, et des plats d'émaux anciens pareils à des broderies. D'un sac en peau de chèvre, ruisselaient sur le sol des bijoux d'or et de pierres précieuses. Des paquets de chanvre, à demi pourri par l'humidité, pendaient au mur, destinés à la pipe du narguilé dont les cuivres brillaient dans la pénombre. Une odeur de musc, presque insupportable, se mêlait à celle, fraîche, de la menthe et à l'autre, pénétrante, du sel marin qui corrompait et noircissait les quelques richesses amassées là par ce fils du désert.

Et, parmi ce désordre somptueux et misérable, gisait Bertille évanouie.

Sa blonde chevelure traînait sur le tapis se mêlant aux bijoux épars. Ses bras abandonnés ressemblaient à de blanches tiges sans forces.

Le Maure ne lui avait pas ôté ses vêtements. Seules ses jambes étaient dénudées. Elles jaillissaient, pâles, nacrées, si déliées et graciles qu'elles semblaient n'appartenir qu'à une créature de rêve, une nymphe translucide, modelée dans l'albâtre par la main d'un dieu.

Penché sur cette fragilité, le Maure, haletant, psalmodiait.

Son corps, entièrement nu, n'était plus qu'une

magnifique statue de bronze, agitée de frissons et de mouvements convulsifs. Entre ses bras raidis, sur lesquels il prenait appui, on voyait tressauter le petit sachet de cuir, pendu à son cou, qui conservait les amulettes de sa « baraka ». Comme deux colonnes noires invincibles, ses bras semblaient emprisonner la proie qu'il avait ravie.

Il paraissait géant, énorme, tous les muscles de son corps gonflés par la force sensuelle qui le possédait. Le long de son échine et de ses reins en sueur, chacun de ses mouvements lovait des serpents d'or.

Sur les lèvres entrouvertes, la mélopée incantatoire devenait rapide, insistante, syncopée jusqu'à l'hystérie...

— Abdullah!

Le chant diabolique s'interrompit net.

La voix sourde du maître arrachait le fou à son extase.

— Abdullah!

Le Maure frémit comme un arbre sous la cognée. Et soudain, avec un rugissement, il se redressa, se rejeta en arrière, les prunelles incandescentes, l'écume aux lèvres.

Ses mains happèrent un cimeterre accroché à la paroi.

Angélique poussa un cri perçant. La lame lui avait paru siffler à deux doigts de la tête de Joffrey de Peyrac. Celui-ci s'était baissé promptement. A nouveau, la lame meurtrière faillit l'atteindre. Il l'évita encore et réussit à ceinturer l'énergumène. Il lui parlait dans sa langue, essayant de le ramener à la raison. Mais l'Arabe le dominait. Les transes de son désir frustré le rendaient d'une force incroyable.

Nicolas Perrot intervint et ce fut, pendant quelques instants, dans l'étroite cabine, un combat sauvage et incertain.

La lampe à huile heurtée se renversa à demi. Brûlé à l'épaule, Abdullah poussa un hurlement. Et soudain, il parut revenir à lui.

La passion qui avait fait de lui comme l'officiant d'un rite éternel le quitta. Il retomba à l'état d'un simple mortel, un serviteur fautif et regarda autour de lui en roulant des yeux effarés. Son grand corps se mit à trembler tandis que, lentement, comme sous la pression de la main de son maître, il glissait à genoux. Soudain il ploya entièrement, le front à terre, dans ses bras joints, murmurant de rauques paroles tristes et résignées d'avance.

Angélique s'était penchée sur Bertille. La jeune fille n'était qu'évanouie sous l'empire de la frayeur. Elle n'avait pas été frappée. Peut-être un peu suffoquée par la main qui avait étouffé ses cris, alors que le Maure, avec sa force herculéenne, se glissait avec sa proie jusqu'au fond du navire.

Angélique la souleva, la secoua un peu, et rectifia vivement le désordre de ses effets. Pas assez vite cependant pour que maître Mercelot ne pût saisir toute la signification de la scène qu'il découvrait.

— Horreur! Et honte! cria-t-il. Ma fille, mon enfant! Seigneur!

Il tomba à genoux près de Bertille, la serrant contre lui, en l'appelant avec désespoir, puis se redressant, il se rua sur le Maure effondré et se mit à le frapper. Puis, apercevant le cimeterre il s'en saisit avant qu'on ait eu le temps de prévoir son geste.

La poigne de Joffrey de Peyrac arrêta, une fois de plus, de justesse, la lame meurtrière. Luimême et Nicolas Perrot, ainsi que l'Indien, eurent toutes les peines du monde à maîtriser le père outragé. Celui-ci finit par lâcher prise et, lui aussi, s'abandonna.

— Maudit soit le jour où nous avons mis les

pieds sur ce navire, murmura-t-il, les yeux hagards. Je tuerai ce misérable de ma main, j'en fais serment.

— Je suis seul maître à bord après Dieu, répondit durement le Rescator. C'est à moi seul qu'il incombe de rendre la justice.

— Je vous tuerai aussi, dit Mercelot livide. Nous savons maintenant qui vous êtes, un bandit, un vil trafiquant de chair humaine, qui n'hésitez pas à distribuer nos femmes et nos filles en prime à votre équipage et à nous vendre, nous, grands bourgeois de La Rochelle, comme des esclaves. Mais nous déjouerons vos plans...

Il haleta dans le silence pesant. Joffrey de Peyrac se tenait toujours devant le Noir arabisé effondré et gémissant. Il eut son bizarre sourire qui déformait ses traits couturés, et le rendait assez effrayant.

— Je comprends votre émoi, maître Mercelot, dit-il avec calme. Je déplore cet incident...

— Simple incident! hoqueta le papetier. Le déshonneur de ma fille! Le martyre d'une malheureuse enfant qui...

Il ploya les épaules et, plongeant son visage dans ses mains, eut un sanglot.

— Maître Mercelot, je vous en supplie, dit Angélique, écoutez-nous, avant de vous mettre dans cet état. Grâce au ciel, nous sommes arrivés à temps. Bertille en sera quitte pour la peur. Et la leçon lui servira à se montrer prudente dans l'avenir...

Mais le papetier paraissait ne pas entendre les paroles qu'on lui adressait et l'on n'osait le lâcher, ne sachant à quelles extrémités il pourrait se livrer. Bertille, en revenant à elle, lui rendit son sang-froid :

— Père! Père! hurla-t-elle.

Il se rendit auprès d'elle pour la rassurer.

Le retour de Bertille dans l'entrepont se fit parmi l'effervescence et la consternation générale.

Portée par son père et l'Indien, elle gémissait d'une façon mourante, puis poussait de temps à autre des cris hystériques. On l'étendit sur sa couchette inconfortable faite de paille et de manteaux. Elle repoussait sa mère, mais, sans qu'on sût pourquoi, se cramponnait à Angélique, qui fut obligée de demeurer à son chevet, tandis que les questions, les exclamations, les récits et les détails les plus invraisemblables de l'affaire se croisaient au-dessus de leurs têtes.

— Vos pressentiments étaient justes, Manigault, disait le papetier accablé. Et ma pauvre enfant a été leur première victime...

— Pressentiments! répéta Manigault. Vous voulez dire : certitudes, mon pauvre ami. Ce que Le Gall a surpris des projets de ces criminels ne laisse aucun doute sur leurs intentions. Nous sommes tous des prisonniers, voués à un sort affreux...

Des femmes se mirent à pleurer. Bertille hurla plus fort en se débattant contre un invisible adversaire.

— Avez-vous fini de rendre hystérique tout le monde? cria Angélique.

Elle saisit le papetier par son rabat et le secoua sans aucun respect.

— Combien de fois faudra-t-il vous répéter qu'il ne lui est rien arrivé de grave. Elle est aussi intacte que le jour de sa naissance. Faut-il vous dire exactement où les choses en étaient quand nous sommes intervenus, si vous n'êtes pas capable de comprendre à demi-mot et de rassurer votre femme et votre fille?

Maître Mercelot battit en retraite. Il y avait un certain aspect d'Angélique en colère, qu'un homme avait quelques difficultés à affronter. L'avocat Carrère le relaya.

— Vous reconnaissez vous-même que vous êtes intervenus juste à temps, ricana-t-il, ce qui revient à dire que si vous étiez intervenus plus tard, la malheureuse enfant...

— La « malheureuse enfant » a tout fait pour s'attirer cette mésaventure... et elle le sait bien, dit Angélique avec un regard à la victime qui cessa soudain ses pleurs et parut mal à l'aise.

— Voulez-vous insinuer que ma fille a provoqué les hommages répugnants de ce Noir? demanda Mme Mercelot toutes griffes dehors.

— En effet, je l'insinue. J'ai même fait des remontrances à Bertille à ce sujet. Ses compagnes étaient présentes.

— C'est vrai, dit Rachel timidement.

— Ah! cela vous va bien de donner des leçons de morale.

Angélique sentit l'intention malveillante mais ne la releva pas. Ces gens avaient raison d'être bouleversés.

— C'est en effet seulement quand on a l'expérience de la vie qu'on peut vraiment juger du comportement indécent ou non d'une jeune fille étourdie. Ce n'est pas une raison pour accuser des plus vils desseins l'équipage entier et aussi son capitaine...

Il y eut un murmure, Manigault se déplaça lourdement et vint se planter devant elle.

— Qui défendez-vous là, dame Angélique? demanda-t-il d'un ton froid. Un équipage de bandits et d'affreux paillards? Ou, presque pire, leur capitaine? L'homme suspect auquel vous nous avez livrés?

Elle fut abasourdie de l'entendre. Perdait-il la tête? Près de lui, les autres hommes tendaient les mêmes visages sévères et durs, et les lumières rares de l'entrepont accentuaient la fixité de leurs regards, sous leurs sourcils baissés, des regards implacables et justiciers qui réclamaient des comptes. Elle chercha Berne, et le vit debout parmi les autres, lui aussi glacé, soupçonneux.

Un mouvement d'impatience lui échappa. A force de ressasser leurs griefs et leurs appréhensions dans l'oisiveté forcée de la traversée, ils se cherchaient des ennemis. Il leur manquait peut-être d'avoir des papistes à maudire.

— Je ne défends personne. Je remets les choses à leur place. Bertille se serait conduite de cette même façon dans le port, qu'elle aurait couru les mêmes dangers. Elle a manqué de prudence et vous, ses parents, de vigilance. Quant à vous avoir livrés, *moi*?...

Son calme l'abandonna.

— Avez-vous déjà oublié pourquoi vous avez fui La Rochelle? Pourquoi vous êtes ici? Vous n'avez donc pas compris?... Vous étiez condamnés... tous!

Et elle leur jeta pêle-mêle ce qu'elle avait enduré entre les pattes de Baumier et de Desgrez. Les policiers savaient tout d'eux. La place des Huguenots était déjà marquée dans les cachots du Roi, sur les galères. Rien ne les aurait sauvés.

— ... Si vos frères vous ont trahis, vendus, n'en rejetez pas la faute sur ceux qui vous ont aidés. Je ne vous ai pas livrés... j'ai dû, au contraire, supplier le maître du *Gouldsboro* de vous prendre à son bord. Vous êtes assez au fait des choses de la mer pour mesurer ce que signifie l'embarquement de cinquante passagers supplémentaires sur un navire qui n'y était pas préparé. Ses hommes mangent du biscuit et des salaisons depuis le premier jour pour réserver les provisions fraîches à vos enfants.

— Et à nos femmes que réservent-ils? ricana l'avocat.

— Et pour lui-même, renchérit Manigault. Pousseriez-vous la naïveté, dame Angélique, jusqu'à croire qu'il nous aura rendu ce service sans réclamer une contrepartie?

— Certes non. C'est à vous d'en débattre avec lui.

— Traiter avec un pilleur d'épaves!

— Vous lui devez la vie, n'est-ce pas déjà beaucoup?

— Bast, vous exagérez!

— Non. Et vous le savez bien, monsieur Manigault. N'avez-vous pas rêvé à ce serpent qui vous étouffait et qui avait la tête du sieur Thomas, votre associé! Mais maintenant que vous avez échappé au plus grand danger, vous ne voudriez même pas avoir d'obligation de reconnaissance envers les êtres étrangers qui vous ont fait la grâce de vous sauver, vous le bourgeois le plus considéré et le plus craint de La Rochelle? Et pourquoi? Simplement parce qu'il n'est pas des vôtres, parce qu'il ne vous ressemble pas... Le Samaritain vous a secourus et il a pansé vos plaies, mais il n'en demeure pas moins un Samaritain à vos yeux de Lévites infaillibles. Que peut-il venir de bon de Samarie?...

Essoufflée, elle se détourna, hautaine.

« S'ils savaient quels liens m'attachent à lui, songeait-elle, ils me tueraient sans doute. J'y perdrais aussi le faible crédit que je peux encore avoir auprès d'eux... »

Malgré tout, ses paroles les ébranlaient. Son ascendant subsistait, combattant leur méfiance. Elle fut envahie d'une violente exaltation à la pensée qu'elle luttait pour *lui*, qu'elle avait à le défendre. Elle se rangeait d'emblée à ses côtés, bien qu'il la dédaignât, et elle essayerait d'étouffer les menaces qui pourraient s'élever contre lui. Une chose au moins la fortifiait. Les femmes n'avaient pas élevé la voix dans ce débat. Il leur était certes difficile de prendre parti. Le décor de leur univers avait basculé trop brusquement. Il y avait un peu de désarroi dans leur attitude et la difficulté de choisir entre les dangers du passé et ceux de l'avenir.

— Il n'en est pas moins vrai, grommela Manigault, après un silence tendu, que les projets de monseigneur le Rescator, à notre égard, sont plus que suspects. Le Gall est formel, et Briage et Charron... Mêlés à l'équipage, ils ont surpris des allusions qui ne nous laissent aucun doute. On ne nous emmène pas aux Iles. On n'en a jamais eu l'intention.

— On nous emmène peut-être en Chine, renchérit le médecin. Oui, certains des hommes semblent croire que le Rescator a découvert ce passage du Nord, vers la fabuleuse Cathay, le détroit qu'ont cherché en vain les navigateurs et les conquistadores...

Ils se regardèrent avec un nouvel effroi. Ils n'étaient pas au bout de leurs peines! Ballottés au sein des océans, ils se retrouvaient livrés à leurs seules forces.

Dans le silence, on entendit pleurer Bertille, et l'attention se reporta sur elle.

— Ma fille sera vengée, dit Mercelot. Si nous nous laissons faire et que le crime de ce Maure demeure impuni...

Il se tut brusquement, sur un signe de Manigault. Les hommes parlèrent à mi-voix un long moment. Angélique ne pouvait se dissimuler la gravité de la situation. Elle se sentait responsable.

Abaissant les yeux, elle eut pitié des enfants, dont les visages reflétaient l'inquiétude. Certains, cherchant secours contre l'effervescence et l'égarement des adultes, s'étaient assemblés comme des oisillons, les bras des aînés protégeant les plus petits. Elle s'agenouilla près d'eux, prit Honorine contre elle sous sa mante et s'évertua à les distraire en leur parlant des cachalots. Les matelots leur avaient promis de leur en montrer bientôt.

Ce fut elle enfin qui rappela aux mères surexcitées l'obligation de préparer au sommeil leur nichée. L'ordre se rétablit peu à peu. Bertille avait reconnu qu'en dehors de la frayeur affreuse qu'elle avait éprouvée en se sentant emportée dans les bras puissants du Nègre, elle ne se souvenait pas de grand-chose, sauf d'un vague regret et qu'elle ne souffrait de nulle part.

Le pasteur Beaucaire se tenait à l'écart, Abigaël près de lui.

Ayant couché sa fille, Angélique vint vers eux.

— Oh! Pasteur, murmura-t-elle épuisée. Que pensez-vous de tout cela? Pourquoi les épreuves du doute et de la discorde s'ajoutent-elles à celles que nous devons subir? Parlez-leur.

Le vieil homme gardait sa sérénité.

— Nous sommes au centre d'un tourbillon, dit-il, j'écoute et je n'entends que des clameurs incohérentes. Les paroles sont d'un faible poids contre le mur des passions dressées. Il vient un jour où le meilleur et le pire doivent s'affronter dans le cœur des hommes. Pour certains, ce jour est venu... Je ne peux que prier en attendant l'issue de ce combat du Bien avec le Mal. Cela ne date pas d'aujourd'hui.

Lui seul, le vieux pasteur, un peu plus maigre et blanchi par les fatigues du voyage, ne changeait pas.

— Votre sagesse est grande, pasteur.

— J'ai beaucoup été en prison, dit le vieil homme avec un soupir.

S'il avait été un ministre de sa propre religion, elle aurait aimé se confesser à lui et, sous le sceau du secret sacramental, lui dire toute la vérité et lui demander conseil. Mais même ce secours spirituel lui était refusé.

Elle se tourna vers Abigaël dont l'attitude reflétait celle de son père. Sérénité, patience.

— Abigaël, que va-t-il se passer? Où nous mènera cette haine qui est en train de s'élever entre nous?

— La haine est souvent le fruit de la souffrance, murmura la jeune fille.

Ses yeux résignés regardaient quelqu'un au delà d'Angélique.

La silhouette massive de Gabriel Berne se découpait noire dans le halo des lanternes.

Angélique voulut l'éviter, mais il la suivit et, implacable, l'obligea à se retirer avec lui vers l'extrémité obscure de l'entrepont. A l'écart ils pourraient échanger quelques mots, ce qui leur était rarement possible dans cette cohue perpétuelle...

— Ne vous dérobez pas encore une fois. Vous me fuyez. Les jours passent et je n'existe plus à vos yeux!...

C'était vrai.

Chaque jour, Angélique se sentait envahie dans tout son être par la personnalité, la présence de celui qu'elle avait aimé, qu'elle aimait toujours et auquel elle était liée en dépit de tout. Il ne pouvait plus y avoir de place en elle pour un autre homme, ne serait-ce qu'une trace d'intérêt sentimental, et elle avait, sans presque s'en rendre compte, laissé Abigaël se préoccuper de la santé de maître Berne dont les blessures l'avaient tant inquiétée au début du voyage.

Maintenant, il était guéri, puisqu'il se tenait debout, sans gaucherie apparente dans ses mouvements.

Il l'avait prise par les bras, fermement, et elle voyait briller ses yeux sans parvenir à distinguer les traits de son visage. La fièvre inusitée de ce regard était la seule chose qui le différenciait de l'homme près duquel elle avait vécu si paisiblement à La Rochelle. Mais cela suffisait pour qu'elle ressentît désormais une gêne à le voir s'approcher d'elle. De plus, sa propre conscience lui adressait des reproches.

— Ecoutez-moi, dame Angélique, reprit-il d'un ton mesuré, il faut que vous choisissiez! Celui qui n'est pas avec nous est contre nous. Avec *qui* êtes-vous?

Elle riposta promptement.

— Je suis avec les gens de bon sens contre les imbéciles.

— Vos mots d'esprit de salon ne sont pas de mise ici. Et vous le savez vous-même. Quant à moi, certes, je n'ai pas le cœur à en rire. Répondez-moi sans plaisanter.

Et il crispa ses doigts sur ses bras au point de la faire hurler. Décidément, il était bien remis de ses blessures. Il avait retrouvé toute sa vigueur.

— Je ne plaisante pas, maître Berne. Devant la panique qui est en train de vous saisir tous et qui peut vous mener à des actes regrettables, je suis pour ceux qui, sans se leurrer sur les difficultés qui les attendent, font cependant confiance à l'avenir et ne se mettent pas la tête à l'envers en affolant jusqu'à nos enfants.

— Et si un jour nous nous apercevons que nous avons été trompés, il sera alors bien temps de regretter notre naïveté. Connaissez-vous les intentions de ce chef de pirates qui vous subjugue tant? Vous les a-t-il seulement communiquées? J'en doute fort. Quel accord pouvez-vous avoir conclu avec lui?

Il la secouait presque, mais elle était trop tourmentée elle-même pour s'en apercevoir.

« Que sais-je de lui, en effet? se disait-elle. A moi aussi, il m'est inconnu. Trop d'années se sont écoulées entre l'homme que je croyais connaître et celui à qui nous nous sommes confiés aujourd'hui. Sa réputation en Méditerranée? Elle n'était pas rassurante... Le Roi envoyait ses galères contre lui. Serait-il possible qu'il soit devenu réellement un homme sans scrupules. chargé de forfaits et de crimes? » Elle restait muette.

— Pourquoi refuse-t-il de nous recevoir, insistait Berne, et pourquoi répond-il par le mépris à nos réclamations? Vous croyez en lui? Vous ne pouvez pourtant pas garantir ses actes.

— Il a accepté de vous embarquer à une heure où vos vies étaient menacées : cela suffit!

— Vous le défendrez toujours, je vois, gronda-t-il, même s'il nous vendait comme esclaves. Mais par quel sortilège a-t-il pu vous transformer ainsi? Quels liens, quel passé peuvent faire de vous sa créature, vous que rien n'atteignait dans votre intégrité... quand nous étions... à La Rochelle.

Le nom tomba entre eux, ressuscitant la douceur des jours où, dans le calme de la maison des Berne, Angélique comme une louve blessée avait pansé ses plaies. Ces doux souvenirs devaient avoir pour le Protestant une saveur déchirante et ineffable.

Angélique était chez lui et il ne savait pas alors qu'elle portait en elle, dans son sourire lumineux, tous les délices de la terre.

Monde insoupçonné de lui — relégué plutôt, se disait-il — au fond d'un cœur trop sûr de lui-même et qui ne voulait voir dans le piège de la femme que le danger, que l'Eve tentatrice et coupable. Méfiance, prudence, léger mépris avaient été sa règle. Maintenant, il savait — parce qu'un ravisseur lui avait arraché ce trésor près duquel les richesses matérielles qu'il avait perdues ne comptaient plus. Chaque jour de cet infernal voyage creusait en lui une blessure insupportable. Il haïssait l'homme énigmatique et paré d'un charme insolite, qui n'avait qu'à s'avancer pour que l'on vît se tourner vers lui, comme un vol de mouettes, les têtes féminines. « Toutes des femelles sans âme, se disait-il outré. Même les meilleures... même celle-ci. » Et il étreignait Angélique malgré sa réticence. La rage décuplait ses forces et le désir l'étourdissait au point qu'il n'entendait pas les paroles qu'elle lui disait en essayant en vain de le repousser. Le mot : « scandale » parvint enfin à son entendement.

— Est-ce qu'un scandale ne suffit pas pour ce soir? suppliait Angélique. Par pitié, maître Berne, reprenez-vous... Soyez fort. Dominez-vous. Soyez un chef et un père.

Il ne savait qu'une chose, c'est qu'elle lui refusait ses lèvres, qu'elle aurait pu consentir à lui donner dans l'ombre.

— Pourquoi vous défendez-vous avec tant d'âpreté? souffla-t-il. N'y a-t-il pas eu entre nous promesse de mariage?

— Non, non. Vous vous êtes mépris. Cela est impossible. Cela ne se fera jamais. Maintenant je n'appartiens qu'à lui. A lui...

Il laissa retomber ses bras, comme frappé mortellement.

— Un jour, je vous expliquerai tout... reprit-elle voulant atténuer l'effet de sa déclaration, vous comprendrez que les liens qui m'unissent à lui... ne sont pas de ceux qu'on peut rompre...

— Vous êtes une misérable!

Sa haleine était brûlante. Ils chuchotèrent, ne pouvant élever la voix.

— Pourquoi avez-vous fait tout ce mal? Tout ce mal?

— Quel mal? dit-elle dans un sanglot. J'ai cherché à sauver vos vies au risque de la mienne.

— C'est encore pire.

Il eut un geste de malédiction. Il ne savait plus ce qu'il voulait exprimer. Le mal qu'elle lui avait fait en étant si belle, en étant elle-même, en étant justement cette femme capable de s'immoler pour d'autres et en s'éloignant de lui après lui avoir fait entrevoir le paradis de la posséder et de l'avoir pour compagne.

Angélique, sur sa couche, gardait les yeux grand ouverts. Autour d'elle les conversations avaient fini par s'éteindre. Une seule chandelle veillait sous le plafond bas, aux grosses poutrelles garnies d'anneaux et de crochets.

« Il faut absolument que j'explique à Gabriel Berne les liens qui m'unissent à Joffrey de Peyrac. C'est un homme droit et respectueux des sacrements. Il s'inclinera, tandis que me croyant seulement subjuguée par un aventurier, il est capable de se livrer aux pires extrémités pour m'arracher à son emprise. »

Si elle n'avait pas parlé tout à l'heure, c'était par crainte de déplaire aux ordres que lui avait donnés celui qu'elle persistait à considérer comme son mari. Il lui avait dit : « Ne parlez pas ».

Et, pour rien au monde, elle n'eût osé contrevenir à cette consigne prononcée d'une voix étrangère et qui lui faisait passer un frisson dans le dos.

« Ne parlez pas. J'ai besoin que vous les surveilliez... S'ils savaient, ils vous prendraient pour ma complice... » Et, malgré ses propres dénégations à elle, en face des Protestants, elle ne pouvait s'empêcher de se torturer l'esprit pour essayer de découvrir le sens de ces inquiétantes paroles...

« S'il était vrai qu'il nous eût trompés... que ses projets soient criminels... qu'il n'ait plus de cœur... ni pour moi... ni pour personne... »

Le temps, en s'écoulant, loin de faire entre eux la lumière, épaississait l'obscurité.

« Ah! qu'il me fait peur! et qu'il m'attire! »

Elle fermait les yeux, renversait la tête comme elle l'eût fait dans l'abandon, contre la dure paroi de bois. Derrière ce rempart battait la mer, incessante et indifférente.

« Mer... Mer qui nous emporte, écoute-nous... Mer... rapproche-nous. »

Pour rien au monde elle n'eût souhaité être ailleurs. Regrettait-elle de ne plus être la jeune comtesse de Peyrac, dans son château, entourée d'hommages et de richesses? Assurément non. Ce qu'elle préférait, c'était d'être là, sur un navire sans nom et sans but, car ce cauchemar avait une saveur de merveilleux. Elle vivait quelque chose d'épouvantable et de magnifique à la fois qui écartelait son être. Sous la trame des incertitudes et des angoisses, elle gardait l'espoir de l'amour, un amour tel et si différent de ce qu'elle avait connu jusqu'alors, qu'il valait bien la peine d'être enfanté dans une telle douleur.

Dans la transparence du sommeil, elle percevait les liens de réalités invisibles à ses yeux quand elle était éveillée.

Car ce navire portait l'amour comme il portait la haine. Angélique se voyait s'élançant, grimpant à travers des échelles interminables qui s'élevaient et se balançaient dans la nuit. Une force surhumaine la poussait vers lui. Mais une vague géante la saisissait et la projetait dans une soute béante et plus noire encore. Elle recommençait à s'accrocher à des échelons sans nombre, sa peur aggravée par la sensation lancinante qu'elle avait aussi perdu quelque chose de très précieux qui, seul, aurait pu la sauver.

C'était crucifiant : cette tempête au-dehors, ce double noir des soutes ouvertes sous ses pieds, et de la nuit au-dessus, où elle était lancée et rejetée par le roulis perpétuel et, surtout, ce sentiment intolérable de rechercher en elle le sésame qui lui donnerait la clé du songe et le moyen de s'en extirper.

Soudain, elle trouva : l'amour. L'amour dépouillé des herbes vénéneuses de l'orgueil et de la crainte. Sous ses doigts, les échelles de bois devenaient des épaules dures et inflexibles auxquelles elle s'accrochait, défaillante. Une faiblesse gagnait ses jambes. Plus rien ne la soutenait au-dessus du vide que des bras qui l'enserraient jusqu'à la douleur. Et elle était liée à lui comme une liane flexible à un tronc solide. Elle ne vivait plus par elle-même. Des lèvres étaient sur les siennes et elle y puisait son souffle avidement. Sans le baiser de ses lèvres, elle serait morte. Son corps entier avait soif de l'intarissable don d'amour que la bouche invisible lui dispensait. Toutes ses défenses étaient tombées. Son corps abandonné et livré à la violence exigeante d'un baiser d'amour était comme une algue flottant dans les courants d'une nuit sans fin. Mais plus rien n'existait que l'attouchement de deux lèvres chaudes qu'elle reconnaissait... oh! oui, elle les reconnaissait...

Elle s'éveilla en sueur, haletante, et, redressée sur sa couche, resta la main posée sur sa poitrine à comprimer les battements de son cœur, bouleversée d'avoir pu éprouver, par le truchement d'un rêve qui arrachait tous les voiles, une sensation de volupté si puissante. Cela ne lui était pas arrivé depuis très longtemps.

C'était sans doute à cause de ce qui s'était passé dans la cale. La mélopée rituelle du primitif berçant l'accomplissement de son désir rôdait partout, se mêlant aux râles de la mer et hantant les songes des êtres endormis.

Encore en transe, elle regarda autour d'elle et distingua avec terreur à son chevet la forme d'un homme à genoux : Gabriel Berne.

— Est-ce vous, balbutia-t-elle. Est-ce vous qui... M'avez-vous... M'avez-vous embrassée?...

Il répéta le mot à mi-voix, avec stupeur et secoua la tête.

— Je vous ai entendue gémir dans votre sommeil. Je ne pouvais dormir. Je suis venu.

L'obscurité lui avait-elle caché son extase inconsciente? Elle dit :

— J'ai rêvé, ce n'est rien.

Mais il se rapprocha, sur les genoux, plus près encore.

Tout son corps à elle respirait l'amour insensé qu'elle venait d'éprouver, et dans l'état où il se trouvait il ne pouvait que subir l'attirance d'un appel vieux comme le monde.

Des bras reprenaient Angélique, mais cette fois ce n'était plus un songe et ce n'était pas *lui*. Elle était assez éveillée pour le savoir. Malgré la fièvre dont elle était encore la proie, son esprit retrouvait assez de lucidité pour refuser l'étreinte étrangère. Elle supplia :

— Non.

Mais elle était comme paralysée. Elle se souvenait que maître Berne était terriblement fort. Elle l'avait vu étrangler un homme.

Appeler! Sa gorge serrée ne laissait jaillir aucun son. Et d'ailleurs, c'était tellement affreux et inconcevable qu'elle ne pouvait croire à son acte.

Elle essaya de se débattre.

« Nous devenons tous fous sur ce bateau », songea-t-elle désespérée.

La nuit les couvrait, la prudence des gestes cachait leur but, mais elle voyait l'homme progressant vers elle avec une ténacité silencieuse.

Elle eut encore un sursaut, frôla une main nue contre sa joue et, tournant la tête, mordit de toutes ses forces. Il chercha d'abord à lui faire lâcher prise et n'y parvenant pas, il gronda sourdement de douleur : « Chienne sauvage ».

Le sang coulait dans la bouche d'Angélique. Quand elle desserra enfin l'étau de ses dents, Gabriel Berne se ployait en deux, sous l'effet de la souffrance.

— Allez-vous-en, souffla-t-elle. Eloignez-vous de moi... Comment avez-vous osé? A deux pas de nos enfants!...

Il recula.

Dans son hamac, la petite Honorine se retourna. Une vague frappa contre le sabord un coup sourd. Angélique retrouvait son souffle. La nuit finirait bien par s'écouler et le jour par se lever. Inévitables étaient les heurts au cours d'une traversée dans ce carcan de chêne d'un bateau où se trouvaient rassemblés de force des êtres violents à l'avenir incertain. Mais son esprit se calmait plus vite que son corps. Elle demeurait troublée, ne pouvait oublier que, quand elle s'était éveillée, elle était en proie au désir.

Elle attendait un homme. Mais pas celui-là. De celui qu'elle aimait elle était séparée et elle lui tendait les bras. « Prends-moi contre toi... Délivre-moi, toi si fort... Pourquoi t'ai-je perdu? Si tu me repousses, j'en mourrai! »

Elle balbutiait des mots tout bas, berçant contre elle la chaleur de ses élans retrouvés. Comment avait-elle pu demeurer glacée devant lui? Est-ce ainsi que se comporte une femme amoureuse? Lui aussi avait pu croire qu'elle ne l'aimait plus. Mais, dans son rêve, elle avait reconnu ses lèvres.

Les baisers de Joffrey! Comment avait-elle pu les oublier? Elle se souvenait de sa surprise, à son premier baiser, jadis, puis de son éblouissement. Longtemps, jeune femme, elle avait préféré ce vertige plus doux des lèvres, à celui de la possession. Dans ses bras, sous sa bouche, elle goûtait à cet anéantissement de l'amante qui n'est plus rien qu'un bonheur sans nom, par la grâce du bien-aimé.

Par la suite, aucunes lèvres d'homme n'avaient su la combler à ce point. Elle jugeait le baiser comme une intimité qu'elle n'avait pas le droit de partager avec un autre que lui. A la rigueur l'acceptait-elle comme les préliminaires indispensables d'une aventure plus poussée.

Des baisers qu'on lui prenait, elle se hâtait de glisser vers l'aboutissement des rites, le plaisir auquel elle se savait habile et ardente. Des amants l'avaient contentée, mais des lèvres d'aucun elle ne se souvenait avec agrément.

Tout au long de sa vie, elle avait gardé pour elle, et presque sans le savoir, la qualité unique de ces baisers dévorants et merveilleux qu'ils échangeaient, riant et jamais rassasiés, au temps si lointain de Toulouse... et que le sommeil qui, parfois, dépouille de tous les voiles, venait de lui rendre comme par miracle.

22

Et il était là, si sombre sous son masque, qu'on aurait dit un homme d'acier, dans le matin blême, embrumé par la fumée des chandelles éteintes.

Apparition subite qui laissait les passagers

inquiets. Ils s'éveillaient à peine de leur lourd sommeil ballotté. Ils avaient froid. Des enfants toussaient et claquaient des dents.

Des matelots armés de mousquets entouraient le Rescator.

Il promena sur les émigrants son regard qui semblait plus perçant d'être dissimulé entre les fentes du masque.

— Les hommes! Veuillez vous rassembler et monter sur le pont.

— Que voulez-vous de nous? demanda Manigault en bouclant sa redingote froissée.

— Vous le saurez tout à l'heure. Rangez-vous par là, je vous prie.

Il remonta la travée en examinant les femmes. Devant Sarah Manigault, il quitta sa raideur pour la saluer avec courtoisie.

— Madame, je vous serais également obligé de bien vouloir nous accompagner, ainsi que vous, madame, ajouta-t-il tourné vers la femme du papetier.

Ce choix et ce cérémonial spécial n'étaient pas sans troubler les plus courageuses.

— C'est bon, je viens, se décida Mme Manigault en se drapant dans son châle noir. Mais je voudrais bien savoir ce que vous nous réservez.

— Rien d'agréable, madame, je vous le confirme, et j'en suis le premier marri, mais il faut que vous soyez présente.

Il s'arrêta encore devant tante Anna et devant Abigaël, les invitant d'un geste à aller se ranger près du groupe des hommes qui attendaient encadrés par les matelots en armes.

Puis il marcha jusqu'à Angélique, muette d'appréhension. Il affecta une révérence plus profonde et un sourire plus ironique.

— Madame, vous aussi, ayez l'obligeance de me suivre.

— Que se passe-t-il?

— Accompagnez-moi et votre curiosité sera satisfaite.

Elle se tourna vers Honorine pour la prendre dans ses bras, mais il s'interposa.

— Non. Pas d'enfants sur le pont. Croyez-moi. Le spectacle n'est pas pour eux.

Honorine se mit à hurler en donnant toute sa voix. Alors, le Rescator eut un geste inattendu. Il plongea la main dans l'aumônière de cuir, pendue à sa ceinture, et en retira un saphir bleu, gros comme une noisette et qui jetait des feux surprenants. Il le tendit à l'enfant. Honorine se tut, subjuguée. Elle s'empara du saphir et ne vit plus rien autour d'elle.

— Quant à vous, reprit-il en s'adressant de nouveau à Angélique, venez et ne vous imaginez pas que votre dernière heure est arrivée. Vous serez de retour, près de votre fille, sous peu.

Sur le pont du gaillard d'avant, l'équipage était rassemblé. Parmi le bariolage des vêtements dont le choix était laissé à la fantaisie de chacun, on distinguait nettement les Méridionaux aux ceintures et aux foulards vifs, les Anglo-Saxons en bonnets de laine et dont beaucoup portaient des gilets de fourrure. Deux Noirs, un Arabe tranchaient près des visages rousselés aux cheveux pâles des Anglais. Cependant, le quartier-maître et ceux qui avaient la responsabilité de chaque équipe de gabiers étaient vêtus, ce matin-là, de redingotes rouges soutachées de galons d'or, dont l'uniforme soulignait leur rôle de sous-officiers à bord.

L'Indien au teint de cuivre, près de Nicolas Perrot barbu et poilu, achevait de compléter un tableau des races humaines qui ne manquait pas de pittoresque.

Angélique ne les aurait pas crus si nombreux. Le plus souvent dispersés dans les vergues et les haubans, on s'habituait à ne connaître d'eux que des silhouettes simiesques et agiles, perdues dans la haute forêt des bois et des voiles, leur domaine, dont les éclats de rire, les appels et les chants passaient au-dessus des têtes.

Redescendus aujourd'hui de leurs hauteurs, ils semblaient mal à l'aise sur le plancher, pourtant mouvant, du pont. Ils perdaient la légèreté stupéfiante et acrobatique de « ceux des voiles », redevenaient soudain gauches et empruntés. On voyait qu'ils avaient tous des faces profondément marquées, plutôt graves que riantes et leurs yeux à tous, clairs ou sombres, avaient ce feu particulier des regards habitués à sonder l'horizon, à se méfier, tandis que l'arcade sourcilière s'avance et les abrite de l'éclat du soleil.

Angélique devina que ses compagnes étaient, comme elle, péniblement impressionnées. C'est une chose que de voir de joyeux marins déambulant sur les quais de La Rochelle, c'en est une autre que de les découvrir sous le ciel de leur solitude, séparés de toutes les douceurs de la terre et, par cela même, plus âprement hommes que tous ceux qui, chaque jour, côtoient dans les rues des femmes et des enfants, et s'asseyent le soir à leur foyer. Elles éprouvaient, à les voir ainsi face à face, de la pitié et de l'effroi. C'étaient des gens d'une autre espèce humaine. Pour eux, seul le métier de mer comptait, les terriers leur étaient complètement étrangers.

Le vent s'engouffrait dans le grand manteau sombre du Rescator. Il s'était placé un peu en avant. Elle pensa qu'il était le maître de ces hommes étranges et étrangers, qu'il réussissait à faire plier les fortes têtes, à se faire entendre des plus ténébreux esprits enfermés dans ces corps grossiers.

Quel ascendant ne fallait-il pas posséder sur la

vie, les éléments et sur soi-même, pour s'imposer à ces cœurs errants, ces cervelles brûlées, ces insociables, ennemis de toute la terre?

Le vent et sa grande symphonie dans les cordages étaient les seuls bruits à régner sur le navire. Les hommes, immobiles et les yeux baissés, paraissaient pétrifiés par un inexplicable sentiment commun à eux seuls. Leur accablement finissait par gagner même les Protestants, les terriens, rassemblés à l'autre bout du pont, près de la balustrade.

Ce fut vers eux que se tourna le Rescator, lorsqu'il parla.

— Monsieur Mercelot, hier soir vous réclamiez justice pour l'outrage dont votre fille avait été victime. Soyez satisfait. Justice est faite.

Il eut un geste qui leur fit à tous lever les yeux. Un murmure d'horreur leur vint aux lèvres.

Au-dessus d'eux, pendu à la vergue du mât de misaine, à trente pieds, un corps se balançait doucement.

Abigaël voila son visage de ses mains. Sur un signe, la corde qui retenait le condamné se déroula vivement. Le cadavre atterrit au milieu du pont, et resta là, étendu, sans vie.

Les lèvres tuméfiées du Maure Abdullah découvraient en s'entrouvrant l'éclat de ses dents blanches. La même clarté, morte et nacrée, filtrait sous ses paupières à demi closes. Ses membres puissants avaient l'abandon du sommeil, mais sa chair avait pris une teinte grisâtre et la vue de sa nudité faisait frissonner tous les spectateurs sous le vent glacial du matin.

Angélique revoyait l'homme nu, prosterné dans sa misère, et elle entendait sa voix rauque lorsqu'il avait murmuré en arabe, aux pieds de son maître.

« J'ai porté la main sur toi, mais c'est ta main qui me punira. Allah soit loué! »

Les deux Noirs s'avancèrent en murmurant un chœur aux répons nostalgiques et rapides. Ils soulevèrent le corps de leur frère, lui ôtèrent la corde infamante et, le portant, s'éloignèrent en direction du beaupré. La haie des matelots se referma sur eux.

Le Rescator demeurait tourné vers les Protestants.

— Maintenant, il faut que vous sachiez une chose, et une fois pour toutes. J'ai fait pendre cet homme, non pas parce qu'il avait attenté à la vertu de votre fille, monsieur Marcelot, mais parce *qu'il m'avait désobéi*. Lorsque vous êtes montés à mon bord vous, vos femmes et vos enfants, j'ai donné un ordre formel à mon équipage. Aucun de mes hommes ne devait s'approcher des femmes et des filles et leur manquer de respect... sous peine de mort. En passant outre, Abdullah savait donc ce qu'il risquait. Maintenant, il a payé.

Il s'avançait vers eux, se plantait devant Manigault et examinait tour à tour, Berne, Mercelot, le pasteur Beaucaire, que l'attitude générale de leurs compagnons semblait désigner comme les chefs de la communauté. Dans l'entrebâillement de son manteau rejeté par le vent, l'on apercevait ses mains gantées se crisper sur les crosses des deux pistolets passés à sa ceinture.

— Je veux ajouter ceci, continua-t-il du même ton lourd de menace, afin que vous en fassiez votre profit.

» Messieurs, vous êtes rochelais, vous connaissez les lois de la mer. Vous n'ignorez pas que sur le *Gouldsboro*, je suis le seul maître après Dieu. Tous à bord, officiers, hommes d'équipage, passagers me doivent obéissance. J'ai pendu ce Maure, mon fidèle serviteur, parce qu'il avait contrevenu à mes ordres... Et si *vous* y contrevenez, un jour, sachez que *vous aussi* je vous pendrai...

23

Elle le regardait éperdument, elle le dévorait des yeux. Comme il était seul!

Seul dans le vent. Ainsi qu'elle l'avait vu seul sur la lande.

Seul comme le sont les hommes qui ne ressemblent pas aux autres.

Et, pourtant, il portait sa solitude avec la même aisance que son grand manteau noir dont il savait si bien faire flotter les lourds plis dans le vent.

Toutes les charges de la vie, il les avait portées ainsi sur ses épaules d'homme et, pauvre ou riche, puissant ou banni, malade ou vigoureux, c'était ainsi qu'il avait mené son existence sans fléchir ni se plaindre à quiconque, et elle savait que c'était en cela que résidait sa noblesse.

Il resterait toujours un grand seigneur.

Et elle avait envie de courir vers cette force inaltérable pour qu'il la soutînt dans sa propre faiblesse, et aussi de l'attirer à elle, pour qu'il se reposât enfin.

Un coup de sifflet avait dispersé l'équipage. Les hommes s'égaillaient dans la mâture. De la dunette, le capitaine Jason criait ses ordres dans son porte-voix de cuivre.

Les vergues se couvraient de toiles. Le tableau reprenait vie.

Sans un mot, les Protestants avaient quitté le pont. Angélique ne les avait pas suivis. En cet instant, il n'y avait plus qu'elle et lui et l'horizon sans fin autour d'eux.

Lorsqu'il se retourna, Joffrey de Peyrac la vit.

— Banale aventure en mer que celle d'une exécution d'exemple pour maintien de la discipline générale, dit-il. Il n'y a pas de quoi s'émouvoir, madame. Vous qui avez navigué en Méditerranée, aux mains des pirates et des marchands d'esclaves vous devriez le savoir.

— Je le sais.

— Le pouvoir a des servitudes. La discipline est une œuvre rude à forger, puis à tenir.

— Je sais cela aussi, dit-elle.

Et elle se rappela avec étonnement qu'elle avait été chef de guerre et qu'elle avait mené des hommes au combat.

— Le Noir aussi le savait, reprit-elle songeuse. J'ai compris ce qu'il vous disait hier soir, lorsque nous l'avons surpris.

Et, soudain, l'impudeur de la scène qui leur était apparue et son atmosphère ardente et insolite se recomposaient devant elle et amenaient une coloration vive et troublée à ses joues.

Elle se rappelait tout à coup qu'elle avait tendu la main et serré le bras de celui qui était à ses côtés. Elle ressentait encore au creux de la paume la sensation de la chair musclée, dure comme le bois, sous l'étoffe du pourpoint. Son amour!

Il était là! Les lèvres auxquelles elle avait rêvé gardaient, sous la rigidité du masque, leur modelé chaleureux et vivant.

Elle n'avait plus à poursuivre désespérément l'image fuyante d'un souvenir.

Il était là!

Tout ce qui les séparait n'était que vétilles. Cela tomberait de soi.

La certitude d'une réalité trop longtemps poursuivie en rêve la pénétrait d'un bonheur intense. Elle se tenait devant lui, sans oser bouger, aveugle à tout ce qui n'était pas lui.

A l'autre bout du navire on jetterait ce soir aux flots le corps du supplicié.

L'amour... la mort. Le temps continuait de tisser

sa toile, d'enchevêtrer dans les fils des destinées ce qui crée la vie et ce qui la détruit.

— Je crois qu'il serait bon que vos regagniez votre logis, dit enfin Joffrey de Peyrac.

Elle baissa les yeux, montrant d'un signe qu'elle avait compris et qu'elle était docile.

Certes, tous les obstacles n'étaient pas encore tombés entre eux. Mais ce n'était que minuscules détails. Déjà étaient tombées les murailles les plus infranchissables, celles derrière lesquelles elle n'avait cessé de l'appeler en se tordant les mains : celles de la mort et de l'absence.

Qu'importait le reste. Un jour, leur amour ressusciterait, lui aussi.

Mme Manigault se tourna brusquement vers Bertille et la gifla à bout portant.

— Sale petite punaise! Vous voilà satisfaite maintenant. Vous avez la mort d'un homme sur la conscience.

Ce fut un beau tapage. Malgré la considération qu'elle devait à la femme de l'armateur, Mme Marcelot prit fait et cause pour sa progéniture.

— Vous avez toujours été jalouse de la beauté de ma fille, alors que les vôtres...

— Si belle qu'elle soit, votre Bertille, elle n'avait pas à faire des effets de corsage devant un Nègre. C'est à croire que vous n'avez jamais vécu, ma commère!...

On les sépara, non sans peine.

— Tenez-vous tranquilles, les femmes! gronda Manigault. Ce n'est pas en vous arrachant vos coiffes que vous nous aiderez à sortir de ce guêpier.

Il ajouta, tourné vers ses amis :

— J'ai cru ce matin, quand il s'est présenté, qu'il avait découvert ce que nous préparions. Heureusement, il n'en est rien.

— Il n'en soupçonne pas moins quelque chose, grommela l'avocat soucieux.

Ils se turent parce qu'Angélique paraissait. Les portes se refermèrent derrière elle, et l'on entendit le bruit des chaînes qui les cadenassaient.

— Aucune illusion à se faire. Nous sommes de vulgaires prisonniers! dit encore Manigault.

Gabriel Berne était absent. Deux matelots l'avaient retenu au-dehors, chargés de le conduire, très respectueusement, mais sûrement, devant monseigneur le Rescator.

« C'est étrange, songeait-il. Tout à l'heure, quand je lui parlais, elle a eu pour moi un vrai regard d'amoureuse. Peut-on se tromper à un tel regard? »

Il en était encore à méditer cette minute incomparable, si fugitive qu'il doutait de l'avoir vécue, lorsque le Huguenot entra.

— Prenez place, monsieur, dit Joffrey de Peyrac, en lui désignant un siège en face de lui.

Gabriel Berne s'assit. La courtoisie de son hôte ne lui disait rien qui vaille et il avait raison.

Après un assez long silence, où les adversaires s'observaient, le duel commença.

— Où en sont vos projets de mariage avec dame Angélique? demanda la voix sourde qui se nuançait de moquerie.

Berne ne broncha pas. Avec déplaisir, Peyrac nota sa maîtrise. « Le gros bourdon n'esquive pas les pointes, se dit-il. Il ne les rend pas non plus. Mais qui sait si sa pesanteur ne finira point par m'entraîner et me faire trébucher ».

Enfin, Berne secoua la tête.

— Je ne vois pas la nécessité de parler de ces choses, dit-il.

— Moi si. Je m'intéresse à cette femme. J'aime donc à en parler.

— Lui proposeriez-vous aussi le mariage? fit Berne, à son tour, moqueur.

— Certes non.

Le rire de son interlocuteur était incompréhensible pour le Huguenot et décuplait sa haine. Cependant il demeura calme.

— Vous désiriez peut-être savoir par moi, en me faisant appeler, monsieur, si dame Angélique succombait à votre cynisme et était prête à détruire sa vie et ses amitiés pour vous complaire?

— Il y avait, en effet, un peu de cela dans mon intention. Eh bien, que répondez-vous?

— Je lui crois trop de raison pour se laisser prendre à vos pièges, affirma Berne avec d'autant plus de véhémence qu'il doutait, hélas, de ses propres paroles. Elle a cherché près de moi l'oubli de sa vie tourmentée. Elle connaît trop le prix de la paix. Elle ne peut jeter au vent tout ce qui nous lie. Les jours d'amitié, d'entente, d'entraide... J'ai sauvé la vie de sa fille.

— Ah! eh bien, moi aussi. Nous voici donc rivaux pour deux femmes au lieu d'une.

— La petite compte beaucoup, fit Berne menaçant, comme s'il brandissait un épouvantail. Dame Angélique ne la sacrifiera jamais! pour personne.

— Je sais. Mais j'ai là de quoi séduire les jeunes damoiselles.

Rabattant le couvercle d'un coffret, il fit glisser entre ses doigts, avec amusement, des bijoux.

— J'ai cru comprendre que l'enfant était sensible au scintillement des pierres précieuses.

Gabriel Berne serra les poings. Il ne pouvait échapper à la certitude, lorsqu'il se trouvait en face d'un tel homme, d'avoir affaire à un être infernal. Il le rendait responsable du mal qu'il sentait en lui-même et du malaise persistant qu'il éprouvait à se retrouver parmi ses démons. Le souvenir cuisant du bref drame, qui s'était déroulé la nuit passée entre Angélique et lui, le hantait au point qu'il n'avait assisté qu'en automate à l'exécution du Maure.

— Comment vont vos blessures? interrogea doucereusement Joffrey de Peyrac.

— Je ne m'en ressens pas, répondit-il brièvement.

— Et celle-ci? demanda encore le démon, en désignant le chiffon rougi dont était enveloppée la main du marchand déchiquetée par les dents de la jeune femme.

Berne devint pourpre et se dressa. Joffrey de Peyrac fit de même.

— Morsure de femme, murmura-t-il, plus venimeuse au cœur qu'à la chair.

En exaspérant cet homme humilié, Joffrey savait qu'il commettait une erreur grave. Il avait aussi manqué de la plus élémentaire prudence en faisant amener Berne devant lui, mais il avait ce matin remarqué la main bandée et il n'avait pu résister au désir de vérifier une hypothèse qui se révélait juste.

« Elle l'a repoussé, se disait-il avec jubilation, elle l'a repoussé. Il n'est donc pas son amant! » Satisfaction qu'il faudrait certes payer très cher, Berne n'oublierait pas, Berne se vengerait. Dans ses yeux de commerçant rusé, s'accumulait une implacable rancune.

— Que croyez-vous avoir deviné, monseigneur?

— Ce que vous ne niez pas vous-même, maître Berne. Dame Angélique est farouche.

— Y verriez-vous le triomphe de votre cause? Vous risqueriez alors de vous tromper. Je serais étonné qu'elle vous ait accordé à vous ce qu'elle refuse à tous les hommes.

« Touché », pensa Joffrey de Peyrac, en se remémorant le recul d'Angélique entre ses bras.

Il surveillait avec attention le visage redevenu impassible de son adversaire.

« Que sait-il sur elle, que moi j'ignore? »

Berne avait senti son fléchissement. Il voulut pousser son avantage. Il parla. Sa voix recomposait l'horreur d'un récit dont l'époque n'était pas chiche. Un château en flammes, des serviteurs massacrés, une femme meurtrie, violentée par des soudards, portant entre ses bras un enfant égorgé. Depuis l'affreuse nuit, la même femme ne pouvait accueillir l'amour, sans revivre les atrocités subies. Il y avait pire. L'enfant, sa fille, était née de ce crime. Elle ignorerait toujours lequel de ces mercenaires puants en était le père.

— D'où tenez-vous une telle fable? demanda brusquement l'homme masqué.

— De sa bouche à elle. De sa bouche même.

— Impossible.

Berne, déjà, pouvait savourer sa vengeance. Son adversaire, devant lui, chancelait, bien qu'il demeurât droit et ne manifestât pas d'émotion apparente.

— Les dragons du Roi, dites-vous? Ce sont des ragots d'ignorant. Car une femme de sa qualité, amie de Sa Majesté et de tous les grands noms du royaume, ne pouvait risquer d'être victime de la soldatesque. Pourquoi se serait-on attaqué à elle? Je sais qu'on persécute en France les Huguenots, mais elle n'appartenait pas à leur confession.

— Elle les aidait.

Le marchand haletait et la sueur perlait à son front.

— C'était la « Révoltée du Poitou », murmura-t-il, je l'ai toujours soupçonné et maintenant vos paroles m'en donnent la certitude. Nous savions qu'une grande dame, jadis honorée à la Cour, avait levé ses gens contre le Roi et entraîné toute la province, Huguenots et Catholiques, dans sa rébellion. Cela a duré près de trois ans. A la fin, ils ont été vaincus. Le Poitou a été ravagé. La femme a disparu. Sa tête était mise à prix cinq cents livres... Je m'en souviens. C'était bien elle.

— Allez-vous-en! dit Joffrey de Peyrac d'une voix presque imperceptible.

Voici donc de quoi étaient comblées ces cinq années de sa vie qu'il ignorait, et pendant lesquelles il l'avait crue ou morte ou retournée, soumise, au roi de France.

Une rébellion contre le Roi, l'insensée! Les plus atroces turpitudes! Et dire qu'il la tenait à Candie. Il lui aurait évité cela.

A Candie, elle était encore l'image de celle qu'il avait connue, et elle l'avait ému jusqu'aux moelles. Quel moment lorsque, à travers les fumées du batistan oriental, il l'avait aperçue et reconnue.

Un marchand l'avait averti alors qu'il jetait l'ancre à l'île de Mylos. La vente d'une magnifique eslave s'annonçait au batistan de Candie. On le savait grand amateur « de pièces de choix ». En réalité, on exagérait un peu, mais le faste arabe nécessaire dans sa situation exigeait qu'il ne dédaignât pas les femmes.

Il se plaisait à multiplier les gestes spectaculaires qui enflaient sa légende et lui assuraient près des voluptueux Orientaux une considération croissante et de meilleur aloi. Son goût pour choisir les beaux objets humains du plaisir était d'ailleurs réputé. L'excitation de la vente et des enchères, l'intérêt de découvrir sous l'enveloppe charnelle et splendide, la timide flamme humaine de ces femmes humiliées, de les voir revivre, de les écouter, chacune, avec des récits d'enfance et de misère, des quatre coins du monde : la Circassienne, la Moscovite, la Grecque, l'Ethiopienne... le distrayaient de travaux plus âpres et dangereux. Il goûtait dans leurs bras le repos, un bref oubli, l'amusement parfois de voluptés nouvelles. Elles devenaient vite ses amies, dévouées pour lui jusqu'à la mort. Petit bibelot charmant qu'il se divertissait un moment à découvrir et caresser, ou bel animal farouche qu'il se plaisait à apprivoiser. La conquête achevée perdait ensuite vite de son intérêt. Il avait trop connu de femmes pour qu'aucune d'elles pût se l'attacher. Et, avant de les quitter, il s'évertuait à leur redonner une nouvelle chance de vie, ramenait l'esclave razziée dans son pays, dotait la pauvresse, accoutumée depuis l'enfance aux amours vénales, afin qu'elle pût choisir sa route librement, rendait à l'occasion ses enfants à une mère qui les avait perdus... Mais combien s'accrochaient à lui, suppliantes : « Garde-moi, toujours, je ne te gênerai pas... Je tiens peu de place... C'est tout ce que je te demande ».

Il devait alors se méfier des philtres magiques qu'elles essayaient de lui faire boire et de leurs ruses serpentines. « Tu es trop fort, gémissaient-elles dépitées, tu vois tout, tu devines tout. Ce n'est pas juste. Moi je suis si petite. Je ne suis qu'une femme qui veut rester à ton ombre ». Il riait alors, baisant de belles lèvres pulpeuses qui n'avaient pas pour lui plus d'importance qu'un fruit rapidement savouré, et repartait en mer.

A l'occasion, la réputation d'une nouvelle beauté viendrait piquer sa curiosité, et il chercherait à l'acquérir.

Le marchand de Mylos, en lui parlant de la captive aux yeux verts, l'avait amusé, avec son enthousiasme levantin pour « la qualité de la marchandise ». Unique! Admirable!... Chamyl Bey, l'eunuque blanc, pourvoyeur des harems du Grand Turc était sur les rangs. Pour cette seule raison, monseigneur le Rescator se devait d'entrer en lice. Mais il ne serait pas trompé... Qu'il en juge! La race? Une Française, c'était tout dire. La qualité? Surprenante. Il s'agissait d'une authentique grande dame de la Cour de Louis XIV. En secret, et pour ceux qui étaient vraiment décidés à y mettre le prix, on chuchotait que c'était même l'une des favorites du roi de France. Sa démarche, son maintien, son langage ne trompaient pas et s'alliaient à toutes les beautés qu'on peut attendre : une chevelure d'or, des yeux clairs comme l'eau marine, un corps de déesse. Son nom? Après tout, pourquoi ne pas le dire, pour authentifier un grand secret : marquise du Plessis-Bellière. Un très grand nom, disait-on. Rochat, le consul de France, qui l'avait vue et s'était entretenu avec elle, était formel à ce sujet.

Stupeur! Après s'être assuré par des questions pressantes que son interlocuteur n'affabulait pas, le Rescator s'était littéralement précipité pour appareiller pour Candie, toutes affaires cessantes. En chemin, il avait appris les circonstances qui avaient amené cette jeune femme entre les mains des marchands d'esclaves. Elle se rendait à Candie pour affaires, d'autres disaient pour rejoindre un amant. La galère française qui la portait avait fait naufrage et le marquis d'Escrainville, cet écumeur des mers, l'avait recueillie sur une barque et, avec elle, sa plus belle chance de petit pirate. Chacun prévoyait que les enchères monteraient de façon vertigineuse.

Pourtant, il avait fallu qu'il la vît pour y croire. Malgré son sang-froid, il conservait un souvenir imprécis de cet instant où il avait su à la fois que c'était bien elle et qu'elle était sur le point d'être vendue. D'abord, arrêter les enchères, arracher d'un seul chiffre le marché. 35 000 piastres. Une vraie folie!

Et puis la couvrir, la dérober aux regards.

Alors seulement, il l'avait sentie, il l'avait palpée, bien vivante, réelle. Il avait vu également, au premier coup d'œil, qu'elle était à la limite de sa résistance nerveuse, une femme à bout, affolée par les menaces et les brutalités de ces ignobles marchands de chair humaine, une femme comme toutes celles qu'il avait ramassées, pantelantes, sur les marchés de la Méditerranée. Elle ne le reconnaissait pas, égarée, affolée... Alors il avait décidé d'attendre pour se démasquer, de l'avoir d'abord arrachée à l'assemblée avide et curieuse qui les entourait. Il l'emmènerait dans son palais, lui ferait donner des soins et, quand elle s'éveillerait, il serait là, à son chevet.

Hélas, son romanesque projet avait été déjoué par Angélique elle-même. Pouvait-il imaginer qu'une créature aussi traquée, aussi à bout, allait trouver la force de lui filer entre les doigts, à peine sortie du batistan? Elle avait des complices qui avaient mis le feu au port. Peu à peu, parmi les décombres fumants, la vérité s'était fait jour. On avait aperçu une barque d'esclaves profitant du désordre de l'incendie pour s'éloigner. Elle était parmi eux! Malédiction! Sa fureur d'alors rejoignait assez celle qu'il éprouvait aujourd'hui. Et il pouvait se dire que s'il devait à Angélique ses plus grandes douleurs, il lui devait aussi ses plus violentes colères.

Comme à Candie, il se reprenait à maudire le sort. Elle s'était enfuie et cinq années avaient suffi pour qu'il la perdît à tout jamais. Le destin la lui avait rendue, certes, mais après en avoir fait une femme toute nouvelle qui ne lui devait plus rien.

Comment reconnaître la délicate elfe des marais poitevins ou même l'esclave émouvante de Candie, dans une amazone dont le langage même lui était incompréhensible. Elle était possédée d'une flamme bizarre qu'il s'expliquait mal.

Encore aujourd'hui, il se demandait pourquoi elle voulait, avec une telle force, une telle fièvre, sauver tous « ses » Protestants, lorsqu'elle s'était présentée à lui, échevelée, dure, ruisselante.

Elle n'était même pas une épave de la vie. Là encore, elle lui aurait inspiré au moins de la pitié. Il aurait mieux compris que la seule crainte de tomber entre les mains des gens du Roi, s'il était vrai que sa tête était mise à prix, la jetât à ses pieds pour sauver sa vie et celle de sa fille. Il l'aurait mieux accueillie, lâche, pétrie de peur, avilie, que si parfaitement étrangère à son passé. Avilie! Après tout, elle l'était. Une femme qui avait roulé on ne savait plus trop où, indifférente au sort de ses fils, et qu'il retrouvait nantie d'une bâtarde, née d'un inconnu.

Il ne lui suffisait donc pas de s'être promenée follement en Méditerranée, pour courir après quelque galant. Chaque fois, quand il paraissait pour la tirer d'un mauvais pas, elle trouvait le moyen de le fuir étourdiment, afin de se jeter dans des dangers plus grands encore : Mezzo-Morte, Moulay Ismaël, l'évasion dans le Rif. A croire qu'elle collectionnait par plaisir les pires aventures. Une inconscience qui frisait la sottise. Hélas, il fallait se rendre à l'évidence. Oui, elle était sotte, l'infirmité de la plupart des femmes. Non contente d'en être sortie indemme, elle s'était lancée dans une rébellion contre le roi de France. Quel diable la possédait? Quel génie de se détruire? Est-ce le rôle d'une femme, mère de famille, de lever des armées? Ne pouvait-elle rester à filer la quenouille dans son château, au lieu de se livrer à la soldatesque. Ou même, à la rigueur, continuer à faire la coquette à Versailles, à la Cour du Roi.

On ne devrait jamais laisser les femmes présider seules à leur destinée. Angélique, pour son malheur, manquait de cette qualité musulmane qu'il avait appris à respecter, celle de savoir s'abandonner parfois au destin, de laisser agir les forces invincibles de l'Univers. Non. A Angélique, il lui fallait diriger les événements, les prévoir et les mener à sa guise. Voilà où était le mal, chez elle. Elle était trop intelligente, pour une femme!

Parvenu à ce point de ses réflexions, Joffrey de Peyrac mit sa tête dans ses mains et se dit qu'il ne comprenait rien, mais absolument rien aux femmes, en général, et à sa femme en particulier.

Le grand maître en l'art d'aimer que les troubadours du Languedoc se plaisaient à consulter, le subtil chapelain, n'avait pas non plus tout dit, car il n'avait pas assez connu la vie. Et à lui-même, Joffrey, les livres, les philosophies et les expériences de science n'avaient pas encore tout enseigné. Ainsi, le cœur de l'homme demeure toujours une cire vierge, si savant qu'il puisse s'imaginer...

Il s'apercevait qu'en ces quelques minutes, il venait d'accuser sa femme d'être stupide et trop intelligente, de s'être donnée au roi de France et de l'avoir combattu, d'être d'une faiblesse insigne, et d'une énergie anormale, et il devait constater que toute la discipline cartésienne qu'il se plaisait tant à accepter comme sienne le laissait, en définitive, impuissant, lui au cerveau lucide et masculin, en fait incapable de voir clair en lui-même.

Il ne sentait que sa colère et sa douleur.

Contre toute logique, ce viol qu'elle avait subi lui apparaissait comme l'ultime trahison, car la jalousie et l'instinct de possession primitifs hurlaient le plus fort en lui. Il se révoltait, il criait au fond de son cœur : « Ne pouvais-tu agir en sorte de te préserver pour moi? »

Et, puisqu'il était l'homme vaincu par le sort et qui ne pouvait la défendre, au moins qu'elle ne s'exposât pas.

Toute l'amertume de sa défaite, il la goûtait aujourd'hui. *Vae victis.*

Soudain, il comprenait le sentiment qui pousse certaines tribus sauvages de l'Afrique à défigurer leurs propres femmes en leur faisant porter aux lèvres des plateaux de cuivre afin que le vainqueur qui les razzie ne puisse tenir entre ses bras que de hideuses créatures...

Elle était trop belle, trop charmeuse. Plus dangereuse encore lorsqu'elle ne s'en donnait pas la peine et que le pouvoir de ses yeux, de sa voix et de ses gestes semblait sourdre d'elle comme une source naturelle.

La pire des coquetteries, au fond, la plus désarmante!...

— Monseigneur, pardonnez-moi!

Son ami, le capitaine Jason, était devant lui.

— J'ai frappé à plusieurs reprises; vous croyant absent, je suis entré.

— Oui.

S'il était capable d'éprouver de violentes colères, jamais le grand chef des mers qu'était devenu le Rescator ne les extériorisait. Sa tension intérieure pouvait se deviner, pour ceux qui le connaissaient très bien, à la flamme du regard, habituellement allègre ou passionnée, et soudain changée, devenue fixe et terrible.

Jason ne s'y trompa pas. Il y avait d'ailleurs, estimait-il lui-même, de multiples raisons pour susciter le changement d'humeur du maître. Rien n'allait plus à bord! Tant pis si un éclat survenait. Cela permettrait de mettre les choses au point avant qu'elles ne tournent totalement à la saumure.

D'un geste de la main, le second capitaine désigna, maussade, un énorme ballot que des marins qui l'accompagnaient venaient de déposer à terre pour s'en aller aussitôt.

Des pans d'une vieille couverture de poils de chameau, s'échappait un incroyable bric-à-brac. Des diamants bruts dont l'éclat résineux voisinait avec celui de vulgaires bouchons de carafe, des bijoux d'or primitifs, une outre puant le bouc et encore gonflée d'un résidu d'eau douce et certainement nauséabonde, un Coran tout poisseux d'humidité et de graisse auquel était attachée l'amulette ou « baraka ».

Joffrey de Peyrac se pencha pour ramasser le sachet de cuir et l'ouvrit. Il renfermait un peu de musc de La Mecque et un bracelet en poils de girafe sur lequel étaient fixés, en breloques, deux crochets de vipère cornue.

— Je me souviens de ce jour, au pays des Ashantis, où Abdullah a tué la vipère qui se glissait vers moi, dit-il songeusement, je me demande...

— Oui, c'est ce que je ferais aussi, coupa Jason contre toute discipline et habitude. On mettra donc sa baraka sur sa poitrine et on le coudra dans sa plus belle djellaba.

— Puis, au crépuscule, on le descendra dans la mer. Encore que son âme aurait été bien plus heureuse si on l'avait enterré...

— Ce sera quand même une satisfaction pour ses frères musulmans du bord qui s'attendent à ce qu'il soit traité comme un chien, parce que pendu.

Joffrey de Peyrac considéra avec attention son second. Visage grêlé, bouche amère. Ses yeux étaient froids et faisaient songer à des pierres d'agate. Dix années de navigation le liaient à ce garçon trapu et taciturne.

— L'équipage murmure, dit Jason. Oh! certes, ce ne sont pas tellement nos anciens compagnons d'Orient qui font la mauvaise tête, que les nouveaux, surtout ceux que nous avons dû engager au Canada et en Espagne pour compléter l'effectif du *Gouldsboro*. Nous sommes près de soixante. C'est dur de tenir en main une telle racaille. D'autant qu'ils voudraient bien savoir ce que vous mijotez. Ils se plaignent de n'avoir pas relâché aussi longtemps que prévu à Cadix et de n'avoir pas touché leur part de l'or espagnol repêché par nos plongeurs maltais au large de Panama... Ils disent aussi que vous leur interdisez de courir leur chance auprès des femmes qui sont à bord... mais que vous vous offrez la plus belle...

Ce reproche grave, que le second ne jetait pas en l'air, eut le don de faire éclater de rire le maître du *Gouldsboro*.

— Parce que c'est la plus belle, n'est-ce pas? Jason...

Il savait que son rire achèverait de mettre hors de lui le capitaine, que rien au monde ne parvenait à dérider.

— C'est la plus belle? répéta-t-il incisivement.

— Je n'en sais fichtre rien, grogna l'autre furieux. Ce que je sais, c'est qu'il se passe de mauvaises choses sur ce navire et que vous ne les voyez pas parce que vous êtes obsédé par cette femme.

Le mot fit sursauter M. de Peyrac. Il cessa de rire et fronça les sourcils.

— Obsédé? M'avez-vous jamais vu obsédé par une femme, Jason?

— Certes non. Par aucune... Mais bien par celle-ci. Ne vous a-t-elle pas fait faire assez de sottises à Candie et ensuite? Que de démarches sans but!

Que d'affaires mal traitées parce que vous vouliez à tout prix la retrouver, sans vous occuper du reste.

— Avouez qu'il est fort normal que l'on cherche à rattraper une esclave qui vous a coûté 35 000 piastres.

— Mais il y avait autre chose, dit Jason têtu. Quelque chose que vous ne m'avez jamais confié. Qu'importe! C'était le passé. Je la croyais bel et bien disparue, morte, enterrée. Et la voici qui reparaît.

— Jason, vous êtes un mysogine impénitent. Parce qu'une garce, jadis, que vous aviez eu l'imprudence d'épouser vous a fait envoyer aux galères, afin de pouvoir filer le parfait amour avec son amant, vous vouez à la race féminine une haine qui vous a fait perdre bien d'agréables occasions. Que de pauvres maris, liés à de tristes mégères, envieraient votre liberté reconquise dont vous profitez si mal!

Jason demeurait sombre.

— Il y a des femmes qui vous inoculent un poison dont on ne saurait guérir. Vous-même, monseigneur, êtes-vous certain de demeurer toujours à l'abri de ces tourments? Votre esclave de Candie me fait peur... Là.

— Son aspect actuel devrait pourtant vous rassurer. J'ai été fort étonné, et même un peu déçu, je l'avoue, de la retrouver sous le bonnet de bourgeoise prude.

Mais Jason secouait la tête avec énergie.

— Piège encore, monseigneur! Je préfère une franche odalisque, dans sa nudité, aux sournoises qui se voilent et semblent vous promettre le paradis dans un seul regard. Leur grossier poison devient alors essence subtile... trop subtile pour que vous puissiez la discerner et vous en méfier. Essence? que dis-je?... Quintessence!...

Joffrey de Peyrac l'écoutait en se caressant le menton, pensivement.

— Etrange! Jason! murmura-t-il, très étrange! Je croyais qu'elle ne m'intéressait plus... mais plus du tout.

— Hélas, fit Jason lugubre. Si cela pouvait être! Mais nous sommes loin du compte...

Joffrey de Peyrac le prit par le bras, pour l'entraîner au-dehors, sur le balcon.

— Venez... Les « richesses » de mon pauvre Abdullah empuantissent ma cabine.

Il se perdit en contemplation devant le ciel qu'on aurait dit de pastel orangé, alors que la mer conservait des teintes froides et dures.

— Nous approchons... Vous allez tâcher de rassurer les hommes. Vous leur ferez remarquer que l'or espagnol est toujours à bord. Dès que nous aurons touché terre, dans quelques jours, je leur ferai verser une avance sur les prochaines négociations.

— Ils seront payés, puisqu'ils l'ont toujours été. Mais ils sentent qu'il y a eu une traversée de perdue. Pourquoi ce départ précipité sur La Rochelle? demandent-ils. Pourquoi avoir embarqué ces gens qui nous encombrent et pour lesquels on se prive, et dont on ne tirera pas un liard, car on voit bien qu'ils n'ont que leurs chemises sur le dos?

Et, comme Joffrey de Peyrac demeurait silencieux, le capitaine Jason prit un air malheureux.

— Vous me trouvez bien indiscret, monseigneur? Et vous me faites comprendre que nous n'avons pas à nous mêler de vos affaires? C'est là où le bât nous blesse. Les hommes d'équipage et moi-même, nous vous sentons absent... Les matelots surtout sont sensibles à cela. Quelle que soit leur race, vous savez comme ils sont, ces hommes de la mer. Ils croient aux signes, et s'attachent à ce qui est invisible beaucoup plus qu'aux apparences... Ils répètent que vous ne les protégez plus.

Un sourire étira la bouche du Rescator.

— Que survienne une tempête, et ils verront si je ne les protège plus.

— Je sais... Vous êtes *encore* là parmi nous. Mais, déjà, ils devinent plus loin.

Jason eut un mouvement du menton vers l'avant du bateau.

— Supposons que vous destiniez ces individus, que vous avez embarqués là, à peupler vos terres acquises dans le Dawn East? En quoi cela *nous* concerne-t-il, nous autres les marins du *Gouldsboro*?

Le comte de Peyrac posa sa main sur l'épaule de son ami. Son regard continuait à errer au delà de l'horizon mais il étreignait fortement la massive charpente sur laquelle il s'était souvent appuyé au cours de leurs croisières sans fin.

— Jason, mon cher compagnon, lorsque vous m'avez rencontré, j'étais déjà un homme qui avait franchi la mi-temps de son existence. Vous ne connaissez pas tout de moi, comme je prétends ne pas connaître tout de vous. Sachez que, depuis que je suis au monde, ma vie alterne entre deux passions : les trésors de la terre et les charmes de la mer.

— Et des belles?...

— On exagère. Disons que les belles ont fait partie, à l'occasion, de l'une ou l'autre aventure. La terre et la mer, Jason. Deux entités. D'exigeantes maîtresses. Lorsque j'ai donné trop à l'une, l'autre réclame. Voici plus de dix ans, depuis que le Grand Turc m'a chargé de monopoliser le commerce de l'argent, que je n'ai plus quitté le pont d'un bateau. Vous m'avez prêté votre voix pour me permettre de commander aux capricieux éléments, et de la Méditerranée à l'océan, des mers polaires à celle des Caraïbes, nous avons connu d'exaltantes expériences...

— Et maintenant, vous êtes de nouveau possédé du désir de pénétrer les entrailles de la terre?

— C'est exactement cela!

La phrase tomba comme une masse.

Jason baissa la tête.

Il avait entendu ce qu'il craignait d'entendre. Ses fortes mains aux poils roux se crispèrent sur la rambarde de bois doré.

La pression amicale de Joffrey de Peyrac s'accentua.

— Je vous laisserai le bateau, Jason.

L'autre secoua la tête.

— Ce ne sera plus la même chose. J'avais besoin de votre amitié, pour survivre. Votre passion, votre joie d'exister m'ont toujours surpris. J'avais besoin de cela pour exister moi aussi.

— Bast! Seriez-vous sentimental, vieux dur à cuire? Regardez. Il vous reste la mer.

Mais Jason ne leva même pas les yeux sur l'étendue mouvante et glauque.

— Vous ne pouvez pas comprendre, monseigneur. Vous êtes un homme de feu. Moi, je suis de glace.

— Brisez alors les glaces.

— Trop tard.

Jason poussa un long soupir.

— Il aurait fallu que je connaisse plus tôt le secret qui vous permet de jeter, à chaque instant, sur le monde un regard neuf. Quel est-il?

— Mais il n'y a pas de secrets, dit Joffrey de Peyrac, à moins qu'ils ne soient différents. Chacun possède les siens. Que vous dirais-je?... Etre toujours apte à tout recommencer... Ne pas accepter de n'avoir qu'une seule vie... Mais des vies multiples...

24

Elle continuait, cette navigation interminable, car, en sortant sur le pont dans le matin blanchissant, les passagers ne virent encore que la mer et toujours la mer. Celle-ci avait seulement, une fois de plus, changé de toilette. Elle paraissait un lac presque sans rides. Malgré toutes les voiles dehors, le navire bougeait à peine, ce qui avait fait croire un instant aux occupants de l'entrepont qu'ils se trouvaient à l'ancre. Des voix s'étaient enquises, pleines d'espoir. Sommes-nous arrivés?

— Priez le Seigneur qu'il n'en soit rien, s'était écrié Manigault. Nous ne sommes pas encore assez au sud pour nous trouver à Saint-Domingue. Cela signifierait donc que nous avons touché les côtes désertiques de la Nouvelle-Ecosse, et nul ne peut dire quel sort nous y attend.

C'était avec un mélange de déception et de soulagement qu'ils contemplaient l'étendue morne devant eux. Les toiles pendaient et la seule agitation dans les vergues était celle de l'équipage qui essayait de déployer les plus hautes voiles pour capter un souffle de vent quasi inexistant.

La hantise des calmes plats, tant redoutés des marins, surgit. Le temps était d'une relative tiédeur. La journée parut longue. Et lorsque au soir, au cours d'une nouvelle sortie, les passagers purent constater la lamentable tenue des voiles qui pendaient, flasques et ridées malgré les efforts de l'équipage, il y eut de profonds soupirs. Jenny, la fille aînée des Manigault, qui attendait un enfant, éclata en sanglots.

— Si ce bateau n'avance pas, je vais devenir folle. Qu'il arrive! qu'il arrive, n'importe où, mais que ce voyage finisse!

Elle se précipita vers Angélique, en suppliant :

— Dites-moi... Dites-moi que nous allons arriver bientôt.

Angélique la raccompagna jusqu'à son grabat, en s'efforçant de la réconforter. Les êtres jeunes lui témoignaient une grande confiance, qui lui était un peu à charge, car elle ne se sentait guère en état d'y répondre. Ce n'était pas elle qui pouvait commander aux vents et à la mer, et aux destinées du *Gouldsboro*. Jamais elle ne s'était trouvée devant un avenir si imprécis et dans l'incapacité de savoir quelle décision prendre. Et l'on semblait toujours attendre d'elle qu'elle dirigeât les événements dans un sens ou dans un autre.

— Quand allons-nous débarquer? suppliait Jenny qui se calmait difficilement.

— Je ne puis vous le dire, ma chérie.

— Ah! pourquoi alors ne sommes-nous pas restés à La Rochelle? Regardez notre misère... Là-bas, nous avions de si beaux draps, venus tout exprès de Hollande pour mon trousseau de mariage.

— En ce moment, les chevaux des dragons du Roi couchent dans vos draps de Hollande, Jenny. Déjà je les ai vus faire cela dans les demeures des Huguenots, en Poitou. Ils lavaient les sabots de leurs montures dans le vin de vos caves, et les bouchonnaient avec vos dentelles de Malines. Votre enfant était destiné à naître dans une prison, et à vous être enlevé aussitôt. Maintenant, par contre, il naîtra libre. Tout se gagne, tout se paie!...

— Oui, je le sais, fit la jeune femme en retenant ses larmes, mais je voudrais tant que nous soyons déjà sur la terre ferme... Ce mouvement perpétuel de la mer me rend malade. Et puis tout va si mal sur ce bateau. Le sang va finir par couler, je le sais. Et peut-être que mon mari sera parmi les morts... Malheur!

— Vous divaguez, Jenny. Pourquoi ces craintes?

Jenny parut effrayée et regarda autour d'elle avec anxiété. Elle continuait à se cramponner à Angélique.

— Dame Angélique, chuchota-t-elle, vous qui connaissez le Rescator, vous veillerez sur nous, n'est-ce pas? Vous ferez en sorte que rien de terrible n'arrive?...

— Que craignez-vous? répéta Angélique désemparée.

A ce moment, une main se posa sur son épaule, et elle vit tante Anna qui lui faisait un signe.

— Venez, ma chère, dit la vieille demoiselle, je crois comprendre ce qui tourmente Jenny.

Angélique la suivit, tandis qu'elle se dirigeait vers le fond de la batterie. Elle poussa une porte vermoulue derrière laquelle, au début du voyage, on avait entendu bêler des chèvres et grogner des porcs. Depuis belle lurette, chèvres et porcs avaient disparu, mais le réduit conservait une odeur d'étable qui faisait rêver.

Ecartant des haillons jetés dans un coin, et quelques bottes de paille, Mme Anna découvrit une dizaine de mousquets empilés, ainsi que des sacs de petit plomb et un baril de poudre.

— Qu'en pensez-vous?

— Ce sont des mousquets...

Angélique regardait les armes avec malaise.

— A qui appartiennent-ils?

— Je ne sais. Mais je pense que ce n'est pas un endroit pour ranger des armes sur un navire où la discipline me semble assez stricte.

Angélique avait peur de comprendre.

— Mon neveu m'inquiète, reprit tante Anna, sautant apparemment à un autre sujet. Vous n'êtes pas étrangère, dame Angélique, à l'altération de son caractère. Mais il ne faudrait pas que sa déception le porte à des actes déraisonnables.

— Voulez-vous dire que ce serait maître Berne qui aurait déposé ces armes ici? Dans quel but? Et comment aurait-il pu se les procurer?

— Je n'en sais rien, dit la vieille demoiselle en hochant la tête. Mais j'entendais l'autre jour M. Manigault déclarer : Piller un pillard n'est pas péché.

— Est-ce possible? murmura Angélique. Nos amis envisageraient-ils de porter préjudice à celui qui les a sauvés?

— Ils le soupçonnent fort de leur vouloir du mal.

— Qu'ils attendent au moins d'en être sûrs.

— Ils disent qu'après, il sera trop tard.

— Quels sont leurs projets?

La sensation d'être observées les fit s'interrompre. Derrière elles, deux matelots, surgis comme par miracle de l'ombre du réduit, les surveillaient avec méfiance. Ils n'avaient pas l'air contents. Ils se rapprochèrent en parlant avec volubilité en espagnol. Angélique comprenait suffisamment leur langue. Elle battit en retraite avec tante Anna en lui chuchotant :

— Ils disent que ces armes sont à eux et que nous n'avons pas à nous en occuper, et que les femmes bavardes on leur tranche la langue...

Elle ajouta, un peu soulagée.

— Vous voyez! Vos impressions étaient fausses. Il s'agit des armes de l'équipage.

— Les armes de l'équipage n'ont pas à traîner sous des bottes de paille, répéta tante Anna péremptoire, je sais aussi ce que j'avance. Nos ancêtres étaient corsaires. Et pourquoi ces malotrus parleraient-ils de nous couper la langue s'ils avaient bonne conscience? Dame Angélique, à l'occasion, ne pourriez-vous parler à monseigneur le Rescator de ce que je vous ai montré aujourd'hui?

— Me croyez-vous tellement dans ses bonnes grâces pour oser aller lui donner des conseils à propos des agissements de ses hommes? Je serais bien reçue. Il est bien trop orgueilleux et dédaigneux pour écouter une femme quelle qu'elle soit!

Son amertume perçait. Chaque fois qu'on s'adressait à elle comme à l'éminence grise du pouvoir, elle mesurait à quel point celui auprès duquel elle aurait dû recommencer à vivre cœur à cœur la tenait, en réalité, hors de son existence.

— J'aurais cru... dit Mme Anna pensivement. Il y a pourtant entre vous et cet homme quelque chose qui vous rapproche. Votre passé, n'est-ce pas...? Vous êtes à sa ressemblance. J'ai compris dès que je l'ai vu que mon pauvre Gabriel n'avait plus aucune chance auprès de vous. Je reconnais par contre que votre commandant inspire quelques craintes à nos coreligionnaires, et qu'il ne se donne pas de peine pour les dissiper. Mais j'accorderais cependant confiance à ses initiatives. C'est curieux. Je suis persuadée que ce sont celles d'un homme sage et qui cherche le bien. Et puis... c'est un grand savant.

Ses joues rosirent comme si elle se reprochait un enthousiasme suspect.

— Et il m'a prêté des livres exceptionnels.

D'une écharpe de soie où elle les avait pieusement emmaillotés, elle tira deux volumes à tranches rouges, reliés de cuir.

— Ce sont des exemplaires rarissimes : « Principes de géométrie analytique » de Descartes, de « De revolutinibus orbium caelestrum » de Copernic. J'avais toujours rêvé d'en faire la lecture en France. Je n'ai jamais pu les trouver même à La Rochelle. Et c'est le Rescator qui me les prête en plein océan. Curieux!

Mme Anna s'installait à terre, sur sa mante pliée, sa maigre échine appuyée aux parois inconfortables.

— Je n'irai pas à la promenade ce soir. J'ai

hâte d'avoir terminé ces traités. Il m'a promis de m'en prêter d'autres...

Angélique comprit que la docile demoiselle avait rarement été aussi heureuse.

« Joffrey a toujours su se concilier les femmes, se dit-elle. En cela, je le reconnais bien. »

Elle reconnaissait aussi son talent à bouleverser les gens, à faire d'un homme calme comme maître Berne, un enragé, et d'une mégère comme Mme Manigault, une femme presque indulgente.

Tout était changé et positivement à l'envers. A terre, Angélique avait toujours eu les hommes pour elle, alors que les femmes lui faisaient plutôt grise mine. Voici que les femmes paraissaient se rapprocher d'elle alors que les regards des hommes la traitaient en ennemie. Un vieil instinct, sans doute très enfoui, les avertissait qu'un ravisseur — et précisément d'une autre espèce que la leur — s'était interposé entre elle et eux; jusqu'où cette rancune sur laquelle se greffaient de la méfiance et des doutes plus matériels, les conduirait-elle?...

La petite Honorine éclatait d'orgueil caché. Elle avait enfin découvert un protecteur masculin et puissant à bord de ce bateau de malheur qui non seulement la jetait par terre en tous sens — elle avait des bosses sur le nez, sur le front — mais où tout le monde, y compris sa mère, se désintéressait soudain d'elle.

Pour fuir ce monde pis que méchant, car indifférent, elle avait sauté dans la mer où les vagues la porteraient dans un pays où elle trouverait des garçons grands et forts qui seraient ses frères et un homme encore plus grand et plus fort qui serait son père.

Mais la mer aussi l'avait trahie et s'était enfoncée sous ses pas confiants.

La mer, qui continuait à porter les glaces et les oiseaux, n'avait pas voulu la porter, elle. Les oiseaux étaient devenus méchants et avaient cherché à lui arracher les yeux. Mais alors avait surgi des flots un ami au visage de hérisson. C'était « Cosse de Châtaigne ». Il avait chassé l'oiseau de mer et l'avait prise dans ses bras au moment où toute la mauvaise eau salée lui entrait dans la bouche.

Puis « Cosse de Châtaigne » l'avait ramenée sur le bateau où, toute la soirée, sa mère s'était occupée d'elle. Et maintenant, il lui restait « Cosse-de-Châtaigne » qui portait des rigoles noires et enflées à la place des blessures faites par l'oiseau. Honorine y passait ses petits doigts légèrement. « Pour te guérir », disait-elle.

A son tour, le Sicilien avait été frappé par la médaille de la Vierge qu'elle portait au cou.

— Per Santa Madona, è cattolica, ragazzina carina?...

Honorine ne comprenait pas et ne s'en souciait guère. Le ton suffisait à la combler de félicité.

— Est-ce que tu es mon père? lui demanda-t-elle, prise d'une espérance subite.

Le Sicilien parut étonné puis il éclata de rire. Il secoua négativement la tête avec des explications volubiles et une mimique navrée, d'où elle conclut qu'il n'était pas son père et qu'il le regrettait bien.

Jetant autour de lui un regard circulaire, il porta la main à sa ceinture, en tira son couteau. De sa chemise d'Italie, blanche rayée de rouge, il sortit un objet, dont il trancha le lacet, et qu'il pendit au cou d'Honorine, fort intéressée. Puis, voulant s'offrir le plaisir de la contempler avec plus d'éclairage, il la poussa dans un rai de soleil rougeâtre. L'effet lui parut satisfaisant. Il chuchota.

— Toi, ne dis pas qui a donné ça. Tu lé zourres. Sputo! Sputo!

Et comme Honorine ne comprenait pas, le matelot cracha par terre, l'invitant du geste à l'imiter, ce qu'elle fit avec délice. Le matelot s'éloigna, un doigt sur les lèvres, car il apercevait Angélique à la recherche de sa fille.

Honorine était doublement heureuse. Car elle avait un autre ami et on recommençait à lui faire des cadeaux. Dans la poche de son tablier elle fouilla et retrouva la pierre brillante que lui avait donnée l'Homme Noir. Vivement elle la renfonça, d'un air farouche, en voyant surgir sa mère et elle affecta de ne pas la voir venir.

Un rayon de soleil accusait le roux des cheveux de la petite fille, et Angélique remarqua tout de suite, en contraste, l'éclat d'une chaînette d'or vert, sur le cou de l'enfant, qui supportait un pendentif contenant sans doute des reliques : des parcelles de la vraie croix ou de quelque instrument de supplice d'un saint martyr, car on remarquait les esquilles de bois collés.

— Où as-tu trouvé ce bijou, Honorine?

— On me l'a donné.

— Qui cela?

— Ce n'est pas l'Homme Noir qui me l'a donné.

— Mais qui?

— Je ne sais pas.

Près de la chaînette d'or, il y avait la petite médaille d'étain, accrochée au cou de l'enfant trouvée par les religieuses de l'hospice de Fontenay-le-Comte et qu'Angélique n'avait jamais osé lui enlever, afin de se souvenir, et en signe de réparation.

— Ne mens pas. Ce pendentif n'est pas tombé du ciel pourtant.

Honorine eut la vision de l'océan gris ayant ravi au ciel le bijou. Elle dit d'un air assuré.

— Si. C'est l'oiseau qui le tenait dans son bec.

Il a dû le lâcher et il est tombé sur mon cou.

Puis elle cracha par terre et dit d'un air buté :

— Par Santa Madona, ze lé zourre.

Angélique fut partagée entre l'envie de rire, de se fâcher et de poursuivre son enquête. L'enfant avait-elle à nouveau volé?

Elle la prit dans ses bras et la serra très fort. Elle la sentit lui échapper.

— Je voudrais bien trouver mon père, dit Honorine. Il doit être très bon, alors que toi tu es si méchante!

Angélique soupira. Décidément, de sa fille à son mari, on ne lui pardonnait pas facilement la moindre de ses défaillances...

— Garde tes bijoux, après tout! dit-elle. Tu vois que je ne suis pas si méchante que ça.

— Si, tu es très, très méchante, insista Honorine implacable. Tu te sauves toujours, ou bien alors, c'est ta tête qui se sauve et me laisse seule. Alors je pense que je vais mourir et je m'ennuie.

— On ne s'ennuie jamais quand on est une petite fille. La vie est toujours belle. Tu vois, l'oiseau t'a déjà apporté un cadeau.

Honorine pouffa en se cachant contre l'épaule d'Angélique. Elle était enchantée de découvrir sa mère si crédule.

Tout allait mieux ce soir.

— Le bateau est gentil, dit-elle. Il ne bouge plus.

— C'est vrai.

Angélique retint un nouveau soupir en jetant un regard sur l'étendue huileuse et si inhabituelle de la mer.

Le soir tombait dans une lueur de début du monde, orangée et pulpeuse, douce et lourde, et pourtant froide comme une menace.

Des îles noires et grises, en mirage, plongeaient et replongeaient entre les vaguelettes mordorées.

Leurs mouvements incessants prenaient des allures de danse de ballet. « Je rêve », se dit Angélique, qui avait envie de se frotter les yeux.

Une voix tomba des haubans, celle du Sicilien :

— Ohé, bambini. Des cachalots!

Les enfants qui jouaient aux fléchettes dans la « grand-rue » se précipitèrent.

Angélique fut entourée de leur bande piaillante. Les plus grands hissaient les plus petits afin qu'ils puissent admirer le spectacle.

C'était bien, en effet, les cachalots qu'elle avait pris tout à l'heure pour les îles. Les immenses corps noirs et luisants apparaissaient puis replongeaient et glissaient entre deux eaux, dont la transparence agrandissait encore leurs silhouettes monstrueuses.

L'on en vit une, tout à coup, magnifiquement émergée, silhouette noire au dôme puissant que couronnait un prompt geyser de vapeur et que terminait la queue puissante, droite comme un gouvernail.

— La baleine de Jonas, cria un petit garçon, en trépignant, la baleine de Jonas!

Il débordait de joie.

— Je voudrais toujours vivre sur ce bateau, dit une des fillettes.

— Je ne voudrais jamais arriver, renchérit une autre.

Angélique, qui se passionnait, elle aussi, pour les évolutions des cachalots, cueillit les appréciations des petites demoiselles, avec ébahissement.

— Alors, vous êtes contentes d'être sur le *Gouldsboro?* interrogea-t-elle.

— Oh! oui, firent en chœur les enfants.

Elle chercha l'approbation des plus grands.

Séverine, si secrète d'ordinaire, s'avança :

— Oui, ici nous sommes tranquilles. On ne risque plus de nous envoyer au couvent. On ne nous ennuie plus avec toutes ces pages de théologie que ma tante me donnait à apprendre à l'île de Ré. Ici nous avons le droit de penser nous-mêmes.

Elle soupira avec soulagement. Séverine, l'anxieuse, était libérée. Le poids de l'angoisse qu'elle traînait depuis son enfance était tombé de ses frêles épaules comme un manteau de plomb.

— Aussi, on ne risque plus d'aller en prison, dit Martial.

Depuis le début du voyage, Angélique s'était étonnée du courage des enfants, en général. Ils n'étaient ni hargneux, ni pleurards, comme on aurait pensé les trouver. S'ils tombaient malades, ils avaient le bon esprit d'en guérir vite. C'était les parents par contre qui geignaient et se plaignaient de la pétulance de leur progéniture. Pardi, ils savaient eux, les enfants, qu'ils avaient échappé au pire. De plus, ils n'avaient jamais été aussi libres que sur ces quelques arpents de planches. Plus d'école, plus de longues stations devant l'écritoire, ou devant la Bible.

— Si nos pères nous laissaient un peu grimper dans les haubans et participer à la manœuvre, ce serait encore mieux, commenta Martial.

— Moi, un matelot m'a appris des nœuds que je ne connaissais pas, dit un des fils de Carrère, l'avocat.

Les aînés, pourtant, marquaient une certaine réticence. Séverine dit :

— Dame Angélique, est-ce vrai que le Rescator veut notre malheur?

— Je ne crois pas.

Elle posait sa main sur l'épaule fluette. Le visage levé de Séverine respira la confiance et l'espoir. Comme à La Rochelle, Angélique éprouvait à regarder les enfants ce sentiment de pérennité qui la rassurait sur la fugacité de l'existence. De les aider à survivre justifiait sa vie.

— Ne vous souvenez-vous donc pas que lui et ses hommes vous ont sauvés des dragons du Roi qui nous poursuivaient?

— Oui. Mais nos pères disent qu'ils ne savent où il nous mène.

— Vos pères sont inquiets parce que le Rescator et ses hommes sont très différents de nous. Ils parlent un autre langage, ils ont d'autres coutumes. Il est parfois difficile de s'entendre quand on ne se ressemble pas.

Martial eut une parole d'une sagesse profonde.

— Mais le pays où nous allons est aussi différent de celui que nous avons connu. Il faudra bien nous y habituer. Nous voguons vers d'autres cieux.

Le petit Jérémie, qu'Angélique aimait parce qu'il ressemblait à Charles-Henri, rejeta de côté la mèche blonde qui voilait son regard bleu, et s'écria.

— Il nous emmène vers la Terre Promise.

Angélique sentait son cœur s'alléger. Par-delà l'âpre combat qu'il fallait livrer aux éléments et aux passions humaines déchaînées, les voix des enfants, comme le chœur des anges, s'élevaient et répétaient.

— Nous voguons vers la Terre Promise.

— Oui, affirma-t-elle avec fermeté. Oui, c'est bien vous qui avez raison, mes petits.

Et, d'un geste devenu familier, elle se tournait vers l'arrière du navire, et elle tressaillait car IL était là-bas, sur la dunette et elle avait l'impression qu'il regardait vers elle.

25

De la voir entourée d'enfants qui lui parlaient avec animation et auxquels elle répondait en souriant, c'était pour lui la découverte d'une femme toute nouvelle et qui le rendait perplexe.

La mante brune qui tombait de ses épaules en longs plis grandissait Angélique. Elle gardait de l'allure, sous cette défroque à laquelle il finissait par s'habituer. D'être vêtue avec tant de sobriété accentuait son mystère et la noblesse de ses traits.

Elle tenait par la main sa petite fille rousse. Mais, tout à l'heure, il l'avait vue qui la serrait dans ses bras. S'il était vrai que l'enfant fût née d'une tragédié et ne lui rappelât que des souvenirs d'horreur, où puisait-elle la force de lui sourire et de l'aimer si passionnément?

Berne racontait qu'on avait égorgé son fils dernier-né sous ses yeux. Voici donc ce qu'était devenu le petit du Plessis-Bellière...

Pourquoi avait-elle fait ses confidence au Protestant et se taisait-elle devant lui, son mari? Pourquoi ne lui avait-elle pas déballé, comme tant d'autres l'auraient fait à sa place, le récit et les lamentations de ses épreuves qui devaient passer pour autant d'excuses à ses yeux?...

Pudeur de l'âme et du corps. Elle ne parlerait jamais. Ah! qu'il lui en voulait!

Pas tellement d'être devenue ce qu'elle était, mais de l'être devenue par d'autres et sans lui.

Il lui en voulait — oui — de sa sérénité, de sa résistance et qu'après avoir affronté ces mille périls, vécu des heures horribles, elle osât présenter ce visage lisse, comme une belle plage à la courbe enchanteresse, sur laquelle la marée peut passer et repasser sans laisser de traces, sans en atténuer l'éclat nacré.

Etait-ce la même femme qui avait tenu tête à Moulay Ismaël, subi la torture, la faim, la soif?

« Et qu'ai-je appris encore! qu'elle menait ses manants contre le Roi! Elle a été marquée à la fleur de lys. Et elle sourit, là-bas, parmi les enfants, en admirant les évolutions des baleines. Puis-je prétendre qu'elle n'a pas souffert?... Comment la définir alors? Ni avilie, ni lâche, ni indifférente. »

Une femme de qualité.

Du diable s'il pouvait s'y retrouver dans cette inconnue. Sa divination, à lui, qu'on appelait le Magicien, se trouvait en défaut. Comment aller jusqu'à elle pour la reconquérir?

Un mot de Jason lui avait ouvert les yeux sur ses propres contradictions.

« Vous êtes obsédé par cette femme! »...

Obsédé. Donc obsédante. Il lui fallait reconnaître que pour être devenu plus secret, le charme d'Angélique n'en était que plus puissant. Il n'était pas de ceux qui s'éventent comme des parfums de basse classe. Qu'il fût d'essence diabolique, ou charnelle, ou mystique, ce charme existait et M. de Peyrac, surnommé le Rescator, s'y trouvait bel et bien repris malgré ses propres refus. Englué par des questions lancinantes, dont elle seule aurait pu lui donner la réponse, par maints désirs qu'elle seule aurait pu combler.

Il est vain de s'imaginer que l'on connaît tout d'un être, ni de lui refuser le droit de suivre certains chemins. Ceux qu'Angélique avait suivis loin de lui et, surtout au cours de ces cinq années dernières, n'étaient pas les moins surprenants.

Il la voyait cavalcadant à la tête des bandes de paysans qu'elle conduisait au combat. Il la voyait se traînant comme un oiseau blessé, pourchassée par les gens du Roi... Là commençait le mystère qu'il ne sonderait jamais peut-être, et il s'indignait, admettant que dans cette sorte de transmutation qu'elle avait subie, là aussi, résidait l'éternel féminin.

La jalousie qu'il avait éprouvée en la voyant se dévouer pour ses amis, en découvrant sa fille à elle et la tendresse farouche qu'elle lui portait, aussi en l'apercevant agenouillée, bouleversée, devant le Protestant, sa main posée doucement sur l'épaule nue du blessé, était plus corrosive que s'il l'avait surprise cynique, entre les bras d'un amant. Au moins l'aurait-il méprisée et il aurait su ce qu'elle valait. Et il l'aurait prise pour ce qu'elle était.

De quelle nouvelle pâte était-elle modelée? Quel ferment nouveau ajoutait à sa beauté mûrie et comme exaltée par le soleil de l'été de sa vie, ce rayonnement tendre et chaleureux qui donnait envie de poser un front meurtri sur son sein, d'écouter sa voix dire des choses douces et réconfortantes?

Un genre de faiblesse qu'il avait rarement éprouvé... Pourquoi fallait-il que ce soit cette violente, cette amazone, cette insolente à la langue prompte, cette femme sensuelle et hardie qui l'avait trompé sans vergogne, qui le lui inspirât?

Et, comme le soleil disparaissait à l'horizon, Joffrey de Peyrac trouva l'une des clés qui, à son grand étonnement, lui donnait le secret du comportement d'Angélique, en maintes circonstances.

« Oui, elle est généreuse », se dit-il.

Ce fut comme un mirage.

La nuit tombait. Les enfants ne voyaient plus la mer ni les baleines. On entendait leurs petits pieds dévaler les échelles pour regagner l'entrepont.

Angélique, immobile regardait au loin.

Il était sûr qu'elle regardait vers lui, par-delà l'ombre qui s'amassait.

« Elle est généreuse. Elle est bonne. J'ai tendu des pièges à sa méchanceté et elle n'y a pas trébuché... C'est pour cela qu'elle ne m'a pas reproché d'être la cause de ses malheurs. Et c'est pour cela qu'elle est prête à souffrir de ma part des injustices et des reproches, plutôt que de me jeter à la face cette chose horrible qu'elle croit savoir, que je suis responsable, moi le père, de la mort de mon fils Cantor. »

26

Dans le calme de sa cabine et de la nuit — et le calme si rare de la mer, qui berçait sa songerie, il revécut l'épisode dramatique du cap Passero. L'on aurait été bien étonné à l'époque d'apprendre que le combat et la défaite de l'escadre française qui avaient tant ému les cours d'Europe avaient été déterminés par la présence dans « la maison » de l'amiral de Vivonne, d'un petit page de neuf ans!

Lorsqu'il avait joint l'escadre française, au large de la Sicile, le pouvoir du Rescator était alors incontesté. L'ancien bagnard estropié de Marseille avait partout des complicités et des alliés.

Pour parvenir à ce résultat, bien que naviguant pour affaires, il avait dû équiper son chébec en navire de guerre. Combats avec les uns ou les autres se présentaient fréquemment. Il avait mis au pas quelques pirates, non des moindres, tel le sournois Mezzo-Morte. Il avait dû riposter à son grand regret à des attaques des chevaliers de Malte qui persistaient à voir dans ce corsaire masqué dont on ignorait le nom et les origines, un vulgaire renégat au service du Grand Sultan de Constantinople. Les apparences leur donnaient raison contre lui. Il n'y avait pas de place alors pour un moyen terme entre la Croix et le Croissant. On était ou pour l'une ou pour l'autre. Or Joffrey de Peyrac, une fois de plus, s'accommodait d'un troisième signe, son écu d'argent frappé symbolique, sur l'étamine rouge de son pavillon.

Il n'ignorait pas non plus qu'en prenant la mer, l'escadre commandée par le duc de Vivonne avait pour but une expédition punitive dont lui-même demeurait l'un des objectifs les plus pressants. Car son action avait terriblement gêné Louis XIV et avait aussi ébranlé quelques grosses fortunes françaises fondées sur le troc avec le Proche-Orient de produits manufacturés de basse qualité qu'on ne parvenait pas à écouler en France.

Joffrey de Peyrac avait donc envoyé ses espions se renseigner avec un soin particulier de l'itinéraire prévu par l'escadre royale française, de ses effectifs, et il leur avait recommandé de dresser un rôle aussi précis que possible des occupants des galères françaises. C'est ainsi qu'en détaillant la « maison » de l'amiral Duc de Vivonne, ses yeux tombèrent sur un prénom qui le rendit rêveur : Cantor de Morens, page.

Cantor! N'était-ce pas aussi le prénom du fils qui lui était né après sa pseudo-exécution et dont il avait appris l'existence par la lettre du révérend père Antoine, reçue à Candie? Durant les années précédentes, Peyrac s'était parfois demandé si l'enfant qu'attendait Angélique avait été un garçon ou une fille.

Souci alors mineur parmi tous ceux qui l'assaillaient. Ç'avait donc été un garçon. Quand il l'avait su, la nouvelle n'avait pas tellement retenu son attention, tant il était alors sous le coup d'une plus cuisante annonce : celle du remariage de sa femme.

Mais maintenant, devant ce nom surgi inopinément, il méditait : Cantor de Morens... Il ne pouvait donc s'agir que de ce fils « posthume ». Il fit prendre d'autres renseignements et le doute fut écarté. L'enfant était bien âgé de neuf ans. C'était le beau-fils du maréchal du Plessis-Bellière.

L'intention première du Rescator était été de se dérober aux intentions belliqueuses de l'amiral de Vivonne. Prévenu, il irait se retrancher au delà de Candie et de Rhodes, et attendrait pour reprendre ses croisières que l'escadre eût fini de patrouiller et se lassât de poursuivre un fantôme.

Mais la présence du petit Cantor transforma ses projets. La mer lui envoyait son fils. Chaque heure, chaque jour, le désir de se trouver en face de cette incarnation de son passé l'envahit. Son fils et le fils d'Angélique. Conçu par une de ses nuits toulousaines, folles et délicieuses, dont il n'arrivait pas à rejeter entièrement la nostalgie.

C'était un peu avant leur départ pour Saint-Jean-de-Luz où il avait été sournoisement arrêté par les sbires du Roi, que la petite vie avait dû commencer à se développer en elle. Au sein de sa chair douce et féconde, dont l'émoi hantait ses souvenirs.

Voir ce fils, né de leur amour brisé.

Et, surtout, le reprendre.

Implacable, sa volonté se fit jour. Il avait remarqué avec aigreur qu'on avait nommé l'enfant Morens et non Peyrac et qu'on lui devait considération, non parce qu'il était le fils d'un grand seigneur d'Aquitaine, mais seulement le beau-fils du maréchal du Plessis.

Le Rescator donna aussitôt l'ordre d'appareiller. Il arriva en vue de l'escadre française. Il voulait parlementer, offrir un échange. Mais l'amiral de Vivonne apprenant que le pirate qu'il avait ordre de couler corps et biens avait encore l'audace de venir ainsi jusqu'à lui, fit jeter son plénipotentiaire à la mer et lui envoya sans sommation une bordée de francs boulets.

Touché dans ses œuvres vives, l'*Aigle des Mers* connut un mauvais quart d'heure. De plus il était contraint d'engager le combat. Heureusement, les lourdes galères manœuvraient comme des sabots lestés de cailloux. Sur l'une d'elles se trouvait Cantor. Joffrey de Peyrac s'arrangea pour l'isoler des autres mais dans le feu du combat, la galère fut irrémédiablement atteinte. Fou d'inquiétude, sachant avec quelle rapidité un navire disparaît dans les flots, raide comme une pierre, il avait envoyé ses janissaires les plus dévoués à l'abordage, afin de trouver à tout prix l'enfant parmi les passagers réunis à l'arrière et dont certains commençaient à se jeter à l'eau.

C'était Abdullah, le Maure, qui le lui avait amené. Une petite voix claire criait « Mon père! Mon père! ». Joffrey de Peyrac croyait rêver. Ce petit garçon, dans les bras du grand Abdullah, ne paraissait éprouver aucune peur, ni de la mort à laquelle il venait d'échapper, ni des visages sombres qui l'entouraient, des djellabas blanches et des grands cimeterres courbes.

De ses yeux verts comme la source, il regardait la face masquée de noir d'un grand diable de pirate auquel on l'amenait, et il lui disait « Mon père », comme si cela avait été la chose la plus naturelle du monde, la plus attendue de lui.

Comment ne pas répondre à cet appel?

— Mon fils!...

Petit compagnon peu gênant que ce paisible Cantor, ravi de l'existence qu'il menait sur les mers, à l'ombre du père qu'il admirait. Il ne semblait pas garder de regrets de sa vie passée. Joffrey de Peyrac s'était aperçu très vite que l'enfant aimable était très secret. Lui-même n'aurait pas voulu l'interroger le premier. Une crainte le retenait. Quelle crainte? Crainte d'en savoir trop long et de toucher maladroitement à des plaies mal fermées.

En effet, la première fois que Cantor fit allusion à sa famille demeurée au royaume de France, ce ce fut pour déclarer non sans fierté :

— Ma mère est la maîtresse du roi de France. Et si elle ne l'est pas encore, elle le sera bientôt.

Il avait ajouté naïvement :

— C'est normal. C'est la plus belle dame du royaume.

Le coup de Jarnac reçu, Joffrey de Peyrac avait préféré laisser l'enfant évoquer ses souvenirs à son gré, sans les provoquer.

Les bribes qu'il recueillait ainsi composaient de curieux tableaux où passaient Angélique dans des atours somptueux, Florimond, le héros, le maréchal du Plessis-Bellière, froid et courtisan, et pour lequel Cantor avait de l'affection, le Roi, la Reine, et le Dauphin, qui lui inspiraient tous trois, fait étrange, des sentiments protecteurs et quelque peu apitoyés.

Cantor se souvenait de toutes les robes qu'avait portées sa mère et les décrivait minutieusement, ainsi que ses bijoux.

Aux récits du petit page, se mêlaient de ténébreuses histoires d'empoisonnement, d'adultères, de crimes perpétrés dans l'ombre d'un couloir, de perversions et d'intrigues sordides qui ne semblaient pas l'avoir ému le moins du monde. Les pages de la Cour apprenaient la vie derrière la queue des robes qu'ils devaient soutenir. On ne se méfiait pas plus d'eux que des petits chiens.

Cantor avouait cependant qu'il s'amusait bien plus en mer qu'à Versailles. C'était même pour cette raison qu'il avait décidé de rejoindre son père. Florimond aussi viendrait, mais plus tard! Il ne semblait pas envisager qu'Angélique pourrait se joindre à eux. Ainsi se dessinait aux yeux de Joffrey de Peyrac l'image d'une mère frivole et indifférente à ses fils.

Un soir, il s'était décidé à poser une question.

Durant la journée, au cours d'un engagement avec une fuste algéroise, envoyée par Mezzo-Morte, l'un de ses pires ennemis, Cantor avait reçu un éclat de mitraille dans la jambe, et à son chevet le Rescator s'adressait des reproches, bien que le garçonnet éclatât de fierté car il avait, comme tout bon gentilhomme, l'amour de la guerre dans le sang.

L'enfant n'était-il pas bien jeune pour connaître une vie d'aventures barbares, parmi la rudesse des hommes?

— Ta mère ne te manque-t-elle pas, mon petit?

Cantor l'avait regardé avec une sorte d'étonnement. Puis son visage s'était assombri et il avait parlé de ce qu'il appelait, sans que le comte de Peyrac arrivât à démêler pourquoi : « le temps du chocolat ».

— « Au temps du chocolat », dit-il, maman nous prenait sur ses genoux. Elle nous apportait des beignets. On faisait des crêpes... Le gâte-sauce David Chaillon me hissait sur ses épaules et nous allions à Suresnes boire du petit vin blanc le dimanche... Pas nous, parce que nous étions trop petits, mais maître Bourjus et ma mère en buvaient...

» J'aimais bien ce temps-là. Mais après, quand nous étions à l'hôtel du Beautreillis, il fallait que ma mère se montre à la Cour et nous aussi... alors tant pis : on sacrifiait notre « temps du chocolat ».

Joffrey de Peyrac apprenait qu'Angélique avait habité l'hôtel du Beautreillis, qu'il avait fait construire pour elle. Comment avait-elle réussi à en reprendre possession? Cantor, lui, l'ignorait.

Au demeurant, la vie actuelle de Cantor suffisait à l'occuper et il n'avait pas le goût des réminiscences.

Joffrey de Peyrac avait vite découvert avec émotion le don spontané de son fils pour le chant et la musique. Lui-même, Joffrey, dont la voix était morte, reprit alors goût à gratter les cordes de sa guitare. Il composait pour l'enfant des ballades et des sonnets, et l'initiait aux différentes variations instrumentales de l'Orient et de l'Occident. Il décida, peu à peu, de le confier plusieurs mois durant à une école italienne, à Venise, ou à Palerme en Sicile, dont la situation insulaire en faisait le port d'attache de tous les corsaires plus ou moins en rupture de nations.

Cantor était ignorant comme un ânon. Il savait à peine lire et écrire, très peu compter, et si la vie de cour, puis celle de corsaire, en faisaient un magnifique garçon, rompu aux exercices d'escrime, manœuvrant les voiles, et à l'occasion parfaitement policé et de manières courtoises, le savant qu'il avait pour père estimait cela lamentablement insuffisant.

Cantor n'était pas paresseux. Il avait soif d'apprendre. Mais les maîtres qu'il avait eus jusqu'alors n'avaient pas su éveiller son intérêt pour l'étude, sans doute par un enseignement scolastique trop sec et abstrait. Il accepta, sans trop de déception, d'entrer comme pensionnaire à la maison des Jésuites de Palerme, dont ceux-ci avaient fait un centre de culture. Aux rives de cette île imprégnée de civilisation grecque, on retrouvait un peu de l'atmosphère des anciennes humanités qui, au XVIe siècle, avaient formé tant d'hommes dignes de ce nom.

Un autre motif poussait le Rescator à mettre son fils à l'abri et à le dissocier pendant quelque temps de son sort. Les dangers sans nombre qui l'entouraient risquaient un jour d'atteindre l'enfant. Il lui fallait réduire à merci ses principaux ennemis et pour cela entreprendre contre eux, aussi bien par la guerre que par des manœuvres diplomatiques, une des campagnes décisives. Alors qu'il relâchait à Tunis, Cantor n'avait-il pas déjà failli être enlevé par des envoyés de Mezzo-Morte, l'amiral d'Alger, cet inverti sadique, à moitié fou par délire de grandeur, et qui ne lui pardonnait pas d'avoir diminué son influence en Méditerranée?...

S'il avait réussi son attentat, le Rescator aurait dû passer par les fourches caudines. Que n'aurait-il accepté pour retrouver sain et sauf l'enfant qu'il s'était mis à aimer passionnément.

Proche de lui par le goût de la musique, Cantor, par contre, le fascinait par tout ce qu'il avait d'étranger et qui lui rappelait irrésistiblement Angélique et son atavisme poitevin. Peu bavard, contrairement aux gens du Sud de la France, dont il était issu par son père, lucide et sachant faire le point, avec dans le regard ce reflet insondable des forêts druidiques, on ne pouvait guère se flatter de connaître ses pensées et de prévoir ses actes.

Joffrey de Peyrac respectait particulièrement, en son second fils, un don fait de prescience et de double vue, qui lui permettait d'annoncer à l'avance certains événements bien avant qu'ils se produisent. Il le faisait alors avec tant de naturel qu'on le croyait prévenu. Cantor sans doute ne dissociait pas très bien le rêve de la réalité.

Les études allaient-elles détruire et banaliser les nuances de ce caractère original d'enfant? La musique serait là pour le préserver et le climat exceptionnel qui régnait à Palerme. La mer bleue le bercerait encore et Joffrey de Peyrac laissait près de lui, pour le veiller jalousement, le fidèle Kouassi-Ba.

27

Ce que Mezzo-Morte avait manqué avec l'enlèvement de Cantor, il le réussit avec Angélique, après qu'elle se fut enfuie de Candie, puis qu'elle eut quitté Malte.

Joffrey de Peyrac demeura atterré en apprenant que sa femme, surgie en Méditerranée on ne savait trop comment, était tombée entre les mains de son pire ennemi. Simultanément, il venait d'être averti qu'elle était à Malte et, assez rassuré, il se préparait à partir à sa recherche.

Ce fut donc devant Mezzo-Morte, à Alger, qu'il dut se présenter. Le renégat calabrais savait fort bien que le Rescator en passerait par où il voudrait. Il connaissait — comment avait-il pu l'apprendre — le secret que celui-ci n'avait confié à personne : qu'Angélique était son épouse chrétienne et qu'il sacrifierait tout pour la retrouver.

Vingt fois, devant les exigences de l'amiral barbaresque, Joffrey de Peyrac fut sur le point de lui jeter à la face son mépris et de renoncer. Pour une femme, il devait s'abaisser devant un répugnant et fruste personnage. Mais cette femme était sa femme et c'était Angélique. Il ne pouvait se décider au refus qui la condamnerait à mort, à un sort affreux. « Je t'enverrai, mon très cher, disait Mezzo-Morte, un de ses doigts. Je t'enverrai, mio carissimo, une boucle de ses cheveux... Dans un superbe écrin, un de ses yeux verts... »

Impassible, Joffrey de Peyrac rusait, tous ses talents de comédien, il les avait dépensés pour ce misérable qui était italien et connaissait, lui aussi, le jeu subtil et féroce.

Avec sa crainte pour elle, montait aussi sa rage contre elle. Maudite créature qui ne pouvait tenir en place! Après lui avoir échappé à Candie, elle avait trouvé moyen de se jeter, tête baissée, dans les pièges grossiers de Mezzo-Morte. Ah! ce n'était pas d'elle, à coup sûr, que leur second fils tenait son don de double vue. Comment ne l'avait-elle pas reconnu, deviné, à Candie? Sans doute était-elle trop préoccupée par d'autres amours derrière lesquelles elle courait. Et, tout en se débattant pour la sauver, il se promettait de la secouer très rudement lorsqu'il l'aurait retrouvée.

Il était en train de ruiner une seconde fois sa vie pour elle. Mezzo-Morte réclamait pour lui seul l'hégémonie en Méditerranée. Le Rescator devait s'effacer, disait-il et quitter la place. Lui parti, on pourrait recommencer à danser en rond : piller, brûler, razzier, vendre des esclaves, cette si commode et si disputée monnaie de la Mare Nostrum.

Joffrey de Peyrac essaya de le prendre par la cupidité. Il lui proposa des affaires qui lui rapporteraient au centuple ce qu'il gagnait à lancer ses reïs et leurs felouques à l'assaut des navires chrétiens, militaires ou commerçants. Mais ce n'était pas à CELA qu'aspirait le renégat. Il voulait être le pirate le plus puissant, le plus redouté, le plus haï de tous...

En face de cette demi-folie, le raisonnement, l'intérêt s'évanouissaient, perdaient de leur poids décisif.

Le Calabrais avait tout prévu, même que le Rescator pouvait apprendre avant de s'être engagé avec lui, ce qu'il avait fait d'Angélique et où elle se trouvait; ce qu'il advint. Par des indiscrétions, il sut que la captive aux yeux verts avait été offerte au Sultan Moulay Ismaël. « Ton meilleur ami, n'est-ce pas flatteur? » ricana Mezzo-Morte. « Mais prends garde. Si tu quittes Alger sans m'avoir donné ta parole de me laisser libre désormais d'agir à ma guise, tu ne la reverras pas vivante! Un de mes serviteurs s'est mêlé à l'escorte marocaine. Je n'ai qu'à lui faire parvenir un message : il l'assassinera, la nuit même... »

Joffrey de Peyrac finit par s'engager vis-à-vis de Mezzo-Morte. Soit, il quitterait la Méditerranée! Il ne stipulait pas pour combien de temps, ni ne révélait qu'il avait l'intention de croiser au large du Maroc et de l'Espagne en gardant contact avec ses « rescators » jusqu'à ce que la puissance de « l'amiral » fût à son tour abattue.

Le renégat, trop heureux d'une victoire immédiate qu'il n'espérait plus, se montra presque naïf dans sa joie. Cela était beaucoup mieux réussi que s'il s'était débarrassé de son rival en l'assassinant, par exemple. Il était vrai qu'il ne s'était pas privé d'essayer, qu'il n'y était jamais parvenu et qu'il avait fini par révérer superstitieusement la « baraka » spéciale du magicien... Et puis, il restait malgré tout à redouter les foudres du Sultan de Constantinople qui n'aurait pas tardé d'apprendre *qui* l'avait privé de son conseiller secret et grand-maître de ses finances.

Ayant pu quitter sans encombre Alger, le Rescator voguait vers les colonnes d'Hercule, se préparant à passer sans trop de difficulté sous les canons espagnols de Ceuta. Il comptait ainsi gagner Salé, et de là, Miquenez.

Il demeurait sombre. Angélique livrée à la concupiscence du sensuel et cruel Ismaël qu'il connaissait si bien, ce n'était pas là image à le réjouir. Tour à tour il maudissait Mezzo-Morte et il maudissait aussi Angélique. Mais il ne pouvait se défendre de voler à son secours avec une impatience où n'entrait pas seulement la pensée de son devoir vis-à-vis d'une épouse imprudente.

Alors, il reçut brusquement un message d'Osman Ferradji.

— Viens... la femme que les étoiles t'ont dévolue est en danger...

A cet instant de son évocation, Joffrey de Peyrac se dressa tout à coup, dans sa cabine du *Gouldsboro*. Une brusque inclinaison du navire, puis une autre, le firent chanceler. Il dit à mi-voix : la tempête...

La tempête que la mer d'huile, au couchant, annonçait, venait d'envoyer ses premiers coups d'invite. Il resta debout, jambes écartées pour se maintenir en équilibre.

Sa pensée n'avait pas encore quitté le rappel d'un passé, blanc de soleil, rouge de sang...

« Viens... la femme que les étoiles t'ont dévolue est en danger... »

Ainsi les fils se nouaient pour les rapprocher.

Mais, quand il était arrivé à Miquenez, Osman Ferradji était mort, poignardé par un esclave chrétien. L'odeur des charniers se mêlait à l'odeur des roses, dans les jardins...

Tous les Juifs du mellah, depuis les enfants à la mamelle jusqu'aux vieillards centenaires, avaient été passés au fil du cimeterre par les gardes noirs du Sultan. On parlait de l'évasion de sept esclaves chrétiens, et surtout d'une des femmes du harem.

— Quelle femme! mon ami, lui conta Ismaël, les yeux exorbités d'admiration presque mystique, elle avait déjà essayé de m'égorger moi-même. Regarde...

Il montrait sur sa gorge bronzée la trace d'une estafilade.

— ... Et avec mon propre poignard! C'est de l'art! Pour moi, dont l'âme est si rustre, hélas. Aussi elle a résisté aux tortures. Je lui ai fait grâce parce qu'elle était vraiment trop belle et que mon Grand Eunuque me le conseillait instamment. Mais quel poison avait-elle donc réussi à verser dans les veines de cet incorruptible? Car il est mort, lui si fort et si sage, de sa faiblesse à son égard. Elle a réussi à s'enfuir. C'était un démon fait femme.

A peine était-il besoin de demander le nom de la femme. Joffrey de Peyrac l'aurait deviné aussitôt.

Accablé, il en arrivait à l'admiration atterrée du Sultan :

— Oui, quelle femme, mon ami!

Il expliqua à Moulay Ismaël, que cette femme était, en réalité, son épouse française, et qu'ayant appris qu'elle était en sa possession il venait pour la lui racheter. Moulay Ismaël loua Allah que le caractère farouche d'Angélique lui eût évité, à lui, Commandeur des Croyants, de commettre à l'égard de son meilleur ami un outrage irréparable, d'autant plus qu'il n'est pas bon pour un fervent musulman de se servir d'une femme dont le mari est encore vivant. Il la lui rendrait et ne demanderait pas de rançon. C'était la Loi coranique.

Le Sultan espérait encore qu'on la rattraperait avec les fugitifs. Ses émissaires lancés sur différentes pistes avaient reçu des ordres : exécuter les esclaves mâles et ramener la femme vivante.

Les nouvelles arrivèrent enfin, puis les têtes noircies de sang séché. Moulay Ismaël vit tout de suite que celle de Colin Paturel manquait.

— Et la femme? demanda-t-il.

Les soldats dirent que les Chrétiens avaient parlé avant de mourir. Quand on les avait capturés, la femme n'était plus parmi eux. La Française était morte depuis longtemps d'une piqûre de serpent. Ses compagnons l'avaient enterrée dans le désert.

Moulay Ismaël déchira ses vêtements. A sa fureur se mêlait le regret de ne pouvoir honorer d'un geste magnifique l'ami qu'il estimait. Intuitif, il comprit la douleur que cachait la face couturée du chrétien.

— Veux-tu que je tue encore, disait-il à Joffrey de Peyrac. Ces stupides gardes qui n'ont pas su la rattraper avant qu'elle soit morte... qui l'ont laissée s'échapper... Un signe de toi et je les égorge tous.

Joffrey de Peyrac déclina l'offre de cette bonne

volonté sanguinaire. L'écœurement lui serrait la gorge.

Dans ces palais où traînaient des relents d'incendies et de massacres, l'esprit du Grand Eunuque rôdait encore et il croyait entendre sa voix harmonieuse : « Nous autres, nous sommes pour Dieu et le sang répandu en Son nom... et toi tu resteras seul. »

L'inanité de tous ses projets, de ses pensées, de ses passions même lui apparaissait soudain. Combien ridicules! Inaudible était son langage à lui, pour ces mondes face à face qui, chrétiens ou musulmans, n'obéissaient en réalité qu'à un seul concept supra-terrestre : l'hégémonie de Dieu.

Soit, il partirait. Il quitterait la Méditerranée non plus parce qu'il s'était engagé vis-à-vis de Mezzo-Morte mais parce qu'il se découvrait encore étranger parmi ceux qui l'avaient aidé à refaire sa vie pendant plusieurs années. Il irait donc chercher Cantor et il cinglerait vers l'Ouest, vers les nouveaux continents. Abandonnant une fortune redevenue fabuleuse, il laisserait derrière lui deux civilisations touchées de corruption s'affronter dans leur marmite bouillonnante, poussées par le même fanatisme religieux qui les faisait, à la longue, se ressembler dans leurs excès et leur intolérance.

Il était las de cette lutte dont la stérilité était évidente.

Il résista à la tentation de se lancer à travers le désert, à la recherche d'une tombe misérable. Autre folie qui ne l'aurait mené à rien qu'au désespoir. S'assurer de sa mort réelle? Quelle assurance recevrait-il? Des traces relevées dans la poussière? Pour chercher une autre poussière qui eût pu être toute sa vie. Vanité des choses.

Les esclaves, ses compagnons de fuite, étaient morts. Il la sentait disparue, elle aussi, dans l'immensité du soleil cruel, qui dissout la pensée et fait naître les mirages. Sa volonté de l'atteindre s'était heurtée à cette apparence de mythe, de rêve fugace qu'elle semblait revêtir pour lui.

Le sort qui les avait séparés refusait de les réunir avec une constance qui devait signifier quelque chose. Quoi donc?... Finalement, lui si fort pourtant, il n'avait pas le cœur ni la résignation suffisante pour rechercher un secret que seul l'avenir lui dévoilerait... si cela devait encore arriver. Son long séjour en Orient et en Afrique en avait fait, sinon un fataliste, tout au moins un être qui savait qu'on était peu de chose vis-à-vis du sort... qu'on ignorait. Son fils demeurait par contre la seule réalité de sa vie.

Ayant retrouvé son fils à Palerme, il remercia le ciel de lui laisser au moins cet enfant dont la présence l'arrachait à des tourments profonds et qu'il avait cette fois du mal à surmonter.

Quand il aborda l'océan, à la sortie du détroit de Gibraltar, cinglant vers l'Amérique, il ne gardait avec lui que son navire, l'*Aigle des Mers* et son équipage, du moins ceux qui voulaient bien partager son nouveau destin.

Un ramassis d'épaves humaines en auraient dit, avec dédain, les grands bourgeois rochelais!... Ouida. Mais il les connaissait tous, ces êtres épars. Il savait les drames qui les avaient jetés comme lui-même sur les routes du Monde. Il n'avait gardé que ceux qu'il ne pouvait renvoyer, ceux qui se seraient couchés à ses pieds plutôt que d'accepter de se retrouver seuls sur un quai, avec leur maigre baluchon, parmi les hommes hostiles. Parce qu'ils ne savaient où aller. Peur de l'esclavage musulman, ou de celui des galères chrétiennes, peur de tomber sur un nouveau capitaine, brutal et âpre au gain, de se faire voler, de perdre la tête et de commettre des bêtises qu'ils paieraient encore trop cher.

Joffrey de Peyrac avait le respect de ces âmes ténébreuses, de ces volontés mortes, de ces cœurs dolents sous la rudesse des mœurs qu'ils affichaient. Il les tenait sévèrement mais ne les trompait jamais, et savait éveiller leur intérêt pour leurs tâches ou les buts de ses voyages.

Il ne leur cacha pas, en quittant la Méditerranée, qu'ils cessaient d'appartenir à un maître tout-puissant. Car tout était à recommencer pour lui. Ils acceptèrent l'aventure. Et d'ailleurs, très vite, il put récompenser leur dévouement par des primes substantielles.

Il avait emmené avec lui toute une équipe de plongeurs maltais et grecs. Les dotant d'un matériel perfectionné, il entreprit de croiser dans la mer des Caraïbes et d'y rechercher en plongées les trésors des galions espagnols coulés dans ces parages par les flibustiers et boucaniers qui y sévissaient depuis plus d'un siècle. Son activité, mal connue, et qu'il était seul à pouvoir pratiquer, ne tarda pas à l'enrichir considérablement. Il avait passé des accords avec les grands chefs pirates de l'île de la Tortue, et les Espagnols ou Anglais, comme le capitaine Phipps, qu'il n'attaquait pas et auxquels il avait fait don de quelques-unes des plus belles pièces récupérées au fond des mers, le laissaient en paix.

Son nouveau gagne-pain? Découvrir sous leurs chevelures d'algues, quelques chefs-d'œuvre de l'art inca ou aztèque, et cela comblait aussi son sens de la beauté et contentait son goût de la recherche.

Il parvint, peu à peu, à surmonter la hantise dont, quelque temps, il se sentit atteint jusqu'au fond de l'être : Angélique... Morte, et qu'il ne reverrait jamais.

Il ne lui en voulait plus d'avoir vécu follement, et peut-être étourdiment. Sa mort complétait sa légende. Elle avait risqué un exploit qu'aucune captive chrétienne n'avait jamais osé. Il ne pouvait oublier qu'elle s'était refusée à Moulay Ismaël! et avait affronté fièrement le supplice. Folie! On ne demande pas aux femmes d'être héroïques, se disait-il désespérément. Qu'elle se fût conservée vivante, qu'il pût encore la serrer dans ses bras, sentir son corps tiède contre le sien, reprendre possession de ses yeux, comme à Candie, et il aurait oublié les traces sur elle des infidélités, il aurait tout pardonné!... Mais l'avoir vivante, goûter le grain de sa peau, la posséder dans un présent voluptueux qui ne se soucierait ni du passé, ni du lendemain, et ne plus avoir à imaginer ce beau corps desséché dans les sables, agonisant, lèvres grises, sans recours à la face du ciel.

— Ma chérie, comme je t'aimais...

Le hurlement de la tempête monta, ébranlant les châssis des vitres. Arc-bouté pour résister aux violents soubresauts du plancher pris de folie, Joffrey de Peyrac restait attentif au cri intérieur de jadis qui avait jailli en lui.

— Ma chérie, je t'aimais, je te pleurais... Et voici que je t'ai retrouvée vivante et que je ne t'ai pas ouvert les bras.

L'homme est ainsi fait. Il souffre, puis il guérit. Il oublie alors la lucidité et la sagesse que confère la douleur. Débordant de vie, il se hâte de reprendre son bagage d'illusions, de petites craintes, de rancunes destructives. Loin de lui ouvrir les bras, à elle qu'il avait tant cherchée, il avait pensé à l'enfant que lui avait donné un autre, au Roi, aux années perdues, aux lèvres qui avaient baisé les siennes... Il lui en avait voulu d'être une inconnue. Mais c'était pourtant bien cette inconnue qu'il aimait aujourd'hui.

Toutes les questions que se pose un homme sur le point de faire sienne, pour la première fois, une femme qui l'a séduit et qu'il désire, il se les posait aujourd'hui.

« Comment répondront ses lèvres quand je les chercherai? Comment réagira-t-elle quand j'essayerai de la prendre dans mes bras? Le secret de sa chair, comme celui de sa pensée, je l'ignore. Qui es-tu? Qu'ont-ils fait de toi, beau corps, si jalousement dissimulé, désormais... »

Il rêvait de sa chevelure croulant sur ses épaules, de sa défaillance contre lui, de la lueur humide de ses yeux verts dans les siens.

Il parviendrait à la fléchir. « Tu es mienne et je saurai bien te le faire entendre ».

Mais il fallait qu'il l'admette à sa juste mesure. Il n'est pas facile de découvrir chez une femme, en pleine maturité, forgée à un tel feu, le défaut de la cuirasse.

Mais il y parviendrait! Il la dépouillerait de sa défense. Il écarterait ses mystères, un à un, comme il écarterait ses vêtements.

Il dut mettre toute sa force contre le vent pour repousser la porte. Dehors dans la nuit sauvage, flagellée d'embruns, il s'arrêta un instant, cramponné à la balustrade du balcon, qui déjà grinçait et gémissait comme un vieux bois prêt à se fendre.

« Qui es-tu donc, comte de Peyrac, pour abandonner ainsi ta femme à un autre et encore, sans même combattre? Mordious! Qu'on me laisse mettre au pas cette garce de tempête, et ensuite... nous allons changer de tactique, Mme de Peyrac! »

28

Dans l'effroyable désordre où la tempête jetait les passagers, un cri domina :

— L'entrepont s'effondre!

Cela tenait du cauchemar. Les craquements sinistres des bois, au-dessus de leurs têtes, couvraient maintenant tous les autres bruits : fracas des vagues, sifflements du vent, cris de terreur des malheureux, lancés pêle-mêle les uns contre les autres dans une obscurité totale.

Angélique glissa tout au long du plancher soudain dressé comme une muraille. Elle se retrouva contre le dur affût d'un canon et, repartie en sens inverse, fut horrifiée à la pensée que le petit corps d'Honorine était soumis à cette affreuse sarabande. Où la retrouver, où l'entendre? Appels, plaintes s'entrecroisaient. Le plafond continuait à craquer pesamment. Une giclée d'eau salée s'engouffra. Une voix de femme cria : « Seigneur, sauvez-nous... Nous périssons! »

La main d'Angélique s'écorcha sur un objet dur et brûlant : une des lanternes éteintes, qu'un choc avait projetée au sol. Mais elle n'était pas brisée.

« Il faut y voir clair », se dit la jeune femme en se cramponnant. Accroupie au sol, résistant de toutes ses forces au balancement infernal du navire, elle tâtonnait, trouvait l'ouverture de la boîte, la chandelle encore assez haute, et dans le tiroir, le briquet à pierre, en réserve. Elle réussit à faire jaillir la lumière. L'auréole rougeâtre s'épanouit, révélant un amoncellement indescriptible de vêtements, de corps et d'objets, entraînés de droite à gauche, d'avant en arrière, selon la folie furieuse du tangage.

Et, surtout, là-haut, l'apparition d'une brèche

béante, hérissée, qui vomissait, par intermittence, une eau écumeuse.

— Par ici, cria-t-elle. C'est le support du mât de misaine qui défonce notre abri.

Le premier, Manigault surgit de l'ombre. Avec une vigueur de Goliath, il se plaça sous les poutres à demi brisées. Berne, Mercelot et trois des plus vigoureux parmi les hommes le rejoignirent et l'imitèrent. Tels des titans soutenant le poids du monde, ils s'arc-boutaient pour réduire la traction d'effondrement. L'eau giclait moins déjà. La sueur ruisselait sur les visages tendus des hommes.

— Il faudrait... des charpentiers, haleta Manigault. Qu'ils viennent... avec des bois et des outils... Si l'on peut étayer le mât... la brèche ne s'agrandira pas.

Pataugeant dans l'eau qui clapotait, Angélique avait réussi à retrouver Honorine. Par miracle, la petite était toujours dans son hamac, solidement arrimé, et qui épousait, sans trop de violence, les mouvements démentiels dans lesquels la tempête jetait le *Gouldsboro*. Bien qu'éveillée, l'enfant ne semblait pas particulièrement effrayée.

Angélique reporta l'éclat de sa lanterne vers le tableau dantesque des Manigault et ses compagnons, soutenant de leurs épaules de chair les énormes madriers. Combien de temps pourraient-ils tenir? Les yeux injectés de sang, Manigault lui cria encore :

— Les charpentiers!... Allez les chercher...

— La porte est fermée!...

— Ah! les maudits! Ils nous enferment et ils nous laissent périr comme des rats dans un trou... Passez... par le réduit, haleta-t-il. Il y a une trappe.

Angélique eut la grâce de comprendre. Elle sut qu'il s'agissait de la trappe par laquelle les matelots espagnols avaient surgi derrière elle et tante Anna, l'autre jour.

Elle fourra sa lanterne dans le poing de Martial qui se trouvait près d'elle.

— Tiens-la bien et cramponne-toi, recommanda-t-elle. Tant qu'il y aura de la lumière, ils tiendront. Je vais essayer de prévenir le capitaine.

Elle rampa sur les genoux, trouva le loquet de la trappe et se laissa couler dans le trou obscur. Elle descendit les barreaux d'une échelle, suivit un couloir dont les parois se la renvoyaient comme une balle. Tous ses os lui faisaient mal. Elle gagna le pont. C'était pire!

Comment des êtres humains pouvaient-ils encore demeurer sur le tillac, sans cesse balayé par de monstrueuses lames? Comment pouvaient-ils subsister encore, accrochés dans les vergues et les haubans, comme les fruits d'un arbre prêts à être arrachés et emportés au loin par le vent?

Et, pourtant, la lueur des éclairs lui découvrait des silhouettes humaines allant et venant, s'évertuant à réparer, au fur et à mesure, les dégâts mortels causés par l'assaut des vagues.

Elle se mit à ramper, s'accrochant aux cordages qui couraient le long de la coursive. Elle savait maintenant que Joffrey était là-bas sur la dunette, tenant la roue du gouvernail et qu'elle devait, à tout prix, parvenir jusqu'à lui. C'était la seule pensée de tout son être. Elle traversait les ténèbres, ruisselante, agrippée, accrochée de toutes ses forces, comme elle avait traversé le long tunnel des années qui l'avaient ramenée jusqu'à lui.

« Mourir près de lui. Au moins, obtenir cela du destin. » Elle l'aperçut enfin, si mêlé à la nuit, incorporé à la tempête, qu'il ressemblait plutôt à une incarnation de l'esprit des eaux. Son immobilité était étonnante parmi une telle agitation.

« Il est mort, se dit-elle, il est mort debout, foudroyé à la barre! »

Est-ce qu'il ne se rendait pas compte qu'ils allaient tous périr? Aucune force d'homme ne pouvait prétendre s'imposer à la fureur de l'océan. Une lame encore, deux... et ce serait la fin.

Elle se traîna jusqu'à lui, toucha le pied botté qui paraissait rivé au sol. Alors, d'un effort elle se redressa, s'agrippant des deux mains à sa haute ceinture de cuir. Il ne bougeait pas plus qu'une statue de pierre. Mais, dans une nouvelle lueur fulgurante de l'orage, elle le vit bouger la tête et baisser les yeux afin de découvrir qui s'accrochait à lui. Il tressaillit et elle devina plus qu'elle n'entendit sa question.

— Que faites-vous ici?

Elle cria :

— Les charpentiers! Vite!... L'entrepont s'effondre!...

Avait-il seulement entendu, compris?... Il ne pouvait lâcher la barre. Il se courba sous le choc d'une lame, qui avec des caracolements de bête furieuse, avait réussi à franchir la haute rambarde de la dunette. Lorsque Angélique eut réussi à reprendre souffle, la bouche amère de l'eau salée qui l'avait frappée en pleine face, elle vit que le capitaine Jason était près du Rescator. Peu après il s'approcha de la balustrade d'où il lança des ordres, son porte-voix contre la bouche.

Un autre éclair montra à Angélique le visage de son mari penché à nouveau sur le sien... et il souriait :

— Tout va bien... Encore un peu de patience et c'est la fin.

— La fin?

— La fin de la tempête...

Elle leva les yeux vers l'obscurité démente. Tout là-haut se dessinait un phénomène étrange. Une guirlande neigeuse qui, peu à peu, s'étirait en longueur, comme sous l'effet d'une floraison spontanée et diabolique. Elle s'étalait à travers le ciel, la nuit entière. Angélique se mit debout.

— Là! Là! hurla-t-elle.

Joffrey de Peyrac avait vu aussi. Il sut que ce barrage blanc, suspendu dans les airs, n'était autre que la crête d'écume d'une vague monstrueuse, d'une vague aveugle qui déferlait sur eux.

— La dernière, murmura-t-il.

Les muscles bandés, luttant de rapidité avec la galopante montagne, il fit tourner le gouvernail à fond sur bâbord et le bloqua.

— Tous les hommes à bâbord, hurlait Jason.

Joffrey de Peyrac se rejeta en arrière. D'un bras, il serra Angélique contre lui, de l'autre il se lia au mât d'artimon.

La masse brutale s'abattit sur eux. Couché sur tribord, poussé à une vitesse vertigineuse, le *Gouldsboro* ne fut plus qu'un menu bouchon de bois, roulé dans la boucle géante de la vague.

Puis, il réussit à passer la crête bouillonnante, se renversa sur l'autre flanc avec la brusquerie d'un sablier et dévala la pente comme vers un gouffre sans fin.

Il semblait à Angélique que l'averse torrentielle qui les inondait ne cesserait jamais.

La seule réalité perceptible à son esprit, c'était ce bras de fer autour d'elle, *son* bras qui la tenait. Elle voulut respirer, absorba l'écœurante eau salée. Ils étaient au fond de la mer, noués à jamais, réunis pour l'éternité, et une paix merveilleuse envahit son cœur et son corps lassés : « Le plus grand bonheur... le voici... enfin... »

Elle ne s'était pas évanouie, mais les coups violents et suffocants reçus la laissaient dans une sorte d'hébétude et elle n'arrivait pas à croire que la mer avait cessé de la rouler comme un galet et que le calme était revenu autour d'elle.

Calme fort relatif. Le navire continuait à être

très secoué, mais en regard de ce qu'il venait d'endurer, ces mouvements semblaient inoffensifs.

La cabine du Rescator offrait un asile miraculeusement paisible.

Angélique y était échouée dans ses vêtements trempés, ne parvenant pas à se rappeler comment elle était parvenue jusque-là.

« Il faudrait que je me relève et que j'aille là-bas, se disait-elle, les charpentiers... sont-ils arrivés à temps pour arrêter le désastre?... Oui, puisque le bateau n'a pas coulé. »

Elle s'aperçut tout à coup qu'un homme au torse nu était dans la pièce, s'étrillant vigoureusement, tandis qu'il secouait devant lui, avec impatience, des cheveux touffus qui répandaient alentour une nuée de gouttelettes.

Il était pieds et mollets nus aussi, vêtu seulement d'un haut-de-chausses de peau collant qui soulignait ses formes sèches et longues.

La lumière d'une grosse lampe — Angélique ne s'était pas aperçue de l'instant où cette lampe avait été allumée — accusait des reliefs insolites sur la chair qui semblait, elle aussi, faite d'un cuir résistant : balafres, cicatrices, sillons profonds qui tranchaient de leurs lignes anarchiques le jeu harmonieux des muscles, à fleur de peau.

— Eh bien, petite dame, reprenez-vous un peu vos esprits? dit la voix de Joffrey de Peyrac.

Il acheva de se frotter avec énergie les épaules, puis rejetant le linge, il s'approcha d'Angélique, pour la contempler, les mains sur les hanches. Jamais il n'avait mieux ressemblé à un dangereux pirate, avec ses pieds nus, sa chair boucanée, et l'éclat sarcastique de ses yeux sous la retombée des boucles serrées et sombres. L'ancienne chevelure du comte de Peyrac, pour être moins abondante et coupée court, reprenait ses droits dès qu'elle était libérée du serre-tête de satin noir.

— Ah! c'est vous?... murmura-t-elle machinalement.

— Oui-da... je n'avais plus un fil de sec. Et vous-même, vous devriez ôter ces vêtements trempés... Que pensez-vous d'une tempête dans les environs de la Nouvelle-Ecosse? Magnifique, n'est-ce pas? Rien à voir avec ces tempêtes en bouteille de la petite Méditerranée. Heureusement que le monde est plus vaste et ne montre pas que de la mesquinerie...

Il riait. Cela indigna si fort Angélique qu'elle réussit à se mettre debout malgré le poids de plomb que semblait peser sa jupe gorgée d'eau.

— Vous riez, s'écria-t-elle, en colère. Toutes les tempêtes vous font rire, Joffrey de Peyrac... Les tortures vous font rire. Vous chantiez sur le parvis de Notre-Dame... Qu'importe que moi je pleure? Qu'importe que moi j'aie peur des tempêtes... et même en Méditerranée... sans vous...

Ses lèvres tremblaient. Etait-ce l'eau salée de la mer ou des larmes qui ruisselaient sur ses joues blêmes? Pleurait-elle, l'indomptable?...

Il lui tendit les bras, l'attira contre la chaleur de sa poitrine.

— Calmez-vous, calmez-vous, petite dame!... Vous n'allez pas commencer à vous énerver, maintenant!... Le danger est passé, ma chérie. La tempête s'est enfuie.

— Mais elle reviendra.

— Peut-être. Mais nous la surmonterons encore. Avez-vous si peu de confiance en mes capacités de marin?

— Vous m'avez abandonnée, se plaignit-elle, ne sachant plus trop à quelle sorte de question elle donnait cette réponse.

Ses doigts glacés, tâtonnants, cherchaient les plis des vêtements auxquels elle s'était cramponnée tout à l'heure, et ne rencontraient que le troublant contact de la peau dure et chaude. Et c'était comme dans son rêve. Elle était suspendue des deux mains à des épaules invincibles, et des lèvres s'approchaient des siennes.

L'émotion venait trop vite et sans qu'elle en fût maîtresse. Dans un sursaut, elle s'arracha à lui. Il dut prévenir son geste de fuite vers la porte.

— Restez!

Les yeux égarés d'Angélique l'interrogeaient, ne comprenant plus.

— Là-bas, tout va bien. Les charpentiers sont arrivés à temps. On a dû sacrifier le mât de misaine, mais le plafond est déjà réparé et l'eau a été écopée. Quant à votre fille, je l'ai confiée à sa nourrice très dévouée, Tormini-le-Sicilien qu'elle adore.

Il posa avec délicatesse sa longue main sur sa joue et l'obligea à coucher son visage contre son épaule.

— Restez... Nul n'a besoin de vous ailleurs, que moi seul ici.

Elle tremblait de tous ses membres. De cette subite douceur, elle ne pouvait croire la réalité.

Il l'embrassait... *Il l'embrassait!...*

Et elle était entraînée dans un tourbillon de sensations contradictoires qui la brisaient, comme tout à l'heure la tempête.

— Mais, s'écria-t-elle, en se dégageant de nouveau, c'est impossible!... Vous ne m'aimez plus... Vous me méprisez... vous me trouvez laide!...

— Hé là! comme vous y allez, ma belle, fit-il en riant. Vous aurais-je mortifiée à ce point?...

Il l'écarta de lui, pour la tenir à bout de bras et l'examiner avec son grand sourire caustique qui se nuançait d'un sentiment indéfinissable. Mélancolie, tendresse, et, dans son regard noir et brillant, une étincelle qui s'allumait.

Elle touchait avec détresse son propre visage, frais et rigide, sa chevelure poissée d'eau de mer.

— Mais je suis affreuse, gémit-elle.

— Oui, certes, approuva-t-il, moqueur, une véritable sirène arrachée du fond des eaux par mes filets. Sa peau est amère et gelée, et elle a peur de l'amour des hommes... quel curieux déguisement vous êtes-vous choisi là, madame de Peyrac?

De ses deux mains, il lui encercla la taille et, brusquement, l'enleva en l'air, comme il l'eût fait d'un fétu.

— Folle, chère folle!... qui ne voudrait de vous?... Ils sont trop nombreux ceux qui vous désirent... Mais vous n'appartenez qu'à moi.

Il la portait vers le lit et, après l'y avoir déposée, continuait à la tenir contre lui, caressant son front comme à une enfant malade.

— Qui ne voudrait de vous, mon âme?

Dans ses bras, étourdie, elle était sans défense. L'horrible tempête qui l'avait tant effrayée lui amenait, par surprise, cet instant qu'elle n'espérait plus et qu'elle n'avait cessé de souhaiter et de redouter à la fois. Pourquoi? Par quel miracle?

— Allons, hâtez-vous de quitter ces vêtements si vous ne voulez pas que je vous les ôte moi-même.

Avec son habituelle assurance, il la forçait à se dépouiller des étoffes trempées qui collaient à sa chair frissonnante.

— Voilà par quoi nous aurions dû commencer lorsque vous êtes venue me trouver la première fois à La Rochelle. On ne gagne rien de bon à discuter avec une femme... que de perdre un temps précieux qui aurait pu être beaucoup mieux employé... ne pensez-vous pas?

Nue contre sa peau nue, elle commençait à percevoir ses caresses.

— Ne crains rien, disait-il, tout bas, je veux seulement te réchauffer.

Elle n'avait plus à se demander pourquoi il l'avait tout à coup ramenée vers lui avec une jalouse autorité, faisant fi des reproches et des rancunes.

Il la désirait. *Il la désirait...*

Il semblait la découvrir comme un homme découvre pour la première fois une femme au corps de laquelle il a longtemps rêvé.

— Comme tu as de beaux bras, disait-il avec émerveillement.

Et c'était déjà le seuil de l'amour.

De cet amour plus vaste et magnifique qui avait été le leur jadis. D'elle à lui se renouaient les liens de la chair, qui, les comblant de délices et de souvenirs, les avaient gardés tendus l'un vers l'autre à travers l'espace et le temps.

Les bras d'Angélique, en s'ouvrant, ne pouvaient que se refermer sur lui et elle retrouvait des gestes familiers et pourtant neufs, exaltants. Elle subissait, sans pouvoir encore y répondre, la recherche de sa bouche impérieuse sur ses lèvres. Puis sur son cou, sur ses épaules...

Des lèvres qui se rivaient à elle en des baisers de plus en plus ardents comme s'il voulait avec avidité boire son sang.

Ce qui subsistait de ses terreurs était balayé. L'homme créé pour elle l'avait rejointe. Avec lui, tout était naturel, simple et beau. Lui appartenir, demeurer là, paralysée par son rapt, et soudain lucide, s'apercevoir, dans un mélange d'effroi et de joie éblouissante, qu'enfin ils ne faisaient plus qu'un...

Le jour venait, levant un à un des voiles d'ombre et restituant aux yeux éperdus d'Angélique les contours de ce visage de faune durci et taillé dans un bois patiné, dont elle n'était pas encore très sûre qu'il n'appartînt au domaine du rêve.

Elle pressentait qu'elle ne pourrait plus se passer de ses étreintes, de ses caresses, de l'expression qu'elle lisait dans des yeux qui avaient été pour elle si durs.

Le jour se levait, lendemain de tempête, où le flot avait ce mouvement las et voluptueux qu'Angélique croyait éprouver jusqu'au fond d'elle-même. L'odeur de la mer perdait son âpreté. Angélique respirait celle de l'amour, l'encens de leur union. Elle n'était pas sans craintes cependant.

De tous les appels qui emplissaient son cœur, aucun n'avait su franchir ses lèvres.

Que pensait-il de son mutisme? de sa gaucherie? Que dirait-il quand il parlerait? Il préparait une boutade, elle en était certaine. Cela se devinait à ce pli sarcastique qui creusait sa joue.

— Bast! fit-il, après tout ce n'était pas trop mal pour une petite mère abbesse. Mais, entre nous, ma chère, vous n'avez pas fait de progrès en amour depuis l'école du gai savoir.

Angélique se mit à rire. Mieux valait qu'il lui reprochât sa maladresse plutôt que ses progrès. Elle pouvait accepter qu'il se moquât un peu d'elle. Elle joua la confusion.

— Je sais. Vous aurez beaucoup de choses à me réapprendre, mon cher seigneur. Loin de vous, je n'ai pas vécu, mais seulement survécu. Ce n'est pas pareil...

Il eut une moue.

— Hum! Je ne vous crois pas entièrement, hypocrite! N'importe! La phrase est jolie.

Il continuait à la caresser, appréciant les formes douces et pleines qui se révélaient sous ses doigts.

— C'est criminel de voiler un corps pareil sous des nippes de servante. Je vais remédier à cela.

Elle le regarda se lever, et aller chercher dans un coffre des effets qu'il jeta au pied du lit.

— A partir d'aujourd'hui, vous vous vêtirez décemment.

— Vous êtes injuste, Joffrey. Mes nippes de servante, comme vous dites, ont du bon. Me voyez-vous m'embarquant en grands atours sur votre *Gouldsboro*, avec des dragons à nos trousses? Je ne suis plus la souveraine d'un royaume.

Il se recoucha près d'elle. A demi soulevé sur un coude, l'autre bras reposant contre un de ses genoux relevé, dans une attitude méditative où elle reconnaissait sa grâce ancienne de baladin, il paraissait songer.

— Un royaume?... Mais j'en possède un. Il est immense... Admirable. Les saisons le revêtent d'émeraude ou d'or. La mer d'un bleu rare baigne ses plages couleur d'aurore...

Par éclats, renaissait en lui le lyrisme des troubadours.

— Où se trouve votre royaume, mon cher seigneur?

— Je vous y emmène.

Elle tressaillit, ramenée à la réalité de leur situation présente. Très bas, elle osa murmurer.

— Vous ne nous emmenez donc pas aux Iles?

Il ne parut pas entendre. Puis, haussant les épaules :

— Les Iles?... Bah! je vous en donnerai des îles... Plus que vous en voudrez.

Il reporta son regard sur elle et se reprit à sourire. Sa main jouait machinalement avec les cheveux d'Angélique étalés sur l'oreiller. En séchant, ils avaient retrouvé leur nuance habituelle.

Joffrey de Peyrac paraissait intrigué.

— Comme votre chevelure est devenue claire, s'exclama-t-il. Mais, ma parole, vous avez des cheveux blancs!

— Oui, murmura-t-elle, chaque mèche est le souvenir d'une agonie.

Sourcils froncés, il continuait à l'examiner avec une scrupuleuse attention.

— Raconte, dit-il, impératif.

Raconter? quoi donc? Les souffrances qui avaient jalonné sa route loin de lui?

Les prunelles immenses, insondables, elle le fixait d'un regard dévorant. Du doigt, doucement, il caressait ses tempes. Elle ne savait pas qu'il essuyait, par ce geste, les larmes qui s'étaient mises à couler de ses yeux, à elle, sans qu'elle s'en aperçût.

— J'ai tout oublié, il n'y a rien à raconter.

Elle leva ses bras nus, osa se nouer à lui et l'attirer contre son cœur.

— Vous êtes tellement plus jeune que moi, monsieur de Peyrac, vous avez gardé votre toison mauresque, sombre comme la nuit. A peine quelques cheveux gris.

— Je vous les dois...

— Est-ce bien vrai?

Il voyait trembler dans l'aube indécise la courbe de ses lèvres, mi-sourire, mi-tristesse. Et il songeait : « Ma seule douleur... mon seul amour »... Sa bouche, autrefois, n'avait pas tant de vie frémissante, tant de séduisante expression.

— Oui, j'ai souffert... à cause vous... si cela peut vous contenter, mangeuse d'hommes.

Qu'elle était belle! Plus belle d'être habitée d'une humaine chaleur dont la vie l'avait enrichie. Il reposerait sur son sein. Dans ses bras, il oublierait tout.

Il saisit la lourde chevelure nacrée, la tordit, en fit un lien qu'il enroula autour de son cou. Lèvres contre lèvres, ils allaient recommencer à s'embrasser éperdument, lorsque l'éclatement d'un coup de mousquet au-dehors brisa le silence du matin.

LA MUTINERIE

1

En percevant les coups de feu, Angélique eut l'impression de revivre des scènes passées : la police du Roi surgissant, les dragons. Tout se brouilla. L'œil dilaté, elle regardait Joffrey de Peyrac qui avait bondi et qui s'habillait promptement, sanglant sa casaque de cuir noir, ses hautes bottes.

— Levez-vous! jeta-t-il, vite!...

— Qu'est-ce?

Elle pensa tout à coup qu'un navire pirate attaquait le *Gouldsboro*.

Retrouvant son sang-froid, elle se précipita sur les vêtements que son mari avait jetés à son chevet. Jamais femme ne se vêtit avec moins de souci de son apparence. Elle achevait d'agrafer le plastron du corsage, lorsqu'un coup sourd ébranla la porte vitrée de l'appartement.

— Ouvrez, râla une voix au-dehors.

Joffrey de Peyrac tira les loquets et un corps pesant s'abattit contre lui, puis roula tout d'une masse sur le tapis. Entre les deux épaules de l'homme qui venait de tomber là une énorme tache rouge sombre s'élargissait.

La main du Rescator le retourna.

— Jason!

Le capitaine ouvrit les yeux.

— Les passagers, murmura-t-il, ils m'ont attaqué... par surprise... dans ce brouillard... Ils sont maîtres du tillac.

Par la porte béante la brume épaisse s'introduisait en volutes lourdes et blanchâtres. Angélique vit s'y profiler une silhouette connue. Gabriel Berne apparut sur le seuil, tenant en main un pistolet fumant.

D'un même geste, sa main armée et celle du Rescator se levèrent.

« Non », voulut crier Angélique.

Le cri ne franchit pas ses lèvres, mais d'un élan elle s'était portée en avant et retenait le bras de son mari. Le canon de l'arme qui visait le marchand protestant fut détourné et la balle alla se perdre dans le lambris de bois doré au-dessus de la porte.

— Sotte! fit le Rescator entre ses dents.

Mais il ne chercha pas à l'écarter. Il savait que son pistolet ne contenait qu'un seul coup et qu'il ne pouvait le recharger. Angélique lui faisait un bouclier de son corps.

Moins prompt que son adversaire, maître Berne n'avait pas eu le temps de tirer. Il hésitait, les traits convulsés. Maintenant, il n'aurait pu abattre celui qu'il haïssait sans blesser et peut-être tuer la femme qu'il aimait.

Manigault entra, puis Carrère, Mercelot et quelques matelots espagnols de leurs complices.

— Eh! bien, monseigneur, dit l'armateur avec ironie, à nous de jouer, maintenant! Avouez que vous n'attendiez pas un tel mauvais tour de ces misérables émigrants, tout juste bons à être vendus par un aventurier rapace. Veillez et priez, car vous ne connaissez ni le jour ni l'heure, est-il dit dans les Ecritures. Vous avez laissé Dalila endormir votre vigilance et nous avons mis à profit cette défaillance que nous guettions depuis longtemps. Monseigneur, veuillez me remettre vos armes.

Angélique demeurait figée entre eux comme une statue de pierre.

Joffrey de Peyrac l'écarta alors et tendit son pistolet à Manigault, qui le passa à sa ceinture. Le Rochelais était armé jusqu'aux dents ainsi que ses compagnons. L'avantage était pour eux et le chef du *Gouldsboro* avait compris qu'il ne gagnerait rien à manifester une résistance où il laisserait sa vie aussitôt. Très calme, il finit de nouer le jabot et les poignets de dentelles de sa chemise.

Les Protestants regardaient avec mépris autour d'eux le luxueux salon, cet homme dépravé et le désordre éloquent du divan oriental. Angélique n'avait cure de leur jugement sur sa moralité. Ce qui venait d'arriver dépassait ses pires appréhensions, il s'en était fallu de peu qu'elle eût vu le comte de Peyrac et maître Berne s'entre-tuer sous ses yeux. Et l'action félonne de ses compagnons contre son mari l'atterrait.

— Qu'avez-vous fait, murmura-t-elle, oh! mes amis.

Les Protestants s'attendaient à sa colère et s'étaient défendus à l'avance contre l'obstacle qui n'était pas le moins redoutable des reproches véhéments de dame Angélique. Soutenus par leur conscience, ils étaient décidés à y faire face, mais sous son regard ils doutèrent un instant de leur bon droit en cette aventure. Quelque chose leur échappait vraiment.

En ce couple qu'ils avaient devant eux — l'homme au visage inconnu et étrange, car c'était la première fois qu'ils le voyaient sans masque, et la femme, inconnue elle aussi, dans sa robe nouvelle — ils pressentaient un lien indéfectible, autre que celui de la chair, dont ils les accusaient.

Angélique, avec ses épaules dégagées par un col au point de Venise, sur lequel retombaient ses cheveux lunaires, n'était plus l'amie qu'ils connaissaient, mais cette grande dame que Gabriel Berne, dans son intuition, avait devinée sous le déguisement de sa servante. Elle se tenait près du Rescator, comme près de son seigneur. Fiers, méprisants, ils étaient d'une autre essence, d'une autre race, et les Protestants eurent la brève sensation de s'égarer, d'être sur le point de commettre une erreur de jugement qu'ils paieraient cruellement. Les paroles lapidaires que Manigault aurait voulu prononcer le fuyaient. Il s'était réjoui à l'avance de voir l'énigmatique et méprisant Rescator à sa merci. Mais devant eux, sa jubilation tombait.

Pourtant il se ressaisit le premier.

— Nous nous défendons, fit-il avec force. C'était notre devoir, monsieur, de tout mettre en ordre pour échapper au sort néfaste auquel vous nous destiniez. Et dame Angélique nous y a aidés en endormant votre vigilance.

— N'ironisez pas, monsieur Manigault, dit-elle gravement. Vous regretterez d'avoir jugé d'après les apparences, le jour où vous connaîtrez la vérité. Mais aujourd'hui, vous n'êtes pas en état de l'entendre. J'espère cependant que la raison va bientôt vous revenir et que vous allez comprendre la folie de vos agissements.

Seuls le calme et la dignité pouvaient tenir en respect ces hommes exaspérés. Elle sentait leur besoin de tuer et d'assurer leur domination encore précaire. Un geste, une parole, et l'irréparable pourrait s'accomplir.

Elle continuait à se tenir devant Joffrey de Peyrac. Ils n'oseraient tout de même pas tirer sur elle. Elle qui les avait guidés sur le chemin de la falaise...

Et, en effet, ils hésitaient.

— Ecartez-vous, dame Angélique, dit enfin l'armateur, toute résistance est inutile, vous le constatez. C'est moi désormais qui suis le maître à bord et non plus cet homme qu'inexplicablement vous voulez défendre contre nous que vous appeliez tantôt vos amis.

— Qu'allez-vous faire de lui?

— Nous assurer de sa personne.

— Vous n'avez pas le droit de le tuer, sans jugement, sans avoir prouvé ses torts envers vous.

Ce serait la dernière des infamies. Dieu vous punirait.

— Nous n'avons pas l'intention de le tuer, dit Manigault, après une hésitation.

Mais elle savait qu'ils étaient tous venus précisément avec ce désir de le supprimer d'abord lui et que, sans elle, il serait étendu là, près de Jason. Elle se sentit baignée d'une sueur froide.

Les minutes s'écoulaient lentement.

Elle devait éviter de trembler. Elle se tourna vers son mari pour guetter sa réaction devant ces événements humiliants et dangereux et elle tressaillit. La bouche du noble aventurier s'étirait dans ce sourire énigmatique qu'il avait toujours opposé aux chiens hurlants, aux meutes réunies pour le perdre.

Qu'y avait-il en cet homme surprenant qui dresserait toujours contre lui d'autres hommes décidés à l'abattre. Elle s'évertuait en vain à le défendre, à le suivre. Il n'avait besoin de personne et peut-être même lui était-il indifférent de mourir, de la quitter, elle a peine retrouvée.

— Ne voyez-vous pas ce qu'ils ont fait? dit-elle presque avec colère. Ils se sont emparés de votre navire!

— Rien n'est moins prouvé encore, dit-il d'un air amusé.

— Sachez, monsieur, le renseigna Manigault, que la plus grande partie de votre équipage se trouve enfermée dans les cales et dans l'impossibilité d'en sortir pour vous défendre. Mes hommes armés surveillent chaque issue, chaque écoutille... et tous ceux qui chercheront à mettre le nez dehors seront abattus sans pitié. Quant aux autres qui veillaient sur le pont, la plupart désireux d'échapper à un maître tyrannique et rapace, nous avaient déjà, depuis longtemps, promis leur complicité.

— Enchanté de l'apprendre, dit le Rescator.

Son regard chercha les matelots espagnols qui s'étaient mis à rôder comme des loups à travers le salon dont ils découvraient pour la première fois les richesses et qui commençaient à faire main basse sur les bibelots d'or excitant leur convoitise.

— Jason m'avait prévenu, dit-il. Nous avons commis l'erreur d'un enrôlement précipité. Et, voyez-vous, une erreur se paie toujours plus cher qu'un crime...

Il regarda le corps, devenu rigide, du capitaine Jason, dont le sang se répandait à travers la haute laine et les fleurs du tapis. Ses traits se durcirent et ses paupières voilèrent l'éclat de ses yeux noirs.

— Vous avez tué mon second... mon ami de dix années...

— Nous avons tué ceux qui nous opposaient résistance. Mais, je vous l'ai dit, ils étaient peu nombreux et les autres nous étaient acquis.

— Je vous souhaite de n'avoir pas trop de difficultés avec ces brillantes recrues, ramassées parmi la pire racaille de Cadix et de Lisbonne, ricana Joffrey de Peyrac. Manuelo! cria-t-il d'une voix dure.

L'un des mutins sursauta et le Rescator lui jeta un ordre en espagnol. L'autre s'empressa d'un air terrifié de lui amener son manteau.

Le comte le jeta sur ses épaules et marcha d'un pas décidé vers la porte.

Les Protestants l'entourèrent aussitôt, impressionnés de sentir l'ascendant qu'il conservait, malgré tout, sur les membres de son équipage.

Manigault lui posa son pistolet entre les omoplates.

— N'essayez pas de nous intimider, monsieur. Bien que nous n'ayons pas encore statué sur le sort que nous vous réservons, vous êtes entre nos mains et vous ne nous échapperez pas.

— Je ne suis pas assez sot pour l'ignorer présentement. Je veux seulement juger la situation *de visu.*

Il s'avança sur le balcon, guetté de près par les canons des mousquets et des pistolets et s'appuya sur la rambarde de bois sculpté. Une partie de cette balustrade avait été arrachée durant la nuit par la tempête.

Au-dessous de lui, Joffrey de Peyrac put découvrir la dévastation de son navire. Des voiles déchirées pendaient. Au bout de certaines vergues les cordages emmêlés offraient d'inextricables et monstrueuses pelotes qui se balançaient, menaçant de faucher quiconque sur le passage de leur trajectoire. Sur le gaillard d'avant, le tronçon du mât de misaine abattu avec voiles, vergues et haubans, donnait au vaillant *Gouldsboro* un aspect d'épave à jamais malmenée par les flots.

A toutes les déprédations causées par la tempête étaient venues s'ajouter celles de la bataille qui avait été brève mais violente. Des cadavres jonchaient le pont, que les matelots, aujourd'hui mutinés, commençaient à basculer, sans autre forme de procès, par-dessus bord.

— Je vois, dit le Rescator du bout des lèvres.

Il leva les yeux. Parmi les vergues des deux mâts restant, le nouvel équipage, très réduit, mais assez actif, s'efforçait de maintenir et de réparer la voilure, de débrouiller les cordages et d'en mettre en place de nouveaux. Quelques adolescents protestants faisaient là leurs premières armes de gabiers. Le travail n'était pas rapide, mais la mer, devenue clémente et douce comme une chatte, paraissait disposée à laisser le temps à ses novices d'apprendre leur métier.

Sur la dunette, Le Gall, qui — se glissant à l'abri du brouillard de l'aube — avait frappé Jason, s'était emparé du porte-voix de ce dernier. C'était au navigateur-pilote que Manigault avait confié le commandement de la manœuvre, le Breton étant le plus qualifié dans le métier de la mer.

Bréage tenait la barre. Dans l'ensemble, ces Rochelais, ayant tous plus ou moins navigué, n'étaient pas dépaysés dans leurs nouvelles tâches, et malgré l'importance d'un navire comme le *Gouldsboro,* avec l'aide des vingt matelots qui s'étaient ralliés à eux, ils devaient pouvoir parvenir à le maîtriser et à le conduire, à condition de ne pas prendre de repos... et à condition que...

Le Rescator se détourna et fit face aux Protestants. Il continuait de sourire.

— Beau travail, messieurs. Je reconnais que l'affaire a été menée rondement. Vous avez su profiter de ce que mes hommes harassés par une nuit de lutte à sauver le bateau, leurs vies et les vôtres, se reposaient ne laissant que quelques veilleurs, pour réaliser vos projets de piraterie...

Le sanguin Manigault rougit sous l'insulte.

— Piraterie! Vous inversez les rôles, il me semble.

— Hé! Comment alors nommer l'acte qui consiste à s'emparer par la force du bien d'autrui, en l'occurrence mon navire?

— Un navire que vous avez volé à d'autres. Vous vivez de rapines...

— Vous êtes bien catégoriques dans vos jugements, messieurs de la religion. Rendez-vous à Boston. Vous y apprendrez que le *Gouldsboro* a été construit sur mes plans et qu'il fut payé en bons écus sonnants et trébuchants.

— Alors ce sont ces écus qui sont de source suspecte, j'en fais pari.

— Qui peut se vanter de l'origine intègre de l'or qu'il y a dans sa bourse? Vous-même, monsieur Manigault, la fortune que vous ont léguée vos pieux ancêtres, corsaires ou commerçants de La Rochelle, n'a-t-elle pas été arrosée des larmes et des sueurs des milliers d'esclaves noirs que vous avez achetés sur les côtes de Guinée pour les revendre en Amérique?

Appuyé à la balustrade, et toujours souriant, il conversait comme il l'eût fait dans un salon et non sous la menace d'armes prêtes à l'abattre.

— Quel rapport? dit Manigault stupéfait. Je n'ai pas inventé l'esclavage. Il faut d'ailleurs bien des esclaves pour l'Amérique. J'en fournis.

Le Rescator éclata d'un rire si brusque et si insultant qu'Angélique se boucha les oreilles. Elle voulut se précipiter, persuadée que le claquement du pistolet de Manigault répondrait à une telle provocation. Mais rien ne se passa. Les Protestants étaient comme fascinés par le personnage. Angélique sentit, matériellement, le courant qui émanait de lui. Il les retenait par un pouvoir invisible, il parvenait à supprimer autour d'eux le sentiment du lieu et du moment qu'ils vivaient.

— O conscience inaltérable des justes, fit-il en reprenant son souffle. Quel doute effleurera jamais sur le bien-fondé de ses actes celui qui est sûr d'avoir reçu la vérité. Mais laissons cela, fit-il avec un geste de grand seigneur désinvolte et méprisant. C'est la bonne conscience qui fait la pureté d'une action. Cependant, si la piraterie n'a pas guidé votre geste, quel mobile invoquez-vous pour justifier votre désir de me dépouiller de tous mes biens et même de ma vie?

— Vous aviez fait projet de ne pas nous conduire au but de notre voyage, Saint-Domingue.

Le Rescator demeura silencieux. Son regard noir, extrêmement brillant, ne quittait pas le visage de l'armateur. Ils s'affrontaient. La victoire serait à celui qui arriverait à faire baisser les yeux de l'autre.

— Ainsi vous ne niez pas, continua Manigault triomphant. Heureusement, nous avons percé à jour vos intentions. Vous vouliez nous vendre.

— Peuh! le commerce d'esclaves n'est-il pas un bon et honnête moyen de gagner de l'argent. Mais vous vous trompez. Je n'ai jamais eu l'intention de vous vendre. Cela ne m'intéresse pas. J'ignore ce que vous possédez à Saint-Domingue, mais ce que je possède, moi, dépasse toute la richesse de cette petite île et ce n'est pas ce que j'aurais pu tirer de vos ternes carcasses de Réformés qui pourrait y ajouter beaucoup et me décider à m'encombrer de vous et de vos familles. Je paierais bien plutôt pour être débarrassé de vous, ajouta-t-il, avec un sourire suave. Vous exagérez votre valeur marchande, monsieur Manigault, malgré votre expérience de maquignon de chair humaine.

— Ah! en voilà assez, s'écria Manigault furieux. Nous sommes trop bons de vous écouter. Vos insolences ne vous sauveront pas. Nous défendons nos existences dont vous disposiez. Le mal que vous nous avez fait...

— Quel mal?...

Dressé et dur, le comte de Peyrac, les bras croisés sur sa poitrine, les toisait les uns après les autres et sous cet œil fulgurant ils demeuraient muets.

— Le mal que je vous ai fait est-il plus grand que celui que vous voulaient des dragons du Roi, galopant sabre au clair derrière vous? Vous avez la mémoire très courte, messieurs, à moins qu'elle ne soit ingrate...

Puis, riant de nouveau :

— Oh! ne me regardez pas avec ces prunelles égarées, comme si je ne comprenais pas ce que vous éprouvez. Mais je comprends, oh! je comprends! Le mal réel que je vous ai fait, je le connais. Je vous ai mis en face d'êtres qui ne vous ressemblent pas, qui représentent pour vous le Mal et qui vous ont fait du bien. L'homme a toujours peur de ce qu'il ne comprend pas. Ces Maures infidèles, ennemis du Christ, que j'ai à mon bord, ces Méditerranéens paillards, ces hommes de mer rudes et impies, ont pourtant partagé avec vous de bon gré les rations de biscuits qui leur étaient réservées, ils ont cédé à vos enfants les provisions fraîches qui les protègent du scorbut. J'ai encore dans mes cales deux hommes qui ont été blessés devant La Rochelle. Mais vous ne pourriez leur accorder votre amitié parce qu'ils sont « mauvais » d'après vous. Tout au plus en feriez-vous des complices, comme lorsque vous traitez avec des Arabes trafiquants d'esclaves qui viennent sur les côtes vous revendre les Noirs, razziés par eux dans les hautes terres de l'Afrique que je connais fort bien mais non vous. Passons.

— Avez-vous fini de me jeter mes esclaves à la tête? éclata l'armateur. On dirait, ma parole, que vous m'accusez de commettre des crimes. Les sauvages païens, ne vaut-il pas mieux les arracher à leurs idoles et leurs vices pour leur faire connaître le vrai Dieu et l'honneur du travail?

Joffrey de Peyrac fut surpris. Il saisit son menton d'une main et parut réfléchir en hochant la tête.

— Je reconnais que votre point de vue est défendable, bien qu'il faille une cervelle profondément... religieuse pour l'avoir conçu. Mais il me répugne. Peut-être parce que, autrefois, j'ai, moi aussi, porté des chaînes.

Il releva ses manchettes de dentelle et tendit ses poignets bruns sur lesquels survivaient les traces blanchâtres de profondes cicatrices.

Etait-ce une erreur de sa part? Les Protestants qui l'écoutaient déconcertés, sursautèrent et leurs traits retrouvèrent une dure expression de mépris.

— Oui, insista le Rescator, comme s'il jouissait de leur découverte horrifiée, moi-même et mon équipage sur ce navire, nous avons presque tous porté des chaînes. C'est pourquoi nous n'aimons pas les marchands d'esclaves, comme vous.

— Forçat! jeta Manigault. Et vous voudriez encore que nous vous fassions confiance à vous et vos compagnons de galère.

— Voguer aux bancs du Roi est-il un titre d'infamie en notre siècle, monsieur? J'ai eu à mes côtés au bagne de Marseille des hommes dont le seul crime était d'appartenir à la religion calviniste, à la R. P. R. comme on dit dans le royaume de France que vous avez fui.

— C'était différent. Ils souffraient pour leur foi.

— Vous appartient-il de juger sans savoir pour quelle autre passion j'ai souffert, moi aussi, les injustes sentences?

Mercelot s'esclaffa, sarcastique.

— Bientôt, vous nous ferez croire, monseigneur, que le bagne de Marseille et les bancs du Roi sont peuplés d'innocents, et non d'assassins, de bandits et de voleurs de grands chemins, comme il se doit.

— Qui sait? Ce serait assez dans les normes du vieux monde décadent. Hélas, « il est un mal que j'ai vu sous le soleil comme une erreur provenant de celui qui gouverne : la folie occupe des postes très élevés et les riches sont assis dans l'abaissement. J'ai vu des esclaves sur des chevaux et des princes marchant à terre comme des esclaves. » Je cite les Ecritures, messieurs.

Il levait le doigt dans une attitude péremptoire

et quasi prophétique et, à ce moment, Angélique comprit.

Il jouait la comédie. Pas un instant, pendant ce dialogue ahurissant, il n'avait cherché à s'expliquer avec ses adversaires, à les « convertir » à son point de vue dans le fallacieux espoir de les amener à reconnaître leurs torts. Angélique elle-même savait que c'était inutile et c'est pourquoi elle suivait avec une telle anxiété ces paroles échangées et qui lui semblaient presque incongrues en un semblable moment. Brusquement elle découvrait son jeu. Sachant les Protestants fort portés aux discussions scolastiques, il les avait lancés dans un débat de conscience, employant des arguments spécieux et posant des questions bizarres, afin de capter leur attention.

« Il cherche à gagner du temps, se dit-elle. Mais que peut-il espérer? attendre? Les membres fidèles de l'équipage sont enfermés dans l'intérieur du navire et tous ceux qui cherchent à sortir sont abattus sans pitié. »

Un coup de mousquet claquant du fond de la « grand'rue » vint confirmer sa pensée et elle sursauta douloureusement.

Berne, que le vif sentiment qui le torturait vis-à-vis d'Angélique rendait plus intuitif, eut-il en la regardant le pressentiment de ce qu'elle pensait?

— Amis, s'écria-t-il, méfiez-vous! Cet homme démoniaque cherche à endormir notre méfiance. Il espère que ses compagnons vont venir le secourir et tente, par ses paroles, de faire traîner notre verdict.

Ils se rapprochèrent du Rescator et l'encadrèrent étroitement. Mais aucun n'osa porter la main sur lui pour l'arrêter et lui lier les poignets.

— N'essayez pas de nous tromper encore, menaça Manigault. Vous n'avez rien à espérer. Ceux des nôtres que vous aviez engagés dans votre équipage, nous ont fourni un plan détaillé du navire, et maître Berne lui-même — souvenez-vous — que vous aviez mis aux fers, a pu repérer que son cachot prenait l'air par le puits où se déroule la chaîne de l'ancre. Par ce puits, dont nous nous sommes assuré l'orifice, nous avons accès à la soute aux poudres et à la Sainte Barbe. Nous nous battrons s'il le faut, dans les cales, mais c'est nous qui, déjà, avons la réserve de munitions.

— Félicitations!

Il demeurait très grand seigneur et son ironie, à peine voilée, les exaspérait et les inquiétait.

— Je reconnais que, pour l'instant, vous êtes les plus forts. Je souligne « pour l'instant » car j'ai tout de même cinquante hommes à moi sous mes pieds.

Il frappa de sa botte le plancher.

— Croyez-vous que le premier moment de surprise passé, ils vont attendre bien sagement, pendant des jours et des jours, que vous leur ouvriez la cage?

— S'ils savent qu'ils n'ont plus de capitaine à servir ou à redouter, dit Gabriel Berne d'un ton lourd, il se peut que la plupart se joignent à nous. Les autres, ceux qui resteront *éternellement* fidèles... tant pis pour eux!

Angélique le haït pour cette unique phrase.

Gabriel Berne voulait la mort de Joffrey de Peyrac. Celui-ci ne paraissait pas impressionné.

— Car, messieurs, n'oubliez pas que, pour vous rendre d'ici aux Iles d'Amérique, il ne vous faut pas moins de deux semaines de difficile navigation.

— Nous ne sommes pas assez imprudents pour essayer de nous y rendre sans escale, dit Manigault que le ton doctoral de son adversaire exaspérait et qui ne pouvait se retenir de lui fournir des explications. Nous nous dirigeons vers la côte et nous serons dans deux jours à Saco ou à Boston...

— Si le courant de Floride vous le permet.

— Le courant de Floride?

A cet instant les yeux d'Angélique revinrent vers le gaillard d'avant et elle cessa de suivre la conversation, attirée par un phénomène inquiétant. Le brouillard lui avait semblé s'épaissir de ce côté du navire, maintenant, il n'y avait plus de doute. Ce n'était pas du brouillard, c'était de la fumée. On ne pouvait distinguer d'où partaient les épaisses volutes qui, en s'étalant, voilaient le désordre du pont démantelé. Soudain, elle poussa un cri. Le bras tendu, elle désignait la porte de l'entrepont derrière laquelle gîtaient les femmes et les enfants et dont les interstices laissaient filtrer lentement la fumée blanche. Des lattes du plancher fermant le pont, les mêmes fumerolles menaçantes s'élevaient, se tordaient. C'était là-dessous, à l'intérieur qu'avait dû éclater le foyer d'incendie.

— Le feu! Le feu!

Ils finirent par l'entendre et regardèrent dans la direction indiquée.

— Le feu est à l'entrepont... Avez-vous fait évacuer vos femmes?

— Non, dit Manigault, nous leur avons recommandé de se tenir calmes pendant notre action. Mais... s'il y a le feu... pourquoi ne sortent-elles pas?

Il hurla de toutes ses forces.

— Sortez! Sortez!... Il y a le feu.

— Elles sont peut-être déjà étouffées, dit Berne.

Et il s'élança, suivi de Mercelot.

L'attention s'était détournée du prisonnier. Celui-ci bondit alors avec la souplesse silencieuse d'un tigre. On entendit un râle sourd. Le matelot espagnol posté en sentinelle devant les appartements du Rescator s'effondra, égorgé par la pointe du poignard que celui-ci venait de tirer promptement du revers de sa botte.

En se retournant ils ne virent que ce corps étendu. Le Rescator s'était retranché dans sa cabine, hors de leur portée. Il devait déjà avoir saisi ses armes, et le déloger ne serait pas facile.

Manigault serra les poings, comprenant qu'il avait été joué.

— Le maudit! Mais il ne perd rien pour attendre. Que deux d'entre vous restent là, recommanda-t-il à des matelots armés accourus. Nous devons courir sus au feu et nous nous occuperons de lui après. Il ne pourra nous échapper. Surveillez la porte et ne le laissez pas sortir vivant.

Angélique n'entendit pas ces dernières paroles. La pensée d'Honorine au sein du brasier l'avait jetée vers la partie du navire menacée.

On n'y voyait plus à deux pas. Devant la porte,

Berne et Mercelot, toussant et suffoquant, essayaient de l'enfoncer.

— La barre est mise à l'intérieur.

Ils se saisirent d'une hache et réussirent à faire sauter le vantail de bois.

Des silhouettes titubantes apparurent, les bras sur les yeux. Des accès de toux, des éternuements, des cris et des pleurs s'élevaient du nuage opaque. Angélique plongea en aveugle, se heurtant à des êtres invisibles qui se débattaient dans ce cauchemar. Des mains s'agrippaient à elle. Elle releva quelques enfants effondrés et les tira au-dehors. Machinalement, elle enregistrait qu'elle ne sentait pourtant aucune odeur de fumée. Les yeux la piquaient, mais à part cette sensation et une irritation de la gorge, son malaise n'était pas grand. Sans craindre désormais de défaillir elle revint dans la cale embrumée, à la recherche d'Honorine. Des voix étouffées commençaient à s'interpeller autour d'elle.

— Sarah! Jenny! Où êtes-vous?

— Est-ce toi?

— Etes-vous malades?

— Non, mais nous ne pouvions pas ouvrir la porte ni les sabords.

— J'ai mal à la gorge.

— Berne, Carrère, Darry, venez avec moi. Il faut trouver le foyer d'incendie.

— Mais... *il n'y a pas d'incendie*!

Soudain Angélique se revit dans la nuit, devant Candie en feu. Le chébec du Rescator dérivait enveloppé d'un cocon de fumée jaunâtre, et Savary s'écriait :

— Ce nuage à fleur d'eau, qu'est-ce que c'est?... *Qu'est-ce que c'est*?

Se traînant au sol, Angélique, tâtonna, cherchant Honorine. Son appréhension s'apaisait. Il n'y avait pas de feu, pas de flammes. C'était encore, elle aurait dû s'en douter, un des tours du Rescator, son mari, ce comte savant dont les expériences scientifiques avaient partout éveillé autour de lui soupçons et frayeur.

— Ouvrez les sabords, cria une voix.

Des poignes vigoureuses obtempérèrent. Mais malgré l'appel d'air nouveau, la brume insolite était lente à se dissiper : elle collait aux objets et aux murs.

Enfin Angélique distingua le canon près duquel elle avait installé sa couche pendant la traversée, et le hamac d'Honorine. Il était vide. Elle chercha autour d'elle, heurta une femme qui, les mains sur le visage, essayait de se diriger vers une des ouvertures afin de respirer.

— Abigaël! Savez-vous où est ma fille?

Abigaël eut une quinte de toux. Angélique la soutint jusqu'à une fenêtre.

— Ce n'est rien. Ce n'est pas dangereux, je crois. Seulement désagréable.

La jeune fille, ayant repris son souffle, lui dit qu'elle aussi cherchait Honorine.

— Je crois que le matelot sicilien qui veillait auprès d'elle l'a emmenée un peu avant que cette fumée envahisse notre cale. Je l'ai vu de loin se lever et se diriger vers le fond, portant quelque chose, peut-être l'enfant.

» Je n'ai pas pris garde... Nous parlions entre nous de ce qui se passait à bord. Nous étions tellement inquiètes... Pardonnez-moi, Angélique, d'avoir si mal veillé sur elle. J'espère qu'il ne lui sera rien arrivé. Ce Sicilien lui paraissait tout dévoué.

Elle toussa encore, essuya ses yeux rougis et larmoyants. Comme la brume d'un matin d'été se dissout aux rayons du soleil levant, l'épaisse fumée se clarifiait peu à peu. On distinguait les alentours. Aucune trace de feu, de bois noirci.

— Je vous pensais noyée, Angélique, emportée par cette affreuse tempête. Quel courage vous avez eu d'aller chercher du secours cette nuit. Lorsque les charpentiers sont arrivés maître Mercelot venait de s'évanouir. Nous nous y étions toutes mises pour soutenir ce pont qui s'écroulait sur nous. Les vagues nous inondaient. Nous n'aurions pu tenir plus longtemps. Ces charpentiers qui sont venus ont été admirables.

— Et ce matin, vous les avez assassinés, fit Angélique avec amertume.

— Que s'est-il passé exactement? chuchota Abigaël avec effroi. Nous dormions épuisées, lorsque nous nous sommes éveillées pour voir tous nos hommes armés. Mon père a discuté violemment avec M. Manigault. Il estimait que celui-ci allait commettre un acte insensé.

— En effet, ils se sont emparés du navire, tuant les membres de l'équipage qui veillaient sur le pont et bloquant dans les cales ceux qui s'y reposaient. Un vrai gâchis.

— Et monseigneur le Rescator?

Angélique laissa tomber les bras dans un geste

désespéré. Elle n'avait même plus la force de réfléchir au sort de Joffrey, d'Honorine et de se poser des questions sur l'issue de cette situation désastreuse.

Les événements se précipitaient et la bousculaient comme la tempête.

— Que faire contre la folie des êtres humains, dit-elle, en regardant Abigaël avec hébétude, je ne sais plus... que faire?

— Je ne crois pas qu'il y ait lieu d'être inquiète pour votre fille, essaya de la réconforter son amie. Le Rescator avait donné des ordres au Sicilien, lorsqu'il est venu cette nuit. On aurait dit qu'il lui recommandait votre fille comme si elle avait été la sienne. Peut-être lui est-il attaché à cause de vous? Le Rescator vous aime, n'est-ce pas?

— Ah! il est bien temps de parler d'amour, s'écria Angélique en laissant tomber son visage dans ses mains.

Mais sa défaillance fut de courte durée.

— Vous dites qu'il est venu cette nuit?

— Oui... Nous nous sommes accrochées à lui en criant : « Sauvez-nous! » et, Angélique, comment expliquer cela? Je crois qu'il a ri et, soudain, nous avons cessé d'avoir peur et nous avons compris que nous échapperions encore à la mort. Il disait : « La tempête ne vous avalera pas, mesdames. C'est une toute petite tempête, sans appétit. » Nous nous trouvions bêtes d'avoir eu si peur. Il a surveillé et dirigé le travail des charpentiers, et puis...

« Et puis, il est venu me rejoindre, pensa Angélique, et il m'a prise dans ses bras. Non, je ne me laisserai pas aller au découragement, se reprit-elle. Il ne sera pas dit que le destin m'aura conduite jusqu'ici... dans ses bras pour que j'abandonne... par fatigue de la lutte! »

« C'est la dernière épreuve », lui criait une voix intérieure.

— Le sort ne veut pas de notre amour, fit-elle à voix haute, peut-être parce qu'il est trop beau, trop grand, trop fort. Mais on peut vaincre le sort. Osman Ferradji le disait.

Ses traits se durcirent et elle se redressa, résolue.

— Venez vite, dit-elle à Abigaël.

Elles enjambèrent les paillasses et les objets en désordre. Maintenant, la fumée s'était presque entièrement évanouie. Il ne restait qu'un voile léger, une odeur piquante.

— D'où diable cette vapeur est-elle venue? demanda Angélique.

— De partout aurait-on dit. Au début, j'ai cru que c'était moi qui m'endormais ou qui m'évanouissais... Oh!... je me souviens aussi. Il m'a semblé voir le médecin arabe parmi nous. Il tenait une énorme bouteille de verre noir, si lourde qu'il ployait en la portant. J'ai cru que c'était un rêve, mais peut-être était-ce réel...

— Moi aussi, je l'ai vu, affirmèrent des voix.

Sur le pont, les femmes et les enfants se ranimaient. Ils étaient étourdis, mais ne paraissaient pas malades. Beaucoup avaient vu le médecin arabe Abd-el-Mechrat surgir comme par miracle à travers les nappes de brume qui commençaient à les envelopper.

— Comment a-t-il pu entrer et, surtout, ressortir? C'est de la magie!

Le mot lancé, ils se regardèrent avec terreur. La crainte tapie en eux depuis qu'ils se trouvaient sur le *Gouldsboro* prenait forme.

Manigault tendit le poing vers les vitres miroitant, là-bas, sous la dunette.

— Magicien! Il a osé s'attaquer à nos enfants pour détourner notre colère et nous échapper.

Angélique ne put en supporter davantage et s'élança au milieu d'eux.

— Imbéciles! Toujours les mêmes mots que, depuis quinze ans, on lui jette à la tête : Magicien! Sorcier! Toujours les mêmes sornettes! Hommes stupides! A quoi vous servent alors votre foi et les enseignements de vos pasteurs, si vous demeurez aussi bornés que ces grossiers paysans papistes que vous méprisez. « Jusqu'à quand l'homme haïra-t-il la science... » Lecteurs de Bible que vous êtes, avez-vous jamais médité ces paroles de vos livres saints?

» Jusqu'à quand l'homme haïra-t-il ce qui le dépasse, l'être supérieur qui voit plus loin qu'un autre, celui qu'aucune peur n'arrête dans sa recherche de l'univers? A quoi vous sert-il d'avoir été entraînés vers une nouvelle terre si vous emmenez à la semelle de vos chaussures toute la boue de sottises, toute la poussière stérile du vieux monde?...

Elle n'avait cure de leur hostilité. Elle avait dépassé la peur. Elle sentait qu'elle seule pouvait assumer le rôle de médiatrice entre ces deux groupes humains qui s'affrontaient, séparés par des malentendus séculaires.

— Croyez-vous sérieusement, monsieur Manigault, que vous vous trouvez devant un phénomène de sorcellerie?... Non! Alors pourquoi essayez-vous d'ameuter les esprits simples ou craintifs avec des prétextes mensongers? Voyez, Pasteur, cria-t-elle tournée vers le vieil homme qui demeurait silencieux, ce qu'il reste en vos ouailles de l'esprit de justice et de vérité dont ils se prévalaient à La Rochelle, lorsqu'ils étaient en possession de tous leurs biens et de leur confort. Aujourd'hui ce sont la rapacité, la jalousie, la rancœur la plus basse qui dictent leurs actes. Car ce n'est pas seulement par crainte de perdre votre argent que vous avez décidé ce coup de main, monsieur Manigault, mais parce que vous aviez peur de ne plus en avoir assez, même aux Iles. Le magnifique navire vous tentait. Et vous vous êtes donné pour excuse que de rançonner des hors-la-loi, c'était faire œuvre pie.

— Telle reste mon opinion. De plus, des hors-la-loi on peut tout craindre, et leurs intentions à notre égard me semblaient trop peu sûres. Je sais que vous nous désapprouvez, Pasteur. Vous nous conseilliez d'attendre. Mais attendre quoi? Lorsque nous aurons été déposés sur un rivage désert, sans biens, sans armes, comment nous défendre? J'ai entendu parler assez souvent de ces malheureux, embarqués pour le Nouveau-Monde et vendus par les capitaines des navires qui les conduisaient aux sociétés propriétaires de régions à coloniser. Nous, nous luttons pour échapper à ce sort. De plus nous luttons contre un renégat, un impie, un homme sans mœurs et sans croyance. On m'a dit qu'il avait été conseiller secret du Sultan de Constantinople. A l'image de ces infidèles, il est cruel, dissimulé. Et tout à l'heure même n'a-t-il pas cherché à faire périr de façon atroce nos femmes et nos enfants innocents?...

— Il a surtout cherché à détourner votre attention alors que vous menaciez sa propre vie. La ruse est de bonne guerre...

— Malheureuse! Faire enfumer comme des rats nos familles, voilà, n'est-il pas vrai, un procédé qui peint l'homme, et sa cruauté qui ne recule devant rien.

— Le procédé était inoffensif si j'en crois les mines présentes de ses victimes.

— Mais comment a-t-il pu envoyer le feu d'un seul... regard? demanda, d'une voix hésitante, l'un des paysans du hameau de Saint-Maurice. Il parlait avec nous là-bas, à l'arrière, et puis, tout à coup, la fumée est venue. C'est bien magique, cela?...

Manigault haussa les épaules.

— Tête de lard, grommela-t-il... ce n'est pourtant pas malin à comprendre... Il avait des complices dont nous ne nous sommes pas méfiés. Le vieux médecin arabe, qui paraissait prostré par la maladie sur son grabat... et puis le Sicilien aussi probablement. Je suppose que le Rescator l'avait posté là exprès parce qu'il se doutait de quelque chose. Il a cherché à prévenir son maître. Heureusement, nous l'avons pris de vitesse. Mais il devait avoir établi un plan à l'avance avec le médecin arabe au cas où les choses tourneraient mal... Vous dites que ce fils de Mahomet, trois fois maudit, portait avec lui une bonbonne de verre noire?...

— Oui! oui!... nous l'avons vu! Mais nous croyions que c'était un songe.

— Quel poison pouvait bien contenir cette fiasque?...

— Je le sais moi, intervint tante Anna. C'était de l'esprit d'ammoniaque, sel inoffensif, en effet, mais irritant et dont l'évanescence, lorsqu'il s'échappe de son contenant, sème la panique par sa ressemblance étrange avec l'épaisse fumée d'un incendie.

Elle toussa discrètement et s'essuya les yeux encore enflammés par le « sel inoffensif ».

— L'entendez-vous? L'entendez-vous? fit Angélique avec véhémence.

Mais les mutinés ne voulaient pas écouter la voix frêle et docte de la vieille demoiselle. Loin de les apaiser, son explication naturelle augmentait leur fureur. Alors qu'ils se croyaient les maîtres de la situation, le Rescator les avait encore manœuvrés avec une habileté qu'on ne pouvait qualifier que de diabolique. Il les avait retenus par des discours et par des discussions dans lequelles ils avaient eu l'imprudence de se laisser entraîner. Et cependant, le temps faisait son œuvre. Il laissait ainsi à des complices la possibilité de préparer le simulacre d'incendie. Profitant de l'émotion inévitable, que créait l'apparition d'un sinistre à bord, le Rescator leur avait maintenant échappé.

— Que ne l'avons-nous tué tout de suite! exhala Berne, fou de rage.

— Si vous touchez un seul des cheveux de sa tête... fit Angélique les dents serrées, si vous osez le toucher...

— Et que ferez-vous? intervint Manigault l'affrontant. Nous sommes en force, dame Angélique, et si vous prenez trop nettement parti pour nos ennemis, nous vous mettrons aussi hors d'état de nuire.

— Essayez de porter la main sur moi, lui jeta-t-elle farouche. Essayez seulement et vous verrez!

C'était la chose qu'ils n'oseraient pas. Ils tenteraient de l'intimider par des menaces. Ils souhaiteraient ardemment de la voir effondrée, muette si possible, car chacune des paroles qu'elle leur décochait était une nouvelle flèche, mais ils n'oseraient pas la molester. Cela leur aurait paru sacrilège. Aucun d'eux n'aurait su expliquer pourquoi.

Angélique se raccrocha au fragile avantage de l'ascendant qu'elle conservait, malgré tout, sur eux. Derechef elle les toisa d'un regard dur et décida.

— Retournons là-haut. Il faut à tout prix parlementer avec lui.

Ils la suivirent presque docilement. En longeant la coursive, ils jetèrent un regard sur la mer. Le brouillard s'était écarté, formait un cercle fermé, couleur de soufre à quelques encablures du navire solitaire. Cependant la mer continuait à être molle et douce et la marche du *Gouldsboro* meurtri se poursuivait sans heurts. On aurait dit que les éléments avaient décidé de laisser aux humains le temps de vider leurs querelles.

« Mais qu'un coup de tabac survienne, pensa soudain Manigault, et que ferai-je avec ces bonshommes bloqués dans les cales? Il faut qu'ils se joignent à nous sans tarder... Et pour cela, nous assurer la personne du Rescator... Leur faire croire qu'il est mort. C'est la seule chose qui pourra les démonter. Tant qu'ils le supposeront vivant ils attendront de lui le miracle... Tant qu'il sera vivant!... »

2

Le spectacle qui s'offrit à leur vue, quand ils parvinrent sur le balcon à balustrade dorée, les arrêta, et Angélique manqua défaillir d'angoisse. Contrevenant aux ordres de Manigault, les mutins espagnols qu'il avait placés en sentinelle devant l'appartement du Rescator avaient défoncé portes et vitres. S'emparer d'un maître qu'ils redoutaient et contre lequel ils avaient eu l'audace de se rebeller était leur premier but. Piller ensuite.

L'un d'eux, Juan Fernandez, que le Rescator avait jadis fait attacher au mât de beaupré, pour désobéissance, se montrait le plus enragé. Lui aussi sentait obscurément que, tant que le maître serait vivant, la victoire pourrait encore changer de camp. Alors malheur aux mutins! Les vergues ploieraient sous le poids des pendus...

La porte défoncée, ils avaient attendu la riposte de celui qui était retranché là. Puis ils étaient entrés mousquets et coutelas au poing. Rien.

Maintenant ils se tenaient au milieu du grand salon. Vide!

Si étonnés, qu'ils ne songeaient plus à s'approprier les richesses offertes à leur convoitise. Ils avaient retourné et renversé les meubles. En vain. Où se cachait l'homme inquiétant? Serait-il entré, comme un filet de sa fumée, dans cette gargoulette en cuivre inca? Manigault éclata en imprécations et commença à leur distribuer des coups de bottes.

A grand renfort d'exclamations gutturales, ils parvinrent à s'expliquer. Ils étaient entrés, disaient-ils. Personne. Peut-être se serait-il transformé en rat. D'un tel homme on pouvait s'attendre à tout...

Les recherches recommencèrent. Mercelot alla ouvrir les grandes fenêtres de l'arrière, celles par lesquelles Angélique avait vu sombrer le soleil couchant, en ce soir merveilleux du départ de La Rochelle. Penchés, ils scrutèrent les flots bouillonnants au-dessous du surplomb de l'arrière. Il n'avait pu s'enfuir par là et d'ailleurs l'on fit remarquer judicieusement qu'il n'aurait pu refermer les fenêtres.

Ils trouvèrent la clé de l'énigme dans la petite pièce attenante. Là, le tapis rejeté découvrait le panneau d'une trappe. Ils s'entre-regardèrent en silence. Manigault se retenait pour ne pas jurer.

— Nous ne connaissons pas encore tous les pièges de ce bateau, fit le Gall qui les avait rejoints. Il est à l'image de celui qui l'a fait construire.

Il y avait de l'amertume et de l'inquiétude dans sa voix. Angélique renchérit.

— Vous voyez bien! Vous vous mentez à vous-mêmes lorsque vous accusez le Rescator d'être un pirate. Vous êtes convaincus, au fond, que ce bateau lui appartient, et qu'en fait vous auriez fort bien pu vous entendre avec lui. Je me porte garante qu'il ne vous veut pas de mal. Rendez-vous, avant que la situation ne soit devenue irréparable!

Angélique aurait dû se souvenir. La dernière adjuration était malheureuse. Les Rochelais étaient susceptibles sur le point de l'honneur.

— *Nous rendre?...* crièrent-ils en chœur, soudain unis.

Et ils lui tournèrent le dos ostensiblement.

— Vous êtes plus stupides que des huîtres accrochées à un rocher, fit-elle exaspérée.

Joffrey était, pour l'instant, hors d'atteinte. C'était un point de gagné... pour elle. Mais pour eux?... Avec des pensées diverses ils regardaient la découpure de la trappe dans le plancher de bois précieux. Mercelot eut l'idée de tirer l'anneau qui aidait à la soulever et à leur étonnement le panneau vint sans effort. Une échelle de corde descendait dans le puits enténébré.

— Il a oublié de verrouiller l'orifice, après l'avoir refermé, constata Manigault avec satisfaction. Voici un passage qui pourra nous être utile à nous aussi! Il faut que nous condamnions toutes les issues.

— Je vais voir où mène celle-ci dit l'un d'eux.

On battit le briquet et, après avoir allumé une lanterne à sa ceinture, celui qui avait parlé s'empara de l'échelle de corde et commença à descendre. C'était le jeune boulanger, maître Romain, qui était parti si courageusement au matin de La Rochelle avec son panier de brioches et de pains chauds pour tout bagage.

Il était à mi-chemin de la descente lorsqu'une détonation éclata dans les profondeurs. Ils entendirent Romain pousser un cri de bête blessée et puis l'horrible bruit de son corps s'écrasant plus bas, et l'éclatement de la lanterne brisée dont la lueur s'éteignit.

— Romain! hurlèrent-ils.

Rien ne répondit. Pas même l'écho d'un gémissement. Berne voulut descendre à son tour, par l'échelle de corde.

Manigault le retint.

— Refermez la trappe, ordonna-t-il.

Et, comme ils restaient sidérés, il la rabattit lui-même d'un coup de pied, et mit la targette extérieure.

Maintenant ils commençaient à comprendre. La guerre était déclarée entre le pont et les cales du navire.

« J'aurais dû retenir Romain, se dit Angélique. J'aurais dû me souvenir que Joffrey n'oublie jamais rien, que ses gestes et ses actions ne sont jamais le fruit du hasard ou de négligence, mais sont dictés par un calcul très précis. Il a laissé la trappe ouverte exactement pour que cette chose affreuse arrive. Fous qu'ils sont tous d'avoir voulu se mesurer avec lui. Et ils refusent de m'écouter. »

Elle s'élançait au-dehors, jetait un regard éperdu sur le désordre du *Gouldsboro*, ballotté, comme inconscient, au sein de la mer tranquille.

Un être courait, pourchassé par des cris, menacé par les lames brillantes des poignards qui avaient surgi des ceintures des mutins espagnols. Une frêle silhouette, empêtrée dans sa djellaba blanche, s'agrippant aux échelles essayait d'échapper à la meute.

— C'est lui! C'est lui! criait-on. Le complice! Le Turc! Le Sarrasin! Il a voulu étouffer nos enfants!

Le vieux médecin arabe se retourna. Il fit face aux infidèles. Parmi eux, ces chrétiens vêtus de noir de la secte qu'on appelle réformée, et des Espagnols, ennemis de toujours de l'Islam. Une belle mort pour un fils de Mahomet. Il tomba sous les coups.

Les Protestants s'étaient arrêtés. Mais les Espagnols s'acharnaient, emportés par le goût du sang et la haine séculaire du Maure.

Angélique se jeta au sein de la mêlée.

— Arrêtez! Arrêtez! Lâches que vous êtes!... C'est un vieillard.

Un des Espagnols lui porta un coup de couteau qui, heureusement, ne fit que déchirer la manche de sa robe et égratigner son bras. Ce que voyant, Gabriel Berne bondit. Il assomma l'Espagnol d'un coup de crosse de pistolet, et dut menacer les autres de son arme pour les contraindre à s'écarter.

Angélique à genoux près du vieux savant souleva sa tête tuméfiée et sanglante. Elle lui parlait tout bas, en arabe :

— Effendi! oh! Effendi! ne mourez pas. Vous êtes trop loin de votre pays. Vous reverrez Miquenez et ses roses... et Fez, la ville d'or, souvenez-vous!

Le vieillard eut la force d'ouvrir un œil, tout brillant d'ironie.

— Qu'importent les roses, mon enfant, murmura-t-il en français, je me suis attaché à d'autres rivages moins terrestres. Ici ou là qu'importe! Mahomet n'a-t-il pas dit « Prends la science à n'importe quel endroit »...

Elle voulait le soulever pour essayer de l'abriter

dans les appartements de Joffrey de Peyrac, mais elle s'aperçut qu'il venait d'expirer.

Angélique sanglota à bout de forces.

« C'était « son » ami, j'en suis sûre, comme Osman Ferradji fut le mien... Il l'a sauvé, il l'a guéri. Sans lui Joffrey serait mort. Et ils l'ont tué. »

Elle ne savait plus qui haïr et qui aimer. Les hommes, tous les hommes, étaient impardonnables. Elle comprenait Dieu qui envoie, soudain excédé, le feu sur les villes et les déluges sur la terre pour détruire l'espèce ingrate.

Elle retrouva Honorine assise sagement près du Sicilien qui, étendu, paraissait dormir. Lui aussi, on l'avait frappé à mort. Dans sa tignasse hirsute, une plaie vermeille béait.

— Ils ont fait très mal à « Cosse-de-Châtaigne », dit Honorine.

Elle ne disait pas « ils l'ont tué » mais elle savait ce que signifiait ce froid sommeil de son ami, la petite fille dont le premier mot avait été : sang. Angélique ne parviendrait donc jamais à l'arracher à la violence.

— Oh! comme tu as une belle robe, dit Honorine. Qu'est-ce qui est écrit dessus? Est-ce que ce sont des fleurs?

Angélique la tenait dans ses bras. Elle aurait voulu partir loin, loin avec sa fille. Heureux le temps où elles pouvaient s'enfuir dans la forêt, passer d'une route à l'autre.

Ici on ne pouvait s'enfuir nulle part. On ne pouvait que tourner en rond sur cette nef misérable, bientôt chargée de cadavres, si cela continuait... imprégnée de sang.

— Maman, est-ce que ce sont des fleurs?

— Oui, ce sont des fleurs.

— Ta robe est bleue et sombre comme la mer. Alors ce sont les fleurs de la mer. On les verrait, ces fleurs, si on allait au fond de l'eau, n'est-ce pas qu'on les verrait?

— Oui, on les verrait! dit Angélique avec une conviction machinale.

Le reste de la journée fut plus calme. Le navire filait docilement. Les hommes d'équipage enfermés à fond de cale avec leur chef le Rescator ne s'étaient pas manifestés. Ce manque de réaction aurait dû déjà éveiller l'inquiétude, mais les révoltés, fatigués par la bataille engagée à la suite d'une nuit de tempête, se laissaient aller à une sorte d'euphorie. On voulait croire que ce calme apparent de la mer et de la situation durerait toujours; au moins jusqu'à ce qu'on pût aborder aux Iles d'Amérique. Ce qui aidait les Protestants dans leur folie, se disait Angélique, c'était leur habitude presque séculaire, parce que typiquement rochelaise, de vivre en communauté toujours menacée et très fermée. Ceux-ci, dès leur plus jeune âge, déjà en France, avaient vécu sur un pied de guerre clandestine. Aussi bien chacun se connaissait, connaissait les faiblesses et les travers des autres, mais également leurs qualités, et elles étaient employées avec efficacité. Ce qui leur avait permis de réussir à s'emparer, malgré leur petit nombre, d'un bateau de quatre cents tonneaux et douze canons. Restait le problème de discipline posé par les quelque trente hommes qui s'étaient ralliés à eux en trahissant le Rescator. Il était presque aussi dangereux de les avoir pour complices que pour ennemis. Ils laissaient entendre volontiers que c'étaient eux les meneurs de la mutinerie, c'est-à-dire qu'ils comptaient être les premiers servis dans la distribution du butin. Le geste de Berne assommant l'un d'eux d'un coup de crosse les avait fort déçus. Après avoir constaté que l'autre était mort, ils avaient commencé à comprendre que leurs nouveaux maîtres ne se laisseraient pas déborder et, matés pour le moment, ils exécutaient assez bien les ordres reçus. Il fallait cependant les tenir à l'œil et s'en méfier.

Un semblant de paix s'établissait.

Les femmes recommençaient à vaquer à leurs occupations ménagères et, accompagnées des enfants, aidaient les hommes à déblayer le pont et à réparer les voiles déchirées.

Seulement, au soir, des coups de mousquets assourdis attirèrent les hommes du pont jusqu'au magasin où étaient entreposées les réserves d'eau douce. Ils trouvèrent les tonneaux percés et la sentinelle qui les gardait disparue.

Il ne restait plus que pour deux jours d'eau potable.

A l'aube, le *Gouldsboro* abordait le courant de Floride.

3

Ils n'en prirent conscience que plusieurs heures plus tard. Angélique entendit le brouhaha du groupe des hommes du commandement, qui se rapprochait.

— Un excellent point pour vous, Le Gall, disait Manigault, d'avoir su profiter de cette seule éclaircie du temps brumeux. Mais êtes-vous certain de ce que vous avancez?

— Tout à fait certain, monsieur. D'ailleurs, un moussaillon lui-même se servant d'une arbalète à la place de sextant, ne s'y laisserait pas tromper. Depuis près d'une journée, marchant bon vent et plein Ouest, nous avons remonté de plus de cinquante miles au Nord! M'est avis que c'est à cause d'un sacré courant qui nous entraîne là où il veut, sans que nous puissions le dominer...

Manigault se frotta le nez en réfléchissant. Personne ne se regardait mais chacun songeait à la flèche de Parthe lancée par le Rescator. « A moins que vous ne rencontriez le courant de Floride... »

— Vous êtes-vous assuré qu'aux postes de nuit votre barreur, par ignorance ou par traîtrise, n'a pas mis le cap au Nord?

— C'était moi-même le barreur, fit Le Gall irrité et, depuis le matin, c'était Bréage. Je vous l'ai déjà dit ainsi qu'à maître Berne.

Manigault se racla la gorge.

— Oui, nous avons parlé, Le Gall, avec maître Berne, nos deux pasteurs, et d'autres membres de notre état-major de ce qu'il convient de faire, puisque nous allons bientôt manquer d'eau potable. Et, comme la situation est grave, nous sommes venus l'exposer à nos femmes afin qu'elles nous donnent leur avis aussi sur les solutions à adopter.

A ces mots, Angélique qui se tenait un peu à l'écart tressaillit et dut se mordre les lèvres pour garder le silence. Elle fut soulagée d'entendre Mme Manigault dire tout haut ce qu'elle pensait tout bas.

— Notre avis? Vous ne vous en êtes guère préoccupés pour prendre les armes et vous emparer du bateau. Tout ce que vous nous avez demandé, c'est de nous tenir tranquilles quoi qu'il advienne, et maintenant que les choses ne tournent plus à votre convenance, vous venez chercher un conseil près de nos faibles cervelles. Je vous connais, vous les hommes, vous avez toujours agi de même dans vos affaires. Vous n'en faisiez qu'à votre tête. Heureusement que je me suis trouvée là maintes fois pour réparer vos sottises.

— Comment, Sarah! protesta Manigault feignant la stupeur. N'est-ce pas vous qui, à plusieurs reprises, m'avez averti que le Rescator ne nous emmenait pas à destination? Une intuition, prétendiez-vous. Et maintenant, vous déclarez que vous n'approuvez pas notre action de nous être rendus maîtres du *Gouldsboro*.

— Non, dit fermement, Sarah Manigault, sans souci de paraître inconséquente.

— Alors, vous auriez préféré sans doute être vendue à Québec comme fille à colons? hurla son mari toisant la grosse dame d'un air offusqué.

— Après tout! Pourquoi pas? Ce sort n'est pas pire que celui qui nous attend grâce à vos inspirations brouillonnes habituelles.

L'avocat Carrère intervint, acide.

— L'heure n'est pas aux plaisanteries douteuses, ni aux scènes de ménage. Nous sommes venus à vous, femmes, pour prendre nos décisions avec l'accord de la communauté comme il est de tradition parmi nous, depuis les premiers temps de la Réforme. Que devons-nous faire?

— D'abord réparer cette porte défoncée, dit Mme Carrère. Nous vivons en plein courant d'air et nos enfants s'enrhument.

— Voilà bien les femmes avec leurs détails oiseux. Cette porte ne sera pas réparée, cria Manigault de nouveau hors de lui. Combien de fois a-t-elle été défoncée depuis le début de la traversée, deux, trois fois... C'est un véritable sort. Inutile d'essayer encore de clouer des planches alors que le temps presse. Nous devons aborder à un rivage d'ici deux jours, sinon...

— A quel rivage?

— Voilà le hic! Nous ne connaissons pas les terres les plus proches. Nous ne savons pas où nous entraîne le courant, s'il nous éloigne ou nous rapproche des régions habitées, où nous pourrions aborder et trouver de l'eau et des vivres... Enfin, nous ne savons pas où nous sommes, conclut-il.

Un lourd silence se fit.

— De plus, reprit-il, nous vivons sous la menace du Rescator et de son équipage... Pour hâter les choses, j'ai pensé à les enfumer en jetant des brandons de poix enflammés à l'intérieur, comme on mate les révoltes d'esclaves à bord des bateaux négriers. Mais ce procédé, vis-à-vis d'hommes de ma race — quoiqu'il ait essayé de l'employer à nos dépens — me semble indigne de nous.

— Dites plutôt qu'ils disposent d'assez de sabords ouverts sur la mer pour ne pas risquer d'être incommodés par votre enfumage, fit remarquer Angélique ne pouvant retenir son humeur.

— Il y a aussi cela, condescendit Manigault.

Il lui jeta un regard en biais, et elle crut sentir qu'il était assez content qu'elle fût demeurée parmi eux et lucide, de surcroît.

— Il y a également, continua l'armateur, que ces gens de cale ont découvert quelques armes et munitions. Pas suffisamment, certes, pour nous attaquer en combat découvert, mais assez pour nous tenir en échec si nous essayions de les réduire en descendant dans le fond vers eux. D'ailleurs, la manœuvre serait difficile. Par le puits de la chaîne d'ancre, nous avons fait des essais de vrille pour percer les cloisons et nous sommes malencontreusement tombés sur un blindage de bronze.

— Sans doute posé là en prévision d'une révolte, glissa Angélique.

— Naturellement nous pourrions essayer de percer cette armure avec une couleuvrine ou de la mitraille, mais le navire a déjà trop souffert de la dernière tempête pour que nous risquions d'aggraver son état et de couler avec. N'oublions pas aussi que ce navire est *à nous*, et n'oublions pas de même que monseigneur le Rescator...

Il foudroya Angélique du regard :

— ... n'est pas mieux loti et que c'est parce qu'il

manque aussi d'eau, de vivres et de munitions qu'il demeure comme un ours terré dans sa tanière. Lui et ses hommes mourront de soif avant nous. Voilà ce qui est clair.

Autour de lui les femmes hochèrent la tête avec doute. Elles n'arrivaient pas encore à comprendre. La mer était calme et le navire filait de façon heureuse à travers la brume légère qui ne voilait que l'horizon. Qu'on allât vers le Sud ou vers le Nord, ne leur était guère perceptible. Elles n'étaient pas témoins des efforts du barreur pour échapper à l'emprise du courant et redresser la direction.

Et les enfants ne réclamaient pas encore à boire.

— Qu'ils meurent avant nous sera peut-être une consolation, dit enfin tante Anna, mais je préférerais que nous nous sauvions tous. Monseigneur le Rescator est, m'a-t-il semblé, habitué à ces parages pour nous inconnus et il doit posséder parmi son équipage des pilotes pour nous guider et nous permettre d'aborder. Je propose que vous parlementiez avec lui pour obtenir l'aide nécessaire.

— Vous avez bien parlé, tante, s'écria maître Berne dont le visage s'éclaira, et nous n'en attendions pas moins de votre sagesse. Car c'est également la solution à laquelle nous voulons nous rallier. Qu'on nous entende bien! Il ne s'agit pas de capituler. Nous voulons proposer à notre adversaire un accord. Qu'il nous guide vers une terre hospitalière, et en échange nous lui rendrons la liberté à lui et aux hommes qui voudront lui rester fidèles.

— Lui rendrez-vous son bateau? demanda Angélique.

— Certes non. Ce bateau, nous l'avons gagné par les armes, et nous en avons besoin pour parvenir à Saint-Domingue. Mais c'est déjà beaucoup, puisqu'il est en notre pouvoir, que nous lui laissions la vie et la liberté.

— Et vous vous imaginez qu'il acceptera?

— Il acceptera! Parce que son sort est lié au nôtre. Je rends cette justice au Rescator qu'il est un navigateur remarquable. Il ne peut donc pas ignorer que le navire, en ce moment, court à sa perte. On a beau le pousser à l'Ouest, il revient toujours au Nord. Et si nous continuons ainsi vers le Nord, nous allons nous retrouver dans les terres froides et les glaces. Ce qui nous menace : échouage ou naufrage sur un rivage dangereux dont nous ne connaîtrons pas les pièges, manque de vivres et de moyens de secours, froid... Le Rescator sait tout cela, et il comprendra où se trouvent son intérêt et celui de ses hommes.

La discussion porta ensuite sur celui ou ceux qui se chargeraient de la négociation et oseraient affronter la colère du pirate. L'exécution sommaire du pauvre boulanger était un avertissement. Les Protestants, n'arrivant pas à se mettre d'accord, passèrent au moyen d'entrer en contact avec ceux des cales.

On proposa de redescendre dans le puits de la chaîne par lequel les Protestants avaient eu accès à la soute aux poudres et à la Sainte Barbe et où ils avaient laissé des sentinelles. On frapperait à travers la cloison un message selon le code des marins pour proposer une délégation. Le Gall, qui connaissait ce code descendit en compagnie de matelots armés. Lorsqu'il remonta près d'une heure plus tard, il était sombre.

— Il demande des femmes, dit-il.

— Hein? fit Manigault.

Le Gall essuya la sueur qui coulait sur son visage. On manquait d'air en bas.

— Oh! ne vous méprenez pas. Il ne s'agit pas de ce que vous croyez. J'ai eu du mal à établir le contact et on ne peut s'expliquer avec des nuances à l'aide d'un bout de bois contre une cloison. Ce que j'ai compris, c'est que le Rescator accepte de recevoir une délégation à condition qu'elle soit composée de femmes.

— Pourquoi?

— Il dit que si l'un d'entre nous ou des Espagnols se présentaient il ne pourrait empêcher ses hommes de les mettre en charpie. Il demande aussi que, parmi les parlementaires, se trouve dame Angélique.

4

Mme Manigault aurait voulu être de la partie mais sa forte carrure l'en empêcha.

Les indications données en code par le Rescator recommandaient à ces dames d'emprunter pour le joindre la trappe et l'échelle de corde de ses appartements privés.

— Encore une des facéties malséantes de cet individu, grommelèrent les Protestants.

Ils doutaient de l'heureuse issue de la négociation car ils n'accordaient qu'une faible confiance aux talents diplomatiques de leurs femmes.

Mme Carrère, à laquelle ses nombreuses maternités avaient conservé la souplesse nécessaire, accepta le rôle ingrat de porte-parole de la communauté. La petite femme, pleine de vie, habituée à mener tambour battant sa maison et ses servantes, ne risquait pas de se laisser intimider et irait jusqu'au bout de sa mission.

— Soyez intraitable sur les conditions, lui recommanda Manigault. La vie et la liberté, nous n'accorderons pas plus.

Angélique, à l'écart, haussait les épaules. Jamais Joffrey n'accepterait ces conditions. Alors, qui céderait? La lutte était engagée entre deux blocs de granit. Sur le plan de la ruse Joffrey de Peyrac était sans doute plus armé que ses adversaires improvisés, mais sur celui de l'entêtement lui et ses hommes ne l'emporteraient pas sur cette poignée de Rochelais.

Abigaël s'était présentée. Manigault la récusa. L'attitude réprobatrice du pasteur à l'égard de la mutinerie des passagers rendait suspecte sa fille. Puis il se ravisa. Le Rescator avait marqué de la considération à la jeune fille. Peut-être l'écouterait-il avec sympathie. Quant au rôle d'Angélique, on ne voulait pas l'approfondir. Personne n'arrivait à démêler pourquoi elle était la seule en qui on espérât. Personne n'osait se l'avouer, mais beaucoup de femmes auraient aimé lui saisir la main en cachette et l'adjurer « Sauvez-nous! » car elles commençaient à comprendre l'impasse dans laquelle se trouvait le *Gouldsboro* aux mains des navigateurs inexpérimentés.

Parvenues en bas, les trois femmes durent attendre que la trappe au-dessus d'elles se fût refermée. Elles étaient dans une obscurité totale. Enfin un lumignon apparut au fond d'un boyau, devant elles, et elles rejoignirent le quartier-maître Erikson qui les guida dans une assez vaste « couverte » où semblaient s'être réunis presque tous les hommes de l'équipage assiégé. Les sabords étaient ouverts laissant entrer le jour gris. Les matelots jouaient aux cartes ou aux dés ou se balançaient dans leurs hamacs. Ils paraissaient calmes et jetèrent sur les arrivantes des regards impénétrables et presque indifférents. Il y avait très peu d'armes, ce qu'Angélique remarqua avec un serrement de cœur, ne sachant si elle aurait souhaité voir les hommes de Manigault et ceux de son mari s'affronter à égalité. Dans une bataille corps à corps, les troupes de Joffrey, malgré le nombre, succomberaient.

D'une porte ouverte sur une cambuse, la voix du comte de Peyrac lui parvint. Son cœur sauta. Il y avait des siècles qu'elle ne l'avait entendue. Qu'y avait-il dans cette voix qui la tenaillait ainsi?

Qu'elle était prenante, cette voix qui ne pouvait plus chanter. C'était celle d'un amour nouveau. Ce timbre étouffé et rude lui faisait oublier l'autre, celui du passé, aux résonances magnifiques, mais dont l'écho allait s'estompant dans le lointain comme l'image de son premier amour.

La personnalité de l'autre, aventurier au visage tanné, au cœur durci, et aux tempes grises, envahissait toute la scène. La voix brisée c'était celle qui l'avait soutenue au cours de ces instants inimaginables de douceur et de crainte d'une brève nuit d'amour, au bord de la tempête et qu'elle croyait aujourd'hui avoir rêvée.

Ces mains sèches et patriciennes, mais qui maniaient si vivement le poignard, c'était celles qui l'avaient caressée.

L'homme, encore étranger, c'était lui son amant, son amour, son époux.

Le Rescator, derrière son masque, lui parut implacable et s'il salua courtoisement les trois dames, il ne les fit pas asseoir. Lui-même se tenait debout près du sabord, les bras croisés, peu rassurant.

Nicolas Perrot, debout aussi, fumait sa pipe dans un coin de la petite pièce.

— Eh bien! mesdames, vos époux jouent aux guerriers assez brillamment, mais commencent à douter de leurs capacités de navigateurs, paraît-il?

— Ma foi, monseigneur, répondit la brave dame Carrère, mon avocat de mari n'est pas plus réussi en l'un qu'en l'autre. C'est mon opinion, si ce n'est pas la sienne. N'empêche qu'ils sont bien armés et décidés à garder leurs avantages pour se rendre aux Iles d'Amérique et non ailleurs. Alors ce serait peut-être raisonnable de chercher à s'entendre pour que chacun y trouve son compte.

Et, fort courageusement, elle transmit les propositions de Manigault.

Le silence du Rescator put leur faire espérer

qu'il réfléchissait et envisageait avec intérêt les termes de l'accord.

— Un pilote qui vous permettrait d'accoster en échange de la vie sauve pour moi et mon équipage? répéta-t-il d'un air songeur. Pas mal trouvé. Une seule chose ne permet pas de réaliser ce plan mirifique. La côte que nous longeons est inabordable. L'admirable courant de Floride la protège, entraînant à jamais au loin les audacieux qui rêvent d'accoster... des rochers submergés, à fleur d'eau, une barre continuelle et mortelle... j'en passe. Deux mille huit cents miles de méandres rocheux sur deux cent quatre-vingts miles en ligne droite.

— Mais toute côte, si mauvaise soit-elle, doit posséder quelque havre où l'accostage est possible, dit Abigaël en cherchant à raffermir sa voix tremblante.

— En effet. Encore faut-il les connaître.

— Et vous les ignorez. Vous qui sembliez si sûr de votre route? Vous qui parliez de toucher terre dans quelques jours d'après les propos rapportés par votre équipage.

Les joues d'Abigaël étaient plaquées de rouge dans son émotion, mais elle insistait avec une hardiesse qu'Angélique ne lui avait jamais vue.

— Vous n'en connaissez point, monseigneur? Vous n'en connaissez point?

Un sourire qui avait une certaine douceur effleura les lèvres du Rescator.

— Il est difficile de vous mentir en face, damoiselle. Eh bien! admettons que je connaisse assez la côte pour essayer — je dis bien essayer — d'y aborder sans casse, me croyez-vous assez stupide...

Le ton changea et redevint dur...

— ... pour vous sauver, vous et les vôtres, après ce que vous m'avez fait? Rendez-vous, rendez les armes, rendez-moi mon navire. Ensuite, s'il n'est pas trop tard, je m'occuperai de le sauver.

— Notre communauté n'a pas envisagé la reddition, dit Mme Carrère, mais seulement que nous échappions au sort commun qui nous guette tous : périr de soif d'ici peu et nous briser contre une terre inconnue, ou périr dans les glaces où ce courant fou nous entraîne. Vous avez percé les tonneaux d'eau douce, vous vous condamniez aussi... Il n'y a pas d'autre issue que d'aborder n'importe où pour nous y ravitailler... ou mourir.

Le Rescator salua.

— J'estime votre logique, dame Carrère.

Il sourit encore et ses yeux allèrent de l'un à l'autre de ces trois visages de femmes, différents, et tendus vers lui avec la même expression anxieuse.

— Eh bien! mourons donc ensemble, conclut-il.

Il se tourna vers la fenêtre par où leur parvenait, plus perceptible que sur le pont, le bruit pressé des vagues, clapotant follement contre la coque du navire, drossé par le courant.

Angélique vit trembler les petites mains de ménagère de Mme Carrère.

— Monseigneur, vous ne pouvez accepter de sang-froid...

— Mes hommes sont d'accord.

Il parla sans les regarder, peut-être parce qu'il n'en avait pas le courage.

— Vous avez peur de la mort, vous autres Chrétiens et Chrétiennes, qui relevez d'un Dieu que vous prétendez aimer. Et c'est pour moi et pour ceux qui ont fréquenté l'Islam, une source d'étonnement que cette terreur qui vous habite. Ma vision est autre. Certes, s'il ne s'agissait que de vivre cette vie on pourrait se sentir parfois lassé des jours qui s'écoulent et des êtres qu'on y rencontre. Heureusement il s'agit aussi de mourir et l'au-delà nous attend, prolongement exaltant de toutes les vérités que nous avons perçues au cours de notre existence terrestre.

Elles l'écoutaient, le cœur à l'envers, comme elles auraient écouté les propos d'un fou.

La femme de l'avocat tendit vers lui ses mains jointes.

— Pitié! Pitié! pour mes onze enfants.

Il se retourna saisi d'une brusque fureur.

— Il fallait y songer plus tôt. Vous n'avez pas hésité à les entraîner dans les aléas de votre action. Vous acceptiez donc à l'avance qu'ils payent votre défaite. Il est trop tard. Chacun ses préférences. Vous voulez vivre. Mais moi je préfère mourir cent fois plutôt que de céder à vos menaces. C'est mon dernier mot. Portez-le à vos époux, à vos pasteurs, à vos pères et à vos enfants.

Transies par cet éclat, Mme Carrère et Abigaël sortirent la tête basse, guidées par Nicolas Perrot, car elles auraient été incapables de savoir où elles mettaient les pieds. Elles ne voyaient plus clair. Les larmes les aveuglaient.

Angélique ne les suivit pas.

— Il n'y a que deux solutions. Que je me rende ou qu'ils se rendent. Pour la première, n'y comptez pas. Me voyez-vous allant m'asseoir, tout tremblant à la barre, sous la menace des mousquets de vos amis, pour me retrouver ensuite sur une plage déserte avec mes quelques fidèles? Vous faites bien fi de mon honneur, madame, et vous me connaissez bien mal.

Elle le considérait ardemment. Ses prunelles avaient la profondeur et la mouvance de la mer, seule lumière dans la demi-obscurité de la cabine.

— Oh! si, je vous connais, dit-elle à mi-voix.

Elle avait tendu les mains et le tenait aux épaules sans avoir conscience de son geste.

— Je commence à vous connaître et c'est pourquoi vous m'effrayez. Vous paraissez parfois un peu fou, mais vous êtes plus lucide que tous les autres. Vous seul savez toujours ce que vous faites... Vous savez ce que vous faites quand vous citez les Ecritures... Vous attendez le moment où vos complices vont agir d'après vos consignes. Vous avez tout prévu à l'avance, même qu'on vous trahirait. Et quand vous parlez de l'au-delà à ces femmes, quel moment guettez-vous? Sans cesse, vous menez une partie, vous poursuivez un but. Quand donc êtes-vous sincère?

— Quand je vous tiens dans mes bras, ma très belle. C'est seulement alors que je ne sais plus ce que je fais. Et c'est une erreur que j'ai payée bien cher. C'est parce que j'avais la faiblesse de vouloir demeurer près de vous, ma petite épouse trop séduisante, qu'il y a quinze ans, je n'ai pas fui à temps les argousins du Roi chargés de m'arrêter et que, l'autre nuit, ma vigilance s'est relâchée, laissant à vos Huguenots le temps de préparer leur traquenard et de m'y faire tomber...

Tout en parlant il retirait son masque. Elle vit avec surprise que son expression était détendue. Il souriait même en la couvant d'un regard plein de chaleur.

— Si je considère à quel point vous me portez malchance, je devrais vous en vouloir. Mais je ne puis.

Il penchait vers elle sa haute taille. Angélique était saisie de vertige.

— Joffrey, je vous en supplie, ne mésestimez pas la gravité de ce qui se passe. Vous n'allez pas accepter que nous périssions tous?

— Que de préoccupations mesquines vous hantent, ma toute belle! Pour ma part, à votre vue, je les oublie.

— Vous avez accepté de parlementer.

— Prétexte pour vous faire venir jusqu'à moi et vous reprendre en ma possession.

Avec une douceur bouleversante, il l'enveloppait de ses bras, l'attirait, posait ses lèvres sur ses joues.

— Joffrey, Joffrey, je vous en prie... Vous jouez encore je ne sais quel jeu redoutable.

— Est-ce vraiment comédie? demanda-t-il en la serrant plus étroitement contre lui. Vous me feriez croire, madame, que vous avez bien peu d'expérience du trouble dans lequel votre beauté peut jeter un homme qui vous désire.

Sa passion n'était pas feinte. Elle en perdait la tête, entraînée par la frémissante chaleur de ses lèvres, le parfum de son haleine proche qui lui redevenait familière et pourtant, la surprenait comme ces découvertes que l'on fait une à une, près d'un amant inconnu.

Le doute qui l'avait torturée s'évanouissait : « Il m'aime donc. C'est vrai... Il m'aime encore, moi? MOI?... »

— Je t'aime, toi, tu sais, murmura-t-il très bas, je rêve à toi depuis l'autre nuit... Cela fut si rapide et tu étais si inquiète... Il me tardait de te revoir... pour m'assurer... que ce n'avait pas été un songe... que tu m'appartiens tout entière à nouveau... que tu n'avais plus peur de moi.

Sa bouche ponctuait ses paroles de baisers, près des cheveux d'Angélique, sur ses tempes.

— Pourquoi te défends-tu encore? Embrasse-moi... Embrasse-moi, vraiment.

— Je ne peux pas, avec cette angoisse au cœur... Oh! Joffrey, quel homme êtes-vous donc? Ce n'est pas l'heure de parler d'amour.

— S'il me fallait attendre que l'heure soit exempte de danger pour parler d'amour, je n'en aurais guère connu la jouissance au cours de ces dernières années. Aimer entre deux tempêtes, deux batailles, deux trahisons, c'est mon lot, et, ma foi, j'ai su m'accommoder de ce piment supplémentaire du plaisir.

Le rappel des aventures qu'avait pu avoir son mari loin d'elle, en Méditerranée ou ailleurs, irrita Angélique. Soudain elle fut la proie d'une jalousie féroce qui balaya toute impression de douceur.

— Vous êtes un goujat, monsieur de Peyrac, et vous avez tort de me confondre avec les odalisques stupides qui vous reposaient de vos combats. Lâchez-moi.

Il riait. Il avait encore cherché à la mettre en colère et y avait réussi. La fureur d'Angélique monta, attisée par le sentiment qu'il se jouait de leur terreur à eux tous.

— Lâchez-moi! Je ne veux plus vous voir. Je crois que vous êtes un monstre.

Elle mettait tant d'énergie à le repousser, qu'il la lâcha.

— Décidément, vous êtes aussi bornée et intransigeante que vos Huguenots.

— « Mes » Huguenots ne sont pas des enfants de chœur et si vous aviez pris soin de ne pas les provoquer, nous n'en serions pas là. Est-ce vrai que vous n'avez jamais eu l'intention de les conduire aux Iles d'Amérique?

— C'est vrai.

Angélique pâlit. Sa colère tomba et il vit ses lèvres trembler comme celles d'une enfant déçue.

— Je me portais garante de vos intentions, et vous m'avez trompée. C'est mal.

— Avions-nous passé un contrat précis sur l'endroit où je devais les mener? Quand vous êtes venue à La Rochelle me supplier de leur sauver la vie, croyiez-vous que j'allais accepter de prendre à mon bord ces parpaillots, démunis de tout et qui ne me rendraient jamais le moindre sou pour ma peine, pour le seul plaisir de les entendre chanter les psaumes?... Ou pour vos beaux yeux? Je ne suis pas Monsieur de Paul, apôtre de la charité.

Comme elle le regardait toujours en silence, il ajouta d'un ton plus doux.

— Si vous l'avez cru, c'est que vous idéalisez la générosité masculine, madame. Je ne suis pas, je ne suis plus un héros de chevalerie, j'ai dû trop durement batailler pour survivre moi-même. Mais ne me prêtez pas cependant de noirs desseins. Je n'ai jamais eu l'intention de « vendre » ces malheureux comme ils se l'imaginent mais seulement de les amener comme colons sur mes terres américaines où ils auraient tôt fait de s'enrichir beaucoup plus qu'ils ne le pourraient aux îles.

Elle lui tourna le dos et se dirigea vers la porte.

Il s'interposa.

— Où allez-vous?

— Les rejoindre.

— Pour quoi faire?

— Pour essayer de les défendre.

— Contre qui.

— Contre vous.

— Ne sont-ils pas les plus forts? N'ont-ils pas en main la situation?

Elle secoua la tête.

— Non. Je sens, je sais que vous tenez en main leur destinée. Vous serez toujours le plus fort.

— Oubliez-vous qu'ils ont voulu attenter à ma vie? Vous en êtes moins émue ce me semble, que de savoir la leur menacée.

Voulait-il la rendre folle en lui posant de telles questions qui la déchiraient? Tout à coup, il la reprit dans ses bras.

— Angélique, mon amour, pourquoi sommes-nous si loin l'un de l'autre. Pourquoi ne parvenonsnous pas à nous rejoindre? Est-ce parce que tu ne m'aimes pas? Embrasse-moi... Embrasse-moi... Reste avec moi.

Elle se défendait avec d'autant plus de frénésie qu'elle se sentait faible, tentée de se blottir contre lui, d'oublier, de lui faire confiance, de s'abandonner à sa force sans désirer rien d'autre.

— Laissez-moi, je ne peux pas.

Il la lâcha, les traits durcis.

— C'est bien ce que je cherchais à savoir... vous ne m'aimez plus. Ma voix vous rebute, mes hommages vous effrayent... Vos lèvres n'ont pas répondu aux miennes l'autre nuit... Vous étiez froide et contrainte... qui sait si vous n'avez pas accepté ce rôle près de moi pour permettre à vos amis d'exécuter leur plan.

— Votre soupçon est injurieux et ridicule, fit-elle d'une voix tremblante. Souvenez-vous, c'est vous qui m'avez retenue. Comment pouvez-vous douter de mon amour?

— Restez près de moi. Je le jugerai à cela.

— Non, non, je ne peux pas. Je veux retourner là-haut. Je veux rester auprès des enfants.

Elle s'échappa follement, sans savoir à quel mobile elle obéissait.

Malgré la fascination qu'il exerçait sur elle, la tentation qu'elle éprouvait de se fondre dans ses bras, la douleur que lui causaient ses reproches, elle aurait été incapable de demeurer près de lui alors que, là-haut, Honorine et les enfants étaient en danger de mort.

C'était cela qu'il ne pouvait pas comprendre. Ils habitaient son cœur et faisaient partie d'elle-même. Et ils étaient faibles et sans défense. La soif les guettait, le naufrage. Eux seuls méritaient qu'on leur sacrifiât tout.

Assise parmi eux, sur le pont du *Gouldsboro*, elle repensait aux phrases qu'il lui avait dites, jamais il ne lui avait parlé avec autant de tendresse. Elle tenait Honorine sur ses genoux. Laurier et Séverine étaient à ses pieds, et le blond Jérémie. Certains enfants jouaient et riaient discrètement, mais la plupart se taisaient. Ils étaient venus s'assembler contre elle, poussés par l'instinct des oisillons qui leur fait chercher une aile protectrice à l'heure de l'orage. En chacun elle croyait revoir Cantor, Florimond. « Mère, il faut partir! Mère, sauve-moi, défends-moi »... Elle croyait revoir le visage exsangue, privé des couleurs de la vie, du petit Charles-Henri.

Des adultes, elle n'avait plus pitié.

Ils lui devenaient tous indifférents, même Abigaël la juste, même Joffrey de Peyrac, son époux, qu'elle avait tant cherché.

« Je commence à comprendre que nous ne pouvons plus nous rejoindre lui et moi. Il a trop changé. A moins qu'il ait toujours été ainsi sans que je le sache. Ainsi il préfère sa mort plutôt que de céder. Il a assez vécu et peu lui importe d'entraîner avec lui ces enfants. Les hommes peuvent se permettre ça, mais pas nous, les femmes, qui sommes responsables de ces petites vies. On n'a pas le droit d'ôter sciemment sa vie à un enfant. C'est son trésor le plus précieux. Il l'aime tellement déjà, la vie. Il en sait le prix, lui, l'enfant. »

— Madame Manigault, dit-elle à haute voix, il faut que vous alliez trouver votre mari et que vous le décidiez à se montrer moins avare dans ses conditions. Ne me faites pas croire qu'il vous fait peur avec ses cris. Vous en avez vu d'autres et il doit comprendre que jamais le Rescator ne cèdera si on ne lui rend pas son bateau.

Mme Manigault ne répondit pas, et Angélique vit deux larmes pénibles surgir au coin de ses yeux.

— Je ne peux pas demander à mon mari de se rendre, dame Angélique. C'est le condamner. Si le Rescator reprend le pouvoir, l'épargnera-t-il?

Elles demeurèrent silencieuses. Angélique insista.

— Essayez, madame Manigault... Ensuite, j'essaierai à mon tour. Je redescendrai dans les cales, pour décider le Rescator à des concessions.

La femme de l'armateur se leva en soupirant bruyamment. Après le retour d'Abigaël et de Mme Carrère, l'état-major des Protestants s'était réuni dans la salle des cartes pour y étudier la possibilité d'aborder, malgré tout, et prendre l'avis des marins compétents.

Les mutins espagnols s'agitaient. Ils commençaient d'avoir peur. Angélique entendait les bribes de paroles qu'ils se jetaient dans leur langue gutturale. Ils parlaient de prendre la chaloupe et de fuir le navire condamné.

Les insensés! Le courant les mènerait sur la même route mortelle, et leurs faibles forces ne suffiraient pas à les arracher à son emprise, là où un navire luttait en vain.

Désert des brumes, silence, limbes glacés où des vivants couraient à leur perte.

Puis il y eut un appel, un mouvement nouveau

parmi les ombres fantomatiques qui s'agitaient sur le pont. Quelque chose changea. Un espoir. Les femmes se levèrent, attendant.

Martial, tout essoufflé, surgit devant elles.

— Il accepte! Il accepte!... Le Rescator! Il a fait dire qu'il envoyait un pilote et trois hommes qui connaissent la côte que nous longeons pour guider le bateau hors du courant et le faire accoster.

5

Erikson avait émergé d'une écoutille. Sa face de gnome trapu demeurait impénétrable. En se dandinant sur ses courtes jambes, il gagna les échelles et monta sur la dunette.

Angélique, entourée de quelques femmes, s'attendait à voir surgir ensuite la longue silhouette de son mari. Mais il ne parut pas. Ce furent Nicolas Perrot et son Indien, puis une dizaine d'hommes de l'équipage fidèle, des Anglais et trois Maltais. L'un des matelots rejoignit Erikson à l'arrière, les autres avec le Canadien barbu allèrent s'asseoir près de la grande chaloupe. Ils agissaient avec calme et ne paraissaient pas prendre garde aux mousquets braqués sur eux. Nicolas Perrot sortit même sa pipe et la bourra avec nonchalance. Il regarda autour de lui.

— Si vous avez encore besoin d'hommes pour la manœuvre des voiles, fit-il en traînant son accent, il y en a d'autres à votre disposition, là-dessous.

— Non, répondit abruptement Manigault qui le surveillait particulièrement, « mon » équipage s'en tire fort bien.

— Et comment traduirez-vous aux gabiers les indications d'Erikson à la barre?

Et devant leur silence :

— Allons! Allons! soupira-t-il en secouant sa pipe, comme s'il renonçait à un heureux moment de farniente, donc je m'en chargerai. Je ne connais d'ailleurs rien à la mer mais je parle tous les dialectes du Ponant. « On » m'a dit de mettre mes talents à votre service. Ils ne sont pas gros. C'est tout.

Il souleva sa toque de fourrure et se dirigea à son tour vers la poupe. Après avoir laissé des sentinelles près des hommes assis, Manigault le suivit. Au fond, chacun était à la fois déçu et soulagé de n'avoir pas vu paraître le Rescator, en personne. Déçu car sa science nautique et la maîtrise de commandement dont il avait fait preuve à plusieurs reprises étaient pour les passagers angoissés l'assurance qu'il les tirerait encore de ce mauvais pas. Soulagé, parce que sa seule présence inspirait déjà la crainte. En face de lui, Manigault finissait par douter de sa propre réussite. Le surveiller avec six mousquets braqués sur lui n'aurait pu suffire. Ses envoyés subalternes donneraient bien moins de fil à retordre. D'ailleurs, ils semblaient las et indifférents. Sans doute préféraient-ils être débarqués sur une plage et perdre leur part du butin que la vie. Ils avaient dû convaincre l'irréductible Rescator de tenter un dernier effort pour les sauver tous et le pousser à cette semi-reddition qui étonnait, malgré eux, les mutins.

— Il faut savoir être ferme, pérorait l'avocat Carrère, avec agitation, ce matamore, devant notre attitude, a baissé pavillon. Nous avons gagné la partie.

— Pas tant de moulinets avec votre pistolet, je vous prie, mon homme, le calma sa femme.

Frileusement, elle serra les mains sous son châle.

— Si vous lui aviez parlé ce tantôt face à face, comme je lui ai parlé, vous comprendriez que ce n'est pas la peur de la mort, ni pour lui ni pour les autres, qui a pu décider cet homme-là à nous envoyer un pilote.

— Alors, qu'est-ce donc?

Les femmes haussaient les épaules avec un geste d'ignorance. Leurs coiffes palpitaient dans la brume grise, traversée parfois d'une clarté jaune, insolite, comme une translucide porcelaine.

Les cheveux d'Angélique étaient lourds d'humidité, mais ainsi que ses compagnes, elle ne se décidait pas à se mettre à l'abri. Elles attendaient qu'Erikson se fût assis à la barre. Sur le *Gouldsboro*, la barre communiquant directement avec le gouvernail, se trouvait située sur la dunette, à l'arrière, et non au-dessous. Le timonier pouvait donc à la rigueur manœuvrer seul à vue. Sous la pointe des armes qui le surveillaient, le petit homme aux prunelles de pierre ne bronchait pas. Il se contentait de maintenir le gouvernail. Il rêvait ou bien il dormait les yeux ouverts. A quelques pas, le Canadien, la barbe au vent, mâchonnait sa pipe, l'ancien porte-voix du capitaine Jason, à portée de sa main.

Au bout de plusieurs heures, l'énervement gagna à nouveau les passagers et l'équipage novice. Les veilleurs des huniers confirmaient que l'on filait toujours dans le courant plein Nord, plus vite encore, car en prenant son poste, Erikson avait fait disposer les voiles de façon à prendre tout le vent dans cette direction.

Le soupçon leur vint à tous que le machiavélique Rescator ne leur avait envoyé un pilote que pour les entraîner plus rapidement vers la mort.

— Croyez-vous cela possible? murmura Abigaël à Angélique. Croyez-vous qu'il serait capable d'agir ainsi?

Angélique secoua négativement la tête, avec énergie, mais en réalité elle doutait, elle aussi. On lui demandait encore de se porter garante des pensées de l'homme qu'elle aimait. Il lui fallait bien s'avouer qu'elle les ignorait. De toutes ses forces, elle voulait croire à l'homme du passé qu'elle avait adoré. Cependant, de l'homme du passé lui-même qu'avait-elle au juste connu? La vie ne lui avait pas laissé le temps de joindre l'esprit riche, fourmillant et divers de son époux ou, bien au contraire, celui de perdre ses illusions et d'apprendre au cours des années de vie commune qui aurait dû être la leur, qu'un homme et une femme se cherchent en vain, si proches soient-ils, comme dans le brouillard opaque des mers, et que leur union n'est que mirage et ne peut appartenir au monde terrestre... « Qu'es-tu, toi, dans les yeux duquel je cherche mon bonheur? Et moi-même, suis-je aussi pour toi un mystère insondable?... »

S'il était vrai que Joffrey s'interrogeait aussi sur elle, qu'il l'appelait en lui-même, derrière sa carapace dure et fermée, alors rien n'était perdu.

Ils s'appelaient, se tendaient les bras à travers

ces brumes lourdes qui les séparaient, si difficiles à dissiper.

A moins qu'ils ne s'éloignassent l'un de l'autre, à une vitesse vertigineuse, telle que celle de ce courant insensible en apparence et qui entraînait pourtant le navire loin, loin, on ne savait où.

« Non, il ne m'aime pas. Je n'ai pas de racines en son cœur. Rien ne va au delà d'un désir de surface que j'ai fini par lui inspirer... Trop peu pour qu'il se sacrifie à mes prières, qu'il m'écoute... c'est terrible d'être sans pouvoir, les mains vides... Il est seul... Et pourtant j'étais sa femme. »

Les autres la regardaient remuer les lèvres, marmonner et secouer, sans en avoir conscience, sa chevelure pâle, irisée de perles d'eau. Elle vit leur expression suppliante.

— Ah! Priez donc plutôt, leur dit-elle avec impatience, c'est l'heure de le faire et non pas d'espérer d'une malheureuse comme moi je ne sais quel miracle!...

La nuit tombait n'apportant que les bruits assourdis de la mer et du vent, ponctués, à chaque minute, par la voix de la cloche de brume qu'un moussaillon. Martial ou Thomas, devait secouer en frissonnant de fatigue. A la longue, ces tintements finissaient par obséder.

« Ils sont si naïfs, tous ces hommes, malgré leurs airs belliqueux. Sonner la cloche de brume au large de La Rochelle, ou de la Bretagne ou de la Hollande, voilà qui signifie quelque chose pour eux. On prévient alors d'autres navires, on appelle ainsi la terre où des feux veillent. Mais ici, dans cette solitude, cette cloche ne résonne que pour nous donner le change, pour essayer de nous faire croire que nous ne sommes pas seuls au monde... »

Cela faisait songer au glas des trépassés. Mais les bras d'Honorine serraient Angélique de toutes leurs frêles forces et ses yeux noirs grand ouverts lui rappelaient la nuit où elle l'avait emmenée, petit bébé, dans la forêt glacée où rôdaient des loups et des soldats.

Elle se leva.

« Je vais redescendre... oui, je vais redescendre. Je vais lui parler. Il faut que nous sachions! »

A ce moment, la voix de Nicolas Perrot résonna, tombant sonore, comme d'une conque derrière la pénombre, et en levant les yeux elles devinèrent les voiles qui pendaient flasques le long des mâts et des vergues. Le navire craquait, se balançant avec des soubresauts, obéissant en renâclant à la manœuvre imposée. Les ordres se succédaient, impératifs. Les matelots couraient. Les Espagnols eux-mêmes s'affairaient faisant preuve d'un esprit de discipline qui ne leur était pas coutumier.

Les hommes du Rescator, assis jusque-là près de la chaloupe, s'étaient soudain levés. Ils suivaient des yeux les divers mouvements de la voilure. Ils avaient dû être envoyés pour prêter main-forte en cas de manœuvre délicate, mais voyant que celle-ci s'exécutait finalement sans encombre, ils n'intervinrent pas. Un peu plus tard, ils se rassirent en hochant la tête d'un air entendu. L'un d'eux battit son briquet, alluma une lanterne et se mit à fredonner. Un autre prit une carotte de tabac dans sa ceinture et la mâcha.

— Je crois que nos gars ne sont pas trop mauvais marins, dit Mme Manigault qui avait suivi leur mimique. Ceux-là ont l'air de leur accorder leur brevet. N'empêche, je regrette que vos prisonniers n'aient pas eu la bonne idée de s'égailler dans les haubans, Carrère, car j'aurais été bien curieuse de vous voir les rattraper, vous qui savez si bien discuter d'une manœuvre sans y avoir jamais mis la main.

L'avocat, qui commençait à somnoler entre son tromblon et son pistolet, sursauta, et il y eut des rires. On recommençait à espérer et à se chicaner. Quelque chose s'était passé. De nouveau, dans les airs, on entendait le claquement des voiles tendues.

Mais l'aube n'apporta que déception aux femmes lassées. Il faisait encore plus froid que la veille, et la même sensation d'être entraînés irrésistiblement par le courant les pénétrait jusqu'aux moelles. L'eau qu'on leur distribua avait un goût de bois pourri. C'était le fond des barriques. Personne n'osait dire mot et lorsque Le Gall pénétra dans l'entrepont avec une expression joyeuse, on le regarda comme s'il avait été soudain frappé d'aliénation.

— Bonnes nouvelles, dit Le Gall, et je viens vous rassurer, mesdames. J'ai laissé filer le loch et réussi à faire le point non sans mal, car on voit à peine le contour du soleil. Mais je peux vous assurer que nous avons changé de direction et que, désormais, nous nous dirigeons vers le Sud.

— Le Sud?... Mais il fait plus froid qu'hier!

— C'est que, depuis deux jours, nous étions drainés par un courant tiède, le courant de Floride, qui nous réchauffait. Tandis que, maintenant, nous sommes pris en charge par un courant froid de la baie d'Hudson, je parie.

— Damné pays! grommela le vieux pasteur sortant tout à coup de sa réserve, allez vous y reconnaître dans ces chaud et froid. Je commence à me demander si les prisons du Roi n'auraient pas été pour nous plus bénéfiques que ces régions malsaines où hommes et éléments se comportent à l'envers.

— Père! fit Abigaël d'un ton de reproche.

Le pasteur Beaucaire secoua ses cheveux blancs. Tout n'était pas résolu, loin de là. Le plus important n'était pas d'être passé d'un courant chaud dans un courant froid, songeait-il, mais d'éviter de nouvelles morts.

Ses ouailles lui échappaient complètement et lui-même ne savait quoi leur dire. Quant aux autres, les impies, que pourraient sur eux les exhortations de sa vieille voix pastorale, ses appels à la Justice, à la Charité?

— Je n'ai jamais été d'accord avec le pasteur Rochefort, cet incorrigible coureur d'aventures, qui voulait nous jeter tous sur les océans. Grand bien lui fasse! On voit où cela mène...

Sa voix se perdit dans le brouhaha des questions et des réponses que donnait Le Gall.

— Allons-nous aborder, maintenant?

— Où cela?

— Que disent Erikson et le Canadien?

— Rien! Allez donc faire parler cet ours bourru

et ce sacré bosco plus fermé et rocailleux qu'une huître. Mais pour un fin barreur, c'est un fin barreur! Il a dû profiter, hier, d'un confluent entre les deux courants pour nous faire passer de l'un à l'autre. Un tour de force, surtout par cette purée de brouillard.

— Cette fois, mon opinion est faite, dit Mercelot d'un air docte, c'est un Hollandais. Je le croyais écossais à cause de son épée, sa « claymore », mais il n'y a que les Hollandais pour avoir ainsi le sens des courants. Ils les lisent dans la mer, les devinent au nez...

Tandis qu'il parlait, Angélique crut le revoir, devant son écritoire à La Rochelle, calligraphiant de sa plume d'oie sur le velin choisi, ses chères Annales des Réformés. Aujourd'hui, son rabat blanc n'était plus qu'un torchon, sa redingote noire avait craqué aux coutures des épaules et, ma foi, il était pieds nus malgré le froid. Il avait dû, dans le feu de l'action, grimper dans les haubans et, qui sait, jusqu'aux huniers?...

— J'ai soif, fit-il, n'y aurait-il pas quelque chose à boire?

— Un petit verre d'eau-de-vie des Charentes, mon ami? lui proposa sa femme avec un rire fêlé et triste.

Ce rappel du confort passé et de la terre natale les laissa rêveurs. Ils évoquaient l'ambre doré de l'eau-de-vie charentaise, les grappes mûries sous les murs de Cognac. Le sel de la mer leur brûlait la gorge. Leur peau était visqueuse comme celle des harengs saurs.

— Nous allons bientôt aborder, dit Le Gall. A terre nous trouverons des sources.

Et ce mot les fit soupirer.

Angélique se tenait à l'écart. On faisait semblant de ne plus la voir. Quand les choses allaient bien, on ne lui adressait plus la parole. Quand cela tournait mal, on la suppliait d'intervenir. Elle commençait à avoir l'habitude de ce manège. Elle haussa les épaules.

6

Vers le milieu du jour, autant que pouvait le laisser deviner la clarté imprécise, elle fut attirée sur le pont par une discussion proche.

Devant la grande chaloupe, Manigault et Nicolas Perrot étaient en pourparlers.

— Nous allons mettre la chaloupe à l'eau pour reconnaître la côte, disait le Canadien.

— Où sommes-nous?

— Je ne le sais guère plus que vous! Ce que je puis vous assurer c'est que la côte est proche. Nous serions fous de pousser plus avant sans avoir été reconnaître un passage pour le navire. A coup sûr, on doit trouver une baie, une crique pour s'abriter. Mais encore, s'agit pas de se briser dans l'entrée. Ecoutez plutôt!...

Il repoussa son bonnet de fourrure, rabattit le pavillon de son oreille, la tête penchée comme pour surprendre un bruit lointain, perceptible de lui seul.

— Ecoutez...

— Quoi donc?

— Le bruit de la barre. Ce roulement, c'est le bruit d'une barre à franchir.

Ils avaient les oreilles trop envahies du bruit des vagues.

— Nous n'entendons rien.

— Moi, je l'entends, dit le Canadien. Ça suffit!

Il huma le brouillard, si dense qu'on avait l'impression d'avaler quelque chose de solide quand on ouvrait la bouche.

— La terre n'est pas loin. Moi je la sens.

Eux aussi ils la sentaient maintenant. Des effluves indéfinissables leur apportaient dans ce désert blanc l'assurance d'une formidable et familière présence. LA TERRE!

Un rivage, du sable, des cailloux, peut-être même de l'herbe et des arbres...

— Ne réfléchissez pas trop, gouailla le Canadien. Parce que, vous savez, par ici, il peut y avoir des marées de cent vingt pieds de haut et qui montent en deux heures.

— Cent vingt pieds! Mais vous vous moquez du monde. Ça n'existe pas!

— Libre à vous d'en douter. Mais croyez-moi, s'agit pas de manquer l'heure du passage. Et, en attendant, je vous conseillerais de vous jeter à l'eau avant que votre coque s'en aille racler le fond et s'écraser. Plus rocheuse côte au monde, il n'y en a guère à ce qu'on dit. Mais que pouvez-vous y comprendre, avec votre petite Rochelle et sa misérable marée de douze pieds!

Les yeux mi-clos, il semblait se moquer d'eux. On entendit à l'avant le déroulement de la chaîne d'ancre.

— Je n'ai pas donné d'ordre! cria Manigault.

— Rien d'autre à faire, patron, fit Le Gall. C'est vrai ça que la terre est proche... Mais savoir à combien d'encablures, c'est une autre question... Avec ce brouillard.

Un homme vint dire que l'ancre avait touché le fond à quarante pieds.

— Il était temps!

— Rien d'autre à faire, répéta Le Gall, que de suivre ce qu'ils disent.

Il eut un geste du menton vers Nicolas Perrot et les hommes du Rescator qui avaient continué à préparer la chaloupe.

Ils profitèrent d'une lame haute pour mettre l'embarcation à la mer, puis y descendirent à leur tour.

Manigault et Berne se consultaient du regard, hésitants, craignant d'être dupés encore.

— Attendez, dit l'armateur protestant. Il me faut parlementer avec le Rescator.

Les yeux du Canadien devinrent alors aussi durs que balles de fusil. Sa main s'abattit lourdement sur l'épaule de Manigault.

— Vous faites erreur, l'ami. Vous oubliez qu'en bas, dans les cales, le peu de munitions qui nous reste vous est réservé, comme vous nous réserviez les vôtres. Vous avez voulu la guerre, vous l'avez. Mais rappelez-vous... pas de quartier avec nous... pour peu que vous perdiez votre avantage.

Il enjamba la coupée et se laissa glisser par un filin jusqu'à la chaloupe. Celle-ci dansait sur les flots, crêtés de blanc, d'une mer qui, à travers les vapeurs de la brume, leur apparaissait d'un bleu-violet magnifique. En quelques coups de rames, l'embarcation fut enlevée et disparut à leurs yeux. Mais, fil d'Ariane qui la retenait au navire, le filin continuait à se dérouler.

Erikson était resté à bord. Il s'occupait de la manœuvre prévue, sans souci de l'exécuter parmi les Protestants, ces méprisables passagers, marins d'eau douce, qui avaient fait alliance avec la racaille espagnole pour le déposséder de « son » tillac. A grands coups de sifflet et de botte, il mit dix hommes au cabestan.

Le filin se dévidait rapidement, entraînant bientôt à sa suite la corde, grosse comme un bras, enroulée au cabestan. Il en restait à peine lorsqu'elle cessa de filer et de s'enfoncer, telle un serpent dans les profondeurs du brouillard. La chaloupe avait dû accoster quelque part. Le câble tressautait violemment.

— Ils le fixent à un rocher pour prendre appui et nous hâler ensuite vers la passe, murmura Le Gall.

— C'est impossible, nous sommes à marée basse.

— Savoir?... Je croirais plutôt qu'il s'agit d'un seuil submergé qu'on ne peut franchir qu'à marée haute. Ce qui doit être le cas. Mais quelles sont les heures de marée ici?

Ils attendirent, émus, ne pouvant croire à la fin de leurs peines.

Un cri rauque d'Erikson fut le signal qui entraîna les hommes du cabestan à donner tout leur effort pour ramener le câble autour du pivot. Un autre cri, auparavant, avait donné l'ordre de relever l'ancre. Le *Gouldsboro* s'ébranla doucement, comme tiré par une main invisible.

Les hommes au cabestan ahanaient, couverts de sueur, malgré le froid vif. Le câble tendu frémissait à se rompre.

En silence, Le Gall montra quelque chose à Manigault, par-dessus la rambarde. Assez proches pour qu'ils puissent les distinguer, malgré le brouillard, les têtes noires et hérissées de rochers à fleur d'eau surgissaient, partout, couronnées d'écume.

Mais immuable, et porté miraculeusement à travers un étroit et profond chenal, le grand bateau poursuivait sa route. A chaque instant l'on attendait un choc, un craquement sinistre, le cri de malheur : « Echoué », familier aux hommes des pertuis. Mais rien ne se passait, sinon que le *Gouldsboro* continuait d'avancer et que le brouillard s'épaississait encore. Bientôt, sur le pont, ils se virent à peine. Dans cet opaque prison, ils eurent le sentiment d'être soulevés, soulevés indéfiniment. A l'instant où la chute commença, un léger choc fut perceptible à certains. Mais déjà le *Gouldsboro* dévalait à demi penché sur bâbord, puis se redressait et se balançait dans d'invisibles remous longs et berceurs.

— Nous venons de franchir la barre, dit Le Gall.

Et le même soupir de soulagement s'échappa des poitrines oppressées, amies et ennemies.

Le cri rugueux d'Erikson vibra quelque part, suivi d'un cliquetis de chaîne déroulée. Le *Gouldsboro*, de nouveau à l'ancre, continuait à se balancer, débonnaire. Pendant un long moment, ses occupants attendirent, guettant les clapotements de rames qui les avertiraient du retour de la chaloupe.

Rien ne venant, Le Gall prit le porte-voix et appela, puis il fit sonner la cloche de brume.

Manigault, pris d'une inspiration subite, se dirigea vers le cabestan. Il tira sur la corde qui vint, mollement, entre ses mains.

— La corde s'est rompue!

— A moins qu'on ne l'ait tranchée!...

L'un des hommes qui avaient poussé au cabestan, un huguenot de Saint-Maurice, s'approcha.

— Elle a sauté au moment où nous passions la barre. Ce sont les gars de la chaloupe qui ont dû s'en occuper. Ça, il le fallait, sinon nous aurions été chassés sur les rochers. Belle manœuvre! Et nous sommes en sûreté.

Ils ramenèrent le câble restant qui, en effet, avait été rompu à la hache.

— Il n'y en avait plus bien long. Belle manœuvre, répéta le marin admiratif.

Angélique entendit murmurer :

— Oui, belle manœuvre pour un abordage en pays inconnu.

Manigault sursauta.

— Mais, qui, *qui* tenait la barre pendant que nous franchissions la passe? Erikson était là, à côté de nous.

Ils se hâtèrent vers l'arrière. Angélique les suivit. Elle aurait voulu être partout à la fois afin de prévoir et de faire face à tous les dangers qu'elle pressentait tapis autour d'eux. Les éléments avaient cessé d'être menaçants. Malgré cela, son cœur n'était pas rassuré. La solidarité des hommes contre la mer avait soudain cessé de jouer. Une autre partie décisive s'ouvrait entre les Protestants et Joffrey de Peyrac.

Près du gouvernail, maintenant bloqué, ils butèrent sur un corps étendu, un Espagnol, le plus incapable parmi les mutins et dont un coup de poignard bien placé dans le dos semblait avoir terminé l'existence de bon à rien.

— Etait-ce lui qu'Erikson avait désigné pour tenir la barre?

— Impossible. A moins qu'il n'ait prévu déjà qu'un autre viendrait le remplacer!...

Ils se regardèrent longtemps, dépassés par les paroles, renonçant à s'expliquer et à se rassurer.

— Dame Angélique, dit enfin Manigault en se tournant vers la silhouette féminine à leurs côtés, c'est *Lui* n'est-ce pas qui tenait la barre, lorsque nous franchissions la passe?

— Comment le saurais-je, messieurs? Suis-je avec lui, dans la cale? Non. Je suis avec vous, et non pas, croyez-le, parce que j'approuve vos actes, mais parce que je veux encore espérer que nous nous sauverons tous.

Ils baissèrent la tête sans répondre. Une telle issue heureuse leur paraissait désormais improbable. Ils méditaient les paroles de l'ours canadien : « Pas de quartier entre nous! »

— Au moins les veilleurs que j'ai postés en sentinelle près des trappes gardent-ils bien leurs postes?

— Il faut l'espérer! Mais nous ne connaissons

pas tous les traquenards qu'on peut nous tendre dans cette purée de pois.

Manigault poussa un profond soupir.

— Je crains que nous ne fassions de piètres hommes de guerre et nautonniers en face d'eux... Bast, le vin est tiré, il faut le boire. Veillons, mes frères, et préparons-nous à vendre chèrement notre peau, s'il le faut. Qui sait, le sort nous sera peut-être favorable. Nous avons avec nous des armes. Quand le brouillard se lèvera, nous jugerons où nous sommes, La terre n'est pas loin. Elle est de ce côté-ci : on le devine à l'écho. Nous devons donc être mouillés dans une rade tranquille. Même si la chaloupe ne revient pas, nous pourrons atteindre la rive avec le petit caïque du bord. Et nous sommes nombreux et armés. Même les canons du bord sont à nous. Nous ferons une reconnaissance, ramènerons de l'eau potable que nous ne pouvons manquer de trouver, puis sous la menace des armes, nous ferons conduire à terre le Rescator et ses hommes, et nous appareillerons ensuite pour les Iles.

Ses paroles ne parvinrent pas à les réconforter.

— J'entends comme un bruit de chaînes, dit Mercelot.

— C'est l'écho.

— Quel écho?

— Peut-être un autre navire? émit Le Gall.

— Cela rappelle plutôt le bruit de la chaîne de La Rochelle lorsqu'on la tendait entre la rade et le havre jusqu'à la tour Saint-Nicolas.

— Vous rêvez.

— J'entends aussi, dit un autre.

Ils guettaient.

— Maudit brouillard! Si encore c'était un honnête brouillard de chez nous. Mais jamais, non jamais je n'en ai rencontré comme celui-là.

— Il doit être provoqué par la rencontre de ces courants froids et chauds qui nous ont entraînés.

— Ce qui est étrange, c'est que tout est sonore au lieu d'être étouffé, comme c'est de règle par temps de brume épaisse...

— Où est Erikson? dit tout à coup Manigault.

Ils ne le trouvèrent plus.

A la nuit tombante, le jeune Martial, allumant la première chandelle, eut une fameuse émotion.

— Venez voir, cria-t-il.

Hommes, femmes et enfants accourus, le trouvèrent devant l'illumination de mille feux, créés à travers le brouillard par la simple apparition de cette modeste clarté. Des cristaux de glace, soudain figés, se dissolvaient en multiples lumières vertes, vert-or, jaunes, rouges, roses et bleues. On battit le briquet pour allumer toutes les lanternes. Chaque apparition d'une nouvelle flamme donnait naissance à de nouvelles fantasmagories multicolores, qu'ils contemplaient bouche bée, saisis d'angoisse et d'émerveillement, et se demandant : « Où sommes-nous? »

A plusieurs reprises, Angélique incapable de dormir vint sur le pont. C'était déconcertant, après de si longs jours de navigation, de sentir le navire tout à coup à l'ancre, de surprendre le bruit d'un ressac sur une grève, non loin.

Elle éprouvait un sentiment d'attente qui lui rappelait ses veillées d'armes, dans le Bocage, au temps de sa révolte et aussi l'atmosphère à bord de la galère royale ou de celle des chevaliers de Malte, quelques heures avant l'attaque ennemie. Ce sens du combat qui s'approche.

« Au fond, je suis une femme de guerre... Joffrey ne le sait pas. Lui aussi ignore tout de moi, de la femme que je suis devenue. »

Dans les halos surprenants, couleur d'arc-en-ciel, elle apercevait des silhouettes transies, enveloppées de manteaux noirs, veillant, les yeux ouverts sur la nuit étrange. Par instants, une soudaine coulée de brouillard déposait sur leurs épaules un givre étincelant.

« Pourquoi suis-je ici, se demanda-t-elle. Je ne les aime pas. Je ne les aime plus. Je me suis mise à détester Berne qui était jadis mon meilleur ami. J'aurais pu lui pardonner bien des choses, mais il a voulu tuer Joffrey. Cela, je ne le lui pardonnerai jamais. Pourtant je suis ici. Je sens que j'ai raison d'être ici... Les enfants, oui... Honorine. Je ne pouvais pas les abandonner. Joffrey, lui, est fort. Il a connu de la vie tout ce qu'un homme peut vivre. Il est dur. Il n'a aucune faiblesse, même pas celle de m'aimer... »

Elle aspirait à sa présence et se sentait exilée loin de lui. L'autre nuit, il était si proche, si tendre. Mirage ou réalité? Elle ne savait plus...

Elle était encore revenue là aux premières lueurs du jour lorsqu'une main la tira en arrière. Deux matelots se tenaient derrière elle et elle reconnut ceux qui l'avaient accompagnée à La Rochelle avec Nicolas Perrot. Ils étaient donc, eux aussi, passés parmi les mutins. Mais ils la détrompèrent. L'un, un Maltais sans doute, chuchota dans le sabir méditerranéen qu'elle comprenait assez.

— Le maître nous envoie pour te protéger avec l'enfant.

— Pourquoi me protéger?

— Ne bouge pas!

Et, en même temps, ils lui saisirent les poignets solidement. Elle entendit un bruit sourd. Le Protestant qui veillait devant la plus proche écoutille venait de s'écrouler. Alors, au-dessus de lui, Angélique aperçut un être extraordinaire qui tenait à la fois de l'homme, de l'animal et de l'oiseau. Il paraissait géant. Il se déployait, dans la lumière floue, avec un grand frémissement d'aigrettes rouges, de queues de chat touffues, dansant autour de lui. Son bras levé eut un reflet de cuivre. Il frappa une seconde fois. Une autre sentinelle tomba. Elle n'avait pu l'entendre arriver. L'être agissait avec une promptitude de fantôme. De partout, escaladant la rambarde, d'autres apparitions silencieuses bondirent et glissèrent et, comme marchant dans les nuages, envahirent le pont.

Leurs plumes ardentes et leurs capes de fourrure bleues ou rousses volant derrière eux ainsi que des ailes duveteuses, conféraient aux gestes de leurs bras levés des apparences d'archanges vengeurs.

Angélique voulut crier, se croyant la proie d'un rêve. Les deux hommes du Rescator la prévinrent.

— N'appelle pas! Ce sont nos Indiens... nos amis!

L'un d'eux bondit devant elle comme un danseur acrobatique. Il brandissait d'une main un court sabre très large orné de plumets rouges et de l'autre une sorte de pince en bois portant un boulet de fer et formant un casse-tête rudimentaire. Angélique vit près d'elle sa face d'argile rouge, mystérieuse, striée de lignes bleues.

Les matelots levèrent la main et hélèrent vivement l'Indien en une langue harmonieuse. Ils lui désignèrent Angélique et la porte de l'entrepont devant laquelle ils veillaient. L'Indien fit signe qu'il avait compris et retourna au combat.

Il y eut encore quelques cris isolés, des coups de feu, puis un hululement prolongé que suivit aussitôt un fracas bizarre rappelant des soirs de bombance dans une taverne de port.

Bruyants, hilares, s'interpellant, d'autres hommes, barbus ceux-là, coiffés de fourrure à l'instar de Nicolas Perrot, franchissaient la rambarde et prenaient pied à leur tour sur le *Gouldsboro*.

Angélique vit passer deux personnes qui avaient l'air de gentilshommes avec leurs épées au côté, leur pourpoint à l'européenne et de grands chapeaux un peu démodés, mais portés fièrement. Ils se dirigeaient d'un pas sûr vers l'arrière et disparurent à ses yeux. Le pont grouillait d'une animation fiévreuse. Ces gens semblaient voir à travers le rideau d'épais brouillard auquel ils étaient accoutumés. En quelques minutes, Angélique sut que tout était résolu. La victoire avait changé de camp et la précaire suprématie des Protestants s'était effondrée.

Manigault, Berne et leurs comparses, les mains liées derrière le dos, furent amenés sur le pont principal. Ils étaient blêmes, le menton sali de barbe, les vêtements déchirés. Mais l'assaut imprévu des Indiens ne leur avait pas donné le temps de combattre.

Assommés par l'arme à boule de pierre sans avoir perçu l'approche de l'ennemi, ils reprenaient à peine leurs esprits. Beaucoup souffraient des coups reçus. Leurs traits étaient crispés douloureusement.

Angélique n'éprouva pour eux aucune pitié. Elle leur en voulait trop, bien qu'elle eût souhaité que la reprise en main des événements par son mari n'entraînât pas une trop grande effusion de sang.

Au fond d'elle-même, elle avait toujours senti qu'*il* finirait par dominer ses adversaires, résolus et courageux certes, rusés peut-être, mais inexpérimentés.

Il n'avait accepté en apparence sa défaite que pour mieux attendre. Avec sa connaissance de la mer et des parages où il les avait entraînés, il les avait mystifiés sans peine. Terré dans les entrailles de son navire, il avait suivi la marche folle du *Gouldsboro*, dans le courant de Floride, puis le moment venu avait envoyé Erikson et Nicolas Perrot. Ceux-ci feignant d'ignorer où ils abordaient avaient fait pénétrer le bâtiment dans le piège ouvert, le repaire du pirate. A terre, les hommes de la chaloupe avaient retrouvé et prévenu d'anciens compagnons et alerté les Indiens des tribus amies.

Prisonniers de ce désert de brumes inconnu d'eux, les Protestants étaient à leur merci. Les lanternes allumées sur le navire avaient guidé jusqu'à eux, dans la baie, les légers canots en écorce de bouleau portant armes et guerriers peaux-rouges, trappeurs et matelots, gentilshommes corsaires, habitants bigarrés de ces rives sauvages, tous hommes du Rescator.

Voici qu'il paraissait, émergeant à son tour, sombre, du brouillard. Il semblait plus grand que les autres, même à côté des Indiens de haute taille, et ceux-ci le saluaient et se prosternaient avec de souples gestes de félins, qu'accentuaient leurs manteaux de somptueuses fourrures drapées sur l'échine, et ces queues de chat rayé qui, partant du sommet de leur crânes rasés, se balançaient sur leurs épaules. Le Rescator leur parla dans leur langage. Là encore, en ce pays du bout du monde il était chez lui.

Il ne parut pas voir Angélique et s'arrêta seulement devant les prisonniers. Il les considéra longuement, puis eut une sorte de soupir.

— L'aventure est terminée, messieurs les Huguenots, dit-il. Je regrette pour vous que votre valeur n'ait pu se manifester en des tâches plus utiles pour nous tous. Vous savez mal choisir vos ennemis et ne savez même pas reconnaître vos amis. Ce sont des erreurs coutumières à vos semblables et qui se payent très cher.

— Qu'allez-vous faire de nous? demanda Manigault.

— Ce que vous auriez fait de moi si vous aviez triomphé. Vous m'avez cité naguère des paroles de l'Ecriture. A mon tour de vous donner à méditer une des lois du Grand Livre : « Œil pour œil, dent pour dent! »

7

— Dame Angélique, savez-vous ce qu'il va faire d'eux?

Angélique tressaillit et leva les yeux sur Abigaël. La jeune fille, dans le matin blafard, avait les traits ravagés. Pour la première fois elle se montrait négligée. L'inquiétude ne laissait pas de place en elle pour la coquetterie. Elle n'avait pas retiré son tablier sali par les nuits de veille passées à charger et nettoyer les mousquets des Protestants, ni coiffé son bonnet blanc, et ses longs cheveux de lin pendaient sur ses épaules lui donnant un air de jeunesse et d'égarement inusité. Angélique la considéra sans bien la reconnaître. Les yeux meurtris d'Abigaël et leur expression d'angoisse l'étonnaient d'autant plus que la fille du pasteur Beaucaire n'avait pas à craindre les représailles pour son père ni pour son cousin dont l'attitude pendant la rébellion avait été mesurée. Elle n'avait ni fils ni époux parmi ceux dont le sort demeurait encore incertain.

« Eux » c'était les chefs de la mutinerie : Manigault, Berne, Mercelot, Le Gall et les trois hommes qui s'étaient engagés dans l'équipage du Rescator pour mieux l'espionner. On ne les avait pas revus depuis la veille. Les autres étaient revenus parmi leurs femmes et leurs enfants. La tête basse, lassés et amers, ils avaient goûté du bout des lèvres les fruits et les légumes étranges accompagnés d'outres d'eau douce qu'on leur avait amplement distribués.

— Je commence à me demander si nous n'avons pas agi comme des imbéciles, avait dit le médecin Darry en se laissant choir sur une botte de paille. Avant d'écouter Manigault et Berne, nous aurions pu au moins parlementer avec ce pirate qui, après tout, avait accepté de nous prendre à son bord alors que nous étions en mauvaise posture.

L'avocat Carrère grommelait aussi : toujours maladroit, il s'était blessé avec un mousquet et sa main douloureuse accentuait sa mauvaise humeur.

— Au fond que m'importait d'aller ici ou là, aux Iles plutôt qu'ailleurs... Mais Manigault avait peur de perdre son argent et Berne avait peur de perdre l'amour de certaine personne qui lui avait tourné la tête et les sens...

Marmonnant entre ses dents de rongeur, l'avocat jetait un regard noir vers Angélique.

— Nous nous sommes laissé manœuvrer par ces deux fous... Maintenant me voici dans de beaux draps... avec onze enfants...

L'accablement pesait sur les Protestants silencieux et même les enfants, effrayés par les derniers événements et les Peaux-Rouges, n'avaient pas encore retrouvé leur insouciance et se tenaient cois, interrogeant du regard les visages soucieux et tristes de leurs parents.

Le doux balancement du navire à l'ancre, le silence extérieur où l'on sentait peser l'étreinte du continuel brouillard épais et blanchâtre qui emprisonnait le *Gouldsboro*, ajoutaient, après ces jours de tempête et de combat, à l'impression de songe éveillé qu'ils éprouvaient tous. Abigaël avait senti la menace du matin au point qu'elle s'était éveillée, le cœur battant follement. Encore sous l'horrible vision d'un cauchemar qu'elle venait d'avoir durant son sommeil, elle s'était levée impulsive et avait marché vers Angélique.

Celle-ci n'avait pas fermé l'œil non plus, si tourmentée que l'hostilité qu'elle sentait parmi ses anciens compagnons de La Rochelle ne l'atteignait pas. Elle restait parmi eux plutôt pour les défendre que pour y chercher refuge. Sa pensée allait de Joffrey de Peyrac à ceux envers qui elle ne pouvait s'empêcher de se sentir responsable. Penchée au-dessus du visage pâli de Laurier, elle l'avait bordé en cherchant à le rassurer, mais les lèvres closes de l'enfant ne laissaient passer aucune question, ni celles de Séverine et de Martial.

De nouveau entraînés dans les conflits inextricables des adultes, les enfants souffraient.

— Ne les aurais-je arrachés aux prisons du Roi que pour qu'ils deviennent doublement orphelins... au bout du monde? Non, c'est impossible!...

Abigaël en surgissant devant elle cristallisait ses peurs. Angélique se leva et défroissa posément sa robe. La crise approchait. Elle devait faire face et rassembler ses forces pour dominer le désespoir qui allait déferler.

Derrière Abigaël, d'autres femmes s'étaient levées. Celles de Bréage, de Le Gall, des matelots, timides et poussées quand même par leur anxiété, n'osant se mêler aux autres, les grandes bourgeoises de La Rochelle. Mme Mercelot, Mme Manigault et ses filles, qui tout à coup semblaient se décider, fonçaient vers Angélique, le visage dur.

Elles ne parlèrent pas tout de suite, mais leurs yeux fixes à toutes, réitéraient la même question qu'avaient posée les lèvres d'Abigaël.

— Que va-t-il faire d'eux?

— Pourquoi vous mettre dans cet état, Abigaël, murmura Angélique en s'adressant seulement à la jeune fille dont l'attitude l'intriguait. Dieu merci, votre père et votre cousin se sont montrés sages en ne se mêlant pas à une action qu'ils réprouvaient. Il ne peut leur arriver rien de mal.

— Mais Gabriel Berne! s'écria la jeune fille d'une voix déchirante. Dame Angélique, allez-vous le laisser périr avec indifférence? Oubliez-vous qu'il vous a recueillie dans sa maison et que c'est à cause de vous... à cause de vous...

Il y avait presque de la haine dans les yeux fous qu'elle fixait sur Angélique. Le masque serein de la douce Abigaël craquait à son tour. Angélique comprit.

— Abigaël, vous l'aimez donc?...

La jeune fille plongea son visage dans ses mains, avec un cri étouffé.

— Ah! oui, je l'aime! Depuis tant d'années, tant d'années... je ne veux pas qu'il meure, même si vous devez me le prendre.

« Comme je suis sotte, songeait Angélique. C'était mon amie et j'ignorais tout de son cœur. Mais Joffrey a compris tout de suite, dès qu'il a vu Abigaël le premier soir sur le *Gouldsboro*. Il a lu dans ses yeux qu'elle était amoureuse de maître Berne. »

Abigaël releva sa face ruisselante de larmes.

— Dame Angélique, intervenez, par grâce, pour qu'on l'épargne... Qu'entend-on, là-haut?...

Elle ajouta, ne contrôlant plus l'angoisse qui déferlait en elle, balayant sa pudeur.

— Ecoutez, ces pas, ces coups de maillet. Je

suis sûre que ce sont les préparatifs de sa pendaison. Ah! je me tuerai s'il meurt.

La même image leur sauta aux yeux et elles revécurent l'affreuse surprise qu'elles avaient éprouvée en découvrant par une aube semblable le corps du Maure Abdullah se balançant au bout d'une vergue du mât de misaine. La preuve leur avait été donnée que la justice du maître pouvait être expéditive et sans appel. Le visage levé, les traits tendus, leurs bouches entrouvertes sur un souffle haletant, elles écoutaient les pas pressés au-dessus de leur tête.

— Votre imagination vous égare, Abigaël, dit enfin Angélique avec tout le calme dont elle était capable. Il ne peut s'agir de préparer une pendaison puisque le mât de misaine a été abattu au cours de la tempête.

— Ah! il reste bien assez de mâts et de vergues sur le *Gouldsboro* pour les faire périr, s'écria Mme Manigault avec fureur. Misérable, c'est vous qui nous avez entraînés, qui nous avez vendus à votre amant, votre complice pour notre perte... Je me suis d'ailleurs toujours méfiée de vous.

La main haute, les joues enflammées, elle marcha sur Angélique. Un regard impérieux de celle-ci arrêta son geste.

Depuis qu'Angélique leur était revenue dans une robe nouvelle et ses cheveux sur les épaules, un certain respect se mêlait, chez elles, à leur rancune. On découvrait mieux, sous cette vêture, la noblesse de ses gestes et de son langage.

L'orgueilleuse bourgeoise s'inclina soudain malgré elle, devant la grande dame. Sa main resta en suspens. Mme Mercelot lui saisit le poignet.

— Calmez-vous, ma commère, dit-elle en la tirant en arrière. Oubliez-vous qu'elle seule peut encore quelque chose, pour nous tirer de là? Nous avons commis assez de sottises, croyez-moi...

Les yeux d'Angélique s'étaient durcis.

— C'est vrai, dit-elle, la voix tranchante. Vous avez tort de vouloir toujours rejeter sur d'autres la responsabilité de vos erreurs. Madame Manigault, vous-même sentiez que le Rescator méritait confiance mais vous n'avez pas su retenir et convaincre les esprits égarés de vos époux, poursuivant chacun des buts et des intérêts qui ne sont peut-être pas beaucoup moins inavouables que ceux des pirates que vous méprisez tant. Oui, c'est vrai, j'étais auprès du Capitaine lorsqu'ils se sont saisis de lui.

» Ils l'ont menacé de mort, ils ont assassiné ses compagnons sous ses yeux... Quel homme pourrait oublier de telles insultes?... Et lui, moins qu'un autre!... Et vous le savez. C'est pour cela que vous avez tous peur.

L'indignation la faisait trembler.

Elles la regardaient et prenaient conscience du désastre survenu. Et ce fut Mme Manigault elle-même qui répéta d'une voix vaincue la question taraudante.

— Et que va-t-il faire d'eux?

Angélique baissa les yeux. Cette question, elle n'avait cessé de se la poser toute la nuit, dans la paix trompeuse de cette fin d'émeute.

Tout à coup, Mme Manigault tomba lourdement à genoux devant Angélique. Et ses compagnes mues par le même sentiment l'imitèrent.

— Dame Angélique! Sauvez nos hommes!...

Elles tendaient leurs mains jointes vers elle.

— Vous seule le pouvez, plaida ardemment Abigaël. Vous seule connaissez les détours de son cœur et trouverez les mots qui lui permettront d'oublier l'offense.

Angélique, devant cette prière, se sentit pâlir.

— Vous vous trompez, je n'ai pas de pouvoir sur lui. Son cœur est intraitable.

Mais elles s'accrochaient à sa robe.

— Vous seule le pouvez.

— Vous pouvez tout!

— Dame Angélique, pitié pour nos enfants.

— Ne nous abandonnez pas. Allez trouver le pirate.

Elle secoua la tête avec véhémence :

— Vous ne comprenez pas. Je ne peux rien. Ah! si vous saviez! Rien n'entame le métal de son cœur.

— Mais pour vous! La passion que vous lui inspirez le fera fléchir.

— Je ne lui inspire, hélas, aucune passion.

— Hé! s'écrièrent-elles en chœur, que dites-vous? Jamais homme ne fut plus fasciné par une femme. Quand il vous regardait, ses yeux brillaient comme du feu.

— Nous en étions toutes jalouses et irritées, avoua Mme Carrère qui s'était rapprochée.

Elles l'entouraient et se suspendaient à elle avec une foi aveugle.

— Sauvez mon père, supplia Jenny. C'est notre chef à tous. Qu'allons-nous devenir sans lui, sur ces terres inconnues?

— Nous sommes si loin de La Rochelle...

— Nous sommes seules.

— Dame Angélique! Dame Angélique!

Dans ce concert de voix implorantes, il semblait à Angélique qu'elle n'entendait plus que celles, grêles et tristes, de Séverine et de Laurier qui ne proféraient pourtant ni le moindre cri ni le moindre appel. Ils s'étaient glissés jusqu'à elle et l'entouraient de leurs petits bras. Elle les étreignit contre sa poitrine afin de ne plus voir leurs prunelles anxieuses.

— Pauvres enfants abandonnés au bout du monde!

— Que craignez-vous, dame Angélique? A vous il ne peut faire de mal, fit Laurier de sa petite voix hésitante.

Elle ne pouvait leur dire que des rancunes blessantes, informulées encore, les séparaient. Leur dispute violente, l'autre jour, qui avait surgi malgré leur brève réconciliation, le prouvait.

Elle ne pouvait tabler sur l'attirance physique qu'elle inspirait à son mari. Car cela était peu de chose. On n'enchaînait pas un Joffrey de Peyrac par le pouvoir des sens. Elle le savait, mieux que quiconque ici. Il y avait peu d'hommes de sa trempe, capables à la fois de les savourer avec raffinement et de s'en détacher sans effort. La vigueur de son esprit et le goût qu'il avait pour des jouissances plus hautes, lui permettaient de dominer ses désirs et de renoncer facilement, si cela s'imposait, aux plaisirs fugaces de la chair.

Qu'imaginaient-elles, ces femmes vertueuses qui, à genoux devant elle, espéraient candidement en sa séduction pour détourner le courroux d'un chef de mer dont on avait entraîné l'équipage à la révolte.

Joffrey de Peyrac ne pardonnerait pas!

Chevaleresque à l'occasion, selon les traditions léguées par ses ancêtres, il n'avait jamais hésité à répandre le sang quand il le fallait et à donner la mort quand il le jugeait nécessaire.

Et elle oserait, elle, se présenter devant lui pour soutenir des coupables flagrants qui lui avaient fait une mortelle offense?...

Sa démarche achèverait de l'irriter. Il la chasserait avec des mots cinglants, lui reprochant de faire alliance avec ses ennemis.

Les femmes et les enfants suivaient anxieusement sur son visage les traces de son débat.

— Dame Angélique! Vous seule pouvez le fléchir! Tant qu'il n'est pas trop tard... Bientôt, il sera trop tard!...

Leur sensibilité exacerbée par les épreuves subies les avertissait de préparatifs dont les bruits ne parvenaient pas jusqu'à eux. Chaque minute qui tombait était une minute perdue. Elles tressaillaient, redoutant de voir la porte s'ouvrir. Alors, on les ferait sortir, on les ferait monter sur le pont et... elles verraient! Il serait trop tard pour crier, supplier. Il faudrait accepter l'inéluctable, devenir une femme morne, aux yeux vides, comme Elvire, la jeune veuve du boulanger qui avait été tué au cours de la mutinerie. Depuis, elle demeurait assise sans réaction, ses deux enfants blottis contre elle.

Angélique se secoua.

— Oui. J'irai, dit-elle à mi-voix. Il le faut mais... oh! mon Dieu! que c'est dur.

Elle se sentait sans pouvoir, les mains vides, ayant brisé d'elle-même le lien fragile renoué entre eux, lorsqu'elle avait refusé de demeurer près de lui. « Reste près de moi », avait-il murmuré. Elle avait crié « non » et s'était enfuie. Il n'était pas homme à pardonner. Pourtant, elle répéta : J'irai! et les écarta.

— Laissez-moi passer.

Vite relevées, ses compagnes s'empressèrent autour d'elle en silence. Abigaël lui jeta son manteau sur les épaules. Mme Mercelot lui serra les mains. Elles l'accompagnèrent jusqu'à la porte.

Deux sentinelles, des matelots du *Gouldsboro*, veillaient sur le seuil. Ils hésitèrent à la vue d'Angélique mais, se rappelant qu'elle avait les faveurs du maître, la laissèrent s'éloigner sans la retenir.

Elle monta à pas lents les escaliers qui menaient à l'arrière. Ces degrés de bois, visqueux, imprégnés du sel des tempêtes, du sang des combats, lui étaient devenus si familiers qu'elle les gravissait sans en prendre conscience. Le même brouillard continuait à envelopper le navire, toujours à l'ancre dans la baie invisible. Il était, ce jour-là, plus léger, mais d'une blancheur de lait. Des reflets roses et de subites étoiles d'or y miroitaient qu'Angélique regardait sans les voir.

Elle se heurta à un homme de haute stature, vêtu d'un uniforme à passementeries d'or et coiffé d'un feutre empanaché de belle allure. Elle le prit d'abord pour son mari et demeura interdite. Mais il la salua très galamment.

— Madame, je me présente : Roland d'Urville, cadet de la maison de Valognes, gentilhomme normand.

Sa voix française, l'urbanité de ses manières, malgré une face tannée de pirate, avaient quelque chose de rassurant. Il lui demanda si elle désirait voir le comte de Peyrac et proposa de l'accompagner jusqu'aux appartements de celui-ci. Angélique acquiesça. Elle craignait de se trouver nez à nez avec l'un des guerriers indiens.

— Vous n'avez rien à redouter, dit Roland d'Urville. Bien que guerriers terribles dans le combat, ils sont, les armes déposées, doux et pleins de dignité. C'est pour aller saluer leur grand Sachem Massawa que M. de Peyrac s'apprête et va se rendre à terre... Mais, qu'avez-vous?

Angélique, en parvenant sur le balcon du château-arrière, avait levé les yeux.

Elle avait vu se balancer des pieds nus, mollement, entre ciel et terre, du côté du grand mât.

— Ah! oui, des pendus, dit d'Urville qui avait suivi son regard. Ce n'est rien, quelques-uns de ces mutins espagnols qui, paraît-il, ont fait passer un si mauvais quart d'heure à notre chef et ses hommes, durant le voyage de retour. Ne vous impressionnez pas, madame. La justice en mer, ou dans nos régions sauvages, doit être expéditive et sans appel. Ces misérables n'avaient aucun intérêt.

Angélique aurait voulu lui demander ce qu'on avait fait des autres, les Huguenots, mais elle ne le put.

En pénétrant dans le salon de la dunette, elle était décomposée. Elle dut s'appuyer à la porte, après que celle-ci eût été refermée par le gentilhomme normand qui l'avait introduite, et demeura un moment avant de se reconnaître dans la pénombre. Pourtant, cette pièce, où les fragrances du luxe oriental luttaient contre l'envahissante odeur marine, elle aussi, lui était familière.

Que de scènes, que de drames s'y étaient déroulés depuis ce premier soir de La Rochelle où le capitaine Jason l'avait conduite au Rescator!

Elle ne vit pas aussitôt son mari. Quand elle eut retrouvé ses esprits, elle chercha des yeux et l'aperçut, au fond de la pièce, près de la grande fenêtre où le chatoyant brouillard collait ses nuages évanescents. La clarté dense et pourtant extrêmement blanche et lumineuse, qui filtrait à travers les vitres, éclairait sur une table un coffret d'où Joffrey de Peyrac avait tiré des bijoux divers, perles et diamants.

M. d'Urville avait dit que le chef du *Gouldsboro* s'apprêtait à recevoir à terre un sachem réputé. C'était sans doute en prévision de cette cérémonie qu'il avait revêtu ce jour-là un costume d'une splendeur particulière. Angélique se crut reportée aux jours anciens des fêtes de la Cour en apercevant son manteau de moire rouge rebrodée de grandes fleurs de diamants, son pourpoint et son haut-de-chausses de velours bleu sombre, sans ornements mais d'une coupe raffinée et qui donnait à sa silhouette longue une allure pleine de séduction. Boiteux jadis, n'avait-il pas eu la réputation d'être, malgré cela, l'un des seigneurs les plus élégants de son temps? Ses bottes espagnoles, très hautes, étaient de cuir rouge foncé, de même que les gants à crispin, posés sur la table, et le ceinturon qui supportait l'étui de son pistolet et de son poignard.

Le seul détail qui eût pu le distinguer du grand seigneur de Cour était, en effet, qu'il ne portait pas l'épée. Incrustée de nacre, la crosse d'argent de son long pistolet brillait à son côté.

Elle le regarda glisser deux bagues à ses doigts

et fixer à son cou, sur son pourpoint, un sautoir à plaques d'or et de diamants, tel qu'en avaient porté encore sous Louis XIII les grands seigneurs guerriers qui dédaignaient la cuirasse devenue inutile et la transformaient en bijou.

Il lui tournait à demi le dos. L'avait-il entendue entrer? Savait-il qu'elle se trouvait là? Il ferma enfin la cassette et lui fit face.

Dans les moments les plus graves, il y a des pensées saugrenues qui s'imposent. Elle se dit qu'elle devrait s'habituer à ce collier de barbe qu'il avait laissé repousser et qui lui donnait l'apparence d'un Sarrazin.

— Je suis venue... commença-t-elle.

— Je vois.

Il ne l'aidait pas et la fixait sans aménité.

— Joffrey, dit-elle, qu'allez-vous faire d'eux?

— C'est cela qui vous préoccupe?

Elle inclina la tête en silence, la gorge nouée.

— Madame, vous venez de La Rochelle, vous avez navigué en Méditerranée et j'ai ouï dire que vous vous étiez intéressée à des questions de commerce naval. Vous connaissez donc les lois de la mer. Quel sort réserve-t-on à ceux qui, en cours de navigation, s'opposent à la discipline du capitaine et cherchent à attenter à sa vie?... On les pend... Haut et court, et sans jugement. Je les pendrai donc.

Il dit cela avec calme. Mais sa décision était irrévocable.

Un grand froid saisit Angélique, un vertige. « C'est impossible que cette chose arrive, se dit-elle, je ferai n'importe quoi pour l'éviter, je me traînerai à ses pieds... »

Elle traversa la pièce et, avant qu'il ait pu prévoir son geste, elle était à genoux devant lui, l'entourant de ses bras.

— Joffrey, épargnez-les, je vous en prie, mon bien-aimé, je vous en prie... Je vous le demande moins pour eux que pour nous. J'ai peur, je tremble qu'un tel acte n'altère l'amour que je vous porte... que je ne puisse jamais oublier quelle main les a envoyés à la mort... Il y aurait entre nous le sang de mes amis.

— Il y a déjà le sang des miens : Jason, mon fidèle compagnon de dix années, le vieil Abd-el-Mechrat, cruellement assassiné par eux...

Sa voix contenue vibrait de colère et ses yeux étincelaient.

— Votre requête est injurieuse à mon égard, madame, et je crains que vous n'y soyez poussée par un attachement méprisable pour l'un de ces hommes qui m'ont trahi, moi, votre époux que vous prétendez aimer.

— Non, non, et vous le savez bien... Je n'aime que vous... je n'ai jamais aimé que vous... à en mourir... à perdre ma vie pour vous... à perdre mon cœur loin de vous...

Il eût voulu la repousser, mais ne le pouvait sans se montrer brutal, car elle se cramponnait à lui avec une force décuplée et il sentait la chaleur de ses bras, de son front contre lui.

Figé, il regardait au delà d'elle, refusant de rencontrer ses yeux implorants mais ne pouvant résister aux accents de sa voix émouvante. De tous les mots qu'elle avait prononcés, l'un d'eux le brûlait : « Mon bien-aimé ». Alors qu'il se croyait armé pour ne pas fléchir, il avait été happé par cet appel inattendu et par le geste de cette orgueilleuse s'agenouillant devant lui.

— Je sais, disait-elle d'une voix étouffée, leur action mérite la mort.

— Je ne saisis alors nullement, madame, pourquoi vous vous obstinez à intercéder en leur faveur s'il est vrai que vous n'approuvez pas leur trahison ni surtout pourquoi vous vous préoccupez à ce point de leur sort?

— Le sais-je moi-même? Je me sens liée à eux malgré leurs erreurs et leur traîtrise. Peut-être parce qu'ils m'ont sauvée jadis et que je les ai sauvés à mon tour en les aidant à quitter La Rochelle où ils étaient condamnés. J'ai vécu parmi eux et j'ai partagé leur pain. J'étais si misérable lorsque maître Berne m'a offert l'asile de sa maison. Si vous saviez... Pas un arbre, pas un buisson de mon bocage, du pays de mon enfance qui ne cachât un ennemi acharné à ma perte. J'étais un animal traqué, sans merci, vendu par tous...

D'une pression de main, il arrêta la confidence ébauchée.

— Qu'importe ce qui n'est plus, fit-il durement, les bienfaits du passé ne peuvent faire oublier l'iniquité du présent. Vous êtes une femme. Vous ne semblez pas comprendre que les hommes, dont je suis responsable sur mon navire ou dans ces contrées où nous abordons, n'ont pas de loi autre que celle que je leur impose et que je leur fais respecter. Discipline et justice doivent régner, sinon l'anarchie s'établira. Rien de grand, de durable, ne pourra être bâti et de plus j'y laisserai inutilement ma vie. Là où nous sommes, la faiblesse est impossible.

— Il ne s'agit pas de faiblesse mais de miséricorde.

— Dangereuse nuance! Votre altruisme vous égare et vous convient si mal.

— Et comment auriez-vous souhaité me retrouver finalement? s'écria-t-elle avec un sursaut de révolte. Dure? Méchante? Implacable? Certes, il y a quelques années, je n'étais que haine. Mais maintenant, je ne peux plus... Je ne veux plus le mal, Joffrey. Le mal, c'est la mort. Moi, j'aime la vie.

Il abaissa son grand regard sur elle.

Le cri qu'elle venait d'avoir avait eu raison de ses dernières défenses.

Parmi les péripéties des récents événements, la pensée d'Angélique ne l'avait pas quitté, représentant sans cesse à son esprit, le mystère de celle qu'il aimait. Ainsi il n'y avait en elle ni feinte ni calcul. Avec l'habituelle logique féminine, si particulière, mais si juste, elle venait de le mettre en face de la réalité à son endroit et lui demandait de se prononcer. En vérité, l'aurait-il souhaitée ambitieuse, méchante, âprement égoïste, comme tant de femmes dont la vie ne s'est consacrée qu'à elles-mêmes?... Qu'aurait-il fait aujourd'hui d'une marquise en grands atours, capricieuse et frivole, lui, l'aventurier qui, une fois encore, s'apprêtait à jeter dans la balance les dés de sa fortune en s'avançant dans des contrées inexplorées?

Quelle place donner dans cette nouvelle vie à l'Angélique du passé, la charmante adolescente qui ouvrait ses yeux neufs sur un siècle plein de séduction et brûlait d'y essayer ses armes de femme, ou à celle qui, régnant sur le cœur d'un roi, avait fait du monde perverti de la Cour son champ d'action, le théâtre de ses exploits?

La terre sauvage et rude sur laquelle il l'amenait ne pouvait se suffire de cœurs mesquins et vides. Il lui fallait le dévouement.

Cette qualité de dévouement qu'il lisait dans les yeux levés vers lui. Surprenante expression, il fallait l'admettre, pour un regard qui avait toisé tant de grands de ce monde, jusqu'à les envoûter. Mais Angélique, par des chemins mystérieux, laissant aux buissons de la route les sept voiles qui enveloppaient son âme, était parvenue jusqu'à lui.

Elle le fixait éperdument, attendant son verdict, et ne sachant ce qu'il pensait.

Il pensait : « Les plus beaux yeux du monde! Pour des prunelles pareilles... 35 000 piastres, ce n'était pas payer trop cher. Un roi a succombé à leur lumière... Un sultan sanguinaire s'est incliné devant leur pouvoir. »

Il posa la main sur son front comme pour échapper à leur appel, puis caressa lentement ses cheveux. Les atteintes du temps ne semblaient avoir blanchi cette chevelure que pour donner un écrin nouveau à l'éclat de ses yeux verts. Fluide parure d'or pâle et de nacre, les déesses de l'Olympe la lui auraient enviée.

Il s'exalta secrètement à voir qu'elle demeurait belle même dans le désordre de l'inquiétude, comme il l'avait trouvée belle dans celui de la tempête ou de l'amour. Car sa beauté n'était plus de celles qui doivent leur perfection aux artifices de la coquetterie. La simplicité convenait à sa nouvelle splendeur, faite à la fois de sérénité et d'une passion de vivre étonnante.

Il avait été si long à la découvrir, à l'accepter. Son expérience des femmes ne lui servait de rien pour comprendre celle-ci car il n'en avait jamais rencontré de semblables. Ce n'était pas parce qu'elle était tombée très bas qu'il n'avait pu la reconnaître, mais parce qu'elle était montée plus haut. Tout s'éclairait alors.

Elle pouvait bien se présenter vêtue de futaine grossière, en lambeaux, échevelée, flagellée par la mer ou anxieuse et marquée par la fatigue comme ce jour-ci, ou nue, faible et donnée, comme l'autre nuit lorsqu'il l'avait serrée dans ses bras et qu'elle pleurait sans le savoir, elle demeurerait toujours belle, belle comme la source vers laquelle on peut se pencher pour étancher sa soif.

Et il ne pourrait plus jamais être un homme seul. Non, cela jamais!

Vivre sans elle serait une épreuve au-dessus de ses forces. Déjà la sentir séparée de lui à l'autre bout du navire lui était intolérable. La voir trembler aujourd'hui à ses pieds le bouleversait.

Dieu sait qu'il ne les pendait pas de gaieté de cœur « ses » Protestants. Des hommes sournois, certes, mais courageux, endurants et, à tout prendre, dignes d'un meilleur sort. Pourtant, la condamnation s'imposait. Au cours de sa vie dangereuse, il avait été payé pour apprendre que la faiblesse est cause des plus grands échecs, qu'elle entraîne mille désastres. Trancher à temps un membre pourri sauve des vies humaines...

Dans le silence, Angélique attendait.

La main sur ses cheveux lui rendait l'espoir, mais elle demeurait à genoux, sachant qu'elle ne l'avait pas convaincu et que, dans la mesure où elle le séduisait, il lui résisterait, se méfierait, et qui sait, se montrerait plus inexorable.

Quel autre argument trouver?... Son esprit errait dans un désert où la vision des Rochelais pendus aux vergues du grand mât se confondait avec celle de la Pierre-aux-Fées, découverte jadis dans le matin glacé de la forêt de Nieul. Tous ces corps ballants, tournoyants, désormais sans vie, muets, l'entouraient d'une danse vertigineuse et macabre. Et elle voyait parmi eux les visages amaigris de Laurier, de Jérémie, et celui de Séverine, tragique et pâle sous sa petite coiffe.

Lorsqu'elle parla, sa voix était hachée par les battements bouleversés de son cœur.

— Ne me dépouillez pas, Joffrey, de la seule chose qui me reste... de m'être sentie nécessaire à des enfants menacés. Tout est de ma faute. J'ai voulu les sauver d'un sort pire que la mort. On tuait les âmes. Jadis, à La Rochelle, ils ont vu leurs pères humiliés, persécutés, harcelés de mille vexations, jetés en prison, chargés de chaînes... Faudrait-il que je les aie entraînés si loin, jusqu'au bout du monde, pour qu'ils les voient ignominieusement pendus?... Quel effondrement pour eux!... Ne me dépouillez pas, Joffrey!... Je ne pourrais supporter leur douleur. Aider ces jeunes existences à triompher du sort fatal me fut une raison de vivre... Me l'arracherez-vous?... Suis-je donc si riche?... Hormis cette espérance de les sauver... de les mener aux verts pâturages promis à leur croyance naïve, que me reste-t-il?... J'ai tout perdu... mes terres, ma fortune... mon rang... mon nom, mon honneur, mes fils... vous... votre amour... Il ne me reste plus rien... qu'une enfant maudite.

Un sanglot s'étrangla dans sa gorge. Elle se mordit les lèvres.

Les doigts de Joffrey de Peyrac se crispaient sur sa nuque jusqu'à lui faire mal.

— Ne croyez pas m'attendrir avec des larmes.

— Je sais, murmura-t-elle, je suis maladroite...

« Oh! non, trop habile, au contraire », songeait-il. Il ne pouvait supporter de la voir pleurer. Son cœur, à lui, se déchirait, tandis qu'il percevait le frémissement convulsif qui secouait ses épaules.

— Relevez-vous, dit-il enfin, relevez-vous... je ne peux supporter de vous voir ainsi devant moi.

Elle obéit, elle était trop lasse pour résister. Il détacha les mains qu'elle crispait autour de lui. Elles étaient glacées. Il les tint un moment dans les siennes. Puis, la laissant, se mit à marcher de long en large. Angélique l'observait. Il croisa l'expression torturée de ses yeux qui suivaient sa marche. Ses cils étaient humides, ses paupières meurtries, ses joues marbrées de pleurs.

Il l'aima à cet instant avec une telle violence qu'il crut ne pas résister à l'impulsion de la serrer dans ses bras en la couvrant de baisers et en l'appelant tout bas avec passion : Angélique! Angélique! mon âme. Il ne voulait plus qu'elle tremblât devant lui et pourtant elle l'avait bravé naguère et il le lui avait difficilement pardonné.

Comment pouvait-elle être tour à tour si forte et si faible, si arrogante et si humble, si dure et si douce?... C'était le secret de son charme. Il fallait y succomber, ou bien accepter de vivre dans une solitude aride que ne visiterait plus aucune lumière.

— Asseyez-vous, madame l'abbesse, fit-il brusquement, et dites-moi donc, puisque vous cherchez à me mettre, une fois de plus, dans une situation impossible, quelle solution vous proposez. Faut-il envisager que mon bateau, le rivage et la base soient bientôt le théâtre de nouvelles altercations sanglantes surgies entre vos irascibles amis, mes hommes, les Indiens, les coureurs de bois, les mercenaires espagnols et toute la faune du Dawn East?

L'ironie légère contenue dans ses paroles procura à Angélique un soulagement inexprimable. Elle se laissa choir sur un siège en poussant un profond soupir.

— Ne croyez pas la partie gagnée, dit le comte. Je vous pose simplement une question. Que faire d'eux? S'ils ne servent pas, au moins, d'exemple à ceux qui seraient tentés de les imiter. Libérés, ils attendront le moment de prendre une revanche. Or, je n'ai que faire d'éléments hostiles et dangereux parmi nous, sur une terre elle-même déjà remplie d'embûches... Je pourrais certes me débarrasser d'eux comme ils le prévoyaient pour nous, en les abandonnant avec leurs familles en un point désert de la côte, vers le Nord, par exemple. C'est les vouer à une mort aussi certaine que par pendaison. Quant à les conduire dévotement aux Iles, en remerciement de leur félonie, cette solution demeure exclue, même pour vous complaire. Je ruinerais mon crédit, non seulement auprès de mes hommes mais aux yeux de tout le Nouveau Continent. On n'y pardonne pas aux imbéciles.

Angélique réfléchissait, la tête basse.

— Vous comptiez leur proposer de coloniser une partie de vos territoires. Pourquoi y renoncer?

— Pourquoi?... Mettre des armes entre les mains de ceux qui se sont déclarés mes ennemis! Quelle garantie aurais-je de leur loyauté envers moi?

— L'intérêt de la tâche que vous leur offrez. Vous m'avez dit l'autre jour qu'ils y gagneraient plus d'argent que dans n'importe quel commerce des Iles d'Amérique. Est-ce vrai?

— C'est vrai. Mais il n'y a rien encore d'établi ici. Tout est à créer. Un port, une ville, un commerce.

— N'est-ce pas pour cela que l'idée vous est venue de les choisir, eux? Vous saviez, sans nul doute, que les Huguenots font merveille quand il s'agit de s'accrocher aux terres nouvelles. On m'a dit que des Protestants anglais qui se faisaient appeler Pèlerins ont fondé récemment de belles villes sur une côte jusqu'alors déserte et sauvage. Les Rochelais en feront autant.

— Je n'en disconviens pas. Mais leur mentalité hostile et singulière me fait mal augurer de leur comportement à venir.

— Elle peut aussi constituer un gage de réussite. Il n'est certes pas aisé de s'entendre avec eux, mais ils sont bons commerçants et, de plus, courageux, intelligents. La seule façon dont ils ont conçu leur plan pour se rendre maîtres d'un navire de trois cents tonneaux, eux qui n'avaient rien au départ, ni armes ni or, et à peine l'expérience de la mer, n'est-elle pas déjà remarquable?

Joffrey de Peyrac éclata de rire.

— C'est me demander beaucoup de grandeur d'âme que de le reconnaître.

— Mais vous êtes capable de toutes les grandeurs, dit-elle avec chaleur.

Il s'interrompit dans sa marche, pour s'arrêter devant elle et la fixer.

L'admiration et l'attachement qu'il lisait dans les yeux d'Angélique n'étaient nullement feints. C'était le regard de sa jeunesse où elle livrait, sans retenue, l'aveu d'un amour ardent.

Il sut que, pour elle, il n'existait pas d'autre homme que lui, sur terre.

Comment avait-il pu en douter? La joie le frappa brusquement. C'est à peine s'il entendait Angélique poursuivre son plaidoyer.

— J'ai l'air de pardonner aisément un acte qui vous touche au cœur, Joffrey, et dont les conséquences demeurent irréparables par la mort de vos amis fidèles. L'ingratitude dont on a fait preuve à votre endroit me révolte. Pourtant je continuerai à lutter pour que tout cela n'aboutisse pas à la mort mais à la vie. Il y a parfois des animosités irréductibles. Là n'est pas le cas. Nous sommes tous des êtres de bonne volonté. Nous avons seulement été victimes d'un malentendu et je me sentirais doublement coupable de ne pas chercher à le dissiper.

— Que voulez-vous dire?

— Joffrey, quand je suis venue vous trouver à La Rochelle ignorant votre identité et vous suppliant de prendre à votre bord ces gens qu'on allait arrêter dans quelques heures, vous avez, en premier lieu, refusé puis, après m'avoir questionnée sur leurs professions, vous avez accepté. L'idée vous était donc venue de les emmener comme colons. Je suis persuadée que dans cette décision que vous veniez de prendre, il n'y avait en vous aucun désir de leur causer du tort et, bien au contraire, votre calcul, tout en servant vos intérêts, était d'offrir à ces exilés une chance inespérée.

— Certes, cela est vrai...

— Pourquoi alors ne pas les avoir mis aussitôt au courant de vos intentions? Des entretiens amicaux auraient écarté la méfiance spontanée que vous pouviez leur inspirer. Nicolas Perrot me disait qu'il n'y avait pas d'être au monde dont vous ne parveniez à comprendre le langage et que vous aviez su vous faire des amis aussi bien des Indiens que des coureurs des bois ou des Pèlerins installés dans les colonies de la Nouvelle-Angleterre...

— Sans doute ces Rochelais m'ont-ils inspiré une hostilité immédiate, entière et réciproque.

— Pour quelle cause?

— Vous.

— Moi?

— En effet. Votre raisonnement précis m'éclaire aujourd'hui sur l'antipathie qui nous a tout de suite opposés. Imaginez-vous cela? s'écria-t-il en s'animant. Je vous voyais mêlée à eux et comme de la famille. Comment ne pas soupçonner, parmi eux, un amant et, pire encore, un époux? De plus, je découvrais que vous aviez une fille. Son père n'était-il pas à bord? Je vous voyais penchée tendrement sur un blessé dont le sort vous préoccupait au point de vous faire perdre toute divination à mon égard.

— Joffrey, il venait de me sauver la vie!

— Et voici encore que vous m'annonciez votre mariage avec lui!... J'essayais de vous ramener à moi, n'ayant pas le courage d'ôter mon masque tant que je sentirais votre esprit si lointain. Mais comment ne pas les haïr, ces puritains raides et soupçonneux qui vous avaient envoûtée? Quant à eux, tout en moi était fait pour les offusquer, mais ajoutons-y la fureur jalouse de Berne, que vous aviez rendu fou d'amour.

— Qui l'aurait cru? dit Angélique navrée. Un homme si calme, si pondéré!... Quelle malédiction y a-t-il en moi pour ainsi diviser des hommes?...

— La beauté d'Hélène a provoqué la guerre de Troie.

— Joffrey, ne me dites pas que je suis cause de tant de maux affreux.

— Les femmes sont causes des plus grands, des plus irréparables, des plus inexplicables désastres. Ne dit-on pas « Cherchez la femme »?

Il lui releva le menton et passa la main, légèrement, sur son visage comme pour en effacer la peine.

— Des plus grands bonheurs aussi, parfois. Au fond, je comprends Berne d'avoir voulu me tuer. Je ne lui pardonne que parce que je le sens vaincu, non pas tant par les tomahawks de mes Mohicans, que par votre choix... Tant que je doutais de l'issue de ce choix, il aurait été vain de s'adresser à ma clémence. Voilà ce que valent les hommes, ma chère. Pas grand-chose... Essayons donc de réparer des erreurs, où je le reconnais, chacun d'entre nous a sa part. Demain des canoës conduiront tous les passagers à terre. Manigault, Berne et les autres nous accompagneront, enchaînés et sous surveillance. Je leur exposerai ce que j'attends d'eux. S'ils acceptent, je leur ferai prêter serment de loyauté sur la Bible... je pense qu'ils n'oseront passer outre à un tel serment.

Il prit son chapeau sur la table.

— Etes-vous satisfaite?

Angélique ne répondit pas. Elle ne pouvait croire encore à sa victoire. Sa tête tournait.

Elle se leva et l'accompagna jusqu'à la porte. Là, d'un geste spontané, elle posa la main sur son poignet.

— Et s'ils n'acceptent pas? Si vous ne parvenez pas à les convaincre? Si leur vindicte est la plus forte?...

Il détourna les yeux. Puis haussant les épaules :

— On leur prêtera un guide indien, des chevaux, des chariots et des armes et ils iront se faire pendre ailleurs... au diable... jusqu'à Plymouth ou Boston, où des coreligionnaires les accueilleront...

8

Sur la dunette, les ondes cristallines, propagées à travers la brume apportaient à Angélique les cris lointains de la terre. Chants ou appels? Le monde inconnu qui se devinait à quelques encablures était celui où Joffrey de Peyrac avait jeté l'ancre et choisi de vivre. Pour cette raison, Angélique y était déjà attachée.

Elle tendait l'oreille tandis qu'une exaltation, qui avait raison de sa fatigue, l'envahissait. Elle avait perdu l'habitude du mot : bonheur, sinon elle eût reconnu la nature de ce qu'elle éprouvait. C'était fugitif, fragile, mais il lui semblait que son âme se reposait de ses combats dans un sentiment de plénitude indescriptible. L'heure était capitale. Elle passerait mais demeurerait dans ses souvenirs, jalonnant de sa lumière le chemin de sa destinée.

Ainsi Angélique vivait-elle l'attente parmi les brumes. Elle était seule, avec Honorine, sur le pont, à l'arrière où elle était montée, après avoir porté un message de réconfort aux femmes anxieuses.

Il lui fallait être seule. Trop de choses s'agitaient en elle. C'était l'oppression du malheur qui la quittait.

Joffrey de Peyrac s'était à peine éloigné. Déjà elle guettait son retour. Elle guettait sa voix. Elle guettait le murmure de l'eau, ruisselant des rames qui annoncerait l'approche d'un canot, peut-être le sien, elle guettait son pas. Elle avait envie d'être à ses côtés, de le suivre des yeux, de l'écouter. De partager l'intimité de sa vie, ses soucis, ses rêves, ses ambitions. D'être à son ombre, d'être dans ses bras.

Tout à coup, elle se mit à rire.

— Amoureuse! Amoureuse! Je suis terriblement amoureuse.

La joie d'aimer comblait son cœur. Elle avait envie de courir en chantant sur des collines. Mais il lui fallait encore attendre dans la brume sur le seuil de l'Eden, prisonnière du navire qui leur avait fait traverser la mer des ténèbres. Alors elle revivait chacun des gestes qu'il avait eus pour elle, chacun des mots qu'il avait dits. Sa main nerveuse et racée, caressant ses cheveux, sa voix étouffée et comme attendrie soudain. « Asseyez-vous, madame l'abbesse... »

« Il n'aurait pas cédé si vite à ma prière, si complètement, s'il ne m'aimait pas... Il leur a fait grâce! Il a jeté cela devant moi comme un cadeau princier et moi je l'ai laissé s'éloigner... comme jadis lorsqu'il m'offrait avec désinvolture des parures de reine et que je n'osais le remercier. Est-ce étrange?... Il m'a toujours inspiré une certaine crainte. Peut-être parce qu'il est si différent des autres hommes?... Peut-être parce que je me sens faible devant lui?... Que j'ai peur de me laisser dominer. Mais qu'importe qu'il me domine? Je suis femme... je suis sa femme. »

Le lien du mariage, en les enchaînant, leur avait permis de se retrouver. Malgré ce qu'il appelait ses trahisons, le comte de Peyrac ne pouvait se désintéresser entièrement de celle qui était son épouse. Il s'était précipité à son secours à Candie, puis lorsque Osman Ferradji l'avait averti, il avait pris aussitôt la route de Miquenez. C'était également pour la secourir qu'il s'était rendu à La Rochelle...

Angélique sursauta. Maintenant elle était certaine que ce n'était pas le hasard qui avait conduit le comte de Peyrac sous les murs de La Rochelle.

Il la savait dans cette ville. Prévenu par qui?... Elle envisagea plusieurs hypothèses et s'arrêta à celle qui lui parut le plus plausible : les bavardages du sieur Rochat. Tout se transmet dans ces grands ports ouverts sur l'Orient et l'Occident.

« Il a toujours cherché à m'aider quand il me savait en difficulté. C'est donc qu'il tenait à moi et moi je ne lui ai causé que des ennuis... »

— Maman, tu trembles comme lorsque tu rêves en dormant, dit Honorine d'un ton de reproche.

Elle n'avait pas l'air contente du tout.

— Tu ne peux pas comprendre, dit Angélique, c'est tellement merveilleux!...

Honorine fit une moue qui prouvait qu'elle n'était pas de cet avis. Angélique caressa ses longs cheveux roux avec un obscur remords. Honorine devinait toujours que lorsque les choses s'arrangeaient entre l'Homme noir et sa mère, sa sécurité à elle était menacée. Sa mère l'oubliait ou souffrait de sa présence... Pourquoi?

— Ne crains rien, dit Angélique à mi-voix, je ne te quitterai pas, mon enfant, tant que tu auras besoin de moi, je ne te manquerai pas. Toi aussi, ton petit cœur connaît la tourmente. Mais je serai toujours là pour toi.

Et, en caressant la tête ronde, elle revivait leur amitié à elles deux, la mère et l'enfant, si mystérieuse qu'elles-mêmes n'auraient pu définir la nature de ce lien indéfectible.

— Je vais te dire une chose, Honorine, ma chérie. Tu as été ma préférée. Tu m'as inspiré un amour plus grand que celui que j'avais éprouvé jusque-là pour mes autres enfants. Il me semble que c'est toi, hélas, qui m'as appris à être mère. Je ne devrais pas l'avouer, mais je veux que tu le saches quand même. Parce que, toi, tu n'as rien reçu à ta naissance.

Elle parlait très bas. Honorine ne comprenait pas ses paroles mais les devinait au son de sa voix.

Une ombre était tombée sur le bonheur d'Angélique. Il y en avait d'autres qui n'étaient pas écartées encore : leurs fils qu'il lui reprochait d'avoir mal défendus, ses infidélités, dont la plus grave, pourtant, ne lui était pas imputable.

Il faudrait qu'elle ait un jour le courage de dire à son mari qu'elle n'avait jamais été la maîtresse du Roi.

Qu'elle n'avait jamais aimé, et pour cause, celui qui avait été le père d'Honorine.

Il faudrait aussi parler de Florimond. C'était à eux, ses parents, d'essayer de retrouver le jeune garçon qui s'était jadis enfui du Plessis à temps, heureusement, pour échapper à la mort. Il faudrait avoir le courage d'évoquer les heures terribles. Et s'il lui parlait de Cantor? Cela faisait mal! Pourquoi lui, Joffrey, qui savait toujours ce qu'il faisait, n'avait-il pas su, en attaquant la flotte royale, que son fils était à bord d'une des galères? C'était la seule action guerrière qu'il eût jamais menée directement contre le roi de France... La malchance avait voulu... La malchance? Ou quel autre motif?...

Comme tout à l'heure, quand elle avait pensé à Rochat, Angélique eut l'impression qu'elle allait découvrir quelque chose d'élémentaire, qui aurait dû lui être évident depuis longtemps.

Son esprit vacilla. Elle leva les yeux sur le ciel et en même temps ressentit une peur primitive. La luminosité qui n'avait cessé d'augmenter virait au violet, puis au rouge, et se fixait ensuite à un orange insoutenable. La lumière semblait diffuse mais rayonnait de toute la voûte céleste à la fois.

Angélique leva inconsciemment la tête plus haut. Une énorme boule orange s'ouvrit comme un champignon au-dessus d'elle. Elle ressentit une chaleur qui lui parut atroce et lui fit baisser la nuque.

Honorine tendit le doigt :

— Maman, le soleil!...

Angélique faillit rire.

— Ce n'était que le soleil.

Pourtant sa panique n'était pas si ridicule. Ce soleil était vraiment étrange. Il virait au rouge et demeurait énorme, bien que haut dans le ciel. Il était entouré comme d'une série de rideaux de couleurs différentes, comme des écrans perlés et translucides légèrement courbes et disposés verticalement les uns derrière les autres.

La chaleur de l'astre se faisait sentir en contraste avec un froid subit apporté par le vent. Après avoir cru qu'elle recevait le feu du ciel sur la tête, Angélique se sentit transformée en statue de glace. Elle enveloppa Honorine dans sa mante et lui dit : « Rentrons vite » mais ne bougea pas. La nature du spectacle qu'elle avait devant elle la retenait clouée sur place.

Les rideaux de brumes polychromes fondaient et se dissolvaient comme tombent ou s'écartent des voiles de mousseline.

Elle crut apercevoir un monstre d'émeraude qui apparaissait, s'allongeait, devenait énorme, projetait partout d'immenses tentacules aux griffes d'un rose ardent. Et, tout à coup, il n'y eut plus aucun brouillard. Balayé par un souffle glacé, le dernier voile était tombé. L'air purifié vibrait comme une conque. Le soleil pâli conservait son auréole nuancée dans un ciel aux bleus divers mais, au-dessous de lui, ce qu'Angélique avait pris pour un monstre d'émeraude se révélait comme un paysage de collines couvertes d'une épaisse forêt qui s'étalait jusqu'aux extrémités de caps et de promontoires multiples qu'ourlaient des grèves de sable rouge et rose.

La forêt était vernissée et brillait même au loin avec éclat, des teintes vives et extravagantes, ponctuées du noir des sapins, du bleu turquoise d'énormes pins dressant leurs parasols, du rouge or de certains buissons annonçant l'automne. Déjà! Alors qu'on n'avait même pas vu s'annoncer l'été. Partout alentour, sur la baie, et plus loin sur la mer d'une intense couleur de lavande, des îles bordées de rose allongeaient leurs dômes feuillus. Elles offraient l'apparence d'un peuple de squales, défendant la côte admirable de la convoitise des hommes par les dangers de leurs écueils rocheux. Se faufiler parmi elles pour atteindre le refuge où se balançait le navire paraissait une œuvre impossible.

Après les journées de brouillard livide qu'ils avaient connues, la vivacité de tant de coloris chantait aux yeux, c'était une apparition comme on croit ne pouvoir en découvrir que dans les rêves et telle était la fascination qu'Angélique éprouvait à cette vue qu'elle n'entendit pas le retour de la chaloupe.

Joffrey de Peyrac fut derrière elle. Il l'observa et lut sur son visage l'éblouissement. C'était décidément une femme de bonne race. Le froid et la sauvagerie des lieux l'émouvaient moins que leur beauté surhumaine.

Quand elle tourna les yeux vers lui, il eut un geste large.

— Vous vouliez des îles, madame. En voilà.

— Comment se nomme ce pays? demanda-t-elle.

— Gouldsboro.

LE PAYS DES ARCS-EN-CIEL

1

— Sommes-nous aux Amériques? demanda l'un des jeunes Carrère.

— A vrai dire, je n'en sais rien, mais je crois que oui, dit Martial.

— Cela ne ressemble pas à ce qu'écrivait le pasteur Rochefort.

— Mais c'est plus beau.

Les voix des enfants étaient seules à s'élever tandis que, dans un silence pesant, les passagers se groupaient sur le pont.

— Nous allons descendre à terre?...

— Oui!

— Enfin!

Ils regardèrent tous vers la forêt. A cause du brouillard intermittent et variant en intensité, il était difficile d'apprécier la distance. Angélique devait apprendre par la suite qu'il était rare que le panorama se dévoilât entièrement, comme elle en avait eu la primeur dans une vision qu'elle n'oublierait jamais. Plus souvent, il se révélait par bribes, gardant toujours quelques replis invisibles et secrets pour éveiller l'inquiétude ou la curiosité.

Le temps cependant demeurait assez clair pour qu'on distinguât la terre et la nuée de canoës d'écorces, peints de rouge, de brun et de blanc, qui de la plage convergeaient vers le navire.

Par contre, l'existence de la haute mer se matérialisait surtout par le bruit furieux du ressac, à l'endroit de la barre et du passage étroit et chaîné qui fermait la baie.

Ce fut dans cette direction que les yeux de Manigault, Berne et leurs compagnons se portèrent lorsqu'ils émergèrent de la cale. Du côté de la barre jaillissait un mur d'eau grondante et haletante, et ce monstre d'écume apocalyptique symbolisait pour les prisonniers l'impossibilité qu'ils auraient jamais de s'évader d'un repaire si bien gardé.

Ils s'avancèrent néanmoins d'un pas ferme. Angélique comprit qu'ils ne savaient pas encore pour quel motif on les avait déferrés et conduits en haut. Le Rescator prolongeait sa vengeance en les tenant dans l'incertitude mortelle aux nerfs et ils avaient dû prendre pour des préparatifs funèbres les soins dont deux matelots muets les avaient entourés. En effet, on leur avait remis les objets nécessaires pour se raser et on leur avait apporté du linge blanc et leurs vêtements habituels, bien usés, mais propres et défripés.

Lorsqu'ils parurent, ils avaient presque retrouvé leur aspect d'autrefois. Angélique remarqua avec émotion qu'ils ne portaient pas de chaînes, comme le lui avait annoncé son mari. Son cœur se porta irrésistiblement vers lui parce qu'elle savait *pour-*

quoi il leur évitait cette humiliation en face de leurs enfants.

C'était *pour elle,* pour achever de lui complaire! Elle le chercha des yeux. Il venait d'apparaître ainsi qu'il en avait l'habitude, subitement, portant encore le grand manteau rouge qu'il avait revêtu la veille. Et les plumes rouges et noires de son feutre s'ajoutaient à ce frémissement de plumes qui partout s'agitaient. Les Indiens montaient à bord, en silence, avec une souplesse de singes. Il y en avait partout. Leur mutisme et le regard énigmatique de leurs yeux bridés oppressaient.

« J'ai vu jadis un homme rouge sur le Pont-Neuf, se rappela Angélique. Un vieux matelot le montrait comme une curiosité. Je ne pensais pas alors que, moi aussi, j'aborderais le Nouveau Continent et me trouverais parmi eux et, peut-être, dépendant d'eux. »

Des Indiens, tout à coup, saisirent les plus jeunes enfants et disparurent avec eux. Les mères stupéfaites et affolées se mirent à crier.

— Eh! du calme, mes commères, s'écria jovialement M. d'Urville qui venait d'aborder avec la grosse chaloupe du *Gouldsboro.* Vous êtes trop nombreux pour qu'on vous embarque tous. Nos amis Mohicans se chargent des enfants dans leurs petits caïques d'écorces. Il n'y a pas de quoi s'affoler. Ce ne sont pas des sauvages!...

Sa bonne humeur et sa voix française rassurèrent. Le corsaire normand considérait avec attention ces visages féminins.

— Il y a de bien gentils minois parmi ces dames, fit-il remarquer.

— A mon tour de te dire : du calme, mon ami, dit Joffrey de Peyrac. N'oublie pas que tu es marié à la fille de notre grand sachem et que tu lui dois fidélité si tu ne veux pas te retrouver avec une flèche bien plantée dans ton cœur volage.

M. d'Urville fit la grimace, puis il cria qu'il était temps de se décider à descendre dans les chaloupes et qu'il était prêt à recevoir dans ses bras la plus courageuse de ces dames.

Avec lui, l'atmosphère tragique parut soudain dissipée. Comprenant que le voyage était terminé, chacun s'était nanti de ses maigres biens, emportés de La Rochelle, en la quittant.

Dans la grande chaloupe, Angélique fut invitée à prendre place. Les prisonniers y descendirent également ainsi que le pasteur Beaucaire, Abigaël, Mme Manigault et ses filles, Mme Mercelot et Bertille, Mme Carrère et une partie de sa nichée.

Joffrey de Peyrac y sauta en dernier lieu, alla se poster debout à l'avant et il invita le pasteur à venir se placer près de lui.

Trois embarcations, guidées par les matelots, s'étaient réparti le reste des passagers.

Personne n'eut le cœur, en le quittant, de se retourner vers le *Gouldsboro,* démâté et dodelinant. On ne regardait que vers la côte.

Les barques s'avançaient entraînant derrière elles la flottille des canoës indiens, d'où s'éleva un chant sourd et scandé au rythme des vagues. La mélopée donnait à l'instant qu'ils vivaient une solennité que tous ressentaient. Après ces longs jours tourmentés, passés entre le ciel et l'eau, la Terre originelle leur apparaissait.

En approchant, ils virent un rassemblement bigarré sur une plagette de sable et de coquillages d'un rose tendre. Des roches rouges et s'assombrissant jusqu'au pourpre émergeaient vers la côte et montaient en cortège à l'assaut d'une pente de granit, couverte de pins immenses qui alternaient avec la blancheur osseuse des troncs de bouleaux et les frondaisons bouillonnantes d'énormes chênes.

Au pied de ces géants, les humains paraissaient s'agiter comme des fourmis. On aurait dit qu'ils avaient surgi d'entre les racines. Mais en y regardant de plus près, on distinguait un abrupt sentier qui menait jusqu'à une clairière installée, à mi-pente, sur un méplat incliné vers la mer. Quelques huttes basses, des cabanes d'Indiens s'y trouvaient. Puis le sentier montait encore sur la crête granitique et l'on découvrait une sorte de fort bâti entièrement en rondins. Une longue palissade de dix pieds de haut, en troncs de sapins entiers, entourait un bâtiment plus élevé, flanqué de deux tours carrées.

La palissade était percée de quatre couloirs-tunnels au bout desquels on devinait l'œil rond de canons aux aguets.

Malgré ces traces de vie, l'endroit demeurait sauvage et inhumain par sa beauté, sans comparaison possible. C'était surtout les couleurs, comme vernies, vives et pourtant nuancées, enrichies par le passage des brumes, qui donnaient une impression irréelle. Et puis, l'échelle des choses. Tout paraissait énorme, trop grand, oppressant.

Ils regardaient, muets. Le pays leur entrait dans les yeux.

La chaloupe, portée par une lame écumeuse, heurta le gravier, couleur de sang, sous la transparence de l'eau, soudain violette. Des matelots entrèrent jusqu'à mi-corps dans les flots pour tirer l'embarcation vers la plage.

Joffrey de Peyrac, toujours debout à l'avant, se tourna vers le pasteur.

— Monsieur le pasteur, cette crique perdue, cachée aux yeux de tous, a été, est toujours, un refuge de pirates... Depuis que, dans la nuit des temps, des navigateurs du Nord qu'on appelait Vikings et qui adoraient des dieux païens, y ont abordé, ceux qui parmi les gens venus d'Europe y ont cherché à leur tour refuge, n'ont été que des bandits ou des aventuriers, des hors-la-loi, et je me range parmi ceux-ci car, bien que je ne recherche ni le crime ni la guerre, la seule loi à laquelle j'obéisse est la mienne.

» Je veux dire, monsieur le pasteur, que vous allez être le premier homme de Dieu, du Dieu d'Abraham, de Jacob et de Melchisedech, comme disent les textes sacrés, à aborder ces lieux et en prendre possession. C'est pourquoi je vous demanderai, monsieur le pasteur, d'être le premier à débarquer et à guider les vôtres sur la terre nouvelle.

Le vieil homme qui ne s'attendait nullement à une telle requête se dressa d'un bond. Il serrait étroitement, sur sa poitrine, sa grosse Bible, toute sa richesse. Sans attendre de l'aide, avec une vivacité imprévue, il sauta de la chaloupe et franchit dans l'eau la faible distance qui le séparait du rivage.

Ses cheveux blancs flottaient au vent car il avait égaré son chapeau au cours de la traversée. Il s'avança, maigre et noir et, après avoir marché sur la plage il s'arrêta, leva le livre sacré au-dessus de sa tête et entonna un cantique. Les autres le reprirent en chœur.

Cela faisait des jours et des jours qu'ils n'avaient pas chanté pour louer le Seigneur. Leurs gosiers brûlés de sel, leurs cœurs brisés de tristesse se refusaient à la prière commune. Rassemblés autour de leur pasteur, ils chantèrent avec des voix imprécises et convalescentes. Quelques-uns, après deux ou trois pas, s'agenouillèrent comme s'ils tombaient. Les Indiens des canoës amenaient les enfants dans leurs bras. En contraste avec les peaux cuivrées, qu'ils paraissaient pâles et misérables, ces petits Européens dans leurs vêtements passés, trop larges pour leurs corps amaigris. Ils écarquillaient des yeux éblouis.

Alentour, faisant cercle pour contempler les nouveaux venus, se présentait le plus étonnant mélange d'humanité, « la faune du Dawn East », aurait dit Joffrey de Peyrac. Des Indiens et des Indiennes, villageois ou guerriers, avec leurs plumages, leurs fourrures, leurs armes brillantes, peinturlurés, les femmes portant sur le dos un petit cocon de couleur qui était leur bébé, puis le ramassis bariolé des hommes d'équipage, depuis le sombre Méditerranéen jusqu'au pâle rouquin nordique. Erikson, trapu, mâchant sa chique près d'un Napolitain au bonnet rouge, tandis que les djellabas des deux Arabes se gonflaient dans le vent, tous traînant leurs sabres d'abordage, leurs coutelas, leurs rapières. Deux ou trois hommes, barbus comme Nicolas Perrot, vêtus de cuir, coiffés de fourrure, regardaient de loin, appuyés sur leurs mousquets, tandis qu'une petite garnison de soldats espagnols, dont les cuirasses et les casques d'acier noir étincelaient, se tenaient raides, leurs longues piques à la main, comme pour une parade militaire.

Un maigre hidalgo, avec une moustache noire extraordinaire, semblait les commander. Angélique l'avait déjà vu sur le *Gouldsboro*, lors de l'abordage qui avait réduit à néant les espérances des Protestants. Il serrait les lèvres et, de temps à autre, montrait les dents d'un air féroce. Sans doute souffrait-il mort et passion, lui, sujet de Sa Majesté Très Catholique, de voir ainsi des hérétiques débarquer sur ces plages. De tous, il parut à Angélique le plus incongru personnage. Que faisait-il là, sorti d'un cadre d'or de grand seigneur castillan?

Elle l'examinait tellement lui et ses soldats de bois qu'elle trébucha en descendant de la chaloupe. Elle voulut se rattraper. Que se passait-il? Tout tournait. Le sol se levait et se dérobait sous ses pas. Elle faillit, elle aussi, tomber à genoux.

Un bras solide la soutint et elle vit son mari qui riait.

— La terre ferme vous étonne. Vous aurez encore pendant quelques jours l'impression de vous sentir sur le pont d'un bateau.

C'est ainsi qu'elle gravit la plage à son bras. Pour fortuit que fût son geste, elle y vit un heureux présage.

Mais les mousquets braqués par les marins du *Gouldsboro* sur les hommes protestants ne permettaient pas d'optimisme démesuré.

Le premier instant d'émotion passé, ces hommes et leurs familles attendaient dans l'anxiété que leur sort fût réglé. Durs pour eux-mêmes comme pour les autres, ils étaient sans illusion quant à l'avenir qui leur était réservé. Ici la loi du talion devait régner plus sûrement encore et ils n'espéraient aucune clémence d'un homme dont ils avaient pu mesurer à maintes reprises la promptitude de répartie. D'être encore vivants les étonnait presque.

Des Indiens s'approchèrent et vinrent déposer aux pieds de Manigault et des siens des gerbes d'épis de maïs liés ensemble, des corbeilles de légumes et des boissons diverses contenues dans de curieux récipients de forme ronde ou oblongue qu'on aurait dits façonnés dans un bois très léger, et des plats cuits sur des écorces de bouleaux.

— Les prémices de la réception prévue pour le grand sachem, expliqua le comte de Peyrac. Il n'est pas encore présent mais ne va pas tarder.

Manigault demeurait tendu.

— Qu'allez-vous faire de nous? demanda-t-il. Il est temps de vous prononcer, monsieur! Si la mort nous attend, à quoi bon toute cette comédie d'accueil?

— Regardez autour de vous. Ce n'est pas la mort, mais la vie... dit le comte avec un grand geste vers l'opulent paysage.

— Dois-je comprendre que vous différez notre exécution?

— Je la diffère, en effet.

Les faces blêmes et lasses des Protestants se colorèrent. Ils s'étaient préparés courageusement à mourir et doutaient encore, se souvenant de l'impitoyable : « Œil pour œil, dent pour dent », qu'il leur avait lancé.

— Je serais curieux de savoir ce que cache votre clémence, grommela Mercelot.

— Je vous le découvrirai sans fard et votre curiosité sera satisfaite. Car, de toute façon, vous me devez le prix du sang, messieurs, pour les hommes que vous m'avez tués, dont deux étaient mes plus chers amis.

— De quel prix devons-nous payer?

Le gentilhomme frappa de sa botte rouge le sable rouge.

— Demeurez ici et construisez un port qui devienne plus riche, plus vaste et plus célèbre que La Rochelle.

— C'est la condition de notre salut?

— Oui... si tant est que le salut des hommes est de poursuivre une œuvre de vie.

— Vous faites de nous vos esclaves?

— Je vous fais don d'une terre prodigieuse.

— Où sommes-nous, d'abord? demanda Manigault.

Il leur répondit qu'ils se trouvaient sur l'un des points de la côte du Dawn East, pays s'étendant de Boston jusqu'à Port-Royal, en Nouvelle-Ecosse, touchant au Sud l'Etat de New York, au Nord le Canada, et faisant partie d'une des treize colonies anglaises.

L'armateur rochelais, Berne et Le Gall se regardèrent atterrés.

— Ce que vous nous demandez est folie. Cette côte dentelée a la réputation d'être inabordable, dit ce dernier. C'est un piège de mort pour tous les navires. Nul être civilisé ne peut y prendre racine.

— C'est très vrai. Sauf en cet endroit où je vous ai conduits. Ce que vous prenez pour un passage très difficile n'est qu'un seuil rocheux, navigable à marée haute et qui donne un asile inviolable dans cette baie tranquille.

— Pour un refuge de pirates, je n'en disconviens pas. Mais pour construire un port, les récits des navigateurs ne laissent aucun espoir. Champlain lui-même a échoué : souvenez-vous. Des récits épouvantables. Ces quelques tentatives de colonisation ont décimé les malheureux qu'on y avait envoyés. La faim, le froid, les raz-de-marée exceptionnels dans le monde, la neige que le vent souffle l'hiver jusqu'au bord de la mer. Voici donc le sort que vous nous réservez.

Il regarda ses mains nues.

— Il n'y a rien ici, rien, et vous nous condamnez à mourir de faim avec nos femmes et nos enfants!

A peine avait-il achevé que Joffrey de Peyrac fit un geste brusque de la main, un signe qui s'adressait aux matelots restés dans un des canots. Puis il s'élança vers les rochers rouges qui s'avançaient dans la mer.

— Vous, venez par ici.

Ils le suivirent plus lentement. Après avoir cru un instant qu'on allait leur passer la corde au cou, ils voyaient ce diable d'homme ne les convier qu'à une promenade sur le littoral. Ils le rejoignirent à l'extrême pointe où le canot abordait. Les matelots déployaient un filet.

— Y a-t-il parmi vous des pêcheurs de profession? Ceux-ci, je crois, dit-il en attrapant par l'épaule les deux hommes du hameau de Saint-Maurice, et vous Le Gall, surtout. Montez à bord de cette barque, allez au large et jetez vos filets.

— Impie! gronda Mercelot, vous osez parodier les Ecritures.

— Imbécile! rétorqua Peyrac avec bonne humeur, il n'y a pas deux façons de conseiller la même chose pour un même résultat.

Lorsque les pêcheurs revinrent, ils durent s'atteler tous pour hâler le lourd filet où s'agitait une provende quasi miraculeuse, en effet.

L'abondance des poissons, leur variété, leur grosseur les laissaient pantois. A côté d'espèces communes et pareilles à celles des côtes des Charentes, il y en avait qu'ils ne connaissaient presque pas, saumon, flétan, esturgeon. Mais ils en connaissaient la valeur à l'état fumé. D'énormes homards bleu-acier se débattaient férocement parmi les corps scintillants.

— Vous pouvez chaque jour faire des pêches semblables. A certaines époques des bancs de morues entiers cherchent refuge dans les mille replis de la côte. Les saumons remontent les rivières pour frayer.

— En salant ou fumant ces poissons, on peut ravitailler les navires en escale, dit Berne qui n'avait pas ouvert la bouche jusqu'ici.

Il avait l'air songeur. Il commençait à imaginer des entrepôts obscurs à l'odeur de sel avec des barils bien rangés dans l'ombre.

Le comte de Peyrac lui jeta un regard perspicace mais se contenta d'approuver.

— Certes... En tout état de cause, vous ne doutez plus d'être à l'abri de la faim. Sans parler du gibier abondant, de la cueillette des baies et du sucre d'érable, et de l'excellence des cultures indiennes dont je vous parlerai et dont vous allez juger.

2

La plage où ils revinrent semblait se transformer en table de banquet. Les indigènes n'avaient cessé d'apporter de nouveaux plats cuisinés, des paniers de fruits, petits mais parfumés, d'énormes légumes, citrouilles, courges et tomates. Des feux s'allumaient d'où montait l'odeur du poisson frais pêché que l'on faisait griller. Des Indiens esquissaient des pas de danse en agitant leurs tomahawks ailés de plumes, l'arme à boule de pierre ou de fer dont ils se servaient pour assommer leurs ennemis.

— Où sont nos enfants? s'écrièrent des mères soudain effrayées par ce tableau sauvage.

— Maman, hurla Honorine en se précipitant vers sa mère, viens voir les crevettes que j'ai pêchées avec M. Crowley.

Elle avait la frimousse toute barbouillée de bleu.

— On dirait qu'elle a bu de l'encre!

Mais tous les enfants étaient à même enseigne.

— Nous avons mangé des « strawberries » et des « whortberries »...

« Dans quelques jours, ils parleront tous anglais », se dirent les parents.

— Voici pour la faim, fit le comte en désignant la scène, pour le froid, il y a les fourrures, du bois de chauffe à profusion.

— Champlain pourtant a échoué, répéta Manigault.

— Si fait. Mais savez-vous pourquoi? Il ignorait la barre côtière, il a été épouvanté par la hauteur des marées : cent vingt pieds et l'hiver terrible.

— Avez-vous supprimé ces difficultés? ricana Mercelot.

— Certes non. La marée a toujours cent vingt pieds de hauteur, mais de l'autre côté de ce promontoire de Gouldsboro, où Champlain avait établi son camp. Il s'est accroché à un endroit maudit alors qu'à une demi-heure de galop il trouvait le lieu où nous sommes et où la marée n'est que de quarante pieds.

— Quarante pieds, c'est encore trop de marée pour un port.

— C'est faux, quarante pieds c'est la hauteur de marée à Saint-Malo, port breton fort prospère.

— Où il n'y a pas de pertuis, fit remarquer Berne.

— Certes, mais il y a la Rance, ses reflux et sa vase.

— Ici, il n'y a pas de vase, dit Manigault, qui alla tremper sa main dans l'eau transparente.

— Vos chances sont donc plus grandes encore que celles de vos ancêtres, lorsqu'ils ont décidé de construire un port inaccessible sur ce rocher qui devint La Rochelle. Défendu par des pertuis, comme ici, mais menacé par la vase qui l'étouffera complètement un jour proche. Si ce n'est vous, Rochelais, qui pouvez construire un port en ce lieu qui présente tant de ressemblance avec votre ville d'origine, qui donc le construira?

Angélique remarquait que les Protestants s'étaient groupés autour de celui qu'ils continuaient à désigner sous le nom de Rescator. Mais, comme tous les hommes lorsqu'ils parlent avec un autre dont ils reconnaissent la compétence, ils avaient oublié leur situation précaire vis-à-vis de lui et se passionnaient. Sa question les rappela à la réalité.

— Il est vrai que nous sommes entre vos mains, dit Manigault avec amertume. Nous n'avons pas le choix.

— Le choix de quoi? dit Joffrey de Peyrac en le regardant dans les yeux. D'aller à Saint-Domingue? Que connaissez-vous de cette île qu'on ne peut atteindre sans payer tribut aux pirates des Caraïbes et qui se fait razzier périodiquement par les flibustiers et les boucaniers de l'île de la Tortue? Que peuvent y faire des hommes de votre espèce, industrieux, actifs, hommes de mer et de ses échanges? De la pêche? Il n'y a que quelques goujons dans de maigres ruisseaux et, sur les côtes, des requins féroces.

— J'ai pourtant des comptoirs là-bas, dit Manigault, et de l'argent.

— Non, je n'y crois pas. Vos comptoirs n'ont pas besoin d'être ravagés par les pirates pour ne plus vous appartenir. *Vae victis,* monsieur Manigault. Vous auriez gardé de solides assises à La Rochelle que vous pouviez encore espérer récupérer quelques biens en abordant aux îles d'Amérique.

Mais n'êtes-vous pas certain que ceux qui, jadis, étaient — tant à Saint-Domingue qu'à La Rochelle — vos chers et dévoués collaborateurs, si empressés, ne se soient pas déjà partagé vos dépouilles?

Manigault se troubla. Ses propres craintes se trouvaient matérialisées par les paroles du Rescator. Celui-ci continua :

— Vous en êtes tellement persuadé vous-même, qu'un des mobiles qui vous ont poussé à vous emparer de mon navire était la peur d'arriver aux Iles dans une pauvreté totale, avec en plus des obligations à mon égard pour vous avoir mené jusque-là. Votre projet à la corsaire vous procurait deux avantages. En me supprimant, vous supprimiez un créancier et, propriétaire d'un beau navire, vous pouviez tenir la dragée haute à ceux qui, misérable émigrant, vous auraient reçu là-bas plus mal qu'un chien.

Manigault ne nia pas. Il croisa seulement les bras sur sa poitrine, resta la tête basse dans une attitude de méditation profonde.

— Et vous dites, monsieur, que mes appréhensions à l'égard de mes anciens collaborateurs des Iles et de La Rochelle étaient justifiées. Est-ce une supposition ou une certitude?

— Une certitude.

— Comment savez-vous tout cela?

— Le monde n'est pas si grand qu'il en a l'air. Relâchant sur la côte d'Espagne, j'ai rencontré un des plus grands bavards devant l'Eternel, un nommé Rochat que j'ai connu au Levant.

— Ce nom me dit quelque chose.

— Il a été attaché à la Chambre de commerce de La Rochelle. Il me parla de cette ville qu'il venait de quitter, me parla de vous pour me démontrer de quelle façon à La Rochelle le pouvoir et la fortune devaient passer des mains des grands bourgeois réformés dans celles des Catholiques. Déjà à cette époque, vous étiez condamné, monsieur Manigault. Mais je ne me doutais pas à ce moment, en l'écoutant, que j'aurais... l'honneur — et il eut un salut ironique — d'offrir à ces gens persécutés dont il m'entretenait, le refuge de mon navire.

Manigault ne paraissait pas entendre. Puis il eut un profond soupir.

— Pourquoi ne pas nous avoir informés plus tôt de ce que vous saviez. Le sang n'aurait peut-être pas coulé.

— Je pense, au contraire, que vous vous seriez plus encore acharné à me dépouiller pour être certain de prendre votre revanche sur vos ennemis.

— Que nous soyons condamnés par nos anciens amis et sans ressources ne vous autorisait pas à disposer de nos vies.

— Vous avez bien disposé des nôtres. Nous sommes quittes! Maintenant persuadez-vous d'une chose. A part la culture de la canne à sucre et du tabac, pour laquelle vous n'aviez aucune expérience, vous n'auriez pu pratiquer là-bas que le commerce des nègres. Et, pour ma part, je n'aiderai jamais un marchand d'esclaves à s'établir. Ici, vous n'aurez pas besoin de cette nocive industrie, vous pourrez donc jeter les bases d'un monde qui ne portera pas en lui, dès le départ, des germes de destruction.

— Mais, à Saint-Domingue, on peut faire de la vigne, et telle était notre intention, dit l'un des

Rochelais qui avait été tonnelier pour les alcools des Charentes.

— La vigne ne peut pousser à Saint-Domingue. Les Espagnols ont essayé en vain. Il faut, pour obtenir le raisin, un arrêt de sève causé par les saisons. Aux Iles, la sève est toujours en mouvement. Les feuilles ne meurent pas. Pas de saisons. Pas de vigne.

— Pourtant le pasteur Rochefort a écrit dans son livre...

Le comte de Peyrac secoua la tête.

— Le pasteur Rochefort, estimable et courageux voyageur que j'ai parfois croisé, n'en a pas moins communiqué à ses œuvres son optique particulière de l'existence, recherche du Paradis terrestre et de la terre de Canaan. C'est dire que ses récits contiennent des erreurs flagrantes.

— Ha!... s'exclama le pasteur Beaucaire en frappant avec énergie sur sa grosse Bible. C'est bien mon avis! Je n'ai jamais été d'accord avec cet illuminé de Rochefort.

— Entendons-nous. Les illuminés ont du bon. Ils servent à faire progresser les hommes et à les arracher de l'ornière séculaire. Ils voient des symboles. A d'autres de les interpréter. Si l'écrivain Rochefort a commis de regrettables confusions géographiques et décrit, avec une trop candide admiration, les richesses du Nouveau Monde, il n'en reste pas moins que les émigrants qu'il a attirés de l'autre côté de l'Océan n'ont pas été trompés. Disons que le cher pasteur avait trop bien assimilé ce sens symbolique qui est la base de la spiritualité indienne. On ne trouve certes pas de grappes succulentes aux rejets de la vigne sauvage, pas plus que de miches dorées aux branches de l'arbre à pain, mais la fortune, le bonheur, la paix de l'âme et de l'esprit peuvent pousser et s'épanouir partout. Pour ceux qui sauront découvrir les vraies richesses offertes, se dévouer à la terre nouvelle et ne pas y apporter les rancœurs stériles du Vieux Monde. N'est-ce pas ce que vous êtes tous venus chercher ici?

La voix de Joffrey de Peyrac, pendant ce long discours, par instants s'étouffait, à d'autres s'éraillait, mais rien n'arrêtait le feu de ses paroles. Il négligeait les difficultés de sa gorge blessée, comme jadis, se battant en duel, il se jouait de sa jambe infirme. Ses yeux brûlants sous l'arcade sourcilière touffue attiraient ses interlocuteurs et leur communiquaient sa conviction.

Un des Maures, celui qui avait remplacé à ses côtés le serviteur Abdullah, s'approcha et lui tendit l'une des curieuses gourdes pansues, d'un jaune d'or, contenant une boisson mystérieuse apportée par les Indiens. Il but à la régalade et sans se préoccuper du contenu.

On entendit hennir au loin des chevaux. Deux Indiens apparurent bientôt et descendirent vers la grève dans un grand éboulement de cailloux. On se porta vers eux. Ils donnèrent leur message. Le grand sachem Massawa était en marche pour saluer les nouveaux Blancs. Des ordres furent lancés dans toutes les langues pour hâter le débarquement des présents qui, du *Gouldsboro,* étaient peu à peu amoncelés sur le rivage. Des mousquets flambant neufs, certains enveloppés encore de leurs toiles huilées, des armes blanches et des outils d'acier.

Gabriel Berne ne put s'empêcher de tendre le cou vers les coffres ouverts.

L'œil de Joffrey de Peyrac suivit sa mimique.

— De la coutellerie de Sheffield, fit-il remarquer, la meilleure.

— Je connais, approuva Berne.

Et, pour la première fois depuis de longs jours, ses traits se détendirent et son regard s'anima. Il oublia qu'il parlait à un rival honni.

— N'est-ce pas trop beau pour des sauvages? Ils se contenteraient de moins.

— Les Indiens sont difficiles sur la qualité de leurs armes et de leurs outils. Les tromper serait annuler les avantages du marché. Ces présents que vous voyez là doivent nous acheter la paix sur l'étendue d'un territoire plus vaste que le royaume de France! Mais on peut aussi les échanger contre des fourrures ou les vendre contre de l'or ou des pierres précieuses que les Indiens conservent des anciens temps de leurs villes mystérieuses. Gemmes ou métal noble gardent leur valeur sur les côtes, même si l'or n'est pas estampillé en monnaie d'Europe.

Berne, songeur, revint vers ses amis. Ceux-ci se tenaient toujours groupés les uns près des autres, silencieux. Cet énorme territoire qui leur tombait entre les mains, à eux, si dépourvus, les écrasait. Ils ne cessaient de regarder la mer, ses rochers, et leurs yeux remontaient vers les collines aux arbres géants et, chaque fois, ils retrouvaient une autre vision déformée par le brouillard errant qui tantôt donnait aux choses une douceur accueillante, tantôt une inhumaine sauvagerie.

Le comte les observait, la main posée à sa ceinture. Une moquerie fermait à demi l'œil étiré par les cicatrices de sa joue. Il avait l'air sardonique, mais Angélique savait maintenant ce que cachait cette apparence durcie et son cœur brûlait d'une admiration ardente.

Il dit, tout à coup, à mi-voix, et sans se tourner vers elle.

— Ne me regardez pas ainsi, belle dame. Vous me donnez des idées de paresse... Et ce n'est pas le moment.

Puis s'adressant à Manigault :

— Votre réponse?

L'armateur passa la main sur son front.

— Est-ce vraiment possible de vivre ici?... Tout nous est tellement étranger. Sommes-nous faits pour ce pays?

— Pourquoi non? L'homme n'est-il pas créé pour toute la terre? A quoi vous servirait d'appartenir à la plus haute espèce animale, doué de cette âme qui *anime* le corps mortel, de cette foi qui, dit-on, soulève les montagnes, si vous ne pouvez seulement entreprendre une tâche avec autant de courage et d'intelligence que les fourmis ou les termites aveugles?

» Qui a dit qu'un homme ne pouvait vivre, respirer et penser qu'à une seule place, comme un coquillage au rocher? Si son esprit le diminue au lieu de l'élever, alors, que l'humanité disparaisse de la terre et laisse la place aux insectes pullulants, mille fois plus nombreux et plus actifs que la population humaine du globe et qui le peupleront dans les siècles futurs de leurs races minuscules, comme aux premiers temps le monde informe, où nul homme encore n'avait paru, n'appartenait qu'à des races géantes de lézards monstrueux...

Les Protestants, inaccoutumés à un langage aussi divers et à de telles errances de pensée, le regardèrent avec ahurissement, mais les enfants ouvrirent des oreilles immenses. Le pasteur Beaucaire étreignait sa Bible.

— Je comprends, haleta-t-il, je comprends ce que vous voulez dire, monsieur. Si l'homme n'est pas capable de poursuivre partout le travail de création, que lui sert d'être un homme? Et à quoi bon des hommes sur la terre?... Je comprends le conseil de Dieu lorsqu'il disait à Abraham : Lève-toi, quitte ta maison et la famille de ton père et va dans le pays que je te montrerai.

Manigault étendit ses bras puissants pour réclamer la parole :

— Ne nous égarons pas. Nous avons une âme, c'est entendu, nous avons la foi, mais nous ne sommes que quinze hommes devant une tâche immense.

— Vous comptez mal, monsieur Manigault. Et vos femmes et vos enfants? Vous en parlez toujours comme d'un troupeau de moutons bêlants et irresponsables. Or, ils ont prouvé pourtant qu'ils vous valaient bien tous comme bon sens, résistance et courage. Jusqu'à votre petit Raphaël qui sut ne pas mourir, malgré les privations et les douleurs de la traversée auxquelles résistent si rarement les bébés de cet âge. Il n'a même pas été malade... Et jusqu'à l'enfant que porte dans son sein l'une de vos filles, monsieur Manigault et qui doit à l'endurance de sa mère de n'avoir pas perdu cette vie à peine ébauchée. Il naîtra donc ici, en terre américaine et il consacrera vôtre ce pays, car n'en ayant jamais connu d'autre, il l'aimera comme sa terre natale. Vous avez une vaillante progéniture, messieurs de La Rochelle, de vaillantes femmes. Vous n'êtes pas quinze hommes seuls. Vous êtes tout un peuple déjà.

Les mets qu'on n'avait cessé de cuire ou d'apporter répandaient des odeurs mêlées, nouvelles et appétissantes. Les Protestants furent tout à coup fort entourés et priés de manger. Les Indiennes aussi hardies et rieuses que leurs époux se montraient distants et impénétrables, touchaient les vêtements des femmes, bavardaient, s'exclamaient. A chacune, elles posaient la main sur le ventre puis, sautant de côté, élevaient cette main, par gradins successifs, marquant un temps d'arrêt d'un air interrogateur.

— Elles demandent combien vous avez d'enfants et de quel âge, expliqua Nicolas Perrot.

Les graduations successives de la famille Carrère commencées à la taille de Raphaël, obtinrent un succès inouï. Mme Carrère fut entourée d'une véritable danse avec claquements de mains et hululements enthousiastes.

Mais le propos les avait ramenées à leur souci habituel :

— Où sont les enfants?

Cette fois, ils avaient bel et bien disparu. On n'en retrouva que quelques-uns. Nicolas Perrot alla aux nouvelles.

— C'est Crowley qui les a tous emmenés au camp de Champlain.

— Qui est Crowley? Où est ce camp de Champlain?...

Il se passait tant de choses au cours de cette journée qui devait demeurer historique dans les annales de l'histoire du Maine, qu'on n'avait pas le temps de les voir arriver.

Angélique se retrouva sur un cheval galopant par un sentier étroit tapissé de mousse sèche, sous des ombrages dignes de Versailles et longeant une côte hérissée de rochers où la mer se précipitait avec des fureurs de bête hurlante. Ce fracas de la mer et du vent, cette lumière des feuillages, cette impression tour à tour de contrée peuplée ou déserte faisaient le charme de l'endroit.

Les coureurs de bois s'étaient chargés d'escorter les mères inquiètes. Pour celles qui ne savaient pas monter à cheval, on trouva des chariots et des litières. Au dernier moment, une partie des hommes les rejoignirent.

— Croyez-vous que je vais vous laisser partir avec ces barbus paillards, cria l'avocat Carrère à sa femme, ce n'est pas une raison parce que ces moricaudes vous ont portée en triomphe, à cause de vos onze enfants qui sont aussi un peu les miens, pour n'en faire désormais qu'à votre tête. Je vous accompagne.

Le voyage, retardé par la traversée d'une rivière et l'étroitesse du sentier, dura cependant moins d'une heure. Ce n'était qu'une promenade et que les enfants avaient entreprise d'enthousiasme pour se dégourdir les jambes. Des cabanes en ruine apparurent. Elles avaient été édifiées quelque cinquante années plus tôt par les colons malheureux de Champlain. Abandonnées, elles subsistaient encore en partie à l'orée des arbres, occupant une vaste clairière qui descendait en pente douce vers la grève d'un rouge corail. Mais, loin d'offrir un abri comme à quelques miles de là, cette plage semblait comblée par un amoncellement de rochers sur lesquels des lames furieuses ne cessaient de déferler.

Les enfants apparurent courant et se pourchassant entre les huttes.

— Maman, cria Honorine en se précipitant comme une boule, j'ai trouvé notre maison. Viens voir, c'est la plus belle. Il y a des roses partout. Et M. Cro nous la donne, pour toi et pour moi, toutes seules.

— Pour nous aussi, cria Laurier en colère.

— Paix, paix, petits coyottes hurleurs, intervint un curieux personnage qui se tenait à l'entrée du sentier comme un hôte accueillant d'honorables visiteuses.

Sa grosse toque de fourrure qu'il tenait à la main révélait une chevelure du plus beau roux. Mais il était rasé de près à part deux favoris qui lui garnissaient non les tempes mais les pommettes, formant une sorte de masque hérissé, couleur de feu, assez impressionnant pour des gens non avertis de cette particularité de la race écossaise.

Il s'exprimait moitié en français, moitié en anglais, avec beaucoup de mimiques à l'indienne et on le comprenait mal.

— L'enfant a raison, mylady. My inn is for you. Mon nom est Crowley, George Crowley et, dans my store, vous trouverez every furniture for household... Voyez mes roses sauvages.

Mais on ne voyait plus rien du tout car un

brouillard épais venait de se lever et ruisselait en myriades de gouttelettes scintillantes autour d'eux.

— Oh! ce brouillard, gémit Mme Carrère, jamais je ne m'habituerai. Enfants, où êtes-vous?

— Nous sommes là! crièrent les enfants invisibles.

— Dans un pays pareil ils vont me jouer des tours pendables.

— Come in!... Come in!... répétait l'Ecossais.

On dut le suivre de confiance.

— No brouillard, disait-il avec indulgence. Pas de brouillard to day. Il va, il part. L'hiver, yes, c'est le plus fort brouillard du monde.

Comme il l'avait annoncé, le brouillard s'en alla, porté par les ailes du vent.

Angélique se retrouva devant une maison de bois couverte de chaume et garnie de roses épanouies, aux teintes de porcelaine et au parfum délicat.

— Voici ma maison, annonça Honorine.

Et elle en fit deux fois le tour en courant, et en criant comme une hirondelle.

A l'intérieur un bon feu flambait. Il y avait même deux pièces garnies de meubles faits en rondins ou taillés grossièrement dans des troncs d'arbres, mais on découvrait, non sans surprise, une table de bois noir aux pieds torsadés qui n'aurait pas été déplacée dans un salon.

— Offert par M. le comte de Peyrac, dit l'Ecossais avec satisfaction.

Il montra également les vitres aux fenêtres, luxe inconnu des autres cabanes qui n'avaient jamais été garnies que de peaux de poisson laissant filtrer une faible lumière.

— Autrefois, je m'en contentais.

Cet autrefois remontait assez loin. Crowley avait été le second d'un navire qui s'était fracassé il y avait trente ans sur les rochers infranchissables de la côte du Maine. Seul survivant, le naufragé avait abordé, couvert de blessures, sur les rives inhospitalières. Il s'y était tant plu qu'il y était resté.

Se considérant comme seigneur des lieux, il avait accueilli à coups de flèches, habilement tirées du haut des arbres, tous les pirates qui cherchaient refuge dans la baie de Gouldsboro. Les Indiens ne lui prêtaient pas main forte. Pacifiques, ils n'auraient jamais osé d'eux-mêmes entamer les hostilités, mais l'Ecossais se chargeait bien à lui seul de chasser les intrus.

Joffrey de Peyrac avait dû à l'amitié d'un chef mohican rencontré au cours d'une négociation à Boston, de connaître à la fois le refuge inviolable de Gouldsboro et les raisons de la malédiction qui y régnait. Il avait réussi à faire alliance avec l'esprit malin et Crowley avait d'autant mieux accueilli ses propositions qu'il commençait à chercher des clients pour ses fourrures. En effet, après s'être installé parmi les cabanes abandonnées de Champlain, il s'était senti inspiré par des idées de commerce. Curieux génie que de ne rien posséder et de parvenir à tirer fortune de ce rien. Il avait commencé par vendre des conseils aux indigènes pour guérir les maladies dont leurs sorciers ne venaient pas à bout. Puis des cornemuses qu'il fabriquait lui-même avec des roseaux et des vessies ou des estomacs de bêtes abattues. Puis les concerts qu'il donnait avec ses cornemuses. Des coureurs de bois venus du Canada prirent l'habitude de s'arrêter chez lui, d'échanger quelques-unes de leurs fourrures contre ses bons propos et ses soirées de musique.

Joffrey de Peyrac lui prit ses fourrures et le paya en quincaillerie et bimbeloterie qui en firent désormais le roi du commerce de la région. Voici ce qu'il raconta à ces dames autour du feu. Il ne savait encore de quel œil considérer les nouveaux arrivants, mais n'étant pas de caractère taciturne, il se disait qu'en attendant c'était toujours de la compagnie. Et quel agrément de revoir des femmes à peau blanche et aux yeux clairs. Lui il avait une femme indienne et des « papooses » ou mioches à volonté.

Ceux-ci présentaient de petits paniers remplis de groseilles, de fraises et de baies des bois aux dames assises sur les bancs, tandis que Crowley continuait la chronique du coin : M. d'Urville, racontait-il, c'était une tête brûlée qui était partie aux Amériques après une sombre histoire de duel. Beau garçon, il avait fait la conquête de la fille du chef des Abenakis-Kakou. C'était lui qui gardait le fort défendant l'accès de la baie de Gouldsboro, en l'absence de M. le comte de Peyrac.

L'Espagnol? Don Juan Fernandez et ses soldats? Des rescapés d'une expédition du Mexique qui avait disparu dans les forêts inviolables du Mississippi. Tous massacrés sauf ceux-là qui s'étaient retrouvés dans le Dawn East, squelettiques, à demi morts, ayant perdu la mémoire de leur passé.

— Ce don Fernandez a l'air féroce, fit remarquer Angélique. Il montre tout le temps les dents.

Crowley secoua la tête avec un sourire. Il expliqua que le rictus de l'Espagnol lui venait d'un tic conservé à la suite des tortures que lui avaient fait subir les Iroquois, peuple cruel, le peuple de la Maison Longue comme on les appelait par ici, à cause de leurs huttes allongées où vivaient plusieurs familles.

M. de Peyrac, quand il avait entrepris un nouveau voyage vers l'Europe, avait voulu rapatrier les Espagnols. Mais, chose étrange, ceux-ci avaient refusé. La plupart de ces mercenaires avaient toujours vécu aux Amériques et ne connaissaient d'autre métier que celui de partir à la recherche de cités fabuleuses et de hacher les Indiens en menu pâté. A part cela, ils n'étaient pas méchants.

Angélique apprécia, comme il se devait, l'humour du conteur.

Celui-ci fit remarquer que le temps s'était levé et, puisque tout le monde était réchauffé, il allait leur montrer ses domaines.

— Il y a par là quatre ou cinq cabanes qu'on peut rendre habitables. Come in! Come in!

Honorine retint Angélique par sa robe.

— Je l'aime bien, M. Cro. Il a des cheveux de la même couleur que les miens et il m'a emmenée sur son cheval.

— Oui, il est très gentil. C'est heureux pour nous de trouver sa jolie maison dès notre arrivée.

Honorine hésitait à poser une question. Elle hésitait, parce qu'elle craignait la réponse.

— C'est peut-être mon père? dit-elle enfin avec

un regard plein d'espoir, en levant son petit museau barbouillé de bleu.

— Non, ce n'est pas lui, dit Angélique souffrant de sa déception comme de tout ce qui atteignait sa fille.

— Ah! tu es méchante, dit Honorine faiblement.

Elles sortirent de la maison et Angélique voulut montrer les roses à l'enfant. Mais celle-ci ne se laissait pas distraire.

— Ne sommes-nous pas arrivées de l'autre côté de la mer? demanda-t-elle au bout d'un instant.

— Oui.

— Alors où est mon père? Tu m'avais dit que je le trouverais de l'autre côté de la mer avec mes frères.

Angélique ne se souvenait pas d'avoir dit une chose semblable mais discuter avec l'imagination d'Honorine n'était pas facile.

— Séverine a de la chance, dit l'enfant en tapant du pied, elle a un père et des frères et moi je n'en ai pas.

— Ne sois pas jalouse. Ce n'est pas beau. Séverine a un père et des frères, mais elle n'a pas de mère. Et toi, tu en as une.

L'argument parut frapper la petite bonne femme. Après un instant de méditation, sa peine s'envola et elle se précipita pour courir avec ses amis.

— Voilà une cabane qui a l'air solide, disait Crowley en donnant de grands coups de bottes dans les pieux d'un édifice bâillant à tous les vents. Installez-vous!

Il était remarquable que ces maisons aient pu résister aux intempéries et la preuve qu'elles avaient été bâties solidement leur était donnée.

Néanmoins les bourgeois rochelais contemplèrent avec désarroi ces ruines qui évoquaient la mort, la maladie, le désespoir d'êtres abandonnés au bout du monde et qui avaient dépéri ici, les uns après les autres, écrasés par la nature hostile. Ce qu'il y avait d'étonnant, c'était ces roses qui, partout, grimpaient et s'entrelaçaient et qui faisaient oublier les mugissements de l'océan proche, et qu'un hiver viendrait avec ses rafales, ses neiges, ses glaces caparaçonnant les rochers, cet hiver qui avait tué jadis les hommes de Champlain.

L'Écossais les regardait sans comprendre pourquoi leurs mines étaient si longues.

— En nous y mettant tous maintenant, vous aurez au moins quatre logis de prêts pour la nuit.

— C'est vrai, au fait, où dormirons-nous la nuit? s'enquirent-ils.

— Il n'y a guère qu'ici que ce soit possible, expliqua Nicolas Perrot, car le fort est déjà plein comme un œuf et il faudrait sans cela retourner à bord.

— Cela, jamais, s'écrièrent-ils avec ensemble.

Les pauvres cabanes leur parurent aussitôt des palais. Crowley dit qu'il pouvait leur procurer des planches, des outils, des clous. Il prit la direction des opérations, envoya les indigènes couper du chaume pour les toits. On se mit à travailler dans la fièvre.

La brume irisée tantôt surgissait, tantôt s'en allait, tantôt découvrait la mer au loin, tantôt environnait la clairière où ils s'activaient, et l'on voyait trembler des reflets roses ou verts, mais personne n'avait le temps d'admirer.

Le pasteur Beaucaire maniait le marteau comme s'il n'avait fait que cela toute sa vie, en fredonnant des psaumes.

A chaque instant, d'autres Indiens débouchaient du sentier continuant d'apporter des œufs, du maïs, du poisson et des crustacés et, aussi, pendu à des perches, un magnifique gibier à plumes, des outardes et des dindes royales. La maison de Crowley avec le « magasin » attenant servait de quartier général.

Mais bientôt une, puis deux maisons furent achevées. On put allumer le feu dans l'une d'elles, et la cheminée tira de bon cœur. Angélique eut la première l'idée de faire remplir d'eau un chaudron, de l'accrocher dans l'âtre et d'y plonger un homard. Puis elle mit trois des jeunes filles à plumer des dindes.

On montait des cadres de bois assemblés avec des fibres d'écorce et cela faisait des lits sur lesquels les barbus jetèrent de lourdes fourrures.

— Vous dormirez bien cette nuit, petits poissons pâles sortis de la mer, belles mouettes blanches qui avez franchi l'océan.

Venus du Nord, des provinces canadiennes, ils parlaient un français lent mais poétique, où se retrouvait l'habitude prise par eux au cours de leurs palabres avec les Indiens, de rechercher les longues périphrases, les images fleuries...

— Rochelais! Rochelais! voyez là, s'exclama Angélique.

Elle désignait l'âtre. Le homard énorme, qui ne voulait pas mourir, soulevait le couvercle. Symbole d'abondance pour ces gens de mer et des rivages, il dressa ses deux pinces par-dessus le bord de la marmite et grandit, grandit comme une apparition tutélaire environnée de vapeur!...

Ils éclatèrent de rire. Les enfants poussaient des cris aigus. Ils s'élancèrent au-dehors, se bousculant, se roulant à terre, riant à perdre haleine.

— Ils sont saouls, s'écria Mme Manigault avec effroi, qu'est-ce qu'on leur a fait boire?

Les mères allèrent examiner les gobelets dont s'étaient servis les enfants. Mais ils n'étaient saouls que de baies mûres, d'eau de source, de feu dansant dans l'âtre...

— Ils sont saouls de la terre, dit le pasteur avec attendrissement. La terre retrouvée. Quel que soit son aspect, le point du monde où elle surgit, comment n'enchanterait-elle pas après les longs jours obscurs du déluge?...

Il désigna les couleurs du prisme qui tremblaient à travers les feuillages et enjambaient les rochers de la grève pour aller se refléter dans les flots.

— Regardez mes fils, regardez, voici le signe de la Nouvelle Alliance.

Il étendit les bras et des larmes coulèrent sur son visage parcheminé.

3

A la nuit tombante le comte de Peyrac, escorté par les soldats espagnols, se présenta au camp Champlain. Il était à cheval et menait six montures pour être mises à la disposition des Protestants.

— Les chevaux sont rares ici. Prenez-en grand soin.

En selle au milieu du camp, il inspecta les cabanes alentour et remarqua l'animation ordonnée qui régnait dans ce lieu naguère en ruine et sinistre. La fumée s'élevait au-dessus des toits. Il fit déposer à terre par les Indiens qui le suivaient de lourdes caisses. On en sortit des armes neuves enveloppées soigneusement.

— Un mousquet pour chaque homme et chaque femme. Ceux ou celles qui ne savent pas tirer apprendront. Qu'on organise dès demain à l'aube un enseignement de tir.

Manigault qui s'était avancé à sa rencontre prit une des armes avec méfiance.

— C'est pour nous?

— Je vous l'ai déjà dit. Vous vous partagerez également sabres et poignards et, pour les meilleurs tireurs d'entre vous, il y a six pistolets. Je ne peux faire plus aujourd'hui.

Manigault fit une moue dédaigneuse.

— Que dois-je comprendre? Ce matin nous étions chargés de chaînes et sur le point d'être pendus, ce soir vous nous armez jusqu'aux dents fit-il, presque choqué de ce qu'il prenait pour une inconséquence de caractère. Ne nous faites pas l'insulte de nous croire si promptement vos alliés. Nous continuons à être ici contre notre gré et nous ne vous avons pas encore donné notre réponse, que je sache, à vos propositions forcées.

— Ne tardez pas trop à faire votre choix car je suis malheureusement dans l'obligation de vous armer. On m'a porté message qu'une bande de Cayugas, de la race iroquoise qui nous est hostile, nous était envoyée pour prendre nos scalps.

— Nos scalps, répétèrent les autres en portant leurs mains à leurs cheveux.

— Ce sont des ennuis qui peuvent arriver de temps à autre par ici. L'Angleterre et la France ne se sont pas encore entendues sur l'appartenance du Dawn East à l'une ou l'autre couronne. Cela nous permet, à nous, colons, d'œuvrer en paix, mais cependant, périodiquement, les administrateurs de Québec payent une expédition aux tribus frontalières afin de faire chasser les Blancs qui pourraient s'installer sans autorisation du roi de France. L'Angleterre agit de même mais elle a plus de mal à recruter ses complices car je me suis acquis l'appui du grand chef des Mohicans Massawa. Cependant aucun Blanc de la grande forêt n'est tout à fait à l'abri d'un massacre entrepris par l'une ou l'autre des tribus dispersées.

— Charmant, dit Mercelot sarcastique. Vous nous vantiez le charme et la richesse de « votre » domaine que si grandement vous nous accordez mais vous avez omis de nous en signaler les dangers et que nous risquions de nous faire massacrer par des sauvages tout nus.

— Qui vous a enseigné, messieurs qu'il existe un lieu sur la terre où l'homme n'a pas à se battre pour sauvegarder l'intégrité de sa vie? Le paradis terrestre n'existe plus. La seule liberté de l'homme, c'est de pouvoir choisir comment et pourquoi il veut vivre, lutter et mourir. Et les Hébreux euxmêmes ont combattu avec Josué pour conquérir la Terre Promise.

Il tourna bride et se fondit dans l'obscurité.

Au couchant, des nuages soufrés voguaient ainsi

que les fumées d'un immense incendie sur la toile de fond d'un ciel blanc de nacre.

La mer était d'or bruni et les îles noires paraissaient se multiplier comme un troupeau de squales se pressant le long de ses rivages.

Crowley s'approcha en disant qu'on pourrait profiter des dernières lueurs du jour pour organiser les postes de défense et placer les sentinelles.

— C'est donc sérieux, cette histoire d'Indiens?

— Ça peut arriver. Il vaut mieux être prévenu et se tenir sur le qui-vive que de se retrouver avec une flèche entre les épaules.

— Je croyais qu'il plaisantait, fit Manigault songeur en regardant les armes déposées à ses pieds.

Le pasteur Beaucaire se tenait les yeux clos, comme frappé par la foudre.

— Il plaisante mais il connaît les Écritures, marmonna-t-il. Ses plaisanteries ouvrent des perspectives à de nombreuses méditations. Mes frères, avons-nous seulement mérité la Terre Promise? Loin d'en vouloir au Seigneur pour les épreuves qu'Il nous envoie, sachons les accueillir comme le juste rachat de nos fautes et le prix dont il nous faut payer notre liberté.

Angélique écoutait décroître le galop d'un cheval dans la nuit. Souffle du vent et de la mer. Mystère de la nuit sur une terre inconnue et ses dangers.

Ceux qui veillèrent cette nuit-là, aux aguets des moindres bruits, s'étonnaient du calme qui les habitait. L'angoisse malsaine et les doutes les avaient quittés. D'être responsables de ces quelques arpents de sol où ils venaient d'édifier leurs abris précaires, les avait subitement réconfortés.

La main sur le canon des armes, les yeux ouverts sur les ténèbres, les Protestants se relayèrent aux gardes de veille, et leurs silhouettes rigides se profilaient près de celles, hérissées de fourrures, des coureurs de bois, devant les feux. Les trappeurs, en phrases fleuries et pittoresques, les initiaient au monde encore incivilisé qui les entourait. Les Rochelais commençaient d'oublier leur passé.

Au matin il ne s'était produit aucune alerte et l'on en éprouvait une vague déception.

Angélique demanda si elle pouvait se servir d'un des chevaux pour se rendre à Gouldsboro.

De tous, aujourd'hui, elle était peut-être la moins sereine. Son mari continuait à ne pas lui assigner de place à ses côtés. Venu la veille, il n'avait même pas cherché à la voir, ne s'était pas informé d'elle. Il affectait tour à tour de la traiter avec une familiarité complice ou de la laisser à son indépendance.

C'était en fait une attitude nécessaire tant que ceux qui les entouraient ignoreraient les liens qui les unissaient. Mais Angélique commençait à perdre patience. L'éloignement de Joffrey de Peyrac lui était intolérable. Elle avait besoin de le voir, de l'entendre.

Crowley lui dit de prendre garde aux Indiens Cayugas. Elle haussa les épaules. Les Indiens Cayugas! Dans son humeur morose, elle n'était pas loin d'accuser Joffrey d'en avoir pris prétexte pour la délaisser.

— Le maître a interdit que quiconque s'éloigne du camp Champlain, dit encore l'Ecossais.

Angélique passa outre, l'air buté. Il fallait, dit-elle, qu'elle aille à Gouldsboro.

Comme elle montait en selle, Honorine hurla tant qu'elle dut la prendre avec elle.

— Oh! Honorine! Honorine, ma pauvre chérie, ne pourrais-tu pas un seul jour te tenir tranquille?

Néanmoins elle cala solidement l'enfant contre elle et s'éloigna. Cela lui rappelait ses chevauchées d'autrefois avec Honorine, dans la forêt de Nieul.

Elle suivit le chemin velouté d'herbes sèches qui étouffaient le bruit du galop. L'été finissant y laissait flotter un parfum de noisette et de pain chaud. Senteur familière et délicieuse. Il devait y avoir des baies sous les feuillages.

A la beauté connue des forêts de chênes et de châtaigniers s'ajoutait le charme exotique des bouleaux clairs, à la soie déchirée, des érables saignant leur sève parfumée. Angélique reconnaissait avec volupté son climat de prédilection. Mais le mystère de cette forêt était d'une autre qualité que celui de Nieul et diffusait un autre enchantement venu de sa virginité. Nieul était alourdi de son passé druidique. Ici, le souvenir des seuls hommes blancs qui avaient abordé dans le passé, les Vikings, s'arrêtait au bord des plages avec d'étranges tours de grosses pierres, édifiées par eux.

La forêt n'avait pas même connu l'empreinte de leurs pas conquérants. Elle ne connaissait que celle des bêtes multiples et du pied glissant de l'Indien, rare et silencieux.

Angélique ne s'aperçut pas que son cheval s'engageait dans un autre sentier menant vers le sommet d'une colline. Elle demeura surprise par la brusque échappée d'air. Un champ de maïs s'étendait à sa vue. Parmi les hautes feuilles crissantes, sur une plate-forme de bois qu'abritait une tonnelle, un Indien accroupi, comme une statue immobile surveillait de sa longue gaule les oiseaux pillards.

Sur la droite s'apercevait la palissade du village indien d'où montait la fumée des huttes. Plus loin alternaient un champ de blé, un champ de courges, un autre d'une plante inconnue à grosses feuilles vernissées qu'elle pensa être du tabac. Un peu partout des tournesols éclatants s'épanouissaient. Mais très vite la forêt se referma sur ce tableau champêtre.

Surprise, la cavalière n'avait pas pensé à demander sa route. Le cheval continuait de monter comme habitué à cette promenade. Parvenu au sommet, il fit halte de lui-même. Angélique jeta un regard peureux et cependant avide sur la contrée qui s'étendait à ses pieds. Partout entre les rocs et les arbres se devinait le miroitement d'innombrables lacs et d'étangs, une mosaïque blanche et bleue, sertie par les falaises d'où tombaient de blanches cascades.

Elle n'osait respirer, prenant possession du paysage gigantesque et serein qu'il lui faudrait faire sien.

C'est alors qu'Honorine bougea contre elle et tendit son petit bras.

— Là, dit-elle.

Un vol d'oiseaux s'élevait en contrebas et passa près d'elle avec de rauques jacassements.

Mais Honorine demeurait le bras tendu. C'était moins les oiseaux qu'elle avait voulu désigner que ce qui avait provoqué leur envol.

Le regard d'Angélique plongeant du haut de la

falaise découvrit une longue file d'Indiens s'avançant l'un derrière l'autre le long d'un ruisseau. La distance et les ramures ne lui permettaient pas de les distinguer nettement mais elle pouvait discerner qu'ils étaient fort nombreux et que ce n'étaient pas des paysans se rendant aux champs. Nul instrument aratoire sur leurs épaules, mais seulement l'arc et le carquois.

— Des chasseurs peut-être?

Elle essayait de se rassurer mais elle avait immédiatement songé aux Cayugas. Elle se recula un peu sous les arbres afin de ne pas risquer d'être aperçue.

Les Indiens se glissaient le long du ruisseau avec une agilité prudente. Les plumes rouges et bleues de leurs coiffures tramaient comme un long serpent bariolé entre les feuilles. Ils étaient vraiment très nombreux... trop nombreux! Leur colonne coupait droit vers la mer. Elle regarda au delà, aperçut dans le lointain brumeux la silhouette du fort Gouldsboro sur la baie dont l'étendue étincelante se confondait avec le ciel blanchâtre sous le rayonnement du soleil. La route qui allait de Gouldsboro au camp Champlain était visible.

« Si les Indiens y parviennent, nous allons être coupés du Fort et ne pourrons nous porter secours mutuellement. Heureusement que Joffrey a distribué des armes... »

C'est alors, comme elle songeait à lui, qu'elle distingua un cavalier européen, venant du fort et galopant sur la route. Son instinct lui fit reconnaître avant même qu'il se rapprochât, celui qui s'avançait. Ce manteau noir flottant, ce panache au vaste feutre... C'était le comte de Peyrac. Seul!

Elle étouffa un cri. De son belvédère, elle voyait les Indiens atteindre le sentier du rivage, se rassembler en groupe. Dans quelques minutes le cavalier, lancé à toutes brides, déboucherait sur eux. Rien ne pouvait l'avertir du danger.

Elle cria de toutes ses forces. Mais sa voix ne pouvait l'atteindre et se perdit dans l'espace illimité. Cependant, tout à coup — était-ce l'instinct de celui qui avait tant de fois rencontré la mort sur sa route qui l'avertissait, ou bien l'un des Indiens avait-il tiré trop tôt sa première flèche, ou un autre avait-il poussé son cri de guerre — elle le vit retenir sa monture avec une telle violence que le cheval se cabra, puis faisant demi-tour, quitter le chemin pour s'élancer à l'assaut d'un petit tertre rocheux qui dominait les arbres. De là, il embrassa d'un bref regard le tour d'horizon afin de juger de la situation. Son cheval se cabra encore, sans cause apparente, puis s'effondra. Angélique comprit qu'une flèche venait d'atteindre l'animal. C'était donc les Cayugas redoutés. Heureusement Joffrey de Peyrac avait pu se dégager à temps des étriers et avait bondi pour s'abriter derrière les rochers qui couronnaient l'éminence. Un petit nuage blanc monta puis le bruit d'une détonation parvint à la jeune femme. Il tirait et chacun de ses coups, sans doute, ferait une victime. Mais il ne pouvait avoir assez de munitions pour faire face longtemps aux ennemis qui commençaient à le cerner. Un second flocon de fumée monta.

Honorine tendit derechef son petit doigt.

— Là.

— Oui, là, répéta Angélique désespérée de son impuissance.

La détonation claqua à ses oreilles avec un bruit ténu de noix qu'on écrase.

— Personne ne pourra l'entendre de Gouldsboro. C'est trop loin.

Elle voulut s'élancer dans la direction du combat, mais les branches l'arrêtèrent et d'ailleurs elle était sans armes. Elle fit demi-tour et reprenant le sentier par lequel elle était venue, descendit la colline au galop. Son cheval volait. En traversant les plantations indiennes elle cria au gardien de maïs immobile sous son abri.

— Les Cayugas! Les Cayugas!

Elle fit irruption en trombe dans le camp Champlain.

— Les Cayugas attaquent mon mari sur la route de Gouldsboro. Il s'est retranché derrière des rochers mais il sera bientôt à cours de munitions. Venez vite!

— Qui est attaqué? demanda Manigault qui n'était pas sûr de ce qu'il avait entendu.

— Mon... Le comte de Peyrac.

— Où est-il? s'informa Crowley accouru.

— A peu près à un mile d'ici.

Elle tendait machinalement Honorine aux premiers bras venus.

— Donnez-moi vite un pistolet.

— Un pistolet à une lady! s'exclama l'Écossais, offusqué.

Elle lui arracha celui qu'il avait en main, le

vérifia, l'ajusta, le chargea avec une promptitude qui décelait une longue pratique.

— De la poudre! Des balles! Vite!

A son tour, sans plus discuter, l'Ecossais avait saisi un mousquet et sautait en selle. Angélique s'élança à sa suite le long du rivage.

Bientôt les détonations leur parvinrent ainsi que le cri de guerre des Iroquois. Le petit homme se retourna pour lui crier avec une grimace joyeuse.

— Il tire encore. Nous arrivons à temps!

A un détour, un groupe d'Indiens leur barra la route. Surpris eux-mêmes ils n'eurent pas le temps d'armer leurs arcs. Crowley les traversa, suivi d'Angélique en les assommant à droite et à gauche à coups de crosse.

— Arrêtons-nous, ordonna-t-il un peu plus loin. J'en vois d'autres qui accourent. Mettons-nous sous le couvert des arbres.

Ils n'eurent que le temps de se retirer derrière les troncs. Les flèches vibraient autour d'eux en s'enfonçant dans le bois dur. Angélique et Crowley tiraient alternativement. Les Indiens finirent par monter dans les arbres afin de contrôler le sentier sans y laisser, à coup sûr leurs vies. Mais Crowley les atteignait encore entre les branches et des corps dégringolaient lourdement.

Angélique aurait voulu avancer plus loin. Crowley l'en dissuada. Ils n'étaient que deux.

Tout à coup ils perçurent l'approche d'un galop venant du camp Champlain. Six cavaliers surgissaient, armés. Il y avait Manigault, Berne, Le Gall, le pasteur Beaucaire et deux des coureurs de bois.

— Passez outre, messieurs, leur cria Crowley,

et courez sus pour délivrer M. de Peyrac. Je garde le passage et vous éviterai d'être pris à revers.

Le groupe passa en trombe. Angélique remonta à cheval et se joignit à eux. Un peu plus loin ils furent encore arrêtés mais les Indiens sous l'élan furieux des Blancs se dispersèrent. Ceux qui s'élancèrent, le tomahawk levé, furent arrêtés, la face trouée, sous les coups de pistolets à bout portant.

Le groupe progressa encore. Avec soulagement, Angélique vit qu'il parvenait à l'emplacement où son mari continuait à se défendre. A leur tour, ils durent mettre pied à terre et s'abriter. Mais leur présence gênait fort les assaillants. Pris entre le feu du comte de Peyrac sur la hauteur, celui des Protestants et des coureurs de bois, et celui de Crowley, ils commencèrent, malgré leur nombre, à donner des signes d'inquiétude.

— Je t'ouvre le chemin, dit Manigault à Le Gall et tu fonces jusqu'à Gouldsboro donner l'alarme et ramener du renfort.

Le marin sauta sur son cheval et profitant d'un moment où le sentier était dégagé par un feu nourri, il s'élança ventre à terre. Une flèche siffla à ses oreilles, lui enlevant son bonnet.

— Passé, dit Manigault. Ils ne peuvent le poursuivre. Maintenant il ne s'agit plus que de patienter jusqu'à ce que M. d'Urville et ses hommes arrivent.

Les Cayugas commençaient à comprendre ce qui les menaçait. Armés seulement de flèches et de tomahawks, ils ne pouvaient affronter les armes à feu de tous les Blancs réunis. Leur guet-apens n'avait pas réussi. Il leur fallait battre en retraite.

Ils commencèrent à se retirer en rampant vers la

forêt afin de se rassembler près du ruisseau. De là ils rejoindraient la rivière où les attendaient leurs canoës. L'approche des renforts venus de Gouldsboro transforma leur retraite en débandade. Ils se heurtèrent alors aux indigènes du village qu'Angélique avait alertés et qui les criblèrent de flèches. Les survivants durent renoncer à atteindre le ruisseau et n'eurent d'autre ressource que de s'égayer droit devant eux à travers la forêt. On ne se préoccupa pas de savoir ce qu'ils deviendraient.

Angélique s'était précipitée vers le tertre, sans souci d'enjamber les longs corps cuivrés abattus comme de grands oiseaux au plumage royal. Son mari n'apparaissait pas. Elle le découvrit penché sur le cheval blessé. Il venait de lui donner le coup de grâce.

— Vous êtes vivant! dit-elle. Oh! J'ai eu terriblement peur. Vous galopiez à leur rencontre. Tout à coup vous vous êtes arrêté. Pourquoi?

— Je les ai reconnus à l'odeur. Ils s'enduisent le corps d'une graisse dont le vent m'a porté le relent. Je suis monté sur cette éminence afin de voir si ma retraite n'était pas coupée. C'est alors qu'ils ont abattu mon cheval. Pauvre Soliman! Mais comment vous trouvez-vous ici, imprudente, et comment êtes-vous au courant de cette escarmouche?

— J'étais là-bas sur la colline. Je vous ai vu en difficulté et j'ai pu courir jusqu'à Fort-Champlain pour chercher du secours. Ils sont venus.

— Que faisiez-vous sur la colline, demanda-t-il?

— Je voulais me rendre à Gouldsboro et me suis trompée de sentier.

Joffrey de Peyrac croisa ses bras sur sa poitrine.

— Quand donc, fit-il d'une voix contenue, accepterez-vous de respecter mes ordres et la discipline que j'impose? J'avais donné l'interdiction de sortir des camps. C'était de la dernière imprudence.

— Ne vous êtes-vous pas vous-même engagé de la même façon?

— C'est exact et j'ai failli le payer fort cher. Et j'ai perdu un cheval. Pour quelle raison étiez-vous sortie du camp?

Elle avoua sans fard :

— Je n'en pouvais plus de ne pas vous voir. Je venais au-devant de vous.

Joffrey de Peyrac se détendit. Il eut un petit sourire.

— Moi aussi, dit-il.

Il lui prit le menton et approcha son visage noir de poudre du visage aussi maculé d'Angélique.

— Nous sommes un peu fous tous les deux, murmura-t-il avec douceur. Ne trouvez-vous pas?

— Etes-vous blessé, Peyrac? criait la voix de M. d'Urville.

Le comte escalada les rochers et descendit vers les gens rassemblés.

— Soyez remerciés, messieurs, de votre intervention, dit-il aux Protestants. L'incursion de ces bandits n'aurait pu se réduire qu'à une simple escarmouche, si je n'avais eu la sottise de m'aventurer sans escorte hors du camp. Que ceci nous serve de leçon à tous. Ces incursions des tribus hostiles ne représentent pas un danger grave, si, prévenus à temps nous savons rester groupés et organiser nos défenses. J'espère qu'aucun d'entre vous n'est blessé?

— Non, mais de justesse, répondit Le Gall en contemplant son bonnet qu'il avait ramassé.

Manigault ne savait pas quelle contenance prendre. Les événements allaient trop vite pour lui.

— Ne nous remerciez donc pas, fit-il avec humeur, tout ce que nous faisons est tellement illogique.

— Croyez-vous, répondit Peyrac en le fixant bien dans les yeux. Je trouve au contraire que tout ce qui vient de se dérouler est dans la logique du Dawn East. Avant-hier vous vouliez ma mort. Hier, je voulais vous pendre. Mais, au soir, je vous ai armés afin que vous puissiez vous défendre et, ce matin, vous m'avez sauvé la vie. Quoi de plus logique?

Il plongea le poing dans sa bourse de cuir et montra sur sa paume ouverte deux petites boules brillantes.

— Voyez, dit-il, il ne me restait plus que deux balles.

Dans l'après-midi tout le camp Champlain se rendit à une convocation qui leur avait été faite pour accueillir le grand Sachem Massawa à Gouldsboro. Les hommes armés marchaient au flanc de la colonne, escortant les femmes et les enfants. En passant vers le lieu où le matin s'était déroulé le bref combat contre les Cayugas, ils firent halte.

Le sang séché était devenu noir. Des oiseaux tournoyaient au-dessus des cadavres abandonnés. Tableau de mort qui démentait la vie frémissante des arbres remués par une douce brise et le chant de la mer proche.

Ils restèrent silencieux un long moment.

— Telle sera notre vie, dit enfin Berne, répondant à leurs pensées.

Ils n'étaient pas tristes, ni même effrayés. Telle serait leur vie.

Le comte de Peyrac les attendait devant le fort. Il vint au-devant d'eux et, comme au jour du débarquement, il les fit se grouper sur la plage. Il paraissait soucieux. Après avoir salué courtoisement les dames, il parut réfléchir, les yeux tournés vers la baie.

— Messieurs, l'incident de ce matin m'a amené à faire réflexion sur votre sort. Les dangers qui vous entourent m'ont paru grands. Je vais vous rembarquer et vous conduire aux Iles d'Amérique.

Manigault sursauta comme piqué par une guêpe.

— Jamais, rugit-il.

— Merci, monsieur, dit le comte en s'inclinant, vous venez de me donner la réponse que j'attendais de vous. Et je dédie une pensée reconnaissante aux braves Cayugas dont l'incursion sur vos terres vous a soudain fait prendre conscience de l'importance que vous y attachiez déjà. Vous restez.

Manigault comprit qu'il était une fois de plus

tombé dans le piège tendu et hésita à se fâcher.

— Eh bien! oui, nous restons grommela-t-il. Croyez-vous que nous allons nous plier à tous vos caprices. Nous restons et ce n'est pas le travail qui manque.

La jeune femme du boulanger intervint avec timidité.

— J'ai pensé à une chose, monseigneur. Qu'on me donne une belle farine et qu'on m'aide à construire un four dans la terre ou avec des cailloux et je pourrai brasser du pain tant qu'il en faudra car j'aidais mon homme dans son commerce. Et mes petits aussi savent façonner des brioches et des pains au lait.

— Et moi, s'écria Bertille, je pourrai aider mon père à couler le papier. Il m'a appris ses secrets de fabrication car je suis sa seule héritière.

— Du papier! Du papier! s'écria Mercelot comme s'il pleurait, tu es folle, ma pauvre enfant. A-t-on besoin de papier dans ce désert?

— C'est ce qui vous trompe, dit le comte. Après le cheval, le papier est la plus belle conquête de l'homme, qui ne peut vivre sans papier. Il s'ignore s'il ne peut exprimer sa pensée en lui donnant une forme moins périssable que la parole. La feuille de vélin est le reflet où il aime à se contempler, comme la femme dans son miroir... A propos, j'oubliais, mesdames, que je vous avais réservé d'indispensables accessoires sans lesquels vous ne pourriez entreprendre une existence nouvelle... Manuello, Giovanni!...

Les matelots hélés s'approchèrent portant un coffre qu'ils avaient débarqué avec précaution de la chaloupe. Ouvert, il révéla, entre des couches d'herbes sèches protectrices, des miroirs de toutes formes et de toutes tailles.

Joffrey de Peyrac les prit et les offrit aux dames et aux jeunes filles, les saluant l'une après l'autre, comme au premier soir sur le *Gouldsboro*.

— Le voyage s'achève, mesdames. S'il fut troublé et parfois pénible, je voudrais pourtant que vous n'en gardiez en souvenir que cette bagatelle où vous pourrez contempler vos traits. Ce petit miroir deviendra pour vous un fidèle compagnon, car j'ai omis de vous signaler une des caractéristiques de ce pays. Il rend beau. Je ne sais si ce phénomène est dû à la fraîcheur de ses brouillards, aux effluves magiques et mêlés de la mer et de la forêt, mais les êtres qui l'habitent sont réputés pour la perfection de leurs corps et de leurs visages. Moins que d'autres, vous ne ferez mentir le dicton. Regardez-vous! Contemplez-vous!

— Je n'ose pas, dit Mme Manigault en tâtant sa coiffe et en essayant de rattraper ses cheveux, il me semble que j'ai une tête à faire peur.

— Mais non, mère. Vous êtes très belle, c'est vrai, s'écrièrent en chœur ses filles, touchées de sa confusion.

— Restons, supplia Bertille, en faisant jouer le miroir à poignée d'argent dans lequel elle venait de s'apercevoir.

4

Le grand sachem Massawa paraissant sur son cheval blanc prit pour une manifestation particulière de bienvenue à son égard le miroitement des glaces que brandissaient des femmes aux visages pâles et à l'accoutrement étrange.

Il en fut hautement satisfait. Il descendit le sentier au pas compté de sa monture, entouré de sa garde de guerriers et des Indiens accourus de toutes parts. De sorte qu'il paraissait s'avancer au milieu d'une gerbe de plumes. Le son rythmé d'un tambour accompagnait cette marche et les bonds souples des danseurs le précédant.

Il mit pied à terre en arrivant au bas de la pente et vint vers le groupe avec une lenteur solennelle et calculée. C'était un vieillard de haute stature au visage de cuivre rouge strié de mille rides. Son crâne rasé, teint en bleu, supportait au sommet un véritable geyser de plumes multicolores et deux longues queues touffues et retombantes d'un pelage rayé gris et noir qui devait appartenir à une espèce locale de chat sauvage.

Son buste nu, ses bras cerclés de bracelets, ses jambes étaient si finement travaillés de tatouages qu'on l'aurait dit revêtu d'une mince résille bleue. Il portait en sautoir, depuis l'épaule jusqu'aux hanches, plusieurs tours de perles grossières, cabochons de verre de toutes couleurs. Il en avait aussi aux bras et aux chevilles avec des plumes. Son pagne sommaire et son grand manteau étaient faits d'un tissu de fibres végétales lustré et simple, mais superbement brodé de noir sur fond blanc. Aux oreilles, il portait de bizarres pendeloques faites de vessies de peaux, gonflées et peintes en rouge.

Le comte de Peyrac vint à lui et ils se saluèrent avec des gestes hiératiques du bras et de la main.

Après quelques minutes de colloque, le chef reprit sa marche vers les Protestants, mais cette fois il portait précieusement à deux mains un long bâton orné de deux ailes blanches de goéland et qui se terminait par une custode d'or d'où s'échappait un léger filet de fumée.

Il s'arrêta devant le pasteur Beaucaire que lui désignait Peyrac.

— Monsieur le pasteur, dit ce dernier, le grand Sachem Massawa vous présente ce que les Indiens nomment le calumet de la paix. Ce n'est qu'une longue pipe bourrée de tabac. Vous devez en tirer quelques bouffées en sa compagnie car goûter à la même pipe est un signe d'amitié.

— C'est que je n'ai jamais fumé, dit le vieil homme avec appréhension.

— Essayez cependant! Refuser serait considéré comme une déclaration d'hostilité.

Le pasteur porta le calumet à ses lèvres et fit de son mieux pour dissimuler son haut-le-cœur. Le grand Sachem, après avoir soufflé à son tour de longues volutes, la remit à un adolescent élancé, aux grands yeux noirs, qui le suivait partout et il alla s'asseoir auprès du comte sur des tapis que l'on avait amoncelés à l'abri d'un chêne séculaire dont les énormes racines s'allongeaient comme des tentacules, jusqu'à la mer ou presque.

Sur une indication que leur communiqua Nicolas Perrot, le pasteur et Manigault durent à leur tour prendre place à la gauche du sachem.

Celui-ci continuait d'afficher une impassibilité de mise. Il paraissait n'attacher son attention à rien spécialement. Mais sa peau glabre et plissée frémissait imperceptiblement.

Il offrait une image un peu pétrifiée, mais aussi celle d'un être aux aguets. L'une de ses mains était plongée négligemment dans un coffre, contenant des perles et des pierres brillantes, que lui avait offert le comte de Peyrac, tandis que l'autre caressait une hachette à simple manche de merisier, mais dont le tranchant était formé par une splendide jaspe du Mexique, tandis qu'une grosse émeraude terminait le manche. C'était moins un objet de guerre qu'un bijou symbolique.

Par moments, une rapide contraction bridait davantage ses yeux obliques, lorsqu'ils se posaient à la dérobée sur son coursier blanc, tandis qu'à d'autres le coup d'œil, comme un trait de rasoir, passait sur l'un ou l'autre des assistants, faisant tressaillir aussi bien le peu réceptif avocat Carrère qu'un homme aguerri comme Berne.

Angélique éprouva le même indéfinissable choc et sa gêne subsista, alors même que le chef détournait son visage, apparemment détaché et camouflé par une expression d'ennui condescendant.

Deux Indiens, couverts d'ornements, se tenaient derrière lui.

Nicolas Perrot les présenta lorsqu'il s'avança pour traduire les paroles du Sachem. S'adressant aux Protestants il y ajoutait des explications.

— Le grand chef Massawa est venu par voie de terre des environs de New Amsterdam, c'est-à-dire New York. Massawa n'a jamais voulu mettre les pieds sur un navire, encore qu'il voyage volontiers des mois en pirogue. Ici se trouve l'extrême limite de sa juridiction et il est rare qu'il s'y rende, mais la rencontre avec le comte de Peyrac, à son retour d'Europe, avait été prévue de longue date...

Il est bon que vous y participiez si vous devez demeurer ici... Les deux autres que vous voyez là sont des chefs locaux, les chefs Kakou et Mulofwa, commandant les Abénakis, pêcheurs et chasseurs des côtes, et des Mohicans, cultivateurs et guerriers de l'arrière-pays.

Le grand Sachem se mit à parler, après avoir salué le ciel et le soleil. Sa voix adoptait le ton d'une litanie monocorde qui, parfois, semblait exprimer une sourde menace.

— ... Ce n'est point la coutume qu'un aussi grand chef que moi, Massawa, dont les terres s'étendent du lointain Sud, où pousse le tabac et où j'ai combattu contre mon gré le fourbe Espagnol qui nous promettait l'appui de ses colons, mais qui voulait nous transformer en esclaves ou en errants... jusqu'aux confins du grand Nord dont seul le brouillard forme la mouvante frontière de mon règne, je veux parler du pays où nous sommes, où mon vassal Abénakis-Kakou, grand pêcheur et chasseur de phoques, ici présent, de même que mon autre vassal non moins vaillant, le puissant guerrier et chasseur de rennes, élans et ours, chef des Mohicans... Ce n'est pas donc à moi, grand chef de puissants et redoutables chefs de venir devant un Visage Pâle, si renommé soit-il, pour délibérer de la paix ou de la guerre parmi nous...

Ce monologue était coupé de pauses pendant lesquelles le Sachem semblait s'endormir, tandis que le Canadien traduisait ses paroles.

— ... Mais je n'oublierai pas que j'ai partagé ma puissance avec ce seigneur venu de l'autre côté de la mer, car il n'a jamais fait usage de ses armes contre mes frères rouges... Je lui ai donné pouvoir de faire prospérer mes terres selon l'art des Visages Pâles, alors que je garde celui de gouverner mes frères selon nos traditions... Ainsi l'espoir est né en mon cœur fatigué de tant de combats et de déceptions... J'accueillerai donc ses amis en son nom, parce qu'il ne m'a pas encore trompé.

La palabre dura longtemps. Angélique voyait que son mari y apportait une attention extrême, se gardant de nul mouvement d'impatience. Elle crut comprendre que le Sachem s'inquiétait du comportement des nouveaux venus vis-à-vis des indigènes de la zone côtière lorsque lui-même ou son allié, serait absent.

— Ne vont-ils pas oublier les promesses que tu m'as faites et se laisser entraîner par la faim de broyer et d'écraser tous les autres humains autour d'eux, cette faim insatiable qui habite le cœur des Visages Pâles?... Quand tu seras au loin?...

« De quelle absence veut-il parler? » se demanda Angélique.

La brûlure du regard du grand Sachem l'atteignait parfois et, pourtant, aucun observateur attentif n'aurait pu dire qu'il avait posé les yeux sur cette femme.

« Il faut absolument que je le trouve sympathique sinon nous sommes tous perdus, se dit-elle encore, s'il sent ma crainte ou mes soupçons, je m'en ferai un ennemi. »

Mais quand Nicolas Perrot eut traduit la phrase où il parlait de la faim d'écraser les autres qui habitait le cœur des Visages Pâles, elle trouva le chemin de cette race inconnue, comme l'avait fait, avant elle, son mari.

« C'est lui qui a peur et qui s'interroge. C'est un homme fier qui est allé, les mains chargées d'offrandes, au-devant des hommes bardés de fer et de feu qui débarquaient sur ses rivages... Et on l'a contraint de haïr et de combattre... »

Aux pieds de Massawa, l'adolescent aux grands yeux noirs qu'elle avait remarqué à l'arrivée se leva enfin et, prenant la petite hachette de jaspe que lui tendait le Sachem, l'enfonça d'un coup sec dans le sable rouge.

Ce fut le signal d'une autre cérémonie. Tout le monde se leva et se porta jusqu'au bord de la mer. Massawa se versa plusieurs fois l'eau glacée sur la tête, puis se servant d'un faisceau de paille de maïs comme d'un goupillon trempé dans une calebasse remplie d'eau de mer, aspergea largement autour de lui, ses administrés aussi bien que ses anciens et nouveaux amis en répétant le salut indien :

— « Na pou tou daman asurtati... »

Ensuite tous s'assirent au bord de la plage pour partager le festin.

5

Joffrey de Peyrac pensait au vieux sachem Massawa. La journée qui s'achevait lui avait apporté, à côté de grandes satisfactions, des inquiétudes sérieuses.

Le lien qui retenait encore Massawa sur le chemin de la révolte contre les Européens, lui avait paru ce jour-là particulièrement fragile, et il en était d'autant plus anxieux qu'il comprenait les mille raisons qu'avait le grand chef de se livrer à une guerre acharnée qui ne serait autre que la solution du désespoir. Massawa ne pourrait jamais comprendre que les Blancs avec lesquels il faisait alliance n'étaient pas libres et que, désavoués par des gouvernements lointains, ils se trouvaient acculés à des actes de traîtrise envers lui.

Ici, heureusement, dans le Dawn East, à l'écart, presque ignoré, le gentilhomme français pouvait encore agir à sa guise. Massawa connaissait la valeur de sa parole. Ce n'était pas sans intention qu'il avait remis la hache de guerre à son petit adopté espagnol, un enfant dont les parents avaient été massacrés par l'une de ses tribus, et qu'il avait recueilli et élevé pour lui enseigner « la vie heureuse ». En le chargeant d'enterrer la hache symbolique dans le sable, il réaffirmait sa volonté d'espérer.

Il venait de s'éloigner, comblé de cadeaux. Au brouhaha de la journée succédait un calme pesant. Les humains disparus, l'alentour retrouvait la solennité des paysages vierges.

Le comte de Peyrac marchait seul sur la grève. D'un pas prompt, il escaladait les roches rouges que le soir violaçait et s'arrêtait parfois, laissant son regard errer sur la baie et ses promontoires.

Les îles s'endormaient dans les brumes ressemblant à de multiples nuages sur un firmament de couleur lilas. Sur la hauteur, le fort de rondins se confondait avec la forêt. Dans la baie, le navire à l'ancre s'effaçait. Le bruit du ressac paraissait s'amplifier en harmonies sonores. La mer, maîtresse impérieuse d'une côte qu'elle modelait chaque saison à l'image de ses caprices, réaffirmait ses droits. Bientôt, ce serait l'hiver, le spectacle des tempêtes lyriques et démentielles de la terre américaine : ouragan, froid noir, bandes de loups affamés. Joffrey de Peyrac serait loin, affrontant le même hiver parmi les forêts et les lacs de l'arrière-pays.

Le *Gouldsboro* serait loin. Il en donnerait le commandement à Erikson et, dès les derniers jours de l'automne, le navire ferait voile vers l'Europe emportant des fourrures, seule marchandise négociable à exporter encore de la contrée inexploitée.

Le comte s'interrogeait. Et le trésor des Incas, récupéré par ses plongeurs sur les galions espagnols dans les mers des Caraïbes? Erikson serait-il capable de le négocier? Ou bien fallait-il l'enterrer dans les sables, à la lisière de la forêt, en vue d'un autre voyage? Ou bien en remettre la libre disposition aux Protestants qui en tireraient profit, pièce à pièce, contre l'échange de marchandises apportées par d'éventuels navires venant mouiller dans la baie. Mais là se présentait le danger des indésirables. De préférence à l'or, vaudrait-il mieux les accueillir avec du plomb? Il n'y avait guère que des pirates sans aveu pour venir jeter l'ancre dans les parages. On distribuerait des mousquets à tous les Rochelais et d'Urville, dans son fort, entre deux coups de bière d'érable ou de maïs, assurerait la défense des colons avec ses canons. Quelques hommes d'équipage resteraient aux ordres du gentilhomme normand, tandis que le *Gouldsboro* ramènerait vers le Vieux Monde les Méditerranéens, les Maures, et tâcherait d'y recruter des nordiques de préférence, et d'autres colons. Il conseillerait à Erikson d'aller dans son pays d'origine — on n'avait jamais très bien su lequel — mais certainement nordique et de choisir de préférence des Réformés afin que ceux-ci puissent s'intégrer plus facilement dans la nouvelle communauté.

Et les Espagnols de Juan Fernandez? S'ils persistaient à ne pas vouloir retrouver leurs plateaux brûlés de Castille, ne pouvant vivre qu'à l'ombrage cruel des forêts du Nouveau Monde, que fallait-il en faire? Les laisser à d'Urville? Ils ne seraient pas de trop, dès qu'il s'agirait de porter la mèche au canon et, plus encore, si le ferment des révoltes indiennes se propageait parmi les Abénakis et les Mohicans. Mais la cohabitation pacifique avec Don Juan Fernandez, ce malade, et ses hommes, susceptibles comme des Arabes, sombres comme des juges de l'Inquisition, se révélait pleine d'embûches. D'Urville et le chef Kakou lui avaient déjà présenté leurs doléances à ce sujet. Que serait-ce si Don Juan se mêlait d'aller affronter le pasteur Beaucaire, un hérétique!...

Il décida de les emmener avec lui. Des militaires aguerris, rompus aux aléas et au danger des expéditions, parlant plusieurs dialectes indiens, semblaient désignés pour assumer la protection de la caravane. Mais les Espagnols étaient tellement haïs que leur présence pourrait inspirer la méfiance et nuire aux projets du comte. Cependant, là où il se rendait, on le connaissait déjà et on savait de quelle protection il jouissait auprès du Grand Massawa. Alors on accepterait les Espagnols. Ils seraient les premiers à mourir, sans doute. Une petite flèche soufflée par une sarbacane, d'entre les arbres...

Pourquoi ne voulaient-ils pas retourner en Europe? En ces épaves qui étaient venues se mettre sous sa protection, Joffrey de Peyrac avait l'image d'une décadence qui allait atteindre la plus grande nation du monde civilisé. L'Espagne, dont il se sentait proche par ses origines languedociennes et des goûts de même race : la mine, les métaux nobles, l'aventure de la mer, la conquête, glissait dans un gouffre où son hégémonie allait s'effondrer. Responsable du massacre de trente millions d'Indiens des deux Amériques, comment résister au déséquilibre provoqué par le crime massif? L'Espagne allait disparaître avec les races sacrifiées. Le vieux Massawa serait bien vengé!

Qui la remplacerait au Nouveau Monde? Quel serait le peuple désigné pour rassembler les forces dispersées, remettre de l'ordre dans ces richesses gaspillées par des pillards avides et recueillir la lourde succession des massacres? L'avenir se précisait déjà. La chance semblait offerte non pas aux fils d'une seule nation conquérante, mais au contraire aux représentants de divers pays qu'unissait le même but : faire prospérer la terre nouvelle et prospérer avec elle. L'Etat de Massawa était déjà le plus peuplé de Blancs d'Amérique, mais les Espagnols n'y étaient pas représentés.

Il y avait surtout des Anglais, et des Hollandais qui venaient de perdre New Amsterdam mais s'accommodaient de sa nouvelle dénomination : New York. Il y avait aussi des Suédois, des Allemands, des Norvégiens et de nombreux et actifs Finlandais, partis sans crainte des confins de l'Europe pour un pays qui leur rendait des conditions de climat analogues à celles de leur pays d'origine. Peyrac était l'un des rares Français à avoir songé à s'installer dans ce no man's land, au nord de l'Etat. L'influence anglaise, et même de Boston, s'y manifestait peu.

Considéré d'abord avec suspicion, il avait acquis la confiance des colonies anglaises par sa parfaite honnêteté commerciale, inattendue de la part d'un homme dont la prestance et l'esprit le faisaient cataloguer aussitôt, parmi ces Nordiques adeptes de la Réforme, comme un dangereux aventurier.

Il s'était fait néanmoins des amis solides. Et, durant les années où il s'occupait de plongées dans la mer des Caraïbes, il venait fréquemment relâcher à Boston où régnait pourtant un tout autre climat, aussi bien physique que moral. Ce contraste l'attirait.

Aucune œuvre durable, estimait-il, ne pouvait s'édifier d'ici longtemps aux Caraïbes. Les fortunes y naissaient sur un coup de dés, sur des spéculations et risquaient chaque jour de s'effondrer, minées par les coups de main des flibustiers ou des pirates, les uns se confondant souvent avec les autres. Payer tribut à chacun coûtait fort cher. La fièvre de l'or espagnol entretenait les guerrres. A côté du charme de l'aventure dans le décor merveilleux des îles, le jeu lassait vite par sa stérilité.

Un conflit avec les autorités espagnoles le fit renoncer au projet de confier son fils aux Jésuites de Caracas.

Harvard, dans le Nord, créé par les puritains, quelque trente années auparavant, avait la réputation d'avoir des professeurs les plus qualifiés. A son grand étonnement, Peyrac y découvrit un désir profond de tolérance « sans distinction de races, ni de religions », disaient les statuts de la charte que les colonies d'Angleterre essayaient de se donner.

Ce fut un quaker aux cheveux blancs, professeur d'arithmétique à ladite université. Edmund Andros, qui lui conseilla le premier de se rendre dans le Maine.

— C'est un pays qui vous ressemble. Invincible, excentrique, trop doué pour ne pas être méconnu. Vous en ferez votre pays d'élection, j'en suis certain. Ses richesses sont immenses mais se cachent sous une apparence déconcertante. C'est le seul endroit à mon sens où les lois habituelles de l'univers ne semblent pouvoir s'appliquer exactement et où on ne se sent pas lié par une foule de petites règles mesquines et obligatoires. Et, pourtant, vous vous apercevrez vite que cette bizarrerie appartient à un ordre supérieur des choses et non à un défi anarchique. Vous y serez royalement seul et libre longtemps. Car peu de gouvernements sont tentés de s'y installer. Le pays fait peur. Sa réputation est désastreuse. Des gens dociles et mous, les timides, les délicats, les êtres artificieux ou égoïstes, les esprits trop simples ou trop entiers, y sont brisés sans recours. Ce pays exige de vrais hommes avec une pointe d'originalité. C'est forcé : le pays est lui-même original, ne serait-ce que par ses brouillards aux mille couleurs.

Il l'avait présenté au vieux Massawa. L'un des fils de celui-ci comptait parmi les élèves de l'Université.

Des projets de colonisation sur la côte, Joffrey de Peyrac était passé à ceux de s'assurer l'arrière-pays. Nul territoire ne peut prospérer s'il ne s'assure pas ses richesses souterraines. La nécessité monétaire laissait les colonies sous la dépendance des grands peuples lointains, à quatre mille lieues de là, royaume d'Angleterre ou de France.

Nicolas Perrot lui avait parlé des gisements de plomb argentifère aux sources du Mississippi.

Parvenu à ce point de sa méditation, Joffrey de Peyrac redressa la tête. Son regard qui, depuis quelques minutes, songeur, suivait sans le voir le jeu tourmenté des vagues d'un bleu d'encre à ses pieds, reprit possession du monde qui l'entourait, et un nom vint à ses lèvres : Angélique.

Aussitôt son cœur s'allégea, l'inquiétude se dissipa comme un brouillard capricieux et la confiance lui revint.

Il répéta à plusieurs reprises : Angélique! Angélique! et s'absorba dans l'étude de ce phénomène curieux. Chaque fois qu'il prononçait son nom, l'horizon lui paraissait s'éclairer, l'ingérence des rois de France ou d'Angleterre devenait improbable, et les obstacles les plus inquiétants s'écartaient d'une chiquenaude.

Il se mit à rire sans arrière-pensée. Elle était là et le monde en était illuminé. Elle était là et tout lui devenait meilleur. Elle l'aimait et plus rien n'était à craindre. Il revoyait la tendre clarté de ses yeux lorsqu'elle lui avait dit d'un élan : « Vous êtes capable de toutes les grandeurs... » De cette phrase il s'était trouvé heureux comme un jeune chevalier auquel la dame choisie a jeté le gant dans un tournoi.

Vanité? Non. Mais la renaissance d'un sentiment qui s'éteignait en lui, faute d'aliment et d'un objet qui en fût digne : la joie d'être aimé d'une femme et de l'aimer.

Angélique lui était rendue à l'heure où le guettait le mal des hommes qui ont beaucoup d'expérience sans perdre pour autant leur lucidité : l'amertume. L'on va à travers le monde, et partout la création offre ses merveilles, mais partout et toujours l'on rencontre les mêmes menaces de mort cachées derrière les œuvres de vie, des richesses inexploitées, des talents gaspillés, des destinées injustes, la beauté de la nature dédaignée, la justice bafouée, la science redoutée, des sots, des faibles, des fruits secs, des femmes arides comme le désert.

Alors, à certaines heures, l'amertume monte au cœur. Le cynisme se glisse dans les paroles, poison qui les transforme en fruits vénéneux. C'est déjà la mort qui vous touche.

— Moi j'aime la vie, disait Angélique.

Il revoyait son pâle visage ardent, ses yeux

admirables et croyait sentir sous ses doigts la douceur de sa chevelure.

— Que tu es belle!... Que tu es belle, mon amie! Ta bouche est une source scellée. Une source de délices.

Angélique incarnait toutes les femmes. Il n'avait pu ni la comparer à d'autres ni s'en lasser.

Sous quelque aspect qu'il l'eût connue, elle avait toujours trouvé le moyen de piquer sa curiosité et d'exalter ses sens.

Lorsque à Candie, il croyait ne plus l'aimer pour ses trahisons, il avait suffi qu'il l'aperçût pour être aussitôt bouleversé de désir et de tendresse. Il croyait s'en être détaché au point de l'abandonner sans regrets à d'autres et la seule pensée qu'un Berne avait cherché à l'embrasser le jetait dans une fureur jalouse.

Il voulait la mépriser et découvrait soudain qu'elle était la première femme dont le caractère lui inspirait une réelle admiration. Il croyait ne plus la désirer et ne cessait de penser à son corps, à sa bouche, à ses yeux, à sa voix, et de chercher par quelle habileté il pourrait ramener tant de beauté réticente à la volupté.

Pourquoi cette hargne que lui avaient inspirée les lourds vêtements de La Rochelle, sinon parce qu'ils dissimulaient trop bien des formes dont il brûlait de retrouver la douceur, les secrets.

Sa tentation de l'humilier, de la blesser, c'était fièvre de possession.

Elle lui avait fait perdre son habituelle maîtrise. Ses calculs d'homme, son expérience des roueries féminines s'étaient brisés comme verre et ne lui avaient servi de rien.

Elle lui avait fait perdre la tête, voilà!

Et pour cela il lui tirait son chapeau et la saluait bien bas, avec d'autant plus de considération qu'elle ne semblait pas s'apercevoir de sa victoire.

Par là encore, elle le tenait.

Sa réserve n'était pas facile à vaincre.

Elle n'était pas de ces femmes bavardes qui jettent à tous vents les confidences de leurs émois les plus intimes. On la croyait spontanée, entière, mais l'adversité avait développé sa fierté native. Moins par dédain que par pudeur, elle renonçait à se livrer, sachant combien il est vain de chercher refuge dans le cœur des autres.

Elle baissait ses longs cils, ne disait rien. Elle fuyait en elle-même. Vers quel jardin secret? Vers quels souvenirs? Ou quelle douleur?

Angélique avait mis en échec son don de lire la pensée que de nombreux devins lui avaient reconnu et qu'il avait même développé et travaillé avec les Sages de l'Orient.

Etait-ce parce qu'il l'aimait trop? Ou parce que sa pensée à elle, d'une rare force, brouillait les ondes divinatoires?

C'était une des raisons pour lesquelles il avait attendu avec impatience le verdict de Massawa.

Massawa, clairvoyant comme les êtres qui vivent au contact de la nature, riche d'une longue existence qui avait aiguisé ses antennes intuitives, ne se tromperait pas.

Peyrac s'était arrangé pour faire placer Angélique au premier rang parmi les Protestants, sur la plage. Massawa ne semblait rien voir mais le comte savait par expérience qu'il remarquait tout.

Longtemps après la cérémonie ils avaient devisé, parlant de choses et d'autres : des Espagnols du Sud, des quakers de Boston, du roi d'Angleterre, de la grande profusion des élans dans la région et des divinités de la mer qu'il n'est pas facile de se ménager.

— Sauras-tu t'allier les divinités de la terre comme celles de la mer, mon ami? As-tu raison d'abandonner ceux qui ont accepté ta domination pour rencontrer d'autres esprits jaloux et inconnus?

Ils étaient assis, tous deux, sur le promontoire devant le fort, d'où ils découvraient la mer. Le Sachem était venu de loin pour s'entretenir avec celui qu'on appelait L'Homme-qui-écoute-l'Univers. Il fallait lui laisser son temps. Joffrey de Peyrac lui répondait avec calme et respectait ses longs silences.

Enfin le Sachem avait parlé.

— La femme-aux-cheveux-de-lumière, pourquoi se tient-elle parmi les Blancs-aux-âmes-froides?

Et, après un moment de réflexion :

— Elle ne leur appartient pas. Pourquoi se trouve-t-elle parmi eux?

Peyrac se taisait. Il attendait et il s'aperçut que son cœur battait avec une anxiété juvénile. Le Sachem tira de longues bouffées de sa pipe. Il parut dormir quelque peu puis l'étincelle de son regard se ranima.

— Cette femme est à toi. Pourquoi la laisses-tu en exil parmi eux? Pourquoi renies-tu le désir que tu as d'elle?

Il avait l'air presque scandalisé comme chaque fois qu'il découvrait le comportement insensé des

Blancs. C'étaient les seules occasions où son visage impassible exprimait ses sentiments.

— L'esprit des Blancs est opaque et raide comme une peau mal tannée, répondit Joffrey de Peyrac. Je n'ai pas ta vision pénétrante, ô Sachem, et je m'interroge sur cette femme. J'ignore si elle est digne de pénétrer sous mon toit et de partager ma couche.

Le vieil Indien hocha la tête :

— Ta prudence t'honore, mon ami. Elle a d'autant plus de valeur qu'elle est rare. La femme est le seul gibier que le chasseur le plus méfiant considère comme inoffensif. Il faut en avoir reçu beaucoup de blessures pour revenir à la sagesse. Pourtant je te dirai les paroles que ton cœur, déjà saisi par l'amour, espère entendre. Cette femme peut dormir à tes côtés. Elle n'aliénera pas ta force, ni n'obscurcira ton esprit, car elle est elle-même force et lumière. Son cœur est d'or pur, une flamme douce y brûle comme derrière l'écorce de la hutte, celle du foyer où le guerrier lassé vient s'asseoir.

— Grand chef, je ne sais si cette lumière ne t'a pas ébloui, toi aussi, dit le comte de Peyrac en riant, mais tes paroles dépassent mon attente et la douceur que tu lui prêtes n'est-elle pas une ruse dont elle se pare? Cette femme, te l'avouerai-je, a fait trembler des princes.

— Ai-je dit qu'elle n'avait pas de griffes plus acérées que des poignards pour ses ennemis?... dit le vieux Massawa d'un air fâché. Mais toi, tu as su la conquérir et tu n'as rien à craindre d'elle : tu es son maître à jamais.

Le vieil Indien eut une sorte de sourire :

— Sa chair est de miel. Savoure-la.

« Merci, vieux Massawa, songeait-il, n'aurais-tu fait que cela : éclairer mon esprit « opaque et raide » qui s'était laissé empoisonner par les doutes, tu aurais bien servi ton peuple. Car tant que je vivrai, j'agirai pour le défendre. Et si elle est à mes côtés, j'aurai toutes les forces pour vivre et pour agir. »

Parce que autrefois il souffrait de l'avoir perdue, il s'était forgé d'elle une image frivole, dure et infidèle. Cantor avait raconté que jamais leur mère ne leur avait parlé de lui. Il commençait à entrevoir que d'autres raisons que l'oubli avaient pu dicter sa conduite.

La nuit du *Gouldsboro* lui avait au moins appris une vérité rassurante : leurs corps étaient faits l'un pour l'autre.

La faim qu'elle avait de lui était plus forte que toutes ses craintes. Bien que la belle bouche patricienne fût demeurée close sous ses baisers, il avait pu surprendre d'autres aveux. Il demeurait le seul homme capable de l'émouvoir, de forcer sa défense. Et, pour lui, elle resterait toujours la seule femme qui — même glacée, tremblante comme elle l'était cette nuit-là — pouvait lui procurer des jouissances amoureuses proches de l'extase.

Il avait connu d'habiles maîtresses. Pourtant, avec elles, ce n'était que jeu charmant.

Avec Angélique, lorsqu'il la prenait dans ses bras, il lui semblait s'embarquer pour l'île des dieux, la zone de feu, le gouffre obscur où l'on se quitte soi-même, le bref paradis.

Le pouvoir que sa chair, douce et dorée, avait sur la sienne, tenait de la magie.

Ce pouvoir, il l'avait violemment éprouvé, jadis, lorsqu'il s'étonnait de la fascination que lui inspirait cette jolie créature sans expérience.

Il l'avait retrouvé, avec la même surprise et le même ravissement, quinze années plus tard, au cours d'une nuit si différente, alors qu'ils n'étaient plus, elle et lui, que des exilés, presque étrangers l'un à l'autre sur la mer déchaînée.

Saisi par l'enchantement, il pouvait murmurer « Toi seule! »...

La vie se présentait éblouissante. Le Maine était un pays splendide et plein de promesses. Angélique, la plus passionnante des femmes. Il n'aurait pas assez de ses jours et de ses nuits pour l'aimer, l'apprivoiser, la ramener à lui et reformer avec elle la trilogie éternelle : un homme, une femme, l'amour.

Plein de fougue il marchait à grands pas, son manteau gonflé par le vent, regardant autour de lui avec admiration.

Ce rivage aux plages couleur d'aurore, il lui trouvait une délirante beauté. Sa contemplation s'accordait en lui avec la découverte d'une passion telle qu'il n'en avait jamais connu. La flamme crépitante de l'amour embrasait son cœur.

Ce que la vie lui avait volé, jadis, lui était rendu au centuple. Fortune, châteaux, titres? Qu'était-ce en regard de la richesse d'être un homme, dans sa force, sur un rivage neuf, avec au cœur un grand amour...

De retour au fort, il fit seller un cheval.

Angélique, naturellement, devait être au camp Champlain. Elle n'en faisait qu'à sa tête. Des années d'indépendance l'avaient habituée à régler elle-même son destin. Ce ne serait pas si facile de la ramener sous la férule conjugale. Le vieux Massawa avait beau affirmer : « Tu es son maître », avec une confiance péremptoire, quand on avait affaire à Angélique, il convenait d'y apporter une infinie prudence.

Il souriait en suivant la sente piétinée où les arbres immenses et la tombée de la nuit répandaient une ombre grandiose.

« Une conquête difficile rend l'amour précieux... » enseignait Le Chapelain, le vieux maître de l'Art d'Aimer. Lointaine était la cour heureuse où il s'était plu à ressusciter les traditionnelles joutes amoureuses de son pays. Il ne parvenait pas à en avoir du regret. Les plaisirs goûtés, épuisés, il avait toujours su les oublier rapidement pour porter son attention à d'autres. « Amour ancien chasse l'autre. »

Il n'y avait qu'Angélique qui avait fait mentir la philosophie du proverbe.

Tour à tour source de félicité ou de douleur, elle était demeurée en lui.

Aux environs du camp Champlain, il rencontra un cortège éclairé par des torches.

C'était Crowley qui déménageait avec sa femme, ses enfants et ses serviteurs pour aller dormir au village indien.

— J'ai laissé ma cabane à cette admirable lady qui manie si bien le pistolet et que les Indiens ont surnommée « Lumière d'été ». Monsieur de Peyrac, excusez moi. Je vous félicite. On dit que c'est votre maîtresse.

— Non, ce n'est pas ma maîtresse mais ma femme.

— Vous, marié? s'exclama l'autre... Impossible, elle? Votre femme? Depuis quand?

— Depuis quinze ans, répondit le comte en reprenant le galop.

6

Arrivé au camp Champlain, il descendit de cheval, le laissa à l'homme qui l'avait escorté, et se glissa invisible jusqu'à la maison de Crowley. Des lumières dansantes éclairaient les petites fenêtres aux vitres précieuses. Il se pencha pour regarder à l'intérieur. Sensible à la beauté et à la féminité il demeura frappé par le spectacle qu'il découvrait. C'était très simple mais très harmonieux.

Agenouillée devant l'âtre, Angélique lavait Honorine debout dans un baquet. L'enfant nue, rosie par la lueur des flammes, remuant sur ses épaules sa longue chevelure étincelante, avait la grâce inquiétante et candide de ces petits êtres malins que des légendes se plaisent à évoquer. Esprits des grèves ou des bois, parés de coquillages ou de feuilles ils accompagnent, dit-on, les humains égarés, leur font mille niches puis disparaissent et l'on demeure triste comme d'avoir perdu son enfance.

Angélique près d'elle semblait désarmée. Sa beauté cessait d'être dangereuse pour n'être que charmante et il comprit que c'était Honorine qui avait fait d'elle cette autre femme qu'il avait eu tant de peine à reconnaître.

Adorable femme en vérité. Pour la première fois il trouvait aux gestes simples qu'elle accomplissait une sorte de vocation naturelle. Il se souvenait qu'elle avait été élevée dans la pauvreté quasi paysanne des nobles de province. « Sauvageonne », murmurait-on à Toulouse, au temps où elle venait de lui être amenée et qu'il la présentait pour sa femme. Elle en avait gardé ce don, d'être proche des choses et de se suffire de peu.

Faire ruisseler l'eau de la source sur le petit corps de sa fille la rendait heureuse.

L'aurait-il voulue méchante, en effet, aigrie par le fiasco d'une existence qui après en avoir fait la reine de Versailles l'amenait dépourvue de tout sur les rives d'un pays encore à demi sauvage? Sa beauté se serait-elle accommodée d'être marquée par la rancœur, la désillusion? La haine ne sied bien qu'à l'adolescence. Elle aurait pu se plaindre. Mais la vie avait gardé pour elle sa saveur. Le lien qui unissait la mère et l'enfant était admirable. Ni lui ni personne ne pourraient le rompre. Il y a des peuples d'Orient qui croient à la réincarnation des êtres. Damoiselle Honorine, qui êtes-vous? D'où venez-vous? Où allez-vous?

L'enfant tourna son visage vers la fenêtre et il crut qu'elle souriait.

Joffrey de Peyrac contourna la maison de bois et vint frapper à la porte.

Angélique s'était lavé les cheveux. Elle avait lavé ceux d'Honorine et de tous les enfants qui lui étaient tombés sous la main. Elle aurait fait vingt fois le trajet de la source à la cabane sans se plaindre de la fatigue tant la saveur et l'abondance de cette eau douce lui procuraient une joie inépuisable.

Le corps d'Honorine était écorché par le sel de la mer. Sa peau était d'une pâleur anormale, elle, si rondelette, montrait les os.

— Seigneur, disait Mme Carrère. Encore quelque temps et ils nous mouraient tous entre nos bras.

Mais tous étaient parvenus sains et saufs à la Terre Promise.

Dans la maison de Crowley, plus confortable, s'étaient installés également la femme de l'avocat et ses plus jeunes enfants, la femme du boulanger et ses deux garçons, les trois enfants Berne.

— Voici l'Homme Noir, dit Honorine.

Elle ajouta avec un sourire épanoui.

— Je l'aime bien, l'Homme Noir.

Cette déclaration fit qu'Angélique mit un certain temps à identifier de quel homme noir il s'agissait.

La vue de son mari la remplit de confusion, surtout lorsque, après avoir salué la compagnie, il s'approcha d'elle pour lui déclarer entre haut et bas.

— Je vous cherchais, madame...

— Moi?

— Oui, vous, si étrange que cela paraisse. Quand vous étiez à mon bord, je savais au moins où vous trouver mais maintenant que vous avez un continent à votre disposition la tâche va devenir moins aisée.

Elle rit mais son regard vers lui était mélancolique.

— Dois-je comprendre que vous souhaiteriez m'avoir à vos côtés?

— En doutez-vous? Ne vous l'ai-je pas déjà affirmé?

Angélique détourna la tête. Elle sortit Honorine du baquet et l'enveloppa dans une couverture.

— Je tiens si peu de place dans votre vie, fit-elle à mi-voix. Je compte si peu, j'ai toujours compté si peu. Je ne sais rien de vous, de votre vie passée, de votre vie présente. Vous me cachez tant de choses. Le nierez-vous?

— Non. J'ai toujours été un peu mystificateur. Vous me le rendez bien. Heureusement que le grand Sachem m'a affirmé que vous étiez la plus limpide des créatures. Je me demande si sa clairvoyance ne s'est pas laissé surprendre par ce pouvoir auquel tant d'autres ont succombé... Que pensez-vous de lui?

Angélique porta Honorine jusqu'au lit qu'elle partageait avec Laurier. Elle la borda et lui donna sa boîte de jouets. Il y a des gestes éternels.

— Le grand Sachem?... Il me paraît impressionnant, inquiétant. Pourtant je ne sais pourquoi, il m'a fait peine.

— Vous êtes clairvoyante.

— Monseigneur, demanda Martial, est-ce que ces forêts qui nous entourent vous appartiennent?

— Par alliance avec Massawa, j'ai droit de disposer de ce qui n'appartient pas aux Indiens établis. Or, à part l'emplacement restreint de leurs villages et les cultures qui les environnent, le reste du pays est absolument vierge. Le sous-sol n'a jamais été sondé. Il contient peut-être de l'or, de l'argent, du cuivre.

— Vous êtes donc plus riche qu'un roi?

— Qu'est-ce que la richesse, enfants? Si elle consiste en la possession d'un territoire aussi vaste qu'un royaume, alors oui je suis riche. Mais je n'ai plus ni château de marbre ni vaisselle d'or. Je ne possède que quelques chevaux. Et lorsque je partirai vers l'intérieur, je n'aurai pour demeure que le ciel étoilé et les ramures de grandes forêts.

— Car vous allez partir, l'interrompit Angélique. Où? Pourquoi? Cela ne me concerne pas, sans doute?... Je n'ai pas le droit de le savoir, ni même d'apprendre si vous comptez m'emmener avec vous.

— Taisez-vous, dit Joffrey de Peyrac enchanté de sa violence, vous allez scandaliser ces dames.

— Cela m'est bien égal. Il n'y a rien de scandaleux à ce qu'une femme veuille suivre son époux. Car je suis votre femme et je vais le crier partout désormais. J'en ai assez de cette comédie. Et si vous me laissez derrière vous, je rassemblerai mes propres troupes. Et je vous suivrai. J'ai l'habitude de vivre en forêt à la belle étoile. Regardez mes mains. Il y a longtemps qu'elles n'ont pas porté de bijoux. Mais par contre elles savent fabriquer le pain sous la cendre et manier le mousquet.

— C'est ce qu'on ma dit. Il paraît que vous avez fait un magnifique tableau de chasse ce matin avec les Cayugas. Montrez-moi vos talents, fit-il en tirant de son étui un de ses lourds pistolets à crosse d'argent et avec une expression sceptique qui fit flamber Angélique d'un seul coup.

Elle le lui prit des mains en lui lançant un regard de défi, examina l'arme. Elle n'était pas chargée. Elle retira la tige qui servait de bourroir.

— Où est l'écouvillon?

— Que comptez-vous en faire?

— Il pourrait y avoir de la poussière et cela ferait sauter l'arme.

— Mes pistolets sont toujours bien entretenus madame, mais votre souci est celui d'un bon tireur.

Il déboucla son ceinturon et le jeta sur la table avec ses différentes garnitures : pistolets, poignard, bourses de cuir contenant la poudre ou les balles.

Angélique découvrit l'écouvillon dans une fonte. Elle le vissa d'un geste précis et plongea la tige à plusieurs reprises dans le canon. Puis elle fit fonctionner la gâchette, vérifiant la présence de l'étincelle en présentant l'arme du côté de l'obscurité.

Après avoir chargé le canon, elle choisit une balle qu'elle fit tourner entre deux doigts pour contrôler sa parfaite rondeur.

— Il manque de la poudre fine d'allumage.

— Vous mettrez à la place ces galettes d'amorces turques.

Angélique obéit.

— Ouvre-moi la fenêtre, Martial.

La nuit avait la clarté insolite que lui donnait la lune tamisée par le brouillard.

— Il y a par là dans cet arbre un oiseau qui ne cesse de pousser un cri désagréable.

Joffrey de Peyrac la considérait avec curiosité. « C'est donc bien vrai qu'elle a guerroyé, se disait-il, contre qui?... Contre le Roi?... »

La main fine qui serrait la crosse d'argent était ferme, le bras qui soulevait le pesant pistolet le faisait avec aisance.

Le coup partit. Le cri grinçant de l'oiseau se tut.

— Quel coup d'œil! s'écria le comte. Et quelle vigueur, continua-t-il en lui serrant le bras. Vous avez des muscles d'acier, ma parole! Décidément notre grand Sachem s'est de plus en plus égaré dans son jugement.

Mais il riait. Elle avait l'impression qu'il était assez fier d'elle. Les enfants qui s'étaient bouché les oreilles, crièrent bravo et voulaient aller ramasser l'oiseau de nuit sacrifié.

Le voisinage accourut les en empêcher.

— Que se passe-t-il? Que se passe-t-il encore? Les Indiens? Les pirates?

La vue d'Angélique, pistolet en main dans un nuage de fumée provoqua la surprise.

— Ce n'est qu'un jeu, les rassura-t-elle.

— Voici des jeux dont nous avons notre content, grommelèrent des voix.

— Mesdames, êtes-vous satisfaites de vos installations, demanda le comte avec autant d'urbanité qu'un hôte parmi ses invités.

Les pauvres femmes lui répondirent que tout allait bien. Elles le considéraient avec un mélange d'admiration et de crainte. Ce qu'il avait dit lorsqu'il avait rappelé aux orgueilleux bourgeois de

La Rochelle, que leurs femmes les valaient bien, les avait conquises à jamais.

Ce fut encore Abigaël qui eut le courage de prononcer les paroles que chacune pensait.

— Soyez remercié, monseigneur, pour la grâce insigne que vous nous avez faite en ce jour, malgré nos égarements. Les persécutions dont nous avions été l'objet, la douleur d'avoir quitté nos foyers, la crainte de ne plus rencontrer de main fraternelle pour nous secourir, nous avaient jetés dans l'incertitude et le désarroi. Mais vous avez su le comprendre et nous épargner.

Il lui sourit avec une incroyable gentillesse. Pour Abigaël, il désarmait toujours. En le considérant, Angélique se sentit presque jalouse. Il s'inclinait devant la jeune fille.

— Vous êtes charitable, damoiselle, de prendre à votre compte des erreurs que vous n'avez pas approuvées. Je sais, mesdames, que vous avez essayé de détourner vos époux d'un projet criminel et que vous deviniez voué à l'échec. Quoi qu'on en dise, c'est vous qui avez l'apanage de la lucidité. Sachez en user à bon escient et montrez-vous énergiques, car ici vous vous trouvez sur une terre avec laquelle on ne peut mentir.

Le conseil fut apprécié à sa valeur. Le comte leur souhaita un bon repos et elles se retirèrent. Mme Carrère se précipita à leur suite pour leur chuchoter dans l'ombre une nouvelle qu'elle n'était pas très sûre d'avoir bien comprise : Monseigneur le Rescator et dame Angélique étaient mariés ou bien allaient se marier ou bien venaient de se marier... Enfin, il y avait des noces dans l'air.

— Je ne sais si vos conseils préparent d'heureux lendemains à leurs époux, dit Angélique d'un air songeur.

— Certes pas. Et j'en suis ravi. C'est ma vengeance exceptionnelle. Les livrer aux poignes énergiques de leurs femmes n'est-ce pas plus terrible, en fin de compte qu'à celles du bourreau?

— Vous êtes incorrigible, dit-elle en riant.

Il la saisit par la taille à deux mains, l'enleva en l'air et la fit tournoyer.

— Riez... Riez... ma petite mère abbesse... Vous avez un si beau rire!

Angélique poussa un cri. Entre ses mains elle n'avait pas plus de poids qu'un fétu de paille.

— Vous êtes fou!...

Reposée à terre, la tête lui tournait et elle ne pouvait faire autre chose, en effet, que de rire.

Les enfants étaient ravis. Ils n'avaient jamais eu droit à tant de spectacles surtout à l'heure du coucher. Ce pays leur plaisait de plus en plus. Jamais ils ne s'en iraient.

— Maman, cria Honorine, est-ce que c'est de nouveau la guerre?

— La guerre! Non! Dieu nous en garde. Pourquoi demandes-tu cela?

— Tu as tiré avec le gros pistolet.

— C'était pour m'amuser.

— Mais c'est amusant la guerre, dit Honorine d'un air déçu.

— Comment, s'exclama sa mère, tu es contente lorsque tu entends tout ce bruit, que tu vois les gens blessés, morts?

— Oui, je suis contente, affirma Honorine.

Angélique la regardait avec l'étonnement de

toutes les mères qui découvrent l'univers secret de leur enfant.

— Mais... Je croyais que tu étais triste quand tu avais vu Cosse-de-Châtaigne...

L'enfant parut se souvenir de quelque chose. Son visage s'assombrit. Elle soupira.

— Oh! oui, c'est un peu ennuyeux pour Cosse-de-Châtaigne qu'il soit mort...

Son sourire revint aussitôt.

— Mais c'est amusant quand tout le monde crie et court et tombe. Tout le monde a l'air fâché... La fumée sent bon. Le fusil fait clic! clac! clic! clac! Tu te disputes avec M. Manigault et il devient tout rouge... et toi tu me cherches partout et tu me serres dans tes bras... Tu m'aimes fort quand c'est la guerre... Tu te mets devant moi pour que les soldats ne me frappent pas. C'est parce que tu ne veux pas qu'on me prenne ma vie. Elle est encore trop petite; toi, ta vie est déjà longue...

Angélique était partagée entre l'inquiétude et la fierté.

— Je ne sais si c'est vanité maternelle de ma part, mais il me semble qu'elle a des raisonnements extraordinaires pour son âge.

— Quand je serai grande, continua Honorine profitant de ce qu'on l'écoutait enfin avec attention, je ferai toujours la guerre. J'aurai un cheval et un sabre et j'aurai deux pistolets... Comme toi dit-elle en s'adressant à Joffrey de Peyrac, mais les miens ils auront les crosses en or et je tirerai mieux que... mieux que toi encore, conclut-elle avec un regard de défi vers sa mère.

Elle réfléchit.

— Le sang est rouge. C'est une belle couleur.

— Mais c'est horrible, ce qu'elle dit, murmura Angélique.

Le comte souriait en les regardant avec un plaisir toujours surpris de les découvrir différentes. La tendresse, le sentiment maternel qui la désarmaient devant sa fille l'illuminaient d'une jeune naïveté. Elle n'avait jamais été, elle n'avait jamais pu être l'impérieuse rivale de la Montespan, la révoltée courant les chemins creux à la tête de ses troupes et qui levait avec une froide assurance son bras armé du lourd pistolet.

Elle leva les yeux sur lui comme pour lui demander son avis dans une situation qui la dépassait, puis chercha à se rassurer.

— Elle aime la guerre... Après tout c'est un sentiment noble. Mes ancêtres ne la désavoueraient pas.

Tel était son oubli des mauvais jours qu'elle ne s'avisa pas qu'une autre hérédité que la sienne avait pu mettre en sa fille ces goûts exaltants et inquiétants. Le Rescator y songea mais ne dit mot.

Il retira de son doigt une bague d'or ouvragé que surmontait un gros diamant et la tendit à Honorine. L'enfant s'en empara avec avidité.

— C'est pour moi?

— Oui, damoiselle.

Angélique s'interposa.

— C'est un bijou d'une grande valeur. Elle ne peut en faire un jouet.

— La sauvagerie de la nature qui nous entoure peut nous faire reconsidérer la valeur des choses. Une galette de maïs, un bon feu ont plus de prix qu'une bague pour laquelle on damnerait son âme à Versailles.

Honorine tournait et retournait la bague. Elle la posa sur son front, puis l'enfila sur son pouce, la serra enfin entre ses deux mains.

— Pourquoi fais-tu cela pour moi? interrogea-t-elle soudain avec passion, c'est parce que tu m'aimes?

— Oui, damoiselle.

— Pourquoi m'aimes-tu? Pourquoi?

— Parce que je suis votre père.

Le visage d'Honorine à cette révélation se transfigura. Elle demeura muette. Sa frimousse ronde refléta toutes les nuances de la surprise la plus émerveillée, de la joie la plus intense, d'un soulagement inexprimable, d'une affection sans bornes.

La tête levée, elle considérait avec admiration la noire silhouette de condottière debout à son chevet et la face brune, marquée de cicatrices lui apparut comme la plus séduisante qu'elle eût jamais contemplée.

Elle se tourna subitement vers Angélique.

— Tu vois, je te l'avais bien dit que je le trouverais de l'autre côté de la mer!...

— Ne pensez-vous pas qu'il vous faudrait maintenant dormir? lui demanda-t-il sans se départir de la considération qu'il lui marquait.

— Oui, mon père!

Avec une docilité surprenante, elle se glissa sous la couverture, la main serrée tenant la bague et s'endormit presque aussitôt avec une expression de béatitude.

— Seigneur, dit Angélique éperdue, comment avez-vous deviné que l'enfant se cherchait un père?

— Les rêves des petits cœurs féminins m'ont

toujours intéressé et, dans la mesure de mes pouvoirs, il me plaît de les satisfaire.

Angélique prit la lampe à huile dans un creuset de bois et l'écarta afin de laisser l'obscurité abriter le sommeil de Laurier et d'Honorine.

Dans la pièce voisine les deux femmes couchaient les autres enfants. Joffrey de Peyrac s'approcha de la cheminée.

Angélique le rejoignit et jeta une bûche dans le feu.

— Que vous êtes bon, dit-elle.

— Que vous êtes belle!

Elle lui adressa un sourire reconnaissant, mais se détourna avec un soupir.

— J'aimerais que vous me regardiez parfois comme vous regardez Abigaël. Avec amitié, confiance, sympathie. On dirait que vous craignez de moi je ne sais quelle traîtrise.

— Vous m'avez fait souffrir, madame.

Angélique ébaucha un geste de protestation.

— Etes-vous capable de souffrir pour une femme? fit-elle sceptique.

Elle s'assit au bord de l'âtre. Il attira un escabeau et s'assit également, près d'elle, regardant la flamme. Elle avait envie de lui ôter ses bottes, de lui demander s'il avait faim ou soif, de le servir. Elle n'osait pas. Elle ne savait plus ce qui pouvait plaire à cet époux étranger qu'elle sentait parfois proche, parfois éloigné, dressé contre elle.

— Vous étiez fait pour vivre seul et libre, dit-elle douloureusement. Un jour, je le sais maintenant, vous m'auriez quittée, vous auriez quitté Toulouse pour courir une autre aventure. Votre curiosité du monde était inlassable.

— Vous m'auriez quitté la première, ma chérie. Le monde pervers qui nous entourait n'aurait pas admis votre fidélité, à vous, l'une des plus belles femmes du royaume. On vous aurait encouragée de mille façons à essayer sur d'autres votre pouvoir, votre séduction.

— Notre amour n'était-il pas assez fort pour triompher?

— On ne lui aurait pas laissé le temps de s'édifier.

— C'est vrai, murmura-t-elle. Etre époux, c'est une longue tâche.

Les mains jointes sur ses genoux, elle perdait son regard dans le jeu des flammes, mais elle était consciente jusqu'au bout des ongles, de sa présence, du miracle de cette présence qui lui faisait revivre des lointaines veillées du Languedoc où ils devisaient, proches l'un de l'autre. Elle posait sa tête sur ses genoux, charmée de ses paroles qui lui ouvraient toujours des horizons inconnus, levant sur lui des yeux sages et passionnés, jusqu'à l'heure où il glissait insensiblement des paroles sérieuses au badinage et du badinage à l'amour. Combien rares étaient ces heures exquises...

Elle avait rêvé tant de fois de son impossible retour!... Même au temps où elle le croyait mort, quand elle était trop triste, elle se composait de merveilleuses retrouvailles. Le roi Louis pardonnant, Joffrey de Peyrac retrouvant son rang, ses terres, sa richesse, elle-même vivant à ses côtés, comblée, amoureuse. Très vite la réalité dissipait les fantasmagories. Pouvait-on imaginer l'indépendant comte de Peyrac, réclamant son pardon pour la seule faute d'avoir attiré la jalousie de son souverain? Joffrey de Peyrac asservi, faisant sa cour à Versailles? Non, impensable, jamais le Roi ne l'aurait laissé retrouver sa puissance, jamais Joffrey de Peyrac ne se serait incliné. Son goût de créer, d'agir, était trop vif. Il n'aurait cessé d'attirer d'autres animosités et d'autres soupçons.

Elle eut un petit sourire las.

— Devons-nous alors nous réjouir d'une cruelle séparation qui au moins nous a évité de pousser notre amour jusqu'à la haine, comme tant d'autres?

Il avança la main et la glissa doucement sur sa nuque.

— Vous êtes triste ce soir. Vous n'en pouvez plus de fatigue, indomptable!

Sa caresse et sa voix la ressuscitèrent.

— Non, je me sens prête à bâtir encore quelques cabanes, à remonter en selle, s'il le faut, pour vous suivre. Mais une crainte me hante. Vous voulez partir et ne pas m'emmener.

— Entendons-nous bien, dame chérie. Je crains que vous ne vous fassiez illusion. Je suis riche mais mon royaume est vierge. Mes palais ne sont que des forts de rondins. Je ne peux vous offrir ni robes somptueuses ni bijoux, combien seraient-ils inutiles dans ce désert! Ni sécurité, ni confort, ni gloire, rien de ce qui plaît aux femmes.

— Il n'y a que l'amour qui leur plaît.

— On dit cela.

— Ne vous ai-je pas prouvé que je ne craignais pas la vie rude et les dangers?... Des parures, des bijoux, la gloire... J'ai eu tout cela à satiété. J'en ai goûté l'ivresse comme l'amertume. Dans la solitude du cœur, tout a un goût de cendre. Il m'importe seulement que vous m'aimiez — vous — que vous ne me repoussiez plus.

— Je commence à vous croire.

Il prit sa main, la considéra.

Dans la sienne longue et dure, cette main fragile frémissait, prisonnière. Il pensa qu'elle avait été parée de bijoux, baisée par un roi, qu'elle avait serré des armes avec une froide résolution, qu'elle avait frappé, tué. Elle reposait comme un oiseau las au creux de sa paume. A son doigt, il avait jadis, glissé un anneau d'or. Cette réminiscence le fit tressaillir, mais Angélique ne pouvait suivre sa pensée.

Elle sursauta quand elle l'entendit demander à brûle-pourpoint.

— Pourquoi vous êtes-vous révoltée contre le roi de France?

Il sentit aussitôt la main de sa femme se retirer.

Aborder le passé, sa vie personnelle lui était sensible comme d'effleurer une blessure. Pourtant il voulait savoir.

Il la torturerait, mais il la contraindrait à lui répondre. Il y avait des points obscurs qu'il lui fallait éclaircir à tout prix, quitte à souffrir encore.

Il vit danser une petite lueur d'effroi dans les yeux d'Angélique. Sa résolution d'exiger toute la vérité devait se lire sur son visage.

— Pourquoi? répéta-t-il presque durement.

— Comment savez-vous cela?

Il eut un geste qui balayait des explications oiseuses.

— Je sais. Parlez!

Elle dut faire un grand effort.

— Le Roi voulait que je devienne sa maîtresse.

Il n'a pas accepté mes refus. Pour parvenir à ses fins, il n'a reculé devant rien, me faisant garder par des soudards dans mon propre château, menaçant de me faire arrêter et enfermer dans un couvent si au bout d'un certain temps de réflexion je ne me rendais pas à sa passion.

— Et vous n'avez jamais consenti?...

— Jamais.

— Pourquoi?

Les yeux d'Angélique se foncèrent et prirent la couleur de l'océan.

— Le demandez-vous? Quand donc admettrez-vous que je vous aimais et que votre perte m'avait réduite au désespoir? Me donner au Roi! Pouvais-je vous trahir, vous qu'il avait condamné injustement? En vous prenant à moi, il m'avait tout pris. Tous les plaisirs, tous les honneurs de la cour ne pouvaient combler votre absence. Ah! comme je vous ai appelé, mon cher amour.

Elle revivait ce vide cruel, cette détresse d'un amour perdu qui parfois dormait au fond de son cœur, mais qu'un rien éveillait jusqu'à la douleur. Alors, avec passion, elle jeta ses bras autour de lui, appuya son front contre ses genoux. Ses doutes et les questions de son mari lui faisaient mal, mais il était là. Cela seul comptait.

Au bout d'un instant, il la força à relever la tête.

— Cependant, vous avez été bien près de consentir?

— Oui, dit-elle, j'étais femme, faible devant un roi tout-puissant... J'étais sans défense. Il pouvait ruiner ma vie une seconde fois. Il l'a fait... C'est en vain que je me suis alliée à de grands seigneurs poitevins qui pour d'autres causes se dressaient contre lui. Le temps n'est plus à la force des provinces. Il nous a brisés, vaincus... Les soudards ont ravagé mes terres, brûlé mon château... Une nuit ils ont égorgé mes serviteurs, mon fils dernier-né... Ils m'ont...

Elle se tut. Elle hésitait. Elle aurait voulu se taire, laisser ignorer sa honte. Mais à cause d'Honorine, l'enfant bâtarde dont la présence ne pouvait qu'éveiller l'amertume d'un époux trahi, il lui fallait parler.

— Honorine est née de cette nuit-là, dit-elle d'une voix blanche. Je veux que vous le sachiez à cause de ce geste que vous avez eu tout à l'heure envers elle. Comprenez-vous, Joffrey?... Quand je la regarde il n'y a pas pour moi, ainsi que vous l'imaginez, le souvenir d'un homme que j'aurais aimé, mais seulement l'horreur d'une nuit de crimes et de violences qui m'a hantée des années, et que je voudrais oublier à jamais. Je ne cherche pas à éveiller votre pitié. Ce serait de votre part un sentiment qui me blesserait. Mais je veux écarter les ombres qui planent sur notre amour, me justifier de cette pauvre petite présence qui s'est dressée entre nous et vous rassurer sur la tendresse que je lui porte. Comment pourrais-je ne pas l'aimer?

» Mes plus grands crimes je les ai commis envers cette enfant. J'ai voulu la tuer dans mon sein. A peine née, je l'ai abandonnée, sans un regard... Le destin me l'a rendue. J'ai mis des années à l'aimer, à lui sourire. La haine de sa mère a présidé à sa venue au monde. C'est cela mon remords. On ne doit pas haïr l'innocence. Vous l'avez compris puisque vous l'avez recueillie, l'enfant sans père. Vous avez compris qu'elle n'entachait pas la valeur du sentiment qui me liait à vous et que rien, non rien, je le jure, n'a jamais pu remplacer, égaler la passion, la ferveur amoureuse que vous m'aviez inspirées.

Joffrey de Peyrac se leva brusquement. Elle le sentit s'éloigner, se détacher d'elle. Elle avait parlé avec fougue, sans chercher ses mots, sans réfléchir à ce qu'elle disait, tant ce plaidoyer était sincère, le cri de son cœur. Et voici qu'il la regardait, froid, debout devant elle, lui qui tout à l'heure lui murmurait « Dame chérie ». Elle eut peur. L'avait-il entraînée à prononcer des paroles dangereuses qu'il ne lui pardonnerait pas? Près de lui elle perdait son sang-froid, sa prudence. Cet homme lui serait toujours mystérieux. Tellement plus fort qu'elle!... Avec lui, il était impossible de ruser, de mentir. Bretteur inattaquable dans la vie, il ne se laissait pas atteindre dans le domaine du cœur, sa parade était aussi prompte.

— Et votre mariage avec le marquis du Plessis-Bellière?

Angélique se redressa, elle aussi. Dans l'état émotionnel où il l'avait jetée, elle ressentait tous les chocs avec acuité. Elle était elle-même, à l'état pur, et peut-être s'en apercevait-il. C'était l'heure de la vérité. Elle lui en voulut de l'avoir traquée jusque-là.

« Non, se dit-elle à cet instant, je ne renierai pas celui-là. Ni lui ni le fils qu'il m'a donné. »

Elle regarda son mari avec défi.

— Je l'aimais.

Et puis, tout de suite, s'apercevant combien ce mot appliqué au sentiment que lui avait inspiré

Philippe avait peu de commune mesure avec l'amour qu'elle vouait à son premier époux, elle expliqua avec fébrilité.

— Il était beau, j'avais rêvé de lui dans mon adolescence, et il m'est apparu dans cet océan de détresse, d'abandon. Mais ce n'est pas pour cela que je l'ai épousé. Je l'ai épousé de force, oui je l'ai contraint par un odieux chantage à ce mariage, mais j'étais capable de tout pour rendre à mes fils le rang qui leur était dû. Lui seul, le marquis du Plessis, grand maréchal et ami du Roi, pouvait m'introduire à Versailles et me faire obtenir pour eux des charges et des titres honorables... Maintenant, je sais, je m'aperçois que tout ce que j'ai fait, était dicté par la fièvre de les sauver, de les arracher au sort funeste qui pesait injustement sur eux. Je les ai vus à la Cour en pages, reçus par le Roi. Alors que m'importait de m'être attiré les coups et la haine de Philippe...

Une sorte d'ironie étonnée s'alluma dans les yeux noirs qui l'observaient.

— Le maréchal du Plessis aurait pu vous haïr?

Elle le regarda comme si elle ne le voyait pas. Dans cette cabane perdue au fond des forêts américaines, elle évoquait intensément les personnages de sa vie passée et parmi eux le plus étonnant, le plus secret, le plus beau, le plus méchant, l'incomparable maréchal du Plessis, marchant sur ses talons rouges, parmi les seigneurs et les dames, cachant sous ses satins son cœur brutal et triste.

— Il m'a haïe jusqu'à l'amour... Pauvre Philippe!

Elle ne pouvait oublier qu'il avait couru vers la mort, sans une plainte, partagé entre son amour pour le Roi et pour elle, et ne pouvant choisir... et « il avait eu la tête emportée par un boulet... »

Non, elle ne le renierait pas. Tant pis si Joffrey ne pouvait comprendre.

Elle baissait les paupières sur ses souvenirs, avec ce masque mi-douleur, mi-tendresse qu'il avait appris à lui connaître. Elle fut étonnée, à l'instant où elle attendait un nouvel et sarcastique interrogatoire, de sentir son bras entourer ses épaules. Elle l'avait défié et c'est alors qu'il la prenait dans ses bras, qu'il relevait son visage pour le contempler et que ses yeux s'humanisaient.

— Quelle femme êtes-vous donc? Ambitieuse, guerrière, intraitable, et pourtant si douce, si faible...

— Vous qui devinez les pensées des autres, pourquoi doutez-vous?

— Votre cœur m'est obscur... Peut-être parce qu'il a trop de pouvoir sur le mien. Angélique, mon âme, qu'est-ce qui nous sépare encore : l'orgueil, la jalousie, ou un trop grand excès d'amour, une trop grande exigence?...

Il secoua la tête, comme pour se répondre à lui-même.

— Pourtant je ne renoncerai pas. Pour vous, j'ai toutes les exigences.

— Vous savez tout de moi.

— Pas encore.

— Vous savez mes faiblesses, mes regrets. Privée de votre flamme, j'ai cherché à me réchauffer à un peu de tendresse, d'amitié. Entre homme et femme, cela se baptise du nom d'amour. Plus souvent j'ai payé d'un abandon le droit de vivre. Est-ce cela que vous voulez savoir?

— Non, autre chose encore. Bientôt je saurai... Quand la caravane de Boston arrivera.

Il la serra plus fort contre lui.

— ... C'est une chose tellement surprenante que de vous découvrir différente de ce que j'avais imaginé... O mon étrange femme, la plus belle, l'inoubliable, est-ce bien à moi que vous avez été remise, confiée en ce jour fleuri, dans la cathédrale de Toulouse...

Elle vit son visage penché se transformer et ses traits burinés, sa bouche sensuelle et dure s'émouvoir dans un sourire d'une tristesse infinie.

— J'ai été un bien mauvais gardien, mon pauvre trésor... mon précieux trésor, tant de fois perdu...

— Joffrey... murmura-t-elle.

Elle voulait lui dire quelque chose, lui crier que tout était effacé puisqu'ils s'étaient retrouvés, mais elle prit conscience des coups frappés à la porte et des appels d'un enfant éveillé.

Joffrey de Peyrac jura entre les dents.

— Mordious, dit-il, le monde n'est pas encore assez désert pour que nous puissions y converser en paix...

Pourtant il prit le parti de rire et alla tirer la porte.

La jeune Rebecca Manigault haletait sur le seuil d'un air effaré, comme si elle avait parcouru des lieux pour parvenir jusque-là.

— Dame Angélique, supplia-t-elle d'une voix hachée par l'émotion, venez... venez vite... Jenny... elle va avoir son enfant...

7

Le bébé de Jenny naquit à l'aube. C'était un garçon.

A tous ceux qui se trouvaient autour de la cabane où la jeune mère l'avait mis au monde, il semblait qu'aucun bébé de la terre ne pouvait être aussi extraordinaire et le fait qu'il fût un garçon apparaissait comme une sorte de miracle.

La veille au soir, Angélique avait conduit Jenny dans la maison de Crowley, et les enfants endormis avaient été transportés ailleurs. Mme Manigault, maîtresse femme dans ses salons de La Rochelle, perdait tout sang-froid devant un événement qu'elle ne pouvait imaginer qu'entouré du décorum d'usage.

— Pourquoi sommes-nous ici, gémissait-elle. Il n'y a ni bassinoire pour chauffer sa couche, ni matrone pour secourir ma pauvre enfant. Quand je pense aux beaux draps de dentelles de mon grand lit... Oh! Seigneur.

— Les dragons du Roi dorment avec leurs bottes dans vos draps de dentelles, lui rappela rudement Angélique. Vous savez cela comme moi. Réjouissez-vous que cet enfant ne naisse pas au fond d'une prison dans un dénuement plus complet encore, mais en liberté et entouré des siens.

Jenny, tremblante, s'accrocha à elle. Angélique dut demeurer patiemment à son chevet et parvint à la rassurer. Vers le milieu de la nuit, un personnage étrange se présenta. C'était une vieille indienne apportant son expérience de matrone et, dans ses sachets, des plantes médicinales. M. de Peyrac l'avait envoyé quérir au village indien.

L'enfant naquit sans heurts avec les premiers rayons du soleil levant. Son cri énergique parut saluer cette aurore miroitante de mille feux, qui tissait autour des maisons en ruine des voiles de brumes d'or somptueux.

Après ces heures d'angoisse, tous, hommes et femmes, qui se pressaient au-dehors dans l'attente d'un drame, explosèrent de joie et beaucoup pleurèrent. C'était donc aussi simple de vivre. Le nouveau-né qui, indifférent aux contingences terrestres, poussait avec vigueur son premier cri leur en donnait la leçon.

Angélique le tenait encore dans les bras, enveloppé de bandelettes à l'indienne par l'impassible matrone au teint de cuivre, lorsque le comte de Peyrac se fit annoncer pour présenter ses hommages à la jeune accouchée.

Il entra, précédé de deux serviteurs qui déposèrent sur le lit des cassettes, l'une contenant des perles, l'autre deux petits draps de toile d'or. Lui-même présenta un écrin où brillait étincelante une bague garnie d'un saphir.

— Vous avez fait à cette terre nouvelle le plus beau présent qu'elle puisse attendre, madame. Là où nous sommes, les objets que je vous apporte ont surtout valeur de symboles. Né dans le dénuement, votre fils le sera aussi sous le signe de la plus grande richesse. J'en accepte l'augure pour lui et pour ses parents.

— Monsieur, comment croire?... balbutia le

jeune père qui se tenait là, à bout d'émotion, cette pierre est splendide...

— Gardez-la en souvenir d'un jour solennel. Je suis certain que votre femme la portera avec plaisir, même si sa satisfaction ne peut encore s'accompagner de celle d'éblouir toute une ville, cela viendra... Comment se nomme ce bel enfant?

Les parents, les grands-parents se regardèrent.

A La Rochelle la question aurait été depuis longtemps débattue, les prénoms arrêtés non sans discussions ferventes. On se tourna vers Manigault mais celui-ci était à bout. Il évoqua ses ancêtres dont les portraits garnissaient jadis les murs de sa demeure et ne put retrouver le nom d'un seul. Sa mémoire sombrait sous la plus incommensurable envie de dormir que peut éprouver un père qui a passé la nuit à attendre la mort de sa fille. Il avoua son impuissance, rendit les armes.

— Choisissez vous-mêmes, mes enfants. Aussi bien, là où nous sommes qu'importent les usages, auxquels nous attachions tant de prix. A votre tour, maintenant...

Jenny et son mari protestèrent. Eux non plus, n'y avaient pas songé, se reposant sur l'autorité paternelle. Leur responsabilité les écrasait. On ne pouvait choisir au hasard le nom d'un enfant aussi merveilleux.

— Dame Angélique, inspirez-nous, décida tout à coup Jenny... Oui... Je veux que ce soit vous qui le nommiez. Cela lui portera bonheur. C'est vous qui nous avez conduits jusqu'ici; c'est vous qui nous avez guidés... Cette nuit, lorsque je vous ai fait appeler, je sentais que rien ne pouvait m'arriver de mal si vous étiez à mes côtés. Donnez-lui son nom, dame Angélique... Donnez-lui un nom qui vous soit cher... et que vous serez heureuse de voir porté par un petit garçon... plein de vie...

Elle s'interrompit et Angélique se demanda ce que savait Jenny pour la regarder ainsi avec des yeux pleins de larmes et de tendresse. C'était une jeune femme au cœur délicat. Le mariage et les épreuves avaient transformé son adolescence étourdie. Elle vouait à Angélique une affection sans bornes et une grande admiration.

— Vous m'embarrassez, Jenny.

— Je vous en prie.

Angélique reporta son regard sur le bébé qu'elle tenait au creux de ses bras. Il était blond et rond. Il aurait peut-être les yeux bleus. Il ressemblerait à Jérémie... Et à un autre enfant si blond, si rose qu'elle avait tenu elle aussi contre son cœur.

Elle caressa doucement le petit crâne velouté.

— Nommez-le Charles-Henri, dit-elle, vous avez raison, Jenny. Cela me réjouira qu'il s'appelle ainsi.

Elle se pencha pour remettre l'enfant entre les bras de la jeune femme et parvint à sourire.

— S'il lui ressemble vous serez une mère heureuse, Jenny, dit-elle tout bas, car c'était, en vérité, le plus beau des petits garçons.

Elle l'embrassa et sortit sur le seuil de la cabane. Le soleil la frappa en plein visage et elle eut l'impression qu'il y avait une foule immense devant elle d'où montait une grande rumeur. Angélique vacilla et porta la main à ses yeux. Elle s'apercevait qu'elle était épuisée.

Une poigne solide la soutint.

— Venez, dit la voix impérative de son mari.

Elle fit quelques pas. Son étourdissement se dissipait. Il n'y avait pas de foule mais seulement le groupe compact des Protestants auxquels se mêlaient les hommes d'équipage du *Gouldsboro*, les coureurs de bois, Crowley, M. d'Urville, quelques Indiens et même les soldats espagnols dans leurs armures noires.

La nouvelle prodigieuse de la naissance d'un enfant blanc avait fait accourir toute la contrée.

— Ecoutez-moi...

Le comte de Peyrac s'adressait à eux.

— Vous êtes tous venus, hommes de race blanche, pour contempler cette merveille chaque fois renouvelée : la naissance d'un enfant parmi nous. Promesse de vie qui chaque fois écarte les souvenirs de mort. A cause de ce frêle enfant, vous vous sentez unis et vous oubliez de vous haïr. C'est pourquoi l'heure me semble propice de m'adresser à vous tous, qui portez sur vos épaules le sort du peuple parmi lequel cet enfant nouveau-né doit grandir... A vous qui venez de La Rochelle, à vous qui venez d'Ecosse ou d'Allemagne ou d'Angleterre ou d'Espagne, à vous commerçants ou nobles, chasseurs ou soldats... Le temps des querelles doit se clore. Nous ne devons jamais oublier que nous avons un lien commun. Nous sommes tous des bannis... Tous nous avons été rejetés par nos frères. Les uns à cause de leur foi, les autres pour leur impiété, les uns pour leur richesse, les autres pour leur pauvreté. Réjouissons-nous, il n'est pas donné à tous d'avoir l'honneur d'édifier un Nouveau Monde... J'étais jadis seigneur de Toulouse et d'Aquitaine. Mes domaines étaient multiples, ma fortune immense. La jalousie du roi de France qui redoutait la puissance féodale des provinces, a fait de moi un errant, un homme sans nom, sans pays, sans droits, Accusé sous mille prétextes, condamné à mort, j'ai dû m'enfuir. J'avais tout perdu, domaines, châteaux, puissance, et j'étais séparé à jamais des miens. De la femme que j'aimais et que j'avais épousée et qui m'avait donné des fils...

Il s'interrompit, promena un regard attentif sur les êtres haillonneux et disparates qui l'écoutaient en retenant leur souffle et ses prunelles s'égayèrent.

— Aujourd'hui, je me réjouis de ces épreuves. Il me reste la vie et le sentiment inappréciable d'être utile en ce monde. De plus un sort heureux — que vous appellerez Providence, messieurs, ajouta-t-il avec un grand salut vers les Protestants — m'a rendu la femme que j'aimais.

Il éleva la main qui tenait celle d'Angélique.

— La voici... Voici celle que j'ai épousée, il y a quinze ans, dans la cathédrale de Toulouse, parmi les fastes et les honneurs... Voici la comtesse de Peyrac de Morens d'Isritru, ma femme.

Angélique était presque aussi stupéfaite que les assistants, de cette annonce impromptue. Elle jeta à son mari un regard éperdu auquel il répondit par un sourire complice. Et ce fut comme si elle le revoyait dans la cathédrale de Toulouse, lorsqu'il cherchait en vain à rassurer la petite épousée terrifiée.

Il gardait ce sens théâtral des chaudes civilisations méridionales. Très à l'aise, enchanté de son effet, il la fit s'avancer parmi la pauvre assemblée la présentant comme il l'eût fait aux plus grandes personnalités d'une ville.

— Voici ma femme... La comtesse de Peyrac.

Le joyeux gentilhomme normand fut le premier à se ressaisir, envoya en l'air son chapeau.

— Vive la comtesse de Peyrac!

Ce fut le signal d'une ovation qui, peu à peu, devint délirante.

Ils passèrent parmi les applaudissements et les sourires amicaux. La main d'Angélique frémissait dans celle du comte de Peyrac, comme autrefois, mais elle souriait. Et elle se sentait mille fois plus heureuse que s'il l'avait conduite parmi la gloire, sur un chemin de roses.

8

Tout au long de la journée, maître Gabriel Berne essaya d'approcher d'Angélique pour lui parler. Elle s'en aperçut et fit en sorte de l'éviter. Comme, le soir, elle se trouvait seule près de la source, elle se retourna et le vit s'avancer. Elle en fut contrariée. Il s'était comporté de telle façon au cours de ce voyage qu'elle avait fini par douter de sa raison et qu'il lui inspirait un peu de crainte. On ne savait à quelles extrémités pouvait le porter son dépit.

Mais il s'exprima avec calme et ses premiers mots firent tomber les préventions d'Angélique.

— Je vous cherchais, madame, pour vous exprimer mes regrets. L'ignorance dans laquelle vous m'avez tenu des liens qui vous unissaient à M. de Peyrac fut la cause de mes erreurs. Car malgré...

Il hésita et continua avec effort.

— ... Mon amour pour vous, jamais je n'aurais tenté de rompre un lien sacré. Or, ma douleur de vous voir attirée par un autre se doublait de celle de vous croire méprisable... Je sais maintenant qu'il n'en était rien. J'en suis heureux.

Il prononça ces mots avec un nouveau soupir et baissa la tête.

La rancœur d'Angélique s'évanouit. Elle n'oubliait pas qu'il avait failli tuer son mari et lui avait causé un tort grave, mais il n'était pas sans excuse. Et aujourd'hui elle était heureuse alors que lui souffrait.

— Merci, maître Berne, moi-même j'ai eu mes torts. J'ai manqué de franchise envers vous, me trouvant dans l'impossibilité de vous expliquer le drame dans lequel je me débattais. Après une séparation de quinze ans au cours de laquelle je m'étais considérée veuve, le hasard me remettait en face de celui qui avait été mon époux et... nous ne nous reconnaissions pas. Le grand seigneur dont je gardais le souvenir était devenu un aventurier des mers, et moi-même... j'ai été votre servante, maître Berne, et vous savez dans quelles tristes conditions vous m'avez recueillie. C'est vous qui avez été chercher mon enfant dans la forêt et qui m'avez arrachée à la prison. Cela ne peut s'effacer. Mon époux a pris ombrage de l'affection que je vous portais à vous et à votre famille. Des querelles nous ont opposés. Aujourd'hui, elles sont oubliées, et nous pouvons avouer notre amour.

Le visage de Berne se crispa. Il n'était pas guéri de sa passion. Il lui jeta un regard de détresse et elle le sentit ému. Il avait beaucoup changé depuis La Rochelle. Son embonpoint de marchand sédentaire avait fait place à une carrure vigoureuse où l'on reconnaissait des ascendances paysannes. Elle pensa que des épaules pareilles n'étaient pas faites pour se courber sur des comptes dans la pénombre d'un magasin, mais bien pour supporter le poids d'un nouveau monde. Gabriel Berne avait trouvé son destin. Il ne le savait pas encore. Il souffrait.

— Mon cœur saigne, dit-il d'une voix étouffée. Je ne croyais pas qu'on pouvait perdre ainsi le sang de son cœur sans mourir. Je ne savais pas qu'on pût tant souffrir d'aimer. Il me semble que je comprends aujourd'hui les folies et les crimes que les hommes commettent pour une passion charnelle... Je ne me reconnais plus, je me fais peur... Oui, c'est dur de fléchir, de se voir face à face. J'ai tout perdu. Il ne me reste plus rien.

Jadis elle lui eût dit, sincère, et certaine de le réconforter : « Il vous reste votre foi. » Mais elle sentait que Gabriel Berne traversait ce désert noir et sans espérance qu'elle avait elle-même parcouru. Elle dit seulement :

— Il vous reste Abigaël.

Le Rochelais la regarda avec le plus grand étonnement.

— Abigaël?

— Oui, Abigaël, votre amie de La Rochelle, votre amie de toujours. Elle vous aime en secret et depuis longtemps. Peut-être vous aimait-elle déjà quand vous vous êtes marié? Cela fait des années qu'elle vit dans votre ombre et qu'elle souffre d'amour elle aussi.

Berne était bouleversé.

— C'est impossible. Nous étions amis d'enfance. Je me suis accoutumé à la voir venir en voisine. Elle a soigné ma femme avec dévouement pendant sa dernière maladie, elle l'a pleurée avec moi... Et depuis je n'ai jamais soupçonné...

— Vous ne vous aperceviez pas de son attachement. Elle est trop pudique et discrète pour vous en faire l'aveu. Epousez-la, maître Berne. C'est l'épouse qu'il vous faut, bonne, pieuse et belle. Vous êtes-vous jamais aperçu qu'elle avait les plus beaux cheveux du monde? Lorsqu'elle les déroule, ils lui tombent jusqu'aux reins.

Brusquement le marchand se fâcha.

— Pour qui me prenez-vous? Pour un enfant qui a perdu son jouet et que l'on distrait de son chagrin en lui en donnant un autre. Soit! Abigaël m'aime. Est-ce à dire que mes sentiments sont variables comme la pluie et le beau temps. Je ne suis pas une girouette. Vous avez une tendance fâcheuse à traiter la vie avec désinvolture. Il est temps que vous oubliiez une indépendance qui, pour ne pas être voulue, ne vous en a pas moins coûté cher et que vous mettiez tout en œuvre pour plier votre personne, par trop brillante et légère, à vos devoirs d'épouse.

— Oui, maître Berne, répondit Angélique, du ton qu'elle prenait à La Rochelle quand il lui donnait un ordre.

Il sursauta, parut se rappeler leur nouvelle condition et balbutia une excuse. Puis il la regarda intensément. A jamais, il fixait l'image de celle qui avait traversé sa vie comme une fulgurante étoile, la femme du destin entrevue un soir de jeunesse dans les bas-fonds de Paris, celle qui, retrouvée plus tard au tournant d'un chemin creux où le guettaient des bandits, avait bouleversé son existence, pour finalement les sauver lui et ses enfants d'un sort misérable. Il comprenait qu'elle avait rempli sa tâche auprès d'eux, que leur chemin bifurquait.

Les traits de maître Berne se raffermirent, son visage retrouva son expression sereine, un peu distante.

— Adieu, madame, dit-il, et merci.

Il s'en alla à grands pas et Angélique l'entendit demander à l'entrée du camp où se trouvait Abigaël. Elle demeura pensive. Abigaël allait être heureuse. Du jour où Berne serait son époux, il s'interdirait de penser à Angélique et, d'ailleurs, sa douce amie était celle qu'il lui fallait pour combler ses désirs d'homme tourmenté par une conscience pointilleuse.

— Vous conversiez avec votre ami Berne, dit la voix de Joffrey de Peyrac derrière elle. Il insistait sur le mot : ami.

Angélique n'ignora pas l'allusion.

— Il n'est plus tout à fait mon ami depuis qu'il vous a menacé.

— Mais n'importe quelle femme éprouve quelque mélancolie à détourner d'elle un amoureux passionné.

— Oh! que vous êtes sot, fit Angélique en riant. Je ne sais jamais si je dois croire à votre jalousie tant elle me paraît sans objet. J'essayais de convaincre maître Berne qu'il y a une femme digne de lui qui l'aime et l'attend depuis des années. Malheureusement, il est de ces hommes qui ont passé à côté du bonheur, parce qu'ils ne pouvaient s'empêcher de considérer la femme comme un piège dangereux et traître.

— Votre rencontre a-t-elle beaucoup contribué à le faire changer d'avis? dit Joffrey de Peyrac avec ironie. Je ne pense pas, si j'en crois l'état de rage démente dans lequel vous l'aviez réduit.

— Vous exagérez toujours, dit Angélique en feignant l'humeur.

— Un pistolet braqué sur moi suffit pour me convaincre de l'extrémité à laquelle vous portez ceux qui ont eu le malheur de s'éprendre de vous.

Il la prit dans ses bras.

— Fuyante maîtresse! je remercie le ciel que vous soyez ma femme. Je peux au moins vous enchaîner avec le droit pour moi. Ainsi, vous lui avez remis Abigaël?...

— Oui. Elle saura se l'attacher. Elle est très belle.

— Je l'ai remarqué.

Angélique ressentit un pincement au cœur.

— Je sais en effet que vous l'avez remarqué... dès le premier soir sur le *Gouldsboro*.

— Jalouse, enfin?... dit le comte avec satisfaction.

— Vous avez pour elle des égards que vous n'avez pas pour moi. Vous lui faites confiance en tout, alors que vous vous méfiez de moi, je ne sais pas pourquoi?

— Je ne le sais que trop, hélas! Vous me rendez faible et je ne suis pas sûr de vous.

— Quand donc le serez-vous? fit-elle attristée.

— Il reste encore un doute à écarter.

— Lequel?

— Je m'expliquerai en temps voulu. Ne prenez pas cet air abattu, ma triomphante. Ce n'est pas parce qu'un homme que vous avez beaucoup torturé, vous approche avec prudence, qu'il vous faut crier au désastre. Pour ma part, je m'accommode assez bien des tempêtes et des sirènes à la périlleuse séduction. Mais je comprends qu'une Abigaël puisse être un délicieux refuge. J'ai vu dès ce premier soir qu'elle était amoureuse de ce Berne. C'était elle qui avait besoin d'être réconfortée. Elle le croyait sur le point de décéder et souffrait mille morts. Mais il ne voyait que vous, à son chevet. Spectacle qui, pour moi aussi, manquait d'attrait. Disons que ce qui nous a rapprochés, elle et moi, c'est un malheur commun. Elle avait l'air d'une vierge martyre, d'une flamme pure qui se consumait, et malgré sa douleur elle était la seule parmi tous ces justes exécrables à me regarder avec reconnaissance.

— J'aime beaucoup Abigaël, dit Angélique d'un ton tranchant, mais je ne peux supporter que vous parliez d'elle avec cette tendresse.

— Vous n'avez pas sa grandeur d'âme?

— Certes non, quand il s'agit de vous.

Ils marchaient en lisière de la forêt et se rapprochaient du chemin qui longeait la côte. Des chevaux hennirent derrière un bosquet de bouleaux.

— Quand partirons-nous pour l'expédition que vous projetez dans l'arrière-pays? demanda Angélique.

— Dois-je comprendre que vous avez hâte de quitter vos amis?

— J'ai hâte d'être seule avec vous, dit-elle en

lui dédiant ce regard d'amoureuse qui le bouleversait.

Il baisa ses paupières doucement.

— Je m'en voudrais presque de vous taquiner, si vous ne méritiez pas quelque punition pour les tourments que vous m'avez causés. Nous partirons dans deux semaines. Il me faut prendre des dispositions pour que les nouveaux colons puissent affronter l'hiver. Il est terrible. Nos Rochelais vont avoir à se colleter avec la nature et les êtres. Les Indiens ne sont pas des esclaves apeurés comme dans les îles des Caraïbes et, quand la mer se fâche ici, elle ne badine pas. Ils vont avoir du mal, ils vont souffrir.

— On dirait que vous vous félicitez de leurs difficultés.

— Un peu. Je ne suis pas un saint, ma chérie, à l'âme attendrie et indulgente et je n'ai pas encore tout à fait oublié le méchant tour qu'ils m'ont joué. Mais la seule chose qui m'importe, à la vérité, c'est qu'ils réussissent l'œuvre que je leur confie et ils réussiront, je leur fais confiance. Leur esprit d'entreprise ne pourra renoncer aux perspectives entrevues.

— Leur avez-vous fait des conditions très dures?

— Assez. Ils se sont incliné. Ce sont, après tout, gens de bon sens. Ils savent que leur part est belle alors qu'ils auraient pu se balancer au bout d'une corde.

— Pourquoi? demanda Angélique tout à coup, pourquoi ne les avez-vous pas pendus aussitôt, dès leur défaite? Comme vous l'avez fait pour vos mutins espagnols.

Joffrey de Peyrac hocha la tête avant de répondre. Elle trouvait étonnante la façon dont, tout en continuant à réfléchir et à deviser, il ne cessait de guetter autour de lui, d'un œil pénétrant, aiguisé, voyant au loin, à travers les arbres, semblait-il. Ainsi surveillait-il la mer, sur la dunette du *Gouldsboro* « l'homme-qui-écoute-l'Univers... ».

Il répondit au bout d'un long moment.

— Pourquoi ne les ai-je pas pendus aussitôt? Il faut croire que je ne suis pas un impulsif, ma mie. Tout acte grave, et c'en est un que de priver de sang-froid une créature humaine de sa vie, demande à être réfléchi dans ses conséquences. Débarrasser le monde de ma racaille espagnole, tout en satisfaisant le code de justice des marins ne posait pas de problème. L'exécution ne réclamait aucun délai. Pour vos Rochelais c'était autre chose. Tous mes projets condamnés. En effet, impossible de m'éloigner vers l'intérieur sans laisser une communauté de colons sur le rivage comme je l'avais prévu. Il me fallait ce débouché, ce port, même embryonnaire. De plus, je trouvais stupide d'avoir amené jusque-là tous ces émigrants, pour devoir renoncer au départ prévu vers les sources du Mississippi. Leurs chefs pendus, je me retrouvais encombré de femmes et d'enfants hagards, obligé à un autre voyage vers l'Europe pour trouver d'autres colons qui sans doute ne les vaudraient pas. Car je rendais justice, comme vous m'en avez prié, à leurs qualités de courage et d'ingéniosité. Bref, il y avait là bien des objections qui pesaient d'un poids certain sur la balance et que ne compensaient pas la nécessité de faire un exemple et une très légitime rancœur.

Angélique l'écoutait en mordant sa lèvre inférieure.

— Et moi qui croyais que vous les aviez épargnés parce que je vous l'avais demandé!...

Il éclata de rire.

— Attendez-donc que je parvienne au bout de mes discours avant de prendre cet air déçu et mortifié. Ah! que vous restez femme malgré votre sagesse toute neuve.

Il se mit à l'embrasser sur la bouche et ne la lâcha que lorsqu'elle eut cessé de lui résister et répondu à son baiser.

— Laissez-moi donc ajouter qu'une arrière-pensée me faisait craindre les réactions de dame Angélique devant un acte de justice normal, mais irréparable. Alors, j'hésitais... j'attendais.

— Quoi donc?

— Que le sort décide... que les plateaux de la balance s'inclinent d'eux-mêmes d'une part ou de l'autre. Que vous veniez peut-être?

Angélique à nouveau voulut s'échapper de ses bras.

— Quand je pense, s'écria-t-elle indignée, que je tremblais, que je défaillais à votre porte. Je croyais que vous alliez me tuer pour cette démarche. Et vous l'attendiez!...

Les yeux du comte étaient pleins d'étincelles rieuses. Il aimait la voir déraisonnable et un peu enfantine dans sa colère.

— J'hésitais, c'est vrai. J'avais la conviction que c'était vous qui décideriez de leur sort. Pourquoi cette indignation?

— Je ne sais pas... j'ai l'impression que vous m'avez encore mystifiée.

— Nulle comédie, mon ange, de ma part. J'ai seulement laissé au sort le temps de se prononcer... Vous auriez pu ne pas venir me demander leur grâce.

— Et vous les auriez pendus?

— Je le crois, j'avais remis ma décision jusqu'à l'aube.

Le visage du comte était devenu grave.

Il l'attirait plus près de lui, la contraignait à poser sa joue sur la sienne et elle sentait avec un frémissement, les sillons durcis de ses cicatrices, la chaleur de sa peau tannée.

— Mais tu es venue... Et maintenant tout est bien.

La nuit s'élevait de la mer et rejoignait l'ombre stagnant sous les arbres.

Un Indien parut dans le sentier, tenant en bride deux montures.

Joffrey de Peyrac se mit en selle.

— Vous m'accompagnez, madame.

— Où allons-nous?

— Jusqu'à mon fief. Il est sans grâce. Un donjon de bois au-dessus de la baie. Mais on peut y aimer tranquillement. Ce soir, ma femme m'appartient.

9

— Où m'emmenez-vous? avait demandé Angélique tandis que leurs montures les emportaient tous deux le long du rivage nocturne.

Et il avait répondu.

— Je possède un petit château pour y aimer tranquillement... au bord de la Garonne.

Alors elle s'était rappelé la douce nuit dans la lointaine Aquitaine, où il l'avait entraînée, à l'écart de Toulouse, pour lui faire connaître l'amour. Ici, le vent sauvage de la nuit les frappait de plein fouet, et quand ils arrivèrent aux abords d'une rustique construction, le tumulte de la mer était tel qu'ils ne pouvaient échanger trois paroles.

Pourtant, à l'intérieur de ce fort de bois, qu'il avait érigé sur les rives du Nouveau Continent, le gentilhomme français s'était ménagé un luxueux asile. On y oubliait la précarité d'une existence encore mal ancrée parmi une nature indomptée. Il y avait entassé des trésors, des objets d'art, des instruments précieux, que des Indiens, choisis par lui, gardaient durant ses absences avec le respect superstitieux des primitifs pour ce qui ne s'explique pas. Les murs de la pièce principale, au sommet du donjon, étaient garnis d'armes qui toutes, sabres, mousquets et pistolets prêts à servir, représentaient des spécimens magnifiques d'armurerie espagnole, française ou turque. Leur étincelante panoplie aurait eu quelque chose d'inquiétant sans la lueur colorée et comme magique de deux lustres en verrerie de Venise dans lesquels brûlaient des mèches allumées. L'huile grésillante répandait une odeur tiède qui se mêlait à celle des mets préparés sur la table et où abondaient, autour d'une pièce de gibier rôti, les fruits et légumes de la contrée.

Des épis de maïs grillés mettaient leurs taches d'or aux deux extrémités. Joffrey de Peyrac fit verser dans les coupes un vin pourpre, un autre transparent comme de l'opale, puis les serviteurs retirés, jeta un regard attentif sur l'ordonnance de la table préparée pour ce simple souper.

Angélique, debout près de la fenêtre, ne le quittait pas des yeux.

« Il sera toujours un grand seigneur », se dit-elle. Et elle reconnut en lui cette qualité noble qu'elle avait aimée en Philippe, celle de résister à la contrainte de la nature qui irrésistiblement cherche à ramener l'homme à une condition servile, à lui faire oublier ses conquêtes : raffinement, courtoisie, faste. Comme Philippe savait opposer aux fatigues de la guerre son armure orfévrée et ses manchettes de dentelle, Joffrey de Peyrac avait affronté divers destins avec une constante élégance.

Il avait fallu la coalition la plus basse des humains et sa volonté de leur échapper, pour lui faire accepter d'être, pendant un certain temps, une épave en haillons traînant ses plaies. Angélique ne savait pas tout de son combat, mais elle le devinait en le voyant droit, raide, sous la clarté étrange des lampes qui accusait les cicatrices de son visage. Sa démarche aisée, il la devait à d'incroyables souffrances et sa voix à jamais déformée en témoignait. Pourtant il paraissait d'acier, prêt à porter sur ses épaules une nouvelle existence de luttes, d'espoirs, de triomphe, de déception, qui sait?...

Le cœur d'Angélique se fondit de tendresse. Il cessait de lui faire peur quand elle songeait à ce qu'il avait enduré et, comme toutes les femmes, elle aurait voulu pouvoir le prendre sur son cœur, le soigner et panser ses blessures. N'était-elle pas sa femme? Mais alors, le sort les avait séparés.

Maintenant il n'avait plus guère besoin d'elle. Il avait traversé une partie de sa vie sans avoir besoin d'elle et semblait s'en trouver fort bien.

— Mon domaine vous plaît-il?

Angélique se tourna vers l'étroite meurtrière d'où montait le mugissement des flots. Ce n'est pas sur la baie, mais sur la mer échevelée que regardait le fort construit spécialement par Joffrey de Peyrac pour y résider quand il venait à Gouldsboro. Le choix de cette position avouait un secret tourment, peut-être une amertume. L'homme qui recherche la nature la plus sauvage pour y rêver, le fait souvent pour contempler l'image de son cœur.

A quelle femme rêvait Joffrey de Peyrac lorsqu'il se réfugiait dans ce fortin en nid d'aigle, battu par les flots? Etait-ce à elle, Angélique?...

Non il ne rêvait pas d'elle. Il tirait des plans pour aller chercher de l'or aux sources du Mississippi, ou pour savoir quelle sorte de colons, il pourrait installer sur ses terres à construire un port.

Elle répondit.

— La petite Garonne était plus douce que cet océan coléreux. Ce n'était qu'un mince filet d'argent sous la lune... Il y avait une brise parfumée, et non pas ce vent terrible qui essaye de s'insinuer pour souffler les lampes.

— La petite épousée des bords de la Garonne était plus anodine aussi que celle que j'emmène ce soir dans mon repaire au bout du monde.

— Et son époux moins redoutable que celui qu'elle retrouve aujourd'hui.

Ils rirent en s'affrontant du regard.

Angélique rabattit le volet de bois et le fracas

des éléments s'estompa. Il régna alors dans la pièce une intimité mystérieuse.

— C'est étrange, murmura Angélique, il me semble que tout m'est rendu au centuple. J'ai cru quitter pour toujours le pays de mon enfance, la terre de mes aïeux. Puis-je dire que les arbres qui nous entourent me rappellent la forêt de Nieul? Oui, mais grandie, tellement plus belle encore, profonde, opulente. J'ai l'impression qu'il en est ainsi de tout. Tout est démesuré, magnifié, exalté : la vie, l'avenir... notre amour.

Elle prononça ce dernier mot plus bas encore... presque timidement, et il ne parut pas l'entendre.

Pourtant, au bout d'un moment il prolongea sa pensée.

— Je me souviens aussi que ma petite résidence en Garonne était garnie de jolis bibelots, mais je gage qu'aujourd'hui ce décor convient mieux à votre humeur guerrière.

Il avait surpris son coup d'œil admiratif sur les armes. Elle faillit répondre promptement qu'il y avait d'autres choses plus féminines qui l'intéressaient, mais elle vit une lueur taquine dans ses yeux et se retint. Il demanda :

— Dois-je comprendre que, semblable à vos pareilles, vous êtes quand même attirée par les gourmandises préparées à votre intention? Encore que celles-ci ne valent pas celles de la Cour.

Angélique secoua la tête.

— J'ai faim d'autre chose.

— De quoi donc?

Elle sentit avec bonheur son bras entourer ses épaules.

— Je n'ose espérer, chuchota-t-il, que vous

vous soyez intéressée aux fourrures de ce grand lit. Elles sont pourtant fort précieuses et je les ai choisies en songeant combien vous seriez belle parmi elles.

— Vous songiez à moi?

— Hélas!

— Pourquoi cet hélas! Vous ai-je tant déçu?

Elle serrait entre ses doigts les dures épaules, sous le pourpoint. Brusquement elle s'était mise à trembler. L'enlacement de ses bras et la chaleur de sa poitrine avaient comme déclenché en elle un bouleversement fulgurant.

Avec la fièvre délicieuse du désir, se réveillait toute sa science amoureuse. Ah! s'il se pouvait que dans ses bras elle redevînt vivante, elle saurait lui prouver sa reconnaissance. Il n'en est pas de plus farouche et de plus infinie que celle que la femme voue à l'homme qui sait la rendre heureuse dans toutes les fibres de son être.

Il vit avec émerveillement le regard d'Angélique s'élargir, vert et lumineux comme un étang au soleil, et tandis qu'il se penchait elle noua avec passion ses beaux bras autour de sa nuque et ce fut elle qui prit ses lèvres.

Nuit sans fin. Une nuit de caresses, de baisers, d'étreintes, d'aveux murmurés et redits, de sommeil sans rêves, entrecoupé de réveils amoureux.

Dans les bras de celui qu'elle avait tant aimé et tant attendu, Angélique, transportée, redevenait la Vénus secrète des nuits d'amour qui faisait défaillir d'extase ses amants comblés, les laissant frappés d'un regret et d'une douleur inguérissables. Le vent de la tempête emportait les souvenirs, effaçait les fantômes...

— Si tu étais resté près de moi..., soupirait-elle.

Et il savait que c'était vrai, que s'il était resté près d'elle il n'y aurait jamais eu que lui dans sa vie. Et que lui-même ne l'aurait jamais trahie. Car nulle autre femme, nul autre homme ne pouvaient leur apporter ce bonheur inouï qu'ils se donnaient l'un à l'autre.

Angélique en émergea lasse, enchantée et frappée de la plus sereine vision du monde qu'on puisse éprouver au matin de la vie.

L'existence avait pris un autre cours. Les nuits n'apporteraient plus la froide solitude, mais la promesse de l'éclatant plaisir, des heures comblées, grisantes, puis tendres et apaisées, qu'importaient la couche, pauvre ou riche, l'hiver, la sauvagerie des bois ou l'ivresse de l'été. Elle dormirait contre lui, nuit après nuit, dans le danger et dans la paix, dans la réussite ou l'échec. Ils auraient leurs nuits, refuges d'amour, havres de tendresse. Et ils auraient les jours, pleins de découvertes et de conquêtes, qu'ils vivraient côte à côte.

Elle s'étira parmi les fourrures blanches et grises qui la recouvraient à demi. Les lustres étaient éteints. Une lueur filtrait derrière le volet de bois. Elle s'aperçut que Joffrey de Peyrac était debout, déjà habillé et botté. Il la fixait d'un regard énigmatique. Mais elle ne craignait plus le soupçon de ce regard. Elle lui sourit, toute à sa victoire.

— Déjà levé?

— Il n'est que temps. Un Indien au grand galop vient d'annoncer l'approche de la caravane de Boston. Si j'ai pu m'arracher aux délices de cette couche, ce n'est certes pas parce que vous m'y avez encouragé, je dirais même que jusque dans votre sommeil vous sembliez mettre tout en œuvre pour me détourner des tâches qui m'attendent dès l'aube. Vos talents sont par trop habiles.

— Ne vous étiez-vous pas plaint la première fois d'un manque... précisément, de compétences, qui vous avait paru blessant?

— Hum! hum! fit-il, je reste plerplexe. Je ne suis pas si sûr que vos élans de cette nuit n'aient pas piqué ma jalousie rétrospective. Je n'avais pas souvenir de vous avoir menée moi-même à une telle perfection. Enfin, admettons que vous devez tout à votre premier initiateur; il aurait mauvaise grâce à ne pas se sentir comblé...

Il mit un genou sur le bord du lit pour se pencher et la contempler dans le désordre de sa chevelure lumineuse.

— Et ça se déguise en pauvre servante pieuse! Et ça joue les fières Huguenotes, prudes et froides!... Et l'on s'y laisse prendre! Quand donc vous moquez-vous du monde, déesse?

— Moins souvent que vous. Je n'ai jamais su bien ruser, sauf dans un mortel danger. Joffrey, je ne vous ai jamais joué de comédie, ni avant ni maintenant, je me suis battue contre vous à armes franches.

— Alors vous êtes la plus surprenante des créatures, la plus imprévisible, la plus changeante, à mille facettes... Mais vous venez de prononcer un mot inquiétant : vous vous êtes battue contre moi... Vous le considériez donc comme un ennemi, ce mari revenant?...

— Vous doutiez de mon amour.

— Etiez-vous sans reproche?

— Je vous ai toujours aimé plus que tout.

— Vous commencez à m'en persuader. Mais notre combat, pour avoir pris un tour plus doux, est-il terminé?

— Je l'espère, fit-elle inquiète.

Il secoua la tête d'un air songeur.

— Il y a encore bien des aspects de votre comportement passé qui me demeurent mystérieux.

— Lesquels? Je vous expliquerai tout.

— Non. Je me méfie des explications. Je veux vous voir sans feinte.

Et répondant par un sourire à son regard anxieux.

— Levez-vous, chérie. Il faut que nous allions au-devant de la caravane.

10

Ils étaient arrivés aux abords d'un lieu désert enrobé de brumes, où l'on entendait pourtant comme l'écho de milliers de voix. Angélique tournait la tête de droite à gauche.

— Je ne vois personne. Quel est ce phénomène?

Sans répondre, Joffrey de Peyrac mit pied à terre.

Depuis quelques instants, il semblait distrait. Après l'avoir cru préoccupé, elle s'étonnait qu'il ne lui communiquât pas son souci. Il vint à elle et lui tendit les bras pour l'aider à descendre de cheval. Il lui sourit avec une infinie tendresse mais ses traits demeuraient tendus.

— Qu'avez-vous? lui demanda-t-elle à plusieurs reprises.

— Rien, mon cœur, répondit-il, en la serrant contre lui tandis qu'il l'entraînait entre les arbres, ne vous ai-je pas dit que ce jour est le plus beau de notre vie?

Elle vit qu'il n'était pas préoccupé, mais ému. Elle en fut encore plus inquiète. Son bonheur était encore si fragile qu'elle tremblait de voir un événement fortuit le lui enlever à nouveau. Etait-ce l'atmosphère ouatée qui lui mettait au cœur, non pas une angoisse, mais une impression d'attente?

— Quand il fait clair ici, la vie semble très simple, dit-elle à haute voix comme si elle voulait rompre un charme qui s'imposait, mais quand le brouillard nous enveloppe tout est remis en question. Ce doit être pour cela qu'on s'attache à ce pays. On attend sans cesse un événement, une surprise, on sent que quelque chose va se passer, quelque chose d'heureux.

— C'est en effet pour vous réserver une surprise heureuse que je vous ai amenée ici.

— Mais que peut-il m'arriver encore d'heureux puisque je vous ai retrouvé?

Il la fixa avec une attention ombrageuse, de ce regard qu'elle avait si souvent senti peser sur elle, à bord du *Gouldsboro*. Lorsqu'il l'examinait ainsi, elle savait qu'il doutait d'elle, qu'il lui réclamait des comptes et que l'amertume qu'elle lui avait infligée par son passé n'était pas effacée.

Mais il ne répondit pas à l'interrogation qu'il pouvait lire dans ses yeux.

A mesure qu'ils avançaient un bruit grondant leur parvenait, mêlé à des bruits de voix humaines. Ils arrivèrent devant un amoncellement de rochers rouges où la mer s'engouffrait avec fracas. Les voix se multipliaient, portées par un écho qui les amplifiait. Nulle silhouette humaine ne s'apercevant, le phénomène avait quelque chose d'inquiétant.

Angélique finit par distinguer sur la mer, de l'autre côté des roches, des petits points noirs qui flottaient, les têtes d'audacieux nageurs.

— Ce sont les enfants indigènes qui se livrent à leur jeu favori, dit Joffrey de Peyrac.

Le jeu consistait à se placer sur le trajet d'une lame particulièrement haute et, porté sur la crête écumante, de se précipiter avec elle dans l'antre noir d'une caverne où elle se fracassait. L'art du nageur était de se rattraper à la paroi rocheuse avant d'être broyé contre elle par la violence du choc. Il apparaissait alors au sommet de l'éboulis de rochers et courait plonger à nouveau pour recommencer.

Angélique les considérait sans faire un mouvement. Ce qui la retenait, c'était moins leur dangereux exploit qu'une certitude de reconnaître le décor. Elle cherchait à se rappeler *où* elle avait pu avoir sous les yeux un tel spectacle. Elle se tourna vers son mari pour lui faire part de ses réflexions. Une voix jeune, criant à travers la grotte un appel, fut le choc qui dissipa l'obscurité de sa mémoire. Ce n'était pas elle qui avait vu cela en rêve, c'était Florimond. Elle crut entendre les paroles qu'il lui disait un soir, au château du Plessis, alors que pesaient sur eux des menaces de mort, « J'ai vu mon père et mon frère en songe... Cantor était au sommet d'une grande vague blanche et il me criait : Viens, Florimond... Viens faire cela avec moi, c'est tellement amusant... Ils sont dans un pays plein d'arcs-en-ciel... ».

Les yeux d'Angélique s'ouvrirent.

La vision de Florimond se recomposait devant elle. Les arcs-en-ciel tremblaient à travers les feuillages, la vague blanche était là...

— Qu'avez-vous? demanda Joffrey de Peyrac avec inquiétude.

— Je ne sais pas ce qui m'arrive, dit Angélique qui était toute pâle, j'ai déjà vu ce paysage... en songe. Ou plutôt, ce n'était pas moi... Mais comment a-t-il pu réellement voir cela, murmura-t-elle se parlant à elle-même... Les enfants ont de ces presciences...

Elle n'osait pas prononcer le nom de Florimond. Leurs fils disparus demeuraient entre eux. C'était à leur sujet qu'il lui avait fait les plus durs reproches et elle ne voulait pas aujourd'hui, après les heures merveilleuses qu'ils avaient connues dans les bras l'un de l'autre, évoquer une cause de peine et de mésentente.

Mais c'était comme si elle le voyait là, devant elle, avec une acuité étonnante, le petit Florimond.

Depuis des années elle ne l'avait évoqué avec une telle précision. Il se tenait là avec son sourire étincelant, ses yeux charmeurs : « Mère, il faut partir »... Il lui avait dit cela, sentant que la mort rôdait, mais elle ne l'avait pas écouté, et il s'était enfui, poussé par l'instinct de vivre qui, Dieu merci, guide les actions impulsives de la jeunesse. Il ne pouvait sauver de force sa mère, ni son frère, le pauvre petit, il avait au moins sauvé sa propre vie. Avait-il trouvé ce pays plein d'arcs-en-ciel où il s'imaginait que l'attendaient son père et Cantor. Cantor mort depuis sept années en Méditerranée?

— Mais qu'avez-vous? répéta le comte en fronçant les sourcils.

Elle s'efforça de sourire.

— Ce n'est rien. J'ai eu comme une vision, vous dis-je. Je vous expliquerai plus tard pourquoi. La caravane s'annonce-t-elle?

— Montons sur ce tertre, nous les apercevrons. J'entends le bruit des chevaux, mais ils n'avancent qu'au pas car la sente est étroite.

De la légère éminence où ils se trouvaient, le regard, plongeant à travers les arbres, commençait à distinguer le mouvement causé par l'arrivée d'une troupe nombreuse. Les roues des chariots grinçaient sur les cailloux du chemin. Des plumes chatoyantes s'apercevaient entre les ramures. Coiffures des Indiens porteurs? Non, ces plumages garnissaient les feutres des deux cavaliers de tête. En même temps qu'ils surgissaient en vue, à l'orée du bois, parvenait un écho musical. Le bras de Joffrey de Peyrac se tendit subitement.

— Les voyez-vous? dit-il.

— Oui.

Elle mit sa main en auvent sur ses yeux afin de mieux distinguer les arrivants.

— Ce sont de très jeunes gens, me semble-t-il. L'un d'eux tient une guitare.

Le mot mourut sur ses lèvres. Son bras retomba. Pendant un instant elle éprouva comme un phénomène de désincarnation. Son corps était là, mais vidé de sa substance, elle était devenue une statue où seul demeurait vivant le pouvoir de la vue. Elle n'existait plus, elle était morte, mais elle voyait.

Elle les voyait... ces deux cavaliers qui s'avançaient. Et surtout l'un, le premier... et puis l'autre. Mais le premier était bien réel, tandis que l'autre, le page à la guitare, c'était une ombre, ou bien alors, elle était morte aussi.

Ils s'approchaient. Le mirage allait se dissiper. Mais plus ils s'approchaient, plus leurs traits se précisaient. C'était Florimond, son sourire étincelant, ses yeux rieurs et vifs.

— Florimond.

Il sauta à bas de son cheval et jeta un cri.

— Mère!

Alors il se mit à courir vers la colline les bras tendus.

Angélique voulut s'élancer aussi, mais ses jambes se dérobèrent et elle tomba à genoux.

Ce fut ainsi qu'elle le reçut contre son cœur, à genoux lui aussi, ses bras autour de son cou, sa tignasse brune contre son épaule.

— O Mère, disait-il, toi enfin. Je t'ai désobéi, je suis parti pour aller chercher mon père à ton secours. Il est arrivé à temps puisque te voici. Les soldats ne t'ont pas fait de mal? Le Roi ne t'a pas mise en prison, je suis heureux, tellement heureux, mère!...

Angélique serrait de toutes ses forces contre elle le torse mince. Florimond, son petit compagnon, son petit chevalier!

— Je le savais, mon fils, murmura-t-elle d'une voix brisée, je le savais que je te retrouverais. Tu es venu dans ce pays plein d'arcs-en-ciel dont tu avais rêvé.

— Oui... et je les ai trouvés tous les deux, mon père et mon frère, Maman, regarde... C'est Cantor.

L'autre adolescent se tenait à quelques pas du groupe. Florimond avait bien de la chance, songeait-il, de n'être pas intimidé. Il y avait si longtemps que lui, Cantor, ne l'avait pas revue, sa mère, la fée, la reine, l'éblouissant amour de sa petite enfance. Il n'était pas très sûr de la reconnaître en cette femme tombée qui serrait follement Florimond contre elle en balbutiant des mots éperdus. Mais elle tendit la main vers lui avec un appel et il s'élança. A son tour, il cherchait asile en ce bras qui l'avait bercé jadis. Il reconnaissait son parfum, son sein si doux, sa voix surtout qui éveillait tant de souvenirs, ceux des soirées devant l'âtre lorsqu'on faisait sauter les crêpes, ou lorsqu'elle venait l'embrasser plus tard, merveilleuse en ses atours somptueux.

— O, mère chérie!

— O mes fils, mes fils!... Mais c'est impossible, Florimond, Cantor ne peut être là! Il est mort en Méditerranée.

Florimond avait son rire clair un peu moqueur.

— Tu ne sais donc pas, mère, que c'est mon père qui a attaqué la flotte du duc de Vivonne parce que Cantor était à bord. Il le savait et il voulait le reprendre.

— Il le savait.

C'étaient les premiers mots qui atteignaient la conscience d'Angélique depuis le moment bouleversant où elle avait distingué en les traits des deux cavaliers que lui désignait Joffrey de Peyrac ceux, chéris, de ses fils tant pleurés.

— Il le savait, répéta-t-elle.

Ainsi tout cela n'était pas un rêve. Il y avait des années que ses fils étaient vivants. Joffrey de Peyrac avait « repris » Cantor, accueilli et gardé Florimond, et pendant ce temps-là, elle, Angélique, devenait à moitié folle de chagrin. Son premier réflexe, en reprenant pied dans la réalité, fut dès lors celui d'une colère aveugle. Avant que Joffrey de Peyrac ait pu prévoir son geste, elle s'était relevée et marchant sur lui, elle le frappa au visage.

— Vous le saviez, vous le saviez, cria-t-elle comme folle de rage et de douleur, et vous ne m'avez rien dit. Vous m'avez laissé pleurer de désespoir, vous vous réjouissiez de mes souffrances. Vous êtes un monstre. Vous me haïssez.

» Vous ne m'avez rien dit, ni à La Rochelle, ni pendant la traversée... ni cette nuit, même pas cette nuit... Ah! qu'ai-je fait en m'attachant à un homme aussi cruel, je ne veux plus vous voir...

Elle s'élançait. Il la retint et dut employer toute sa force pour la maintenir.

— Laissez-moi, hurlait Angélique en se débattant, jamais je ne vous pardonnerai, jamais... Maintenant je le sais, vous ne m'aimez pas... Vous ne m'avez jamais aimée... Lâchez-moi.

— Où voulez-vous courir, folle que vous êtes?

— Loin de vous... à jamais.

Elle épuisait ses forces contre sa force. Dans la crainte qu'elle ne s'échappât et ne commît quelque geste irréparable, le comte la broyait entre ses bras. Angélique, suffoquée, autant par cette étreinte de fer que par sa révolte et sa joie démentielle, sentit le souffle lui manquer, sa chevelure pesait un poids de plomb, tirait sa tête en arrière.

— O mes fils, mes fils, gémit-elle encore.

Joffrey de Peyrac ne tenait plus contre lui qu'un corps abandonné, au visage renversé, les yeux clos, mortellement pâle.

— Ouf! ma terrible!... Vous m'avez fait une belle peur!

Angélique reprenait ses sens. Elle était étendue sur une couche de feuillage, dans une cahute indienne, où son mari l'avait transportée évanouie. Son premier mouvement fut de repousser celui qui se penchait vers elle.

— Non, cette fois, c'est fini, je ne vous aime plus, monsieur de Peyrac, vous m'avez fait trop de mal.

Il sut ne pas sourire et, prenant de force la main qui se dérobait, il eut un mot qu'elle n'eût jamais attendu de lui.

— Pardonne-moi.

Elle eut un bref regard sur ce visage noble, marqué par la dure empreinte d'une vie de dangers et qui ne s'était jamais incliné. Elle se sentit près des larmes, mais de nouveau secoua la tête farouchement. Non, elle ne pardonnerait pas, il avait joué avec son cœur de mère. Il avait poussé l'insensibilité jusqu'à la torturer en lui reprochant de les avoir perdus, alors qu'il savait qu'ils étaient bien en vie l'attendant en Amérique, à Harvard et que c'était lui qui avait provoqué la « mort » de Cantor sans songer aux larmes qu'elle verserait, elle, sa mère, en apprenant la disparition de son enfant. Quelle indifférence pour les sentiments de celle qui avait été jadis sa femme! C'était donc vrai ce soupçon qui l'avait effleurée, qu'il ne l'avait jamais beaucoup aimée.

Elle voulut se lever pour s'écarter de lui, mais elle était si faible qu'elle ne put échapper aux bras qui la retenaient doucement contre lui.

— Pardonne-moi, répéta-t-il tout bas.

Force lui fut pour fuir l'interrogation ardente du regard de son mari, de cacher son visage contre sa dure épaule.

— Vous saviez et vous ne m'avez rien dit. Vous avez laissé se prolonger la souffrance qui me rongeait le cœur alors que d'un mot vous auriez pu me transporter de joie. Vous ne m'avez rien dit quand vous m'avez retrouvée, ni sur le bateau... Même pas cette nuit, sanglota-t-elle tout à coup, même pas cette nuit.

— Cette nuit?... O mon cœur! Vous requériez tout mon être. Cette nuit, vous m'apparteniez enfin, et jalousement, égoïstement, je ne voulais personne entre nous. Je vous avais assez partagée avec tout l'univers. Chérie, c'est vrai, j'ai été dur et parfois injuste, mais je ne t'aurais pas traitée avec tant de rigueur si je ne t'avais autant aimée. Tu es la seule femme qui a eu le pouvoir de me faire souffrir. La pensée de tes trahisons a été longtemps un fer rouge sur mon cœur qui se croyait invulnérable. Le doute empoisonnait mes souvenirs, je te voyais frivole, le cœur sec, indifférente aux enfants que je t'avais donnés.

» Et t'ayant retrouvée, partagé entre mes doutes et l'attirance invincible que je ressentais pour toi, j'ai voulu t'éprouver, je voulais savoir qui tu étais, te voir en pleine lumière, je me méfiais de ce don de comédie dont toute femme est tant soit peu pourvue. J'avais retrouvé ma femme, mais non la mère de mes fils. Je voulais savoir... ce que j'ai su tout à l'heure lorsque, sans y être préparée, tu les as reconnus.

— J'ai cru mourir, gémit-elle. Ah! vous avez failli me faire mourir avec votre méchanceté.

— La frayeur que j'ai éprouvée en te voyant si bouleversée m'a en effet puni d'avoir été brutal. Tu les aimais donc tant?

— Vous n'aviez pas le droit d'en douter. C'est moi qui les ai élevés, qui me suis privée de pain pour eux, qui me suis...

Elle retint la phrase qui lui venait aux lèvres « qui me suis vendue pour eux ». Mais pour ne pas l'avoir prononcée son amertume n'en fut que plus grande.

— Je ne leur ai manqué que le jour où j'ai repoussé les avances du Roi, pour ne pas vous trahir, et je le regrette bien, je me suis précipitée dans des malheurs sans nom pour un homme qui ne m'estimait même pas, un homme qui me méprisait et me reniait, un homme qui ne mérite pas qu'une femme s'attache à lui jusqu'à en mourir. Vous! Des femmes vous ont tellement adulé que vous vous imaginez qu'on peut jouer impunément avec leur cœur sans qu'il vous en coûte le moindre désagrément.

— N'empêche, dit Joffrey de Peyrac en portant un doigt à sa joue, que vous m'avez giflé, madame.

Angélique se souvint du geste de délire qu'elle avait eu et en fut secrètement atterrée. Mais elle ne voulut marquer aucune contrition.

— Je ne regrette rien. Pour une fois, monsieur de Peyrac, vous aurez payé comme il se doit vos mystifications de mauvais goût et... — elle le regarda bien en face — vos infidélités à vous aussi.

Il encaissa le coup avec beaucoup de sang-froid et une petite étincelle au fond des yeux.

— Alors, sommes-nous quittes?...

— Pas si facilement, monsieur, dit Angélique dont les forces renaissantes alimentaient la combativité.

Oui, ses infidélités! Toutes ces femmes de la Méditerranée qu'il avait comblées de présents pendant qu'elle-même traînait misère, et cette indifférence du sort de celle qui était la mère de ses fils...

Si seulement il ne l'avait pas serrée si fort contre lui elle lui aurait dit ce qu'elle en pensait. Mais il renversa le visage d'Angélique en arrière et très doucement essuya ses joues humides de larmes.

— Pardonne-moi, répéta-t-il pour la troisième fois.

Et il fallut à Angélique toute sa volonté pour se dérober aux lèvres qui se penchaient sur les siennes et se détourner.

— Non, fit-elle boudeuse.

Mais tant qu'il la tiendrait dans ses bras, il savait bien qu'il possédait un moyen irrésistible de la reconquérir. Ce bras autour d'elle, barrant la route à la solitude, la protégeant, la berçant, la câlinant, cela avait été le rêve de toute sa vie. Le rêve de toutes les femmes du monde, modeste et immense : l'amour.

Le soir viendrait qui scellerait leur réconciliation. Le soir, elle serait à nouveau dans ses bras, tous les soirs de sa vie...

La nuit, d'un seul mouvement elle pourrait retrouver leur chaleur. Le jour, elle vivrait à ses côtés, dans le rayonnement de sa présence invincible. Il n'y avait pas de courroux, si justifié soit-il, qui puisse contrebalancer de tels délices.

— Ah! je suis lâche, soupira-t-elle.

— Bravo! Une once de lâcheté sied à merveille à votre impérieuse beauté. Soyez lâche, soyez faible, ma chérie, cela vous va si bien.

— Je devrais vous haïr.

— Ne vous en privez pas, mon amour, à condition que vous continuiez à m'aimer. Dites-moi, ma mie, ne croyez-vous pas qu'il serait temps de rejoindre nos jouvenceaux et de les rassurer sur la bonne entente de leur père et de leur mère enfin retrouvés et unis?... Ils ont de multiples récits à vous faire.

Angélique marcha comme une convalescente. La vision incroyable ne s'était pas évanouie, Florimond et Cantor, appuyés l'un à l'autre, dans le geste charmant de leur enfance, les regardaient venir.

Elle ferma les yeux et loua Dieu.

C'était le plus beau jour de sa vie.

Florimond trouvait ses aventures toutes simples. Il était parti avec Nathanaël, le jeune voisin ami, échappant sans le savoir au massacre qui, quelques heures plus tard, devait anéantir leurs familles. Après pas mal d'errances, ils s'étaient embarqués comme mousses dans un port breton. L'idée fixe de Florimond de se rendre en Amérique pour y retrouver son père avait trouvé sa justification lorsque, après avoir débarqué à Charlestown et n'avoir cessé de demander, au cours de diverses pérégrinations, si personne ne connaissait un gentilhomme français nommé Peyrac, il avait fini par rencontrer des commerçants en relation avec le comte qui venait de faire construire un bateau à Boston selon ses plans, pour les mers nordiques.

Il commençait d'explorer le Maine. Un ami lui avait conduit Florimond.

Cantor trouvait également ses aventures très simples. Il était parti à la recherche de son père, sur la mer, et dès les premiers jours de navigation celui-ci s'était présenté sur un magnifique chébec pour tendre les bras à son fils.

Florimond et Cantor, ayant supplié leur père de partir chercher Angélique, ne s'étonnaient donc nullement de le voir revenir avec elle. La vie pour eux était une succession d'événements bénéfiques et qui devaient tourner naturellement à leur avantage. On les aurait fort étonnés en leur expliquant qu'il existait au monde des gens qui avaient de la malchance et dont les rêves les plus extravagants ne se réalisaient pas dès qu'ils se donnaient un peu de mal pour les obtenir. Apparemment, leur confiance en la vie et en eux-mêmes n'était pas près d'être ébranlée et ils envisageaient comme de merveilleuses vacances le départ pour une expédition vers l'arrière-pays.

11

— Où est l'abbé? avait demandé pourtant Florimond.

— Quel abbé?

— L'abbé de Lesdiguières.

Angélique se troubla. Comment expliquer à cet enfant enthousiaste que le précepteur qu'il n'avait pas oublié était mort, pendu? Elle hésita. Mais Florimond semblait avoir compris. L'animation de son visage s'éteignit et il regarda au loin.

— C'est dommage, dit-il. J'aurais aimé le revoir.

Il s'assit sur la roche, près de Cantor qui silencieux pinçait de temps à autre sa guitare. Angélique les rejoignit et s'assit près d'eux. L'après-midi s'achevait. Florimond et Cantor, familiers des lieux, lui avaient fait découvrir les calanques, les criques enchantées de cette étrange contrée et l'éternelle complication du rivage, cernant la mer bleue avec des circonvolutions de pieuvre, des méandres miroitants emprisonnant de roses parcelles de rochers, de vertes presqu'îles amenuisées, réduites à l'état de reptiles, d'anguilles flottantes.

Autant de refuges, de baies secrètes, où chaque habitant, chaque famille nouvelle, pourrait trouver son fief, son silence, sa provende de poissons ou de gibier à plume.

Entre les îles à l'échine pointue, hérissées d'arbres, l'ombre des bas-fonds dessinait de mouvantes moirures sous la transparence de la mer. Les plages étaient diverses. Rouges et roses, mais parfois blanches, comme celle qui se trouvait située un peu au-dessous du fortin personnel du comte de Peyrac. Plage de neige caressée par l'eau qui prenait, en abordant le sable, la couleur du miel, s'étalant soudain languide, avec une douceur insolite, étonnante dans ces rudes parages.

Honorine courait autour d'eux faisant cueillette de coquillages qu'elle venait déposer sur les genoux d'Angélique.

— Mon père m'a dit que Charles-Henri était mort, reprit Florimond. Ce sont les dragons du Roi qui l'ont tué, n'est-ce pas?

Angélique inclina la tête en silence.

— L'abbé aussi?

Comme elle ne répondait pas le jeune homme se dressa et tira son épée.

— Mère, dit-il avec ardeur, voulez-vous que je fasse le serment de les venger tous les deux, que je vous jure de ne prendre de repos qu'après avoir pourfendu tous les soldats du roi de France qui me tomberont sous la main? Ah, j'aurais tant aimé servir le Roi, mais cette fois c'en est trop! Je ne pardonnerai jamais le meurtre du petit Charles-Henri. Je les tuerai tous.

— Non, Florimond, dit-elle. Ne prononce jamais un tel serment, ni de telles paroles. Répondre à l'injustice par la haine? Au crime par la vengeance? Où cela te mènerait-il? A l'injustice, au crime aussi et tout recommencera.

— Ce sont des paroles de femme, jeta Florimond tout vibrant d'une peine et d'une révolte contenues.

Il avait toujours cru que dans la vie tout s'arrangeait : si l'on était pauvre, il n'y avait qu'à intriguer pour devenir riche et si l'on était trop envié au point d'être menacé de poison, il suffisait de garder un peu de sang-froid et de guetter une petite chance pour échapper à la mort. On n'avait qu'à avoir le courage de tout sacrifier et partir à la recherche d'un frère ou d'un père disparus, pour voir aussitôt se produire le petit miracle de les retrouver vivants tous deux. Et voici que, pour la première fois de sa vie, il se trouvait devant un événement irrémédiable, irréparable : la mort de Charles-Henri.

— Est-il mort *vraiment*? dit-il avec passion, s'accrochant au miracle.

— Je l'ai couché de mes mains dans sa tombe dit Angélique sourdement.

— Alors ce frère, je ne le retrouverai pas, jamais? (Sa voix s'étrangla.) J'aurais tant voulu... Je l'attendais... J'étais sûr qu'il viendrait... Je lui aurais montré notre granit rouge de Keewatin, et puis la malachite du lac des Ours. Et puis toutes ces belles espèces minérales que l'on trouve sous la terre : il suffit de chercher et puis non, à quoi bon? Je lui avais pourtant déjà appris beaucoup de choses...

Son cou mince tressaillit sous les sanglots qu'il essayait de retenir.

— Ah! s'écria-t-il avec emportement, pourquoi m'as-tu empêché de l'emmener lorsqu'il était temps encore? Pourquoi ne puis-je retourner en arrière pour massacrer ces maudits?

Il gesticulait avec son épée.

— Dieu ne devrait pas permettre ces choses-là. Je ne le prierai plus.

— Ne blasphème pas, Florimond, dit-elle avec sévérité. Ta révolte est stérile. Suis la sagesse de ton père qui nous demande de ne pas transplanter sur cette terre nos vieilles haines. Maudire ce qui fut, s'appesantir sur les erreurs du passé, nous fait plus de mal que de bien. C'est devant soi qu'il faut regarder : « Laissez les morts enterrer les morts », ont dit les Ecritures. As-tu songé, Florimond, que c'est miracle que nous nous retrouvions aujourd'hui. Moi aussi je ne devrais pas être ici : cent fois je devais être morte...

Il tressaillit la fixant de ses yeux noirs magnifiques où flambait toute l'ardeur de la jeunesse.

— Voyons, c'est impossible : tu ne peux pas mourir.

Il tomba à genoux près d'elle, lui jeta les bras autour de la taille et appuya le front contre son épaule.

— Mère chérie : toi, tu es éternelle, cela va de soi.

Elle sourit avec indulgence pour le jeune géant dépassant sa mère de plusieurs pouces, mais demeurant si enfant, ayant besoin d'être avec elle, d'être grondé, guidé et consolé.

Elle caressa son front lisse, son opulente chevelure d'ébène.

— Sais-tu que le petit garçon qui est né l'autre

nuit se nomme Charles-Henri? Qui sait si avec lui la petite âme de ton frère n'est pas revenue parmi nous? A celui-là tu pourras apprendre tout ce que tu sais...

— Oui.

Florimond rêva, les sourcils froncés.

— Mais je sais tant de choses déjà, soupira-t-il comme ne pouvant départager par quel bout il commencerait son enseignement. Il est vrai que toute cette marmaille que vous avez amenée ici n'est bonne qu'à ânonner la Bible et a bien besoin qu'on la dresse. Je parie qu'ils ne savent pas distinguer le quartz d'un feldspath et même la chasse, donc. Nest-ce pas, Cantor?

Sans attendre les commentaires de son frère rêvant sur sa guitare, il parla de leurs existences de jeunes Européens s'initiant aux ruses nécessaires de la vie sauvage. Avec les enfants indiens, ces « papooses », Cantor et lui savaient marcher, « à ne pas faire se sauver un vison » si farouche, sur un tapis de feuilles crissantes, à se couler comme une ombre d'arbre en arbre, à se camoufler avec des dépouilles d'animaux pour tromper le gibier vivant, l'attirer, l'appeler parfois pour s'en emparer; c'était là une vie exaltante et l'adresse de chacun était récompensée, mais même les Indiens partageaient avec tout le clan et étaient généreux de naissance. Cantor et lui savaient arrêter d'une flèche en plein vol une autre flèche tirée par un camarade. Mais la chasse la plus passionnante c'était encore en plein hiver. Alors les grandes bêtes engourdies par le froid s'enfoncent péniblement à chaque pas dans la neige, tandis que leurs poursuivants, légers et silencieux sur les raquettes indiennes, les approchent sans trop de peine et enfoncent leurs flèches à coup sûr.

Ils étaient aussi adroits à la pêche au harpon qu'au tir à l'arc. Cela, leur père lui-même l'avait reconnu. Le poisson transpercé, on se jette dans l'eau glacée pour ramener la proie au rivage. On se sent vivre, quoi! Bons nageurs, ils ne craignaient pas de laisser leurs légers canoës d'écorce de bouleau dériver dans les torrents les plus furieux. Il fallait bien être à la hauteur des saumons qui remontent une chute d'eau.

— Et moi qui me figurais que couverts d'encre, vous étudiiez en tirant la langue à l'université d'Harvard, fit Angélique un peu taquine.

Florimond soupira.

— Ça aussi.

Car une partie de l'année ils étaient sur les bancs du célèbre collège. Il y a plus de professeurs par élève américain qu'à Paris même. L'instruction était la grande chance de l'Amérique et le Maine était en tête du nouveau continent. Alors lui, Florimond, ne pouvait qu'être premier en mathématiques et sciences physiques. Mais sa vie demeurait ici, dans la forêt, et cette fois enfin, leur père consentait à les emmener en expédition. N'irait-on pas jusqu'aux verts monts Appalaches où l'on chasse l'ours noir et peut-être plus loin encore au Pays des Grands Lacs où le Père des Fleuves prenait sa source.

— Et ici, au Maine, il y a pourtant, dit-on, aussi beaucoup de lacs?

— Peuh! des étangs, disons-nous ici. Il faut être d'Europe rabougrie pour raconter qu'il y a cinq mille lacs au Maine au delà d'Ontario. Il y en a cinquante mille et le seul Hudson est plus grand que votre fameuse Méditerranée.

— Je crois comprendre que tu es en passe de devenir comme Crowley ou comme Perrot... un coureur de bois...

— Je voudrais l'espérer mais, comme trappeurs, ils sont loin devant moi et mon père nous répète que notre temps exige encore plus d'études que jadis pour mieux pénétrer les secrets de la nature.

— Et Cantor partage-t-il tes goûts? demanda Angélique.

— Bien sûr, fit Florimond péremptoire, sans laisser la parole à son cadet qui haussait les épaules. Bien sûr, répéta-t-il sur un ton aigu revenant à la tonalité de son enfance. Car il est beaucoup plus fort que moi « au jeu de la vague »; il faut dire qu'il a commencé plus tôt que moi. Et puis il est meilleur marin, car il a navigué avant moi. Moi, pendant la traversée je n'ai appris qu'à m'écorcher les doigts sur les nœuds et aussi il est vrai à mesurer la distance parcourue avec le sextant, le polaire et le soleil...

Il s'étranglait, tellement les pensées se bousculaient en lui.

Cantor accusa son sourire, mais ne dit rien. La spontanéité de Florimond avait aboli sans peine les années de séparation. Il n'hésitait pas à tutoyer sa mère lorsqu'il était enfant. Dès le premier instant elle avait retrouvé, vivace et tendre, l'amitié de son petit compagnon des jours sombres.

Plus délicat était de renouer avec Cantor. Elle avait quitté un très jeune enfant, déjà secret; elle retrouvait un adolescent robuste, très personnel, qui n'avait plus subi depuis des années d'influences féminines.

— Et toi, Cantor? te souviens-tu un peu de ton enfance?

Il baissa les paupières pudiquement et de sa main gracieuse égrena un arpège sur sa guitare.

— Je me souviens de Barbe, dit-il. Pourquoi n'est-elle pas venue avec vous?

Angélique mit toute sa volonté à ne pas se trahir. Cette fois, elle n'aurait pas le courage de leur dire encore la vérité.

— Barbe m'a quittée. Il n'y avait plus de petits garçons à soigner chez moi. Elle est retournée dans son village... Elle... elle s'est mariée.

— Tant mieux, dit Florimond. D'ailleurs, elle nous aurait traités comme des bébés et nous n'en sommes plus depuis longtemps. Et l'on ne peut guère s'encombrer de femmes dans une expédition comme la nôtre.

Cantor ouvrit tout grand ses prunelles vertes. Il parut rassembler son courage à deux mains.

— Mère, demanda-t-il, êtes-vous décidée à obéir à mon père en tout et pour tout?

Elle ne marqua pas d'étonnement à cette question posée d'un ton péremptoire.

— Certes, fit-elle, votre père est mon époux et je lui dois soumission en toutes ses volontés.

— C'est que, dit Cantor, ce matin vous n'aviez pas l'air de lui être tellement soumise. Mon père est un homme dont la volonté est grande et il n'aime pas la rébellion. Alors nous craignons, Florimond et moi, que cela finisse mal et que vous nous quittiez de nouveau.

Angélique, sous le reproche, rougit presque. Elle préféra, plutôt que de s'excuser devant ses fils, leur faire partager ses raisons.

— Mais votre père s'imaginait que je ne vous aimais pas, que je ne vous avais jamais aimés! Comment n'aurais-je pas été hors de moi? Loin de rassurer mon cœur maternel, il m'avait caché que vous étiez en vie. La joie et la surprise m'ont rendue un peu folle, je le reconnais. Je lui en ai voulu de m'avoir fait souffrir alors que d'un mot, il aurait pu depuis longtemps me rassurer. Mais ne craignez rien. Votre père et moi nous savons maintenant ce qui nous rapproche à jamais et ce n'est pas de ces choses que peut détruire une querelle passagère. Rien ne nous séparera plus.

— Vous l'aimez donc?

— Si je l'aime! O mes fils, c'est le seul homme qui ait jamais compté dans ma vie et captivé mon cœur. Pendant des années, je l'ai cru mort. J'ai dû lutter seule pour vivre et vous faire vivre, mes enfants. Mais je n'ai jamais cessé de le regretter et de le pleurer. Me croyez-vous?

Ils hochèrent la tête gravement. Ils lui pardonnaient d'autant plus volontiers qu'ils avaient été la cause de sa violence du matin. Les parents ne sont pas toujours raisonnables. Mais le principal, c'est qu'ils s'aiment et ne soient pas séparés.

— Alors, insista Cantor, cette fois vous ne recommencerez plus à nous quitter?

Angélique feignit l'indignation.

— Mais il me semble que vous inversez les rôles, mes chers garçons. N'est-ce pas vous qui m'avez quittée de votre propre chef, sans retourner la tête et sans vous soucier des larmes que je pourrais verser de vous avoir perdus.

Ils la regardaient avec un étonnement candide.

— Oui, mes larmes, insista-t-elle. Quelle n'a pas été ma douleur, Cantor, lorsqu'on est venu m'avertir que tu avais été noyé en Méditerranée avec toute la « maison » de M. de Vivonne.

— Vous avez pleuré? interrogea-t-il, ravi, beaucoup?

— A m'en rendre malade... Pendant de longs jours, je te cherchais, mon chérubin. Il me semblait que j'entendais partout l'écho de ta guitare.

Cantor se dégela. L'émotion le rajeunit et tout à coup, il ressembla au petit garçon de l'hôtel du Beautreillis.

— Si j'avais su, fit-il avec regret, je vous aurais écrit une lettre pour vous dire que j'étais avec mon père. Mais je n'y ai pas pensé, constata-t-il. Il est vrai que, dans ce temps-là, je ne savais pas écrire.

— C'est le passé, Cantor, mon chéri. Maintenant, nous sommes tous réunis. Tout est bien. Tout est si beau.

— Et vous resterez avec nous? Vous vous occuperez de nous? Vous ne vous occuperez pas des autres comme avant?

— Que veux-tu dire?

— Nous nous sommes disputés avec ce garçon... Comment s'appelle-t-il, Florimond?... Ah! oui, Martial Berne. Il prétendait qu'il vous connaissait mieux que nous, qu'il y avait très longtemps que vous viviez avec eux comme si vous étiez leur mère... Mais ce n'est pas vrai. Ce n'est qu'un étranger. Vous n'avez pas le droit de l'aimer autant que nous. Nous, nous sommes vos fils.

Elle s'amusa de leurs expressions revendicatrices.

— Décidément, sera-ce toujours mon destin que de vivre entourée d'hommes jaloux qui ne peuvent souffrir de ma part aucun manque? demanda-t-elle en pinçant le menton de Cantor. Que vais-je devenir si farouchement gardée? Je ne suis pas sans inquiétude. Mais tant pis, il faut bien que j'accepte mon sort.

Les deux garçons rirent de bon cœur.

A leur adolescence que commençait de troubler le mystère de l'amour, elle apparaissait comme la plus belle des femmes, la plus séduisante, la plus fascinante. Et leur cœur se gonflait d'une exaltante fierté lorsqu'ils songeaient que cette femme était leur mère. A eux. A eux tout seuls.

— Tu nous appartiens, dit Florimond en la serrant contre lui.

Elle les enveloppa dans le même regard de tendresse.

— Oui, je vous appartiens, mes bien-aimés, murmura-t-elle.

— Et moi, alors? demanda Honorine plantée devant eux et qui les fixait.

— Toi? Il y a longtemps que je t'appartiens, coquine. Tu m'as réduite en esclavage!

Le mot et l'idée amusèrent la petite fille. Elle se mit à rire et fit des pirouettes. Son exubérance naturelle se faisait jour depuis qu'elle avait échappé à son inquiétude.

Elle s'étendit tout à coup à plat ventre sur le sable, le menton dans les mains.

— Qu'est-ce qu'il y aura comme surprise demain? interrogea-t-elle.

— Une surprise? Mais crois-tu donc que nous en aurons tous les jours? Tu as maintenant un père, des frères... Que te faut-il encore?

— Je ne sais pas...

Comme saisie d'une inspiration aussi subite qu'heureuse, elle proposa :

— On pourrait avoir un peu de guerre?

La façon dont elle la réclamait comme s'il s'agissait d'une part de gâteau les fit rire.

— Elle est drôle, cette fille! s'exclama Florimond. Je suis content de l'avoir pour sœur.

— Mère, voulez-vous que je vous chante quelque chose? dit Cantor.

Angélique regardait l'un après l'autre les visages de ses enfants levés vers elle.

Ils étaient beaux et sains. Ils aimaient la vie qu'elle leur avait donnée et ne la redoutait point. L'allégresse s'éleva de son cœur comme une action de grâce.

— Oui, chante, dit-elle, chante, mon fils. C'est l'instant. Je crois qu'il n'y a plus rien d'autre à faire que de chanter.

12

L'expédition partit dans la dernière semaine d'octobre. Aux serviteurs indiens, aux soldats espagnols chargés de défendre la colonne, se joignaient quelques hommes de l'équipage et des coureurs de bois. Trois chariots suivaient avec vivres, instruments, fourrures et armes.

Joffrey de Peyrac et Nicolas Perrot prirent la tête, et le convoi s'ébranla, quittant les abords du fort de Gouldsboro. Il y eut un arrêt au camp Champlain. Puis les chevaux continuèrent en direction de la forêt. En une nuit, l'automne était venu. Sur un fond d'or moiré, les hêtres et les érables inclinaient leurs feuillages rutilants.

Les chevaux blancs ou bais, chevauchés par des guerriers aux cuirasses noires, des Indiens emplumés, des barbus armés de mousquets, et que guidait un gentilhomme aux allures de conquistador, déroulaient sur ce décor ardent le thème d'une royale tapisserie.

Un page grattant sa guitare et lançant à tous les échos un refrain joyeux rythmait la cadence de la marche qu'étouffait à demi la mousse verte du sentier.

Honorine partageait la monture de son préféré, Florimond.

Après le passage du premier gué, Angélique, sur un message qu'on lui porta, gagna la tête du convoi et rejoignit son mari.

— Je veux que vous soyez à mes côtés, lui dit-il.

Dans l'encadrement de sa capuche noire, le visage d'Angélique, ses yeux verts, ses cheveux d'or pâle baignés par la lumière irréelle qui tombait des feuillages, apparaissaient d'une mystérieuse beauté. Elle avait toujours appartenu à la forêt. La forêt la reprenait.

— Dirais-je que Nieul m'est rendue? Tout ici est plus gigantesque, plus éclatant...

Elle le suivit vers une colline où il s'élançait au galop.

— De cette hauteur, c'est la dernière fois que nous apercevons la mer. Ensuite, nous ne la verrons plus.

A l'échelle de l'immense étendue dorée que limitait seul un brouillard léger, la plage apparaissait comme un mince croissant de lune, une lune rose dans le bleu nocturne de la mer.

Un peu plus loin, le camp Champlain griffait de son emplacement le moutonnement ininterrompu des arbres. C'était une tache infime dans la texture serrée du paysage, une pauvre empreinte dont la fragilité serrait le cœur. Les silhouettes humaines que l'on pouvait encore distinguer semblaient perdues entre deux déserts illimités : la mer, la forêt.

Pourtant, c'était la vie, le seul lien avec le reste du monde.

Après l'avoir contemplé un instant, ils obliquèrent vers la gauche. Le rideau des arbres se referma derrière eux, la mer disparut. Ils n'étaient plus entourés que de l'escorte opulente des arbres séculaires où dominaient le rouge, l'orange et le vieil or. La tache bleu-vert d'un lac miroitait entre les branches. Un élan y buvait. Lorsqu'il relevait la tête en arrière, ses ramures ressemblaient à de sombres ailes.

Derrière les troncs fragiles des bouleaux, derrière les colonnades des chênes, on ne pouvait oublier que vivait un monde animal d'une intense vitalité : élans, ours, cerfs, rennes, loups et coyottes, des milliers de petites bêtes à fourrures : castors, visons, renards argentés, hermines. Les oiseaux peuplaient les branches.

Joffrey de Peyrac regarda encore une fois Angélique avec un peu de doute.

— Vous n'avez aucune peur? Aucun regret?

— La peur? Je n'en ai qu'une seule, celle de vous déplaire. De regret? Oui, celui d'avoir vécu tant d'années loin de vous.

Il étendit le bras et posa la main sur sa nuque d'un geste possessif et caressant.

— Nous tâcherons d'être heureux doublement. Le continent inviolé qui nous attend nous sera peut-être moins cruel que le vieux monde blasé. La Nature est propice aux amants. La solitude et les dangers les rapprochent, alors que la jalousie des humains ne cherche qu'à les séparer. Nous nous avancerons, nous aurons à faire face à beaucoup d'épreuves, mais nous nous aimerons toujours, n'est-ce pas, madame? Et peut-être atteindrons-nous Novumbega, la grande ville indienne aux tourelles de cristal, aux murs revêtus de feuilles d'or et incrustés de gemmes. La voici déjà qui vient à nous. Voici la feuille d'or pur et les surprises irisées des brumes.

» Vivre dans ce pays, c'est vivre au cœur d'un diamant dont toutes les faces luisent à la moindre lumière. Voici nos domaines, ma reine, voici nos palais...

Il l'attira plus près encore, posa sa joue contre la sienne. Il l'embrassa près des lèvres en lui murmurant des mots fous.

— Mon héroïne, mon amazone, ma guerrière... Mon cœur... Mon âme... Ma femme.

Ce dernier mot, sur ses lèvres, prenait tout son sens. Comme s'il le prononçait dans la ferveur d'un amour neuf et aussi la sérénité d'une longue vie commune de soins et de tendresse. Il avait trouvé celle qui lui était nécessaire pour vivre, aussi nécessaire que son propre cœur. La femme n'était plus en dehors de lui, étrangère et parfois ennemie, mais en lui, amie souveraine, liée à sa vie, à ses pensées d'homme.

Il avait trouvé le secret de l'amour. L'un près de l'autre, sur leurs montures immobiles, ils goûtaient l'instant de bonheur sans ombre accordé aux voyageurs qu'ils étaient, pèlerins de l'amour.

Parce qu'ils avaient refusé les compromissions, qu'ils avaient refusé de s'aligner parmi les médiocres, et que, tels leurs ancêtres, nobles chevaliers, ils n'avaient pas hésité à lutter, à guerroyer, à partir au loin, à tout perdre des richesses et des honneurs, ils avaient conquis le Saint-Graal, le trésor de vie, mystérieux et inappréciable, promis aux seuls paladins.

— Tu es tout pour moi, dit-il.

La ferveur de sa voix combla Angélique. Elle savait aujourd'hui qu'après tant d'écueils, elle avait atteint son but : le retrouver, être dans ses bras, posséder son cœur.

La vie s'ouvrait à leur amour.

Grands romans

La littérature conjuguée au pluriel, pour votre plaisir. Des œuvres de grands romanciers français et étrangers, des histoires passionnantes, dramatiques, drôles ou émouvantes, pour tous les goûts...

ADLER Philippe

Bonjour la galère !
1868/1

Les amies de ma femme
2439/3

Mais qu'est-ce qu'elles veulent ces bonnes femmes ? Quand il rentre chez lui, Albert aimerait que Victoire s'occupe de lui mais rien à faire : les copines d'abord. Jusqu'au jour où Victoire se fait la malle et où ce sont ses copines qui consolent Albert.

Qu'est-ce qu'elles me trouvent ?
3117/3

ANDREWS™ Virginia C.

Fleurs captives

Dans un immense et ténébreux grenier, quatre enfants vivent séquestrés. Pour oublier leur détresse, ils font de leur prison le royaume de leurs jeux, le refuge de leur tendresse, à l'abri du monde. Mais le temps passe et le grenier devient un enfer. Et le seul désir de ces enfants devenus adolescents est désormais de s'évader... à n'importe quel prix.

- Fleurs captives
1165/4
- Pétales au vent
1237/4
- Bouquet d'épines
1350/4
- Les racines du passé
1818/4
- Le jardin des ombres
2526/4

La saga de Heaven

- Les enfants des collines
2727/5

Les enfants des collines, c'est l'envers de l'Amérique : la misère à deux pas de l'opulence. Dans la cabane sordide où elle vit avec ses quatre frères et sœurs, Heaven se demande comment ses parents ont eu l'idée de lui donner ce prénom : «Paradis». Un jour, elle apprendra le secret de sa naissance, si lourd que la vie de son père en a été brisée, mais si beau qu'elle croit naître une seconde fois.

- L'ange de la nuit
2870/5
- Cœurs maudits
2971/5
- Un visage du paradis
3119/5
- Le labyrinthe des songes
3234/6

Ma douce Audrina
1578/4

Aurore

Un terrible secret pèse sur la naissance d'Aurore. Brutalement séparée des siens, humiliée, trompée, elle devra payer pour les péchés que d'autres ont commis. Car sur elle et sur sa fille Christie, plane la malédiction des Cutler...

- Aurore
3464/5
- Les secrets de l'aube
3580/6
- L'enfant du crépuscule
3723/6 (Juillet 94)
- Les démons de la nuit
3772/6 (Octobre 94)

ATTANÉ Chantal

Le propre du bouc
3337/2

AVRIL Nicole

Monsieur de Lyon
1049/2

La disgrâce
1344/3

Isabelle est heureuse, jusqu'au jour où elle découvre qu'elle est laide. A cette disgrâce qui la frappe, elle survivra, lucide, dure, hostile, adulte soudain.

Jeanne
1879/3

Don Juan aujourd'hui pourrait-il être une femme ? La belle Jeanne a appris, d'homme en homme, à jouir d'une existence qu'elle sait toujours menacée.

L'été de la Saint-Valentin
2038/1

La première alliance
2168/3

Sur la peau du Diable
2707/4

Dans les jardins de mon père
3000/2

Il y a longtemps que je t'aime
3506/3

L'amour impossible entre Antoine, 14 ans, et Pauline, sa belle-mère.

BACH Richard

Jonathan Livingston le goéland
1562/1 Illustré

Illusions/Le Messie récalcitrant
2111/1

Un pont sur l'infini
2270/4

Un cadeau du ciel
3079/3

Grands romans

BELLETTO René
Le revenant
2841/5
Sur la terre comme au ciel
2943/5
La machine
3080/6
L'Enfer
3150/5
Dans une ville déserte et terrassée par l'été, Michel erre. C'est alors qu'une femme s'offre à lui, belle et mystérieuse...

BERBEROVA Nina
Le laquais et la putain
2850/1
Astachev à Paris
2941/2
La résurrection de Mozart
3064/1
C'est moi qui souligne
3190/8
L'accompagnatrice
3362/4
Fascinée et jalouse de la cantatrice qui l'a engagée, une jeune russe découvre un monde qu'elle ne soupçonnait pas.
De cape et de larmes
3426/1
Roquenval
3679/1

BERGER Thomas
Little Big Man
3281/8

BEYALA Calixthe
C'est le soleil qui m'a brûlée
2512/2
Le petit prince de Belleville
3552/3

BLAKE Michael
Danse avec les loups
2958/4

BORY Jean-Louis
Mon village à l'heure allemande
81/4

BRIAND Charles
De mère inconnue
3591/5 (Octobre 94)
Le destin d'Olga, placée comme domestique chez des paysans angevins et enceinte à quatorze ans.

BULLEN Fiona
Les amants de l'équateur
3636/6

CAILHOL Alain
Immaculada
3766/4 Inédit (Octobre 94)
Histoire d'un écrivain paumé, en proie au mal de vivre. Un humour désespéré teinte ce premier roman d'un auteur bordelais de vingt ans, qui s'inscrit dans la lignée de Djian.

CAMPBELL Naomi
Swan
3827/5 (Novembre 94)

CATO Nancy
Lady F.
2603/4
Tous nos jours sont des adieux
3154/8
Sucre brun
3749/6 (Septembre 94)

CHAMSON André
La tour de Constance
3342/7

CHEDID Andrée
La maison sans racines
2065/2
Le sixième jour
2529/3
Le choléra frappe Le Caire. Ignorante et superstitieuse, la population préfère cacher les malades car, lorsqu'une ambulance vient les chercher, ils ne reviennent plus. L'instituteur l'a dit : «Le sixième jour, si le choléra ne t'a pas tué, tu es guéri.»
Le sommeil délivré
2636/3
L'autre
2730/3
Les marches de sable
2886/3
L'enfant multiple
2970/3
Le survivant
3171/2
La cité fertile
3319/1
La femme en rouge
3769/1 (Octobre 94)

CLANCIER Georges-Emmanuel
Le pain noir
651/3
Le pain noir, c'est celui des pauvres, si dur, que même les chiens n'en veulent pas. Placée à huit ans comme domestique chez des patrons avares, Cathie n'en connaîtra pas d'autre. Récit d'une enfance en pays Limousin, au siècle dernier.

COCTEAU Jean
Orphée
2172/1

COLETTE
Le blé en herbe
2/1

COLOMBANI Marie-Françoise
Donne-moi la main, on traverse
2881/3
Derniers désirs
3460/2

Grands romans

COLLARD Cyril

Cinéaste, musicien, il a adapté à l'écran et interprété lui-même son second roman Les nuits fauves.
Le film 4 fois primé, a été élu meilleur film de l'année aux Césars 1993. Quelques jours plus tôt Cyril Collard mourait du sida.

Les nuits fauves
2993/3

Condamné amour
3501/4

Cyril Collard : la passion
3590/4 (par J.-P. Guerand & M. Moriconi)

L'ange sauvage (Carnets)
3791/3 (Novembre 94)

CONROY Pat

Le Prince des marées
2641/5 & 2642/5

Dans une Amérique actuelle et méconnue, au cœur du Sud profond, un roman bouleversant, qui mêle humour et tragédie.

CORMAN Avery

Kramer contre Kramer
1044/3

Un divorce et des existences se brisent : celle du petit Billy et de son père, Ted Kramer. En plein désarroi, Ted tente de parer au plus pressé. Et puis un jour, Joanna réapparaît...

CATO Nancy

Sucre brun
3749/6

DENUZIERE Maurice

Helvétie
3534/9

A l'aube du XIXe siècle, le pays de Vaud apparaît comme une oasis de paix au milieu d'une Europe secouée par de furieux soubresauts. C'est cette joie de vivre oubliée que découvre Blaise de Fonsalte, soldat de l'Empire, déjà las de l'épopée napoléonienne. De ses amours clandestines avec Charlotte, la femme de son hôte, va naître une petite fille aux yeux vairons. Premier volume d'une nouvelle et passionnante série romanesque par l'auteur de *Louisiane*.

La Trahison des apparences
3674/1

DHÔTEL André

Le pays où l'on n'arrive jamais
61/2

DICKEY James

Délivrance
531/3

DIWO Jean

Au temps où la Joconde parlait
3443/7

1469. Les Médicis règnent sur Florence et Léonard de Vinci entame sa carrière, aux côtés de Machiavel, de Michel-Ange, de Botticelli, de Raphaël... Une pléiade de génies vont inventer la Renaissance.

DJIAN Philippe

Né en 1949, sa pudeur, son regard à la fois tendre et acerbe, et son style inimitable, ont fait de lui l'écrivain le plus lu de sa génération.

37°2 le matin
1951/4

Se fixer des buts dans la vie, c'est s'entortiller dans des chaînes... Oui, mais il y a Betty et pour elle, il irait décrocher la lune. C'est là qu'ils commencent à souffrir. Car elle court derrière quelque chose qui n'existe pas. Et lui court derrière elle. Derrière un amour fou...

Bleu comme l'enfer
1971/4

Zone érogène
2062/4

Maudit manège
2167/5

50 contre 1
2363/2

Echine
2658/5

Crocodiles
2785/2

Cinq histoires qui racontent le blues des amours déçues ou ignorées. Mais c'est parce que l'amour dont ils rêvent se refuse à eux que les personnages de Djian se cuirassent d'indifférence ou de certitudes. Au fond d'eux-mêmes, ils sont comme les crocodiles : «des animaux sensibles sous leur peau dure.»

DOBYNS Stephen

Les deux morts de la Señora Puccini
3752/5 Inédit (Septembre 94)

Grands romans

DORIN Françoise

Elle poursuit avec un égal bonheur une double carrière. Ses pièces (La facture, L'intoxe...) dépassent le millier de représentations et ses romans sont autant de best-sellers.

Les lits à une place
1369/4

Pour avoir vu trop de couples déchirés, de mariages ratés (dont le sien !), Antoinette a décidé que seul le lit à une place est sûr. Et comme elle a aussi horreur de la solitude, elle a partagé sa maison avec les trois êtres qui lui sont le plus chers. Est-ce vraiment la bonne solution ?

Les miroirs truqués
1519/4

Les jupes-culottes
1893/4

Les corbeaux et les renardes
2748/5

Baron huppé mais facile à duper, Jean-François de Brissandre trouve astucieux de prendre la place de son chauffeur pour séduire sa dulcinée. Renarde avisée, Nadège lui tient le même langage. Et voilà notre corbeau pris au piège, lui qui croyait abuser une ingénue.

Nini Patte-en-l'air
3105/6

Au nom du père et de la fille
3551/5

Un beau matin, Georges Vals aperçoit l'affiche d'un film érotique, sur laquelle s'étale le corps superbe et intégralement nu de sa fille. De quoi chambouler un honorable conseiller fiscal de soixante-trois ans ! Mais son entourage est loin de partager son indignation. Que ne ferait-on pas, à notre époque, pour être médiatisé ?

DUBOIS Jean-Paul

Les poissons me regardent
3340/3

Une année sous silence
3635/3

DUNKEL Elizabeth

Toutes les femmes aiment un poète russe
3463/7

DUROY Lionel

Priez pour nous
3138/4

EDMONDS Lucinda

En coulisse
3676/6 (Décembre 94)

ELLISON James

La fille du calendrier
3804/3

FOSSET Jean-Paul

Chemins d'errance
3067/3

Saba
3270/3

FOUCHET Lorraine

Jeanne, sans domicile fixe
2932/4

Taxi maraude
3173/4

FREEDMAN J.-F.

Par vent debout
3658/9

FRISON-ROCHE

Né à Paris en 1906, l'alpinisme et le journalisme le conduisent à une carrière d'écrivain. Aujourd'hui il partage son temps entre de grands reportages, les montagnes du Hoggar et Chamonix.

La peau de bison
715/3

La vallée sans hommes
775/3

Carnets sahariens
866/2

Premier de cordée
936/3

Le mont Blanc, ses aiguilles acérées, ses failles abruptes, son pur silence a toujours été la passion de Jean Servettaz. C'est aussi pour cela qu'il a décidé d'en écarter son fils. Mais lorsque la montagne vous tient, rien ne peut contrarier cette vocation.

La grande crevasse
951/3

Retour à la montagne
960/3

La piste oubliée
1054/3

La Montagne aux Écritures
1064/2

Le rendez-vous d'Essendilène
1078/3

Le rapt
1181/4

Djebel Amour
1225/4

En 1870, une jolie couturière, Aurélie Picard, épouse un prince de l'Islam. A la suite de Si Ahmed Tidjani, elle découvre, éblouie, la splendeur du Sahara. Décidée à conquérir son peuple, elle apprend l'arabe, porte le saroual et prend le nom de Lalla Yamina. Au pied du djebel Amour se dresse encore le palais de Kourdane où vécut cette pionnière.

La dernière migration
1243/4

Les montagnards de la nuit
1442/4

Frison-Roche, qui a lui-même appartenu aux maquis savoyards, nous raconte le quotidien de ces combattants de l'ombre.

L'esclave de Dieu
2236/6

Le versant du soleil
3480/9

Grands romans

GEDGE Pauline
La dame du Nil
2590/6
L'histoire d'Hatchepsout, qui devint reine d'Egypte à quinze ans. Les splendeurs de la civilisation pharaonique et un destin hors série.

GEORGY Guy
La folle avoine
3391/4
Le petit soldat de l'Empire
3696/4
L'oiseau sorcier
3805/4 (Décembre 94)

GOLDSMITH Olivia
La revanche des premières épouses
3502/7

GOLON Anne et Serge
Angélique
Marquise des Anges
2488/7
Lorsque son père, ruiné, la marie contre son gré à un riche seigneur toulousain, Angélique se révolte. Défiguré et boîteux, le comte de Peyrac jouit en outre d'une inquiétante réputation de sorcier. Derrière cet aspect repoussant, Angélique va pourtant découvrir que son mari est un être fascinant...
Le chemin de Versailles
2489/7
Angélique et le Roy
2490/7
Indomptable Angélique
2491/7
Angélique se révolte
2492/7
Angélique et son amour
2493/7
Angélique et le Nouveau Monde
2494/7
La tentation d'Angélique
2495/7
Angélique et la Démone
2496/7
Le complot des ombres
2497/5
Angélique à Québec
2498/5 & 2499/5
La route de l'espoir
2500/7
La victoire d'Angélique
2501/7

TERROIR

Romans et histoires vraies d'une France paysanne qui nous redonne le goût de nos racines.

CLANCIER G.-E.
Le pain noir
651/3

GEORGY Guy
La folle avoine
3391/4
Orphelin, Guy-Noël vit chez sa grand-mère, une vieille dame qui connaît tout le folklore et les légendes du pays sarladais. Dans ce merveilleux Périgord, où la forêt ressemble à une cathédrale, l'enfant s'épanouit comme la folle avoine.

JEURY Michel
Le vrai goût de la vie
2946/4
Le soir du vent fou
3394/5
Un soir de 1934, alors que souffle le vent fou, un feu de broussailles se propage rapidement et détruit la maison du maire. La toiture s'effondre sur un vieux domestique. Lolo avait si mauvaise réputation que les gendarmes ne cherchent pas plus loin...

LAUSSAC Colette
Le sorcier des truffes
3606/1

MASSE Ludovic
Les Grégoire
Histoire nostalgique et tendre d'une famille, entre Conflent et Vallespir, en Catalogne française, au début du siècle.
- Le livret de famille
3653/5
- Fumées de village
3787/5 (Novembre 94)

PONÇON Jean-Claude
Revenir à Malassise
3806/3 (Décembre 94)

SOUMY Jean-Guy
Les moissons délaissées
3720/6 (Juillet 94)
Mars 1860. Un jeune Limousin quitte son village natal pour aller travailler à Paris, dans les immenses chantiers ouverts par Haussmann. Chaque année, la pauvreté contraint les gens de la Creuse à délaisser les moissons... Histoire d'une famille et d'une région au siècle dernier.

VIGNER Alain
L'arcandier
3625/4

VIOLLIER Yves
Par un si long détour
3739/4 (Août 94)

Grands romans

GROULT Flora

Après des études à l'Ecole des arts décoratifs, elle devient journaliste et romancière. Elle écrit d'abord avec sa sœur Benoite, puis seule.

Maxime ou la déchirure
518/1
Un seul ennui, les jours raccourcissent
897/2
A quarante ans, Lison épouse Claude, diplomate à Helsinki. Elle va découvrir la Finlande et les trois enfants de son mari. Jusqu'au jour où elle se demande si elle n'a pas commis une erreur.
Ni tout à fait la même, ni tout à fait une autre
1174/3
Une vie n'est pas assez
1450/3
Mémoires de moi
1567/2
Le passé infini
1801/2
Le temps s'en va, madame...
2311/2
Belle ombre
2898/4
Le coup de la reine d'Espagne
3569/1

HARVEY Kathryn

Butterfly
3252/7 Inédit

HEBRARD Frédérique

Auteur de nombreux livres portés avec succès à l'écran ; son œuvre reçoit la consécration avec Le Harem, *Grand Prix du Roman de l'Académie française 1987.*

Un mari, c'est un mari
823/2
Chaque année la famille Marten se retrouve à Foncoude, une grande maison un peu délabrée mais pleine de charme, entourée de platanes et de vignes. Viennent aussi les cousins, les amis... Et Ludovique passe l'été à astiquer et à cuisiner. Jusqu'au jour où elle décide de faire une fugue.
La vie reprendra au printemps
1131/3
La chambre de Goethe
1398/3
Un visage
1505/2
La Citoyenne
2003/3
Le mois de septembre
2395/1
Le Harem
2456/3
La petite fille modèle
2602/3
La demoiselle d'Avignon
avec Louis Velle
2620/4
C'est une princesse, perdue au cœur de Paris, incognito, sans argent, à la recherche de l'homme qu'elle aime. Lui, c'est un diplomate. Il croit aimer une étudiante et ignore qu'elle porte une couronne. Une histoire d'amour pleine de charme, de rebondissements et de quiproquos.
Le mari de l'Ambassadeur
3099/5
Sixtine est ambassadeur. Pierre-Baptiste est chercheur à l'Institut Pasteur. Ils n'auraient jamais dû se rencontrer. L'aventure les réunit pourtant, au beau milieu d'une révolution en Amérique centrale. Et l'amour va les entraîner jusqu'au Kazakhstan, en passant par Beyrouth et le Vatican !
Félix, fils de Pauline
3531/2
Le Château des Oliviers
3677/7
Entre Rhône et Ventoux, au milieu des vignes, se dresse le Château d'Estelle, son paradis. Lorsqu'elle décide de le ramener à la vie, elle ne sait pas encore que son domaine est condamné. Aidée par l'amour des siens et surtout celui d'un homme, Estelle se battra jusqu'au bout pour préserver son univers.

HOFFMAN Alice

L'enfant du hasard
3465/4
La maison de Nora Silk
3611/5

HUBERT Jean-Loup

Le grand chemin
3425/3

HUMPHREYS Josephine

L'amour en trop
3788/5

JAGGER Brenda

Les chemins de Maison Haute
2818/9
A 17 ans, Virginia hérite de la fortune des Barthforth. Mais dans cette Angleterre victorienne, une femme peut-elle choisir son destin ? Contrainte d'épouser un homme qu'elle n'aime pas, Virginia se révolte.
La chambre bleue
2838/8

JEAN Raymond

La lectrice
2510/1

JEKEL Pamela

Bayou
3554/9
En 1786, les Doucet s'installent au bayou Lafourche, en Lousiane. Quatre femmes exceptionnelles vont traverser, en un siècle et demi, l'histoire de cette famille.

JULIET Charles

L'année de l'éveil
2866/3

KANE Carol

Une diva
3697/6

Grands romans

KAYE M.M.

Pavillons lointains
1307/4 &1308/4

Dans l'Inde coloniale, un officier britannique reçoit l'ordre d'accompagner dans le Rajputana le cortège nuptial des sœurs du maharadjah de Karidkote. Il est loin de s'imaginer que cette mission va décider de toute sa vie.

KENEALLY Thomas

La liste de Schindler
2316/6

Venu en Pologne avec l'armée nazie, l'industriel allemand Schindler a vite prospéré, en faisant fabriquer de la vaisselle émaillée : la main-d'œuvre est bon marché, à Cracovie, en 1943. Mais en faisant travailler des juifs, Schindler les sauve de l'extermination, car Auschwitz-Birkenau est à deux pas.

KOSINSKI Jerzy

L'oiseau bariolé
270/3

Au début de la guerre, un jeune garçon trouve refuge à la campagne. Mais dans ces pays d'Europe de l'Est où tous sont blonds aux yeux bleus, on persécute l'enfant aux cheveux noirs. Bohémien ou juif, il ne peut que porter malheur. Lui, du haut de ses dix ans, essaie de comprendre et de survivre.

KONSALIK Heinz G.

Amours sur le Don
497/5

La passion du Dr Bergh
578/4

Dr Erika Werner
610/3

Lorsque le célèbre Pr Bornholm rencontre Erika Werner, une jeune assistante en chirurgie, une passion folle les lie immédiatement. A tel point que, le jour où son amant commet une tragique erreur professionnelle, Erika s'accuse à sa place...

Mourir sous les palmes
655/4

Aimer sous les palmes
686/3

L'or du Zephyrus
817/2

Les damnés de la taïga
939/4

Une nuit de magie noire
1130/2

Le médecin de la tsarine
1185/2

Bataillons de femmes
1907/6

Coup de théâtre
2127/3

Clinique privée
2215/3

L'héritière
1653/2

La guérisseuse
2314/6

Conjuration amoureuse
2399/1

La jeune fille et le sorcier
2474/3

Le sacrifice des innocents
2897/3

La saison des dames
2999/4 Inédit

Le pavillon des rêves
3122/5 Inédit

La vallée sans soleil
3254/5 Inédit

La baie des perles noires
3413/5 Inédit

Un beau jour, Rudolph abandonne tout pour aller s'installer au bout du monde, sur un atoll du Pacifique Sud, en compagnie de la belle Tana'Olu.

LACAMP Ysabelle

Coréenne par sa mère, cévenole par son père, elle revendique sa double appartenance. Egalement comédienne et chanteuse, elle conjugue tous les talents.

La Fille du Ciel
2863/5

Dans la Chine décadente et raffinée du Xe siècle la trop belle Shu-Meï, fragile mais rebelle, a décidé de prendre en main son destin.

L'éléphant bleu
3209/5

Une jeune fille bien comme il faut
3513/3

L'histoire d'une jeune fille en apparence comblée par la vie, qui tombe amoureuse du meilleur ami de son père. Alors rien ne va plus. Sarah se ronge de culpabilité et devient anorexique. Peut-être parce qu'elle n'a pas d'autre moyen de se révolter ou de s'affirmer.

Ces 3 titres sont également disponibles en coffret
FJ 6013

LEFEVRE Françoise

Le petit prince cannibale
3083/3

Sylvestre, c'est un peu le Petit Prince. Il habite une autre planète, s'isole dans son monde, écoute le silence, officiellement catalogué comme autiste. Il dévore littéralement sa mère. Et elle, tout en essayant de le sortir de cette prison, tente de poursuivre son œuvre d'écrivain. Un livre tragique et superbe.

La première habitude
697/2

Grands romans

McCULLOUGH Colleen
Les oiseaux se cachent pour mourir
1021/4 & 1022/4
Lorsque les Cleary s'installent en Australie, sur un immense domaine où paissent des troupeaux innombrables, la petite Meggie sait déjà qu'un seul homme comptera pour elle. Beau comme un prince, intelligent et doux, Ralph est prêtre et donc rien n'est vraiment possible entre eux. Mais l'amour ne transgresse-t-il pas tous les interdits ?

Tim
1141/3
Un autre nom pour l'amour
1534/4
Un hôpital dans une île du Pacifique. Et là, le pavillon X, où sont regroupés les soldats que les horreurs de la guerre ont rendu fous. Infirmière, Honora s'occupe avec un dévouement admirable de ces hommes hantés par des images atroces. Jusqu'au jour où l'arrivée de Mike Wilson fait du pavillon X un enfer.

La passion du Dr Christian
2250/6
Les dames de Missalonghi
2558/3
L'amour et le pouvoir
3276/7 & 3277/7
La couronne d'herbe
3583/6 & 3584/6

McMURTRY Larry
Texasville
3321/8

MALLET-JORIS Françoise
Née à Anvers, fille d'un homme d'Etat belge et de l'écrivain Suzanne Lilar, elle fait partie de l'académie Goncourt.

Adriana Sposa
3062/5
Divine
3365/4
Jeanne est grosse et heureuse. Mais le jour où l'ascenseur tombe en panne, elle se rend compte que son poids est un handicap. Par défi, elle entame un régime. Et son corps mince devient quelque chose d'étranger. Jeanne a l'impression d'être rentrée dans le rang. Un roman truculent, plein d'humanité et d'intelligence.

MARIE-POSA
Eclipse
3189/3

MARKANDAYA Kamala
Le riz et la mousson
117/2

MARKHAM Beryl
Vers l'ouest avec la nuit
3753/5 (Septembre 94)

MICHAELS Fern
L'autre rive de l'amour
3768/7 (Octobre 94)

MICHAEL Judith
Une autre femme
3012/8
Une femme en colère
3300/6 & 3301/6
Farouche
3721/10 (Juillet 94)
Avocate, Anne a été dans son enfance victime d'un viol d'autant plus traumatisant que personne n'a voulu la croire. Lorsque le destin replace son persécuteur, devenu sénateur, sur son chemin, elle va pouvoir enfin se venger.

MILES Rosalind
Les promesses du péché
3485/7

DeMILLE Nelson
Le voisin
3722/9 (Juillet 94)

MILLER Sue
Portraits de famille
3656/7

MONNIER Thyde
Les Desmichels
- Grand-Cap
206/2
- Le pain des pauvres
210/4
- Nans le berger
218/4
Deux bébés naissent à deux mois d'intervalle sur le domaine de Guirande. Firmin, le fils de Laurent Michel est l'héritier du nom et de cette terre. Nans, l'enfant de la servante, gardera les moutons. Pourtant, le premier conçu, l'enfant de l'amour, c'est lui.
- La demoiselle
222/4
- Travaux
231/4
- Le figuier stérile
237/4

MONSIGNY Jacqueline
Michigan Mélodie
(Un mariage à la carte)
1289/2
Quelque part, sur une route du Middle West, un camion bringuebalant s'arrête pour prendre une ravissante autostoppeuse. Bo, le conducteur est américain, barbu et bâti en athlète. Très vite, il trouve que cette jeune Française est exaspérante. Mais Audrey a décidé de l'épouser...

Le roi sans couronne
2332/6
Gulf Stream
3280/6

MORAVIA Alberto
La belle Romaine
1712/5

MORRIS Edita
Les fleurs d'Hiroshima
141/1

2493

Achevé d'imprimer en Europe (France)
par Brodard et Taupin à La Flèche (Sarthe)
le 23 décembre 1994. 6845K-5
Dépôt légal déc. 1994. ISBN 2-277-22493-6
1er dépôt légal dans la collection : nov. 1976
Éditions J'ai lu
27, rue Cassette, 75006 Paris
Diffusion France et étranger : Flammarion